編集復刻版 戦後改革期文部省実験学校資料集成
第3回配本（第7巻〜第9巻）

2016年5月15日　第1刷発行

揃定価（本体75、000円＋税）

編・解題者　水原克敏
発行者　細田哲史
発行所　不二出版
東京都文京区向丘1-2-12
TEL 03（3812）4433
印刷所　富士リプロ
製本所　青木製本

乱丁・落丁はお取り替えいたします。

第9巻　ISBN978-4-8350-7814-4
第3回配本（全3冊 分売不可 セットISBN978-4-8350-7811-3）

編集復刻版

# 戦後改革期文部省実験学校資料集成 第Ⅱ期 第1巻

水原克敏 編・解題

不二出版

〈復刻にあたって〉

一、原本自体の破損・不良によって、印字が不鮮明あるいは判読不能な箇所があります。

一、資料の中には人権の視点から見て不適切な語句・表現・論もありますが、歴史的資料の復刻という性質上、そのまま収録しました。

一、解題（水原克敏）は第1巻巻頭に収録しました。

（不二出版）

## ◎収録一覧

| 巻 | | 資料名 | 出版社 | 発行年月日 |
|---|---|---|---|---|
| | | 〈初等教育研究資料〉 | | |
| 第1巻 | 1 | 第１集　児童生徒の漢字を書く能力とその基準 | 明治図書出版 | 1952(昭和27)年５月10日 |
| | 2 | 第２集　算数　実験学校の研究報告(１) | 明治図書出版 | 1952(昭和27)年６月５日 |
| | 3 | 第３集　算数　実験学校の研究報告(２) | 明治図書出版 | 1953(昭和28)年１月20日 |
| | 4 | 第４集　算数　実験学校の研究報告(３) | 明治図書出版 | 1953(昭和28)年３月５日 |
| | 5 | 第５集　音楽科　実験学校の研究報告(１) | 音楽之友社 | 1953(昭和28)年５月10日 |
| 第2巻 | 6 | 第６集　児童生徒のかなの読み書き能力 | 明治図書出版 | 1954(昭和29)年５月１日 |
| | 7 | 第７集　児童の計算力と誤答 | 博文堂出版 | 1954(昭和29)年３月25日 |
| | 8 | 第８集　算数　実験学校の研究報告(４) | 明治図書出版 | 1954(昭和29)年６月１日 |
| | 9 | 第９集　算数　実験学校の研究報告(５) | 明治図書出版 | 1955(昭和30)年６月５日 |
| 第3巻 | 10 | 第10集　算数　実験学校の研究報告(６) | 明治図書出版 | 1955(昭和30)年10月５日 |
| | 11 | 第11集　国語　実験学校の研究報告(１) | 明治図書出版 | 1956(昭和31)年２月10日 |
| | 12 | 第12集　読解のつまずきとその指導(１) | 博文堂出版 | 1956(昭和31)年２月22日 |
| | 13 | 第13集　教育課程　実験学校の研究報告 | 明治図書出版 | 1956(昭和31)年９月５日 |
| 第4巻 | 14 | 第14集　頭声発声指導の研究―音楽科実験学校の研究報告(２) | 教育出版 | 1956(昭和31)年７月20日 |
| | 15 | 第15集　算数　実験学校の研究報告(７) | 明治図書出版 | 1956(昭和31)年９月５日 |
| | 16 | 第16集　小学校社会科における単元の展開と評価の研究―実験学校の研究報告 | 光風出版 | 1956(昭和31)年12月10日 |
| | 17 | 第17集　国語　実験学校の研究報告(２) | 明治図書出版 | 1957(昭和32)年６月10日 |
| | 18 | 第18集　読解のつまずきとその指導(２) | 明治図書出版 | 1956(昭和31)年11月15日 |
| 第5巻 | 19 | 第19集　漢字の学習指導に関する研究 | 明治図書出版 | 1957(昭和32)年６月15日 |
| | 20 | 第20集　国語　実験学校の研究報告(３) | 明治図書出版 | 1958(昭和33)年９月 |
| | 21 | 第21集　色彩学習の範囲と系統の研究―図画工作実験学校の研究報告(１) | 博文堂出版 | 1958(昭和33)年９月５日 |
| | 22 | 第22集　家庭科　実験学校の研究報告(１) | 学習研究社 | 1959(昭和34)年11月15日 |
| 第6巻 | 23 | 第23集　小学校　特別教育活動の効果的な運営―実験学校の研究報告 | 光風出版 | 1960(昭和35)年５月15日 |
| | 24 | 第24集　小学校ローマ字指導資料 | 教育出版 | 1960(昭和35)年７月15日 |
| | 25 | 第25集　構成学習における指導内容の範囲と系列―図画工作実験学校の研究報告 | 東洋館出版社 | 1961(昭和36)年８月30日 |
| | | 〈文部省初等教育実験学校研究発表要項〉 | | |
| | 26 | 昭和28年度　(文部省初等中等教育局初等教育課) | | 1954(昭和29)年５月 |
| | 27 | 昭和29年度　(文部省初等中等教育局初等教育課) | | 1955(昭和30)年５月 |

# 〈第1巻　目次〉

解題（水原克敏）……i

資料番号―資料名◆編・著◆発行所◆発行年月日……復刻版頁

**〈初等教育研究資料〉**

1―第1集　児童生徒の漢字を書く能力とその基準◆文部省◆明治図書出版◆一九五二・五・一〇……-1-

2―第2集　算数　実験学校の研究報告（1）◆文部省◆明治図書出版◆一九五二・六・五……-173-

3―第3集　算数　実験学校の研究報告（2）◆文部省◆明治図書出版◆一九五三・一・二〇……-217-

4―第4集　算数　実験学校の研究報告（3）◆文部省◆明治図書出版◆一九五三・三・五……-273-

5―第5集　音楽科　実験学校の研究報告（1）◆文部省◆音楽之友社◆一九五三・五・一〇……-369-

編集復刻版

水原克敏 編・解題

# 戦後改革期文部省実験学校資料集成

第9巻

不二出版

〈復刻にあたって〉

一、原本自体の破損・不良によって、印字が不鮮明あるいは判読不能な箇所があります。
一、資料は、原本を適宜拡大し、二面付け方式で収録しました。
一、資料の中には人権の視点から見て不適切な語句・表現・論もありますが、歴史的資料の復刻という性質上、そのまま収録しました。
一、解題（水原克敏）は第1巻巻頭に収録しました。

（不二出版）

〈第9巻　目次〉

資料番号―資料名◆作成・編・発行◆出版社◆発行年月日……復刻版頁


〈Ⅱ　文部省実験学校の報告・教育実践（一九四七～一九五一年）〉

(7)奈良女子高等範学校附属小学校・附属中学校高等学校

33―奈良プラン　ホームルーム◆奈良女子高等師範学校附属中学校高等学校教育研究会◆東洋図書◆一九四九・一〇・一〇……-1-

34―正しいしつけ◆奈良女子大学奈良女高師附属小学校学習研究会◆秀英出版◆一九五〇・一〇・二〇……-167-

35―中学標準 教育課程◆奈良女子高等師範学校附属中学校教育研究会◆東洋図書◆一九五〇・一一・一五……-319-

# ◎収録一覧

| 巻 | | 資料名 | 出版社 | 発行年月日 |
|---|---|---|---|---|
| 〈Ⅰ〉文部省の動向 | | | | |
| 第1巻 | 1 | 生活カリキュラム構成の方法 | 六三書院 | 1949(昭和24)年8月15日 |
| | 2 | 新教育用語辞典 | 国民図書刊行会 | 1949(昭和24)年6月20日 |
| | 3 | 昭和二十四年度実験学校における研究事項 | | 1949(昭和24)年 |
| | 4 | 学習指導要領編修会議・教育課程審議会・初等中等分科審議会記録等 | | 1949(昭和24)～1950(昭和25)年 |
| | 5 | 昭和二四年七月調査報告二　学習指導要領に対する小学校教師の意見(一般編) | | 1949(昭和24)年7月 |
| | 6 | 昭和二四年八月調査報告五　学習指導要領に対する中学校教師の意見の調査(一般編) | | 1949(昭和24)年8月 |
| 〈Ⅱ〉文部省実験学校の報告・教育実践(1947~1951年) | | | | |
| 第2巻 | | (1)東京高等師範学校附属小学校(東京教育大学附属小学校) | | |
| | 7 | コーア・カリキュラムの研究　研究紀要(一) | 柏書院 | 1949(昭和24)年2月25日 |
| | 8 | 教科カリキュラムの研究(上巻)　研究紀要(二) | 教育科学社 | 1949(昭和24)年11月20日 |
| | 9 | 教科カリキュラムの研究(下巻)　研究紀要(二) | 教育科学社 | 1949(昭和24)年11月20日 |
| | 10 | 広域カリキュラムの研究(上巻)　研究紀要(三) | 教育科学社 | 1949(昭和24)年11月20日 |
| 第3巻 | 11 | 広域カリキュラムの研究(下巻)　研究紀要(三) | 教育科学社 | 1949(昭和24)年11月20日 |
| | 12 | コーア・カリキュラムの研究　研究紀要(四) | 教育科学社 | 1949(昭和24)年11月20日 |
| | 13 | 学習目標分析表――カリキュラム構成の基底・能力評価の基準　研究紀要(五) | 教育科学社 | 1949(昭和24)年11月20日 |
| | 14 | 学習指導目標分析表・生活能力分析表(試案)　研究紀要第六集 | 不昧堂書店 | 1951(昭和26)年11月7日 |
| 第4巻 | | (2)東京学芸大学第一師範学校附属小学校 | | |
| | 15 | カリキュラムの構成と実際　カリキュラムの実験シリーズⅠ | 学芸図書 | 1949(昭和24)年12月1日 |
| | 16 | 学習環境の構成と実際　カリキュラムの実験シリーズⅡ | 学芸図書 | 1949(昭和24)年12月1日 |
| | 17 | 低学年カリキュラムの実際　カリキュラムの実験シリーズⅢ | 学芸図書 | 1949(昭和24)年12月1日 |
| | 18 | 中学年カリキュラムの実際　カリキュラムの実験シリーズⅣ | 学芸図書 | 1949(昭和24)年12月1日 |
| 第5巻 | 19 | 高学年カリキュラムの実際　カリキュラムの実験シリーズⅤ | 学芸図書 | 1949(昭和24)年12月1日 |
| | 20 | 評価と新学籍簿 | 宮島書店 | 1949(昭和24)年5月20日 |
| | | (3)東京学芸大学第二師範学校附属小学校 | | |
| | 21 | 小学校のガイダンス | 明治図書 | 1950(昭和25)年2月15日 |
| | 22 | 小学校社会科における地理及び歴史的学習　文部省実験学校研究報告 | 東洋館出版社 | 1951(昭和26)年6月20日 |
| 第6巻 | | (4)東京学芸大学第三師範学校附属小学校・附属中学校 | | |
| | 23 | 小学校カリキュラムの構成 | 同学社 | 1949(昭和24)年7月25日 |
| | 24 | 中学校カリキュラムの構成 | 同学社 | 1949(昭和24)年6月10日 |
| 第7巻 | | (5)千葉師範学校男子部附属小学校 | | |
| | 25 | 単元学習各科指導計画　小学一・二学年(文部省実験学校研究報告　第一集) | 小学館 | 1947(昭和22)年6月20日 |
| | 26 | 単元学習各科指導計画　小学三・四学年(文部省実験学校研究報告　第二集) | 小学館 | 1947(昭和22)年6月20日 |
| | 27 | 単元学習各科指導計画　小学五・六学年(文部省実験学校研究報告　第三集) | 小学館 | 1947(昭和22)年6月20日 |
| | 28 | 単元学習各科指導計画　中学一学年(文部省実験学校研究報告　第四集) | 小学館 | 1947(昭和22)年6月20日 |
| | | (6)長野師範学校女子部附属小学校・男子部附属小中学校 | | |
| | 29 | コア・カリキュラムによる指導の実践記録　小学一年 | 蓼科書房 | 1949(昭和24)年7月5日 |
| | 30 | 理科カリキュラム | | 1949(昭和24)年9月10日 |
| 第8巻 | 31 | 学習指導の手引　昭和二十五年度 | | 1950(昭和25)年7月25日 |
| | | (7)奈良女子高等師範学校附属小学校・附属中学校高等学校 | | |
| | 32 | たしかな教育の方法 | 秀英出版 | 1949(昭和24)年5月10日 |
| 第9巻 | 33 | 奈良プラン　ホームルーム | 東洋図書 | 1949(昭和24)年10月10日 |
| | 34 | 正しいしつけ | 秀英出版 | 1950(昭和25)年10月20日 |
| | 35 | 中学標準教育課程 | 東洋図書 | 1950(昭和25)年11月15日 |

※資料3～6は翻刻で収録

# 奈良プラン ホームルーム

奈良女高師附属中学校高等学校教育研究会著

東京・東洋圖書・大阪
發行



## まえがき

「教育という仕事は極めて地味なものであり、その効果は百年の後でないと功罪を問うことはできない。」という言葉をよく聞くことがある。この言葉にはある眞理がある。

人間を教育するということは速効的にできるものではない。奇をてらつてはならない。あせつてもならない。じつくりと生徒の中に腰を落ちつけて、双葉から芽生えていく子供の成長を刻明に見守つていかなければならない。教育という仕事は、この子供の成長の姿をいとおしんでやることだといつたらあまりにも自明なことであるだけに輕く見過ごされてしまうおそれはないだろうか。

しかし、教育の功罪は百年の後に期待するとしても、われわれが生徒の中に根を下し、生徒の成長を見守つていくならば、昨日から今日に、今日から明日に、刻々成長していく生徒の姿が健全なものであるか否かは明らかである。それがいつも、ひるがえつて教師の教育技術の反省となり、改善となつていくのでなければならない。カリキユラムの問題にしても、あるいはガイダンスの問題にしても、このような教育の第一義底の上に組み上げられたものでなければ、眞實に根をもつたものとは言い得ず、やがて枯渇するにちがいない。今日の我が國の教育の革新は實に目ざましいものがあるが、この新教育が單に外形的な變革にとどまらないで、内容上の根本的變革として、教育の變らざる眞實性に根ざしたものでなくてはならない。

本書は、私たち同人の貧弱な研究の一端であり、貧しい體驗の記錄ではあるが、私たちにとつては「ホームルーム」の組織を通して、いかに生徒の中に入りこみ、正しい指導をしていくかということの苦闘の記錄でもある。

教科擔任制を主とする中學校・高等學校において、ガイダンスの基礎單位としての「ホームルーム」の運營と指導がいかに切要なものであるかは言うまでもないことである。その重要性に着目して、私たちは本腰を入れてこの問題ととり組んできた。未だ十分なる成果をあげ得たとも信じないし、今後の研究にまつ所が多いが、一應まとめて公にし、私たちの研究の一里塚とし、併せて大方諸賢の御示教を御願いする次第である。

昭和二十四年九月

著　者



# 目　次


第一章　ガイダンスの理論と實際……一

一、教育の全體計畫……一

カリキュラムとガイダンス—學習指導とガイダンス—私たちの學校における教育の全體計畫

二、ガイダンスの基礎原理……七

ガイダンスの場としての學校—ガイダンスの過程—具體的資料の蒐集—資料の記錄整理—中學校・高等學校生徒の一般的特性—個人と境遇や環境との相互作用

三、本校ガイダンスの組織と運營……二六
—特別教育活動—

ガイダンスの目標—ガイダンスの組織—生徒會の組織と運營—クラブ活動

第二章　ホームルーム　ガイダンス……四六

一、ホームルームの意義と必要性……四六

ガイダンスの基礎單位としてのホームルーム—ホームルームの機能と目的

二、ホームルームの構成と組織……五三
ホームルームの構成—ホームルームの役員組織—ホームルーム擔任—ホームルームの時間
三、ホームルームに於ける健康指導……七一
健康指導の目的—健康教育とホームルーム—ホームルームに於ける健康指導—健康教育の内容
四、ホームルームに於ける教育指導……八六
オリエンテーション—在學中に於ける教育指導—卒業後の研究指導
五、ホームルームに於ける人格指導……九五
人格指導の領域—新しき訓育の立場—ホームルームに於ける社會性及び指導者性の指導—個性及び道德性の指導—困難とその調整
六、ホームルームに於ける趣味指導……一〇六
ホームルームに於ける趣味指導の必要性—レクリエーションの概念—ホームルームに於ける趣味指導の在り方—趣味活動の概觀
七、ホームルームに於ける讀書指導……一一九
ホームルーム文庫—中學校のホームルーム文庫の指導—高等學校のホームルーム文庫の指導
八、ホームルームに於ける職業指導……一三五
職業觀の確立—職業概觀の把握とその視野の擴大—個人の職業選擇範圍の縮小局限—特定の職業の調査研究—職業指導と職業敎育の組織化—生徒の就職斡旋



## 第三章　ホームルーム活動の實際

第三章　ホームルーム活動の實際……一四八
一、ホームルーム・プログラム……一四八
ホームルームの學校計畫—ホームルームに於ける年次計畫—實施と効果の判定
二、中學一年の實施記錄—新入生週間……一五七
一ケ年の計畫表—新入生週間
三、中學二年の實施記錄—餘暇の利用……一九四
このホームルームの特色と本年度の努力點—餘暇の利用
四、中學三年の實施記錄—進學の指導……二三四
一ケ年の計畫—進學の指導—家庭調査

五、高校一年の實施記錄—教科選擇の指導……二六九
一ケ年の計畫表—教科選擇の指導—高校入學と教科の選擇
六、高校二年の實施記錄—男女の交際……二八六
本學年の特質及び指導の眼目—指導計畫—男女交際についての指導
七、高校三年の實施記錄—職業指導……三一五
一ケ年の計畫表—職業選擇の指導

—終—



# 第一章　ガイダンスの理論と實際

## 一、教育の全體計畫

**(一)カリキュラムとガイダンス**　教育の二つの面として、カリキュラムとガイダンスに區別して考えられる。この兩者の關係は一體どのようなものであろうか。その關係を考察することによつて、教育の正しいあり方をより明らかにすることはできないであろうか。

教育の二つの側面として、大雜ぱに分けていえば、カリキュラムとは生徒をいかに教育するかという教育計畫をいい、ガイダンスとは教育活動のあり方を若干原理的に内含したことばとして、教育活動そのものを指している。學校教育が具案的なものである以上、計畫なき指導(ガイダンス)は考えられないと共に、指導を豫想しない計畫もおよそ無意味である。このように廣義に解するならば、カリキュラムは即ち、ガイダンスのカリキュラムであり、ガイダンスは即ちカリキュラムのガイダンスであつて、ガイダンス即教育活動そのものである。デューイーは教育の機能の中で最も根本的なものとして、指示と統御と指導とをあげており、指導とは生徒の成長の可能性を助長することであるといつている。われわれの教育が生徒の成長を助長することを基盤とするならば、教育において、指導の機

能が中心となり、その根拠をなすものでなければならない。

次にカリキユラムの變遷の方向からこの問題を考察してみよう。もとよりここではカリキユラムの變遷をのべるのが主ではなくして、教育全體におけるガイダンスの地位を明瞭にすることが主であるから、ほんの概觀にとどまることをことわつておかねばならない。

カリキユラムの性格や類型は、教育目標や學習經驗、教材などに對する態度によつていろいろ分けられるものであるから、百種百樣であるが、代表的な性格をもつたものとして次の三つをあげることができる。そしてこれがカリキユラムの發展の順序をなしている。

(1) 論理主義の上に立つ教科目中心のカリキユラム＝このカリキユラムの時代においては、教師や教科書が教育の主體的地位にあり、生徒が教育上、輕視される傾向にあつた。そこでは生徒の興味や自發的活動や經驗や成長力が無視され、教師から生徒への一方的な統制が教育の主流をなしていた。そして教育の方法も詰込や記憶を主體とする教授や、生徒の興味や自發活動からは全く離れて、外形的に統制しようとする訓育の仕方が行われた。

(2) カリキユラムの出發點を生徒に求めようとする生徒中心のカリキユラム＝このカリキユラムは教科中心のカリキユラムの反動として起つたものであり、生徒の自發活動の主要な條件としての興味を重んじ、興味の持續こそ望ましい學習活動であるとする。それ故、教育の方法においては外部からただ詰込んだだけでは、とうてい生徒の成長發展を期待することはできないとし、そのために生徒の興



味をあまりに尊重し、生徒の偶然的なものに學習が支配されるような危險があつた。そのため、極端には生徒の興味にまかせた、指導なき教育に墮する危險性があつた。

(3) この兩者を止揚した所に立場をおく生活中心のカリキユラム＝このカリキユラムにおいては、單なる生徒の興味から出發するのでもなく、また學問の論理的體系からカリキユラムを構成するのでもなくて、教育の目標の中に社會の要求を大きく掲げて、生徒が學校の指導下において得られる教育的な經驗を組織づけたものがカリキユラムであるとされる。

かくの如くカリキユラムの發展變遷のあとをたどつてみると、指導という機能が重大なものとして教育の上に浮び上つてきたのは、生徒中心のカリキユラムの時期であつたと言い得るであろうが、われわれが注意しなければならないのは、單なる生徒の興味にのみ立脚した立場からは、教育の目標は立てられないということである。指導の可能性と必要性は、人間は先天的に成長の可能性を持つているということと、人間は成長の過程においてはすべて助力を必要とするという事柄にあるが、他面人間はまた社會の中に生活しているという事實が指導の目標に關係する。民主的社會のよりよき形成者としての共通的な資質の啓培ということも忘れられてはならない重要な點である。

またこれに伴い、教科目中心のカリキユラムの時期においては、教育の領域を教授と訓練と呼んでいたものが、生徒中心のカリキユラム以後においてはすべて指導と呼ばれる。さきに教育即ガイダンスであるといつた意味や、ガイダンスということばは「教育活動のあり方を原理的に內含した」ものの

であるといつた所以がここにある。しかしガイダンスということばはこのように廣義に使用されないでもつと限定した意味に使用されるのが普通である。かつて、教育の領域を教授と訓練とに分けた如く、ここでは學習指導とガイダンスとに分けられる。そして狹義には學習指導の計畫をカリキュラムという。もちろん、學習指導が教授と、ガイダンスが訓練と相合うわけではなく、それぞれ異つた領域をもつている。

## (二) 學習指導とガイダンス

さきにわれわれは教育即指導とし、教育の二つの領域として、學習指導とガイダンスと分けて考察してきた。これによれば、ガイダンスというは學習指導と區別され、そこにもれている「生活」を直接問題とする生活指導であるということができる。しかし、ここにも問題がある。

カリキュラムが教科目中心のカリキュラムから、生活中心のカリキュラムに移り、生活中心の立場に立てば、學習指導はすべて生活指導ならざるはなく、ここにいう生活指導もすべて學習指導の中に含まれるという考え方がある。學習が單に教室の中のみに局限されず、あらゆる場所において行われるようになつた今日、生活指導は學習指導と區別することができず、その必要がないかのように思われる。むろん、理論的に一應そういつた考え方も成立するし、また實際の場合においても、小學校の低學年の教育などにおいては兩者は著しく重なり、學習指導の外に別に生活指導を立てる必要は認められない。しかし、小學校の高學年から、中學校・高等學校に進むにしたがつて、この兩者はそのよ



うに簡單に合致するものでないことを認めざるを得ないであろう。學習指導と區別される生活指導あるいはガイダンスとは一體、教育の上にどのような領域を占めるものであろうか。

ガイダンスという言葉を端的に定義づけることは困難であつて、種々の說がある。先に述べたように、教育即ガイダンスと見る最も廣義なもの、職業指導と道德指導の領域に限定するもの、職業過程のみを指すもの、性格の陶冶をいうものなどあつて、定まらない。アメリカにおける一つの定義を手がかりとして、この問題を展開していつてみたい。

「ガイダンスは各個人が、自分の能力や興味を理解し、それらをできるだけ發達させ、それらを生活目標に結びつけ、最後には民主的社會秩序の下におけるのぞましき市民として、完全な自己指導のできる狀態に到達し得るようにさせることである。」

ガイダンスは生徒各個人が完全な自己指導のできる狀態を究極の目標とする。換言すれば、各自において、自分の生活活動のあり方を考え、設計し、それを達成していくことのできる狀態に到達するよう助力することである。ここから學習指導との關連を考えて見ると、第一にガイダンスはあくまでも個人的な生活を問題とし、個人の主體的な問題解決の助力に關わるということである。われわれの生活は問題の連續であり、それの解決の道程であるといわれる。それ故、學習の場合にも、單元學習、問題法、構案法などといわれるような學習指導の方法が生れてきたのであるが、この場合の問題は一般的、客觀的な問題であつて、個人が選擇や適應に直接迫まられている、危機的な場合における問題

ではない。これに對して、ガイダンスは「各個人が學校、職業、餘暇などの生活に起つてくる危機的な場面に關連して、賢明な選擇、適應、順應を行うよう援助することである。」たとえホームルームなどで行われるガイダンスが方法的には集團的に行われるとしても、究極には個人的な指導でなければ、眞實の意味におけるガイダンスとは言うことができない。

第二に、ガイダンスが各個人の主體的な問題にかかわる故に、そしてまた生活が全一的なものである限り、全一的に行われねばならない。學習の場合においては、學習内容が複雜になるに従い、個人の問題にとつては直接かかわらない場合が多い。そしてまた、學習内容の複雜化にともない、澤山の教師が關係し、個人をその置かれている、興味、能力、環境などあらゆる場を全一的に取上げて指導することが困難となる。從つて、學習指導の外に、こうした生活指導の場を意識的に區別する必要がある。

## (三) 私たちの學校における教育の全體計畫

私たちの學校においては、このような觀點から、學習指導のほかに生活指導の場をもつ必要を感じ、大よそ次の如き概觀の下に教育を實施している。

**第一表**

教育即指導
- カリキュラム……………學習指導
  - 總合單元による學習
  - 基礎的な技能や情操の陶治
- スペシアル・カリキュラ…ガイダンス
  - ホームルーム
  - クラブ活動
  - アツセンブリー
  - 生徒會活動
- 累加記錄→指導



こうした全體計畫を横斷面として示すと、次の如くなる。

**第二表**

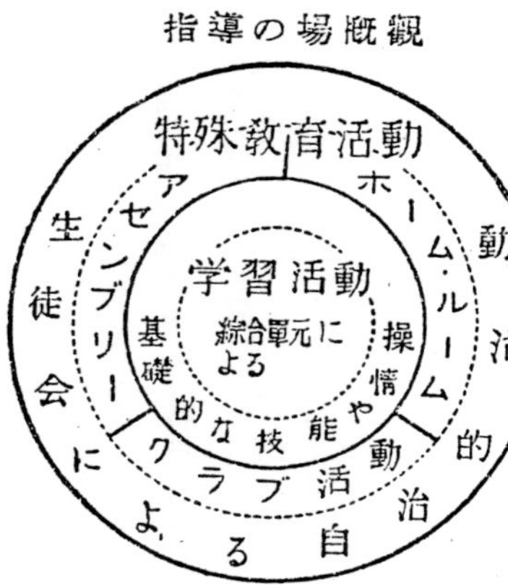
指導の場概観
特殊教育活動
ホーム・ルーム
アセンブリー
生徒会による自治的活動
クラブ
学習活動
綜合單元による
基礎的な技能や情操

もとより學校教育において中核を形成するものは、學習活動であり、それに協力する如く特別教育活動が組織づけられる。學習活動をより効果あらしめる爲には、コ・カリキュラムとしての特別教育活動の學校教育における意義は重大なものがある。ある意味よりすれば、學習活動によつてかく得された知識・技能・能力が、ホームルームにおける個別指導により、個性に應じたクラブ活動を通じ、全校的な教育社會の一員として活動するアツセンブリーや生徒會活動を媒介として、個人の立場に即したものとして實にすることができる。換言すれば、特別教育活動のたしかな組織運營の上に立つてはじめて、學習指導の効果を十分に擧げることができる。

# 二、ガイダンスの基礎原理

## (一) ガイダンスの場としての學校

ガイダンスの効果をあげるための最大の條件は、生徒の接するすべての教師、先輩、父兄、友だち同志が組織ある同一の歩調で進むことであろう。歩調がととのわない狀態にあるときには、お互いの教育的効果を減殺しあうばかりではなく、生徒を心理的に不安な狀態におくこととなる。ある生徒が學習時間に便所へ立つていつた。A先生の時には別に何のとがめを受けなかつたので、B先生の時間にもそのつもりで立つていつた所が、豫期に反して大へんお叱言をいただいた。こうした場合に生徒が置かれたと假定しよう。こうした事柄は事件としてはとるに足らない些細なことであつて、敎師は心付かないで過ごしてしまう場合が多いであろうが、こうした些細な事實が生徒達に解きがたい問題を提起する。生徒たちの現實の生活を注意深く考察すると、この種の問題が案外多く、時には重大な結果を招來していることに驚かないだろうか。このことはただに躾敎育の問題、訓育上の問題のみにとどまらず、ガイダンスの他のいろいろの面においても言い得る。

學校自體がガイダンスの場として正しく整えられねばならない。そしてなごやかな雰圍氣の中に生徒たちが安定した位置を占めることができるよう配慮されねばならない。そのためには次の五つの面を調整する必要がある。

(1) 事務職員や校務員までを含めたすべての敎職員の間に、お互いに意志の疏通しあつた、なごやかな家庭的な雰圍氣が釀成されていること。

(2) 敎職員と生徒との間柄が愛情によつて結合され、深い接觸が保たれねばならないこと。また學校はそうした接觸の機會を十分用意しなければならない。

(3) 生徒たちお互いの間に尊敬と信愛の情が流れていなければならない。殊に上級生と下級生と協同



し得る體制をととのえ、校風をととのえる必要がある。

(4) 敎師と生徒たちの兩親が密接に連絡し合い、生徒たちを媒介として、家庭と學校とのきん密な接觸が行われなければならない。

(5) 學校と學校の所在する地域社會とが同調し、協力し合い、地域社會は學校を自分たちの自己改善の機能として認め、學校は地域社會を協力者と認めあうようにならねばならない。

このようなガイダンスの場として、學校自體が整えられるためには、いろいろ積極的な方法が構ぜられねばならぬであろう。即ち、一、敎職員が相互にあらゆる面において接觸する工夫が必要であり、例えば共に飮食する、音樂を樂しむ、劇やスポーツなどを一しよにするなどいろいろの方法があろう。二、ホームルームの制度を活用し、積極的に生徒の中に入りこんでいく。三、クラブ活動、アッセンブリー、淸掃奉仕の時間が生徒相互の親愛の情をもたらす時間となる。四、P・T・Aの新しい運營などにこうした工夫の餘地があるであろう。

ここではこの問題について詳論することはできないが、正しい學校生活の關係が保持され、そこに和やかな雰圍氣が流れているのでなければ、いかなるガイダンスの方策もその効果をあげ得ないということに注意しなければならない。學校がととのうことだけではもちろんガイダンス(訓育)が十分に行われたとはいえないが、ガイダンスの出來得る十分なる基礎ができたことにはなるであろう。

## (二) ガイダンスの過程

學習指導において、生徒の興味の所在を知り、生徒の現實の能力や實態

を把握することが、最初になすべき過程と考えられているように、ガイダンスにおいても、個々の生徒がどのような状態にあるかを見究めねばならない。この現實實態を把握しなくてはガイダンスはその着手の所を見失つてしまうであろう。それ故ガイダンスの先ず第一の段階は生徒がいまどのような狀態において生活活動を營みつつあるか、ということを正しく認識する仕事である。第二の段階は把握された現實の解釋である。即ち、生徒の營みつつある現實生活が一たいどのような原因によつて生じてきたのであるかということの究明である。このためには一般的と特殊的と二つの方向から考えなければならない。一般的とは青年心理の一般的特性をよく理解するということであり、特殊的とは個々の生徒の生活環境とそれへの適應作用という面である。第三の段階においては、このようにして把握された現實と現實に對する解釋から、この生徒をどのように指導するかという方策が立てられねばならない。この方策は現實の解釋より發するものではあるが、ただそれのみでは如何にあるべきかという目標は設定されない。この段階においては、單なる心理學的、分析的方法にとどまらず、倫理的あるいは價値的な理想的人間像への志向が問題にされねばならない。もとよりそれは現實からかけ離れたものではなくて、生徒の現實に立脚した理想性ではあろうが。

以上は、一般的なガイダンスにおける過程をのべたのであるが、これを生徒の病的な場合、例えばいわゆる問題の生徒の指導などの場合においては、この三つの段階は丁度醫師の「病狀の把握」「診斷」「治療」に類するものであろうか。



## （三）具體的資料の蒐集

ガイダンスの第一段階が生徒個々の生活活動の現實態を把握することであり、それをもととして行われなければならないとすれば、われわれは直接ガイダンスの對象をなしている生徒の具體的現實について、いろいろの角度から資料の蒐集が試みられねばならない。これには大きく二つの類に分けられる。

(1)生徒の生まのままの生活現實を直接あるいは間接の方法によつて觀察する。これには生徒の行動・表情・態度などを觀察し記録していく直接觀察の方法と、生徒の手によつて書かれた作文、生活記録、日記、自叙傳といつた樣なものを分析し調査する方法である。この方法の長所と思われるところは生徒の生活現實を全體として生きたままとらえることができるということであるが、他面、これだけでは生徒のおかれてある條件をすべてにわたつて網羅することはできず觀察の方向が偏つたものとなることは免れ得ず、從つて生徒の問題への對應處置を正しく決定することは不可能であろう。

(2)生徒をある定まつた條件下において、その反應を觀察する。これにはテストによつて行われる方法、質問紙によつて行われる方法、面接による方法などを數えることができるであろう。

このほか、生徒に直接接している教師、兩親、家族、友だちなどからいろ〳〵有益な資料を得ることができるであろう。

このような具體的資料を蒐集するに當つて、われわれの注意しなければならない事柄は、資料が一面的なものであつたり、偏頗なものであつては、そこから引出される結論が誤つたものとなるおそれがあることである。またいわゆる問題の生徒のみに限定せずして、すべての生徒について同様な配慮が行われねばならない。次に私たちの學校で行っている二、三の例を記してみよう。

**川邊眞知子(文)＝中學二年生**

**1、自叙傳**「私は岡山市の町はずれに四月十一日に生まれた。その家は、右の方へ行くと廣々とした畠、左の方へ行くとにぎやかな驛前の大通りに出る。のんびりした二階建の家で、丁度今頃の季節になると赤、白、赤白のぶちの大きなつつじの花が一ぱいに咲いていた。私はその花でままごとをして遊んだり、首飾りを作って遊んだりした。今でもなつかしい思い出としてその頃のことをはつきりと思い起すことができる。

こんな平和な樂しい日日を六つの年までこの家で過ごしたが、六つの年の一月に父の轉任で熊本市へ行くこととなり、五年間住みなれた岡山の思い出多き家を後にした。私はまだ小さかつたので、淋しいとも悲しいとも思わず、見 — 12 —
知らぬ土地への好奇心で一ぱいであつた。また船に乗るということが一層私を有頂天にさせてしまつたのである。

汽車にゆられ、船にゆられてやつと熊本驛についたのは翌日の夕方であつた。驛前の廣い國道の兩側に葉の落ちてしまつたプラタナスが夕陽に黒いかげを落し、二三枚の枯葉が夕風にあてもなくから〳〵と道路の上をころがっていく。私は幼い胸に旅愁めいたものを感じ、悲しくなつた。五十分あまり歩いて新しい家に着いた。新しい家は庭が廣く、庭隅には、八重櫻の木があり、赤い實のなる椎の木もあつた。そして小さな泉水が丁度庭の中央にあつた。私はこれを見つけると、さつきの淋しさはどこかへ吹き飛んで、「金魚を飼おうかしら、それとも鯉を飼おうかしら？」と思つた。

あくる日から父は役所につとめたため、母は一人で大變心細かつたと今でも言つておられる。言葉も分らず、一人で荷物の整理もしなければならぬし、おまけに小さい私の面倒も見なくてはならなかつた母は見知らぬ土地でどんなにお辛らかつたことだろうと今になつて思う。が、その頃の私にはそんな母の氣持が分ろうはずもなく、毎日はしゃぎまわつて遊んでいた。

近所の人達の親切で日が經つにつれてなれて來て、私も幼稚園にあがりと二三年は平穏な樂しい月日を送つた。日曜毎にあちこちの史蹟をたずね、また花を植えたり、犬と一緒に河原へ遊びにいつたり、ある時はお辨當持ちで遠くへお花や、つくしを取りに行つた幼年時代を今更の如くなつかしく思う。

私が小學校三年生に進級すると同時に戰いはます〳〵烈しく、私たちの日日の生活にはいつてきた。前から體の弱かつた父は、遂に病床の人となり、母の一生懸命な看護の甲斐もなく、日本の將來を氣にしつつ、翌年三月に此の世をさつたのである。

それから一ケ月、來る日も來る日も艦載機の來襲におびえつつ、荷物をまとめて、眞赤なカンナの花咲く第二の故 — 13 —
鄕熊本に思い出の多きを殘して、奈良に着いたのは新緑燃ゆる五月上旬であつた。ここには戰災で家を失つた祖父母が淋しい身を疎開させていて、私達三人を喜んで迎えて下さつた。ここで學童疎開などの苦しみ――相ついで敗戰の悲しみを味わつているうちに、母の健康がどうもすぐれない爲、岡山の山奧の親類へ行つた。一年あまり自然に親しみ、自然に敎えられながら暮らした。丁度今頃は、谷川でかじかが銀の鈴を振るような美しい聲でなき、新緑の木木の間にぼたんばけのようなねむの花が夢の國にさそうかのように群がり咲いていた。一年あまりの山の生活で、私は自然ほどすさんだ心を潤してくれるものはないことをしみじみと味わつた。

そうしているうちに私は六年になり、中學校に受驗するために二學期にまた祖父母のもとにもどり、佐保小學校へ轉校した。そして無事にこの學校に入學出來、この美しい奈良の風光に惠まれながら、日日を樂しく過ごしている。」

**2、日記** 昭和二十三年五月十日………略……今日佐藤さんが何かのついでに「あなたにお父さんがないなんてほんとうだとは思えないわ。でも淋しいと思うことだってあるでしょうね」とおつしやつた。私は「ふふん」と笑つていたけれど、それや私だつて時々何かなしに淋しくなつて、親しいお友達と話している途中でも、ふつと默りこんで考えてしまうことだつてある。けれど、お祖父さんやお祖母さんやお母さんが私に悲しい思いをさせまいと思つて、一生けんめい可愛がつて下さつて、時には私「眞知子はそんなにして下さらなくても淋しくないわ」といいたいことだつてあるが、でもつとめてでも明るく育たねばならないと思う。……

**3、逸話の記錄例** 放課後における校庭、放課後校庭に出て見ると、眞知子がテニスをしていた。私は立ちどまつて見ていた。あまりうまくない。相手は岩井列子である。運動神經は余り發達しているようにも思われず、走り方がのろい。球を後へのがしては、一寸顔をゆがめたような笑い方をして拾いにいく。ネットに球がかかると拾いに行こうとするが、岩井が走りよつて來ると途中まで走つて立ちどまり、岩井の拾うにまかせている。

**4、母との面談**「…………略…………」

教師「成績は御心配いりませんね。」

母「殊に、理科方面が不得意ですので……」

教師「普通ですから御心配なさることもないでしょう。殊に今學期は總合的に向上したように見受けられます。」

母「ちつとも勉强しなくて困ります。いつも本ばかり讀んでいます。兄の書棚から色々なものを引き出して讀みまして、本當にわかつてこなしているかどうかあやしいものです。」

教師「お子様でしたらある程度こなしていらつしやると思いますが、どんなものを讀んでいるかよく御指導下さい。」

母「トルストイのものやらいろいろ。でも漫畫の類は讀まないようです。」

教師「ほう。」



母「昨年の身體檢査で身體の方を心配しましたが、その後何ともないのでそのまま運動も何も普通にさせています。」

教師「それで結構と存じます。御通學があまり近すぎますから、かえつて運動不足にならないよう御注意なさつた方がよいでしょう。」

母「テニス部に入つてをりますが、球ひろい許りとかで、この頃はバレーをして遊んでいるらしいです。」

「………略………」

**第三表**

**5. 川邊眞知子を中心とするソシオグラム**

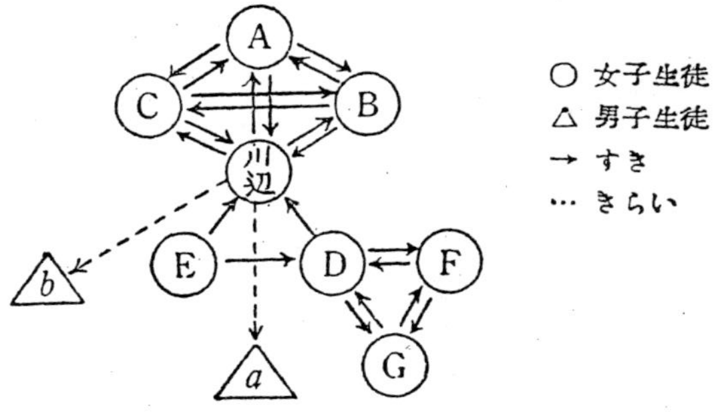
A
B
C
川辺
D
E
F
G
a
b
○ 女子生徒
△ 男子生徒
→ すき
… きらい

**第四表**

**6. 川邊眞知子の性格調査**

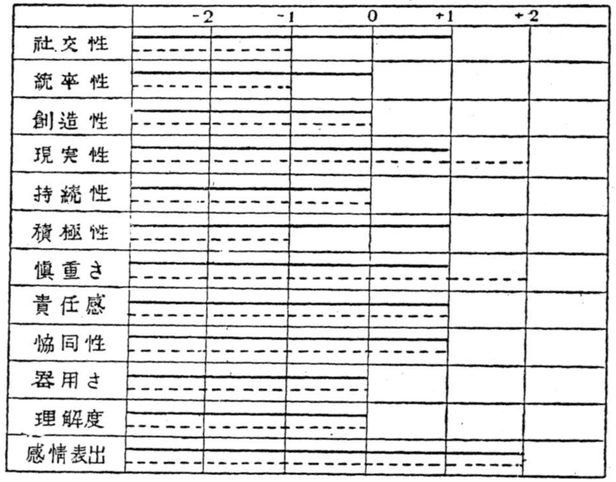
—— 自己評價
…… 教師の評價
-2
-1
0
+1
+2
社交性
統率性
創造性
現実性
持続性
積極性
愼重さ
責任感
協同性
器用さ
理解度
感情表出

**第五表**

**7. 標準検査**

| 名稱 | 檢査年月日 | 學年 | 素點 | M.A. | C.A. | I.Q. |
|---|---|---|---|---|---|---|
| 鈴木(治)氏 集團知能テスト | 昭和 24.3.18 | 1 | 3.7 | 15 | 13 | 119 |
| 淡路氏 向性テスト | 昭和 24.5.3 | 2 | | | | 向性指數 86 |

## （四）資料の記錄整理

もちろんここにあげた例に示す資料が、そのままケースタディーの資料として十分ではない。ケースタディーは一般的に言つて問題が先行する。すなわち問題になつている生徒兒童を學校、社會の環境によりよく適應させるためにその個人についての詳細な研究をするものであつて、敎師と兩親のみならず問題によつては時には醫師、少年福祉司、あるいは心理學者、精神病學者など種々の人々の廣般な協力によつて行わなければならない。ここで問題としている資料の蒐集はかかる問題の解決を直接目的とするものではない。一般的なガイダンスや時にはケースタディーのための基礎的な資料を累積的に蒐集していく手續きをのべたものであつて、特定の生徒に散發的に行われるものではなくして、あらゆる生徒に繼續的に行われるのでなくてはならない。それがやがてケースタディーの診斷と治療のために役立つものとなるであろう。それ故これらの資料から直ちに早計な診斷と治療を施すことは危險であつて、このためにはこの資料の累積をも含めて、なお廣般な事例研究の必要があるであろう。

このようにして生徒の成長に應じて累積的に集められた資料は、讀み易く、成長と共に動く發展のすがたをそのまま明瞭に見ることのできるような形式にまとめられる必要がある。本校ではこの累加記錄摘要の記錄形式を次のように定めている。



### 累加記錄摘要

奈良女子高等師範學校附屬中學校

| | | |
|---|---|---|
| 生徒氏名 | | 性別 男 女 |
| 現住所 | | 電話番號 |
| 兩親名あるいは保護者名 | | |
| 生年月日 | 年　月　日 | |

| 學歷 | 學校名 | 入學年月日 | 轉退學年月日 | 卒業年月日 |
|---|---|---|---|---|
| | | | | |

| 出欠記錄 | 年間授業日數 | 出席日數 | 缺席日數 | 缺席のおもな理由 |
|---|---|---|---|---|
| 1 | | | | |
| 2 | | | | |
| 3 | | | | |

標準檢査の記錄

| | 名稱 | 檢査年月日 | 當時の學年 | 素點 | MA | CA | IQ |
|---|---|---|---|---|---|---|---|
| 知能檢査 | | | | | | | |

| | 名稱 | 檢査年月日 | 當時の學年 | 素點 | 相當學年 | クラス中の百分率順位 |
|---|---|---|---|---|---|---|
| 學力檢査 | | | | | | |

| | 名稱 | 檢査年月日 | 當時の學年 | 得點 | 所見 |
|---|---|---|---|---|---|
| 適性檢査 個性 性格 氣質 趣味 態度 等 | | | | | |

身體的發達の要約

| | 身長と體重との釣り合い | 元氣か元氣がないか | 特別な能力と無能力 | きよう正處置あるいは助長處置 |
|---|---|---|---|---|
| 1 | | | | |
| 2 | | | | |
| 3 | | | | |

職業的發達記錄

| | 1 | 2 | 3 |
|---|---|---|---|
| 職業的な興味および趣味 | | | |
| 學校内における職業的經驗 | | | |
| 學校外における職業的經驗 | | | |
| 職業的技能および適性 | | | |
| 生徒の希望職業および學校 | | | |
| 兩親の希望職業および學校 | | | |
| 生徒の職業または學校の選定 | | | |
| 生徒の選定に對する保護者の意見および理由 | | | |
| 生徒の選定に對する敎師の勸告および理由 | | | |
| 學校による補導および援助 | | | |

累加記錄摘要の表（高等學校も同じ）

## 學習態度の發達記録

| 教科 | 國語 | | | | 習字 | | | 社會 | | | 國史 | | 數學 | | | 理科 | | | | 音樂 | | | | 圖畫工作 | | | 体育 | | | | 家庭 | | | 職業 | | | 外國語 | | | | 特別教育活動 |
|---|---|---|---|---|---|---|---|---|---|---|---|---|---|---|---|---|---|---|---|---|---|---|---|---|---|---|---|---|---|---|---|---|---|---|---|---|---|---|---|---|---|
| 目標 | 讀解力 | 文學の理解と鑑賞 | 書く表現能力 | 話す表現能力 | 書寫技術 | 創意的表現 | 鑑賞 | 社會的知識と理解 | 批判的思考能力 | 公民的技能 | 知識と理解 | 批判的思考能力 | 問題解決能力 | 計算測定の技能 | 生活における數學的習慣 | 科學的知識と理解 | 批判的思考能力 | 創造的能力 | 生活における科學的習慣 | 知的理解 | 鑑賞 | 創作 | 歌唱・演奏 | 鑑賞 | 基礎技術 | 創造的表現 | 健康衛生の知識と理解 | 健康衛生の習慣 | 身体・適性の發達程度 | 運動競技への參加 | 社會における家庭の位置の理解 | 理想實現の態度 | 實技 | 實技 | 技術的知識 | 社會的經濟的理解 | 讀解力 | 話す技能 | 書く表現能力 | 聞きとる技能 | |
| 1 評價 | | | | | | | | | | | | | | | | | | | | | | | | | | | | | | | | | | | | | | | | | |
| 所見 | | | | | | | | | | | | | | | | | | | | | | | | | | | | | | | | | | | | | | | | | |
| 2 評價 | | | | | | | | | | | | | | | | | | | | | | | | | | | | | | | | | | | | | | | | | |
| 所見 | | | | | | | | | | | | | | | | | | | | | | | | | | | | | | | | | | | | | | | | | |
| 3 評價 | | | | | | | | | | | | | | | | | | | | | | | | | | | | | | | | | | | | | | | | | |
| 所見 | | | | | | | | | | | | | | | | | | | | | | | | | | | | | | | | | | | | | | | | | |

## 個人的・社會的・公民的發達記録

| 行動特徴 | 社會性 | 幸福感・明朗性 | 成功性 | 判斷力 | 安定感 | 情緒の安定度 | 自信 | 親切さ・禮儀 | 尊敬の態度 | 協調の習慣 | 指導能力 | 責任ある態度 | 寛容の態度 | 獨立の性質 | 正直な性質 | 余暇の善用 | 創造性 |
|---|---|---|---|---|---|---|---|---|---|---|---|---|---|---|---|---|---|
| 1 目立つた事實 | | | | | | | | | | | | | | | | | |
| 評定 | | | | | | | | | | | | | | | | | |
| 2 目立つた事實 | | | | | | | | | | | | | | | | | |
| 評定 | | | | | | | | | | | | | | | | | |
| 2 目立つた事實 | | | | | | | | | | | | | | | | | |
| 評定 | | | | | | | | | | | | | | | | | |

## 困難およびその調整についての記録

| | おもな困難 | 取られた對應處置 | 將來必要とする處置 |
|---|---|---|---|
| 1 | | | |
| 2 | | | |
| 3 | | | |

累加記録摘要の裏（中學校）



## 履修單位の記録

| 教科 | 國語 | | | 社會 | | | | | 數學 | | | | 理科 | | | | 体育 | 藝能 | | | | 家庭 | | | | | | 外國語 | | | | | | | | | | | | | | 單位數合計 | 同總計 |
|---|---|---|---|---|---|---|---|---|---|---|---|---|---|---|---|---|---|---|---|---|---|---|---|---|---|---|---|---|---|---|---|---|---|---|---|---|---|---|---|---|---|---|---|
| 單位記號 | イ | ロ | ハ | ニ | ホ | ヘ | ト | チ | リ | ヌ | ル | ヲ | ワ | カ | ヨ | タ | レ | ソ | ツ | ネ | ナ | ラ | ム | ウ | ヰ | ノ | オ | ク | ヤ | マ | ケ | フ | コ | エ | テ | ア | サ | キ | ユ | メ | | | |
| 單位名 | 國語 | 國語(選) | 漢文 | 一般社會 | 日本史 | 世界史 | 人文地理 | 時事問題 | 一般數學 | 解析① | 幾何 | 解析② | 物理 | 化學 | 生物 | 地學 | 体育 | 音樂 | 圖畫 | 書道 | 工作 | 一般家庭 | 家族 | 保育 | 家庭經理 | 食物 | 被服 | 英語 | | | | | | | | | | | | | | | |
| 單位數 | | | | | | | | | | | | | | | | | | | | | | | | | | | | | | | | | | | | | | | | | | | |

## 學習態度の發達記録

| 教科 | 國語 | | | | | | 社會 | | | | | 數學 | | | | | 理科 | | | | | | 体育 | | | | | | 藝能 | | | | | | 家庭 | | | | | 職業 | | | | | 外國語 | | | | | | 特別教育活動 |
|---|---|---|---|---|---|---|---|---|---|---|---|---|---|---|---|---|---|---|---|---|---|---|---|---|---|---|---|---|---|---|---|---|---|---|---|---|---|---|---|---|---|---|---|---|---|---|---|---|---|---|---|
| 目標 | 單位記號 | 讀解力 | 文學の理解と鑑賞 | 書く表現能力 | 話す表現能力 | 總合 | 單位記號 | 社會的知識と理解 | 批判的思考能力 | 公民的技能 | 總合 | 單位記號 | 問題解決能力 | 計算測定の技能 | 生活における數學的習慣 | 總合 | 單位記號 | 科學的知識と理解 | 批判的思考能力 | 創造的能力 | 生活における科學的習慣 | 總合 | 單位記號 | 健康衛生の知識と理解 | 健康衛生の習慣 | 身体・適性の發達程度 | 運動競技への參加 | 總合 | 單位記號 | 知的理解 | 基礎技術・歌唱・演奏 | 鑑賞 | 創造的表現・創作 | 總合 | 單位記號 | 社會における家庭の位置の理解 | 理想實現の態度 | 實技 | 總合 | 單位記號 | 實技 | 技術的知識 | 社會的經濟的理解 | 總合 | 單位記號 | 讀解力 | 話す技術 | 書く表現能力 | 聞きとる技能 | 總合 | |
| 1 評價 | | | | | | | | | | | | | | | | | | | | | | | | | | | | | | | | | | | | | | | | | | | | | | | | | | | |
| 所見 | | | | | | | | | | | | | | | | | | | | | | | | | | | | | | | | | | | | | | | | | | | | | | | | | | | |
| 2 評價 | | | | | | | | | | | | | | | | | | | | | | | | | | | | | | | | | | | | | | | | | | | | | | | | | | | |
| 所見 | | | | | | | | | | | | | | | | | | | | | | | | | | | | | | | | | | | | | | | | | | | | | | | | | | | |
| 3 評價 | | | | | | | | | | | | | | | | | | | | | | | | | | | | | | | | | | | | | | | | | | | | | | | | | | | |
| 所見 | | | | | | | | | | | | | | | | | | | | | | | | | | | | | | | | | | | | | | | | | | | | | | | | | | | |

## 個人的・社會的・公民的發達記録

| 行動特徴 | 社會性 | 幸福感 | 明朗性 | 成功性 | 判斷力 | 安定感 | 情緒の安定度 | 自信 | 親切と禮儀 | 尊敬の態度 | 協調の習慣 | 指導能力 | 責任ある態度 | 寛容の態度 | 獨立の性質 | 正直な性質 | 余暇の善用 | 創造性 |
|---|---|---|---|---|---|---|---|---|---|---|---|---|---|---|---|---|---|---|
| 1 目立つた事實 | | | | | | | | | | | | | | | | | | |
| 評定 | | | | | | | | | | | | | | | | | | |
| 2 目立つた事實 | | | | | | | | | | | | | | | | | | |
| 評定 | | | | | | | | | | | | | | | | | | |
| 3 目立つた事實 | | | | | | | | | | | | | | | | | | |
| 評定 | | | | | | | | | | | | | | | | | | |

## 困難およびその調整についての記録

| | おもな困難 | 取られた對應處置 | 將來必要とする處置 |
|---|---|---|---|
| 1 | | | |
| 2 | | | |
| 3 | | | |

累加記録摘要の裏（高等學校）

## （五）中學校・高等學校生徒の一般的特性

生徒の危機的な場面における順應、適應、若しくは選擇の指導に當つて、その指導がもつとも要を得、適切なものであるためには、その問題のよつて來たる根柢を把握しなければならない。その原因に向かつての指導でなければその問題の十分な解決とはならず、反つて、生徒を害うような場合があることは注意しなければならないところである。その爲には一方、この年齢の生徒が持つている一般的な特徴を知ると共に、他方個々の生徒の置かれている環境とそれに對する反應の仕方の特殊性を把握しなければならない。かくしてはじめて、指導の方策を立てる基礎がおかれたと言える。

ここでは、青年の一般心理の問題はしばらくおき、中學校・高等學校の生徒の發展的な學年の特質を考察してみよう。一口に青年期といつても、中學校の一年から高等學校の三年に至る六ケ年間の發展過程には相當の距りがあり、一概に論ぜられない所がある。また、この時代の生徒は、急激な身體的・精神的變化を經過しつつあるので、同一學年の生徒といえども著しくその發達に遲速があつて、ここにのべる學年的な特質もまた、概觀的なものであることを免れないが、しかし全體的に見れば尙そこに一種の共通した特性のあることも認めざるを得ないであろう。

**中學一年**＝小學生らしい子供らしさがまだぬけ切らない。「先生、明日テストの結果を敎えて下さいね。きつとよ。指きりしましょう。」と敎師の周りへ群がり集つてくる子供たちである。異性への關心はほとんどなく、男女入り混つて仕事をしたり遊んだりする。かなり自己肯定的で安定した狀態に



あるが、異つた學校に入學し、しかも、いろいろの小學校から來た友だちの中で緊張した氣持でいる。殊に今まで學級擔任を主にして來た小學校から、中學校に入つて學科擔任として每時間ちがつた多くの敎師に接する爲、不安定な氣持が大きい。學校生活への協力ということよりも、今まで小學校で最上級生として學校生活に參加してきたものがこんどは最下級生として入學し、そのために上級生との關係も何か知らない壓迫に似た感じをうける。友人關係は最初、同じ學校出身の生徒同志に限られているが、ぢきに座席の近くの者とか、同じような趣味（クラブ）などをもつものとか、自分のもつていない目立つた特長をもつている者とか、そうした友だちと相互援助の形で友人關係ができる。

このような中學一年の生徒にとつて、まず指導の要點は、上のような障害を取り除いて、學校生活の中に安定した位置を占めることができるように配慮されねばならないことである。また、前にのべた緊張した心持でいるということは、また、自分を敎師や友人に認めてもらいたい意欲の現われでもある。それ故、敎師は優秀な生徒を早く學校に馴れて仕事に專心させるのみならず、劣つていると思われる生徒に對しても、その長所を十分みとめてやり、おろそかにしない配慮が必要である。

**中學二年**＝そんなに目立つてではないが、この頃から、兩親や敎師に對して反抗的な態度をとるものがぼつぼつ現われてくる。おとなの言うことよりも、グループの友だち關係が重大なものに考えられる。なかまの作つたおきてによつて生活を律するような傾向が現われはじめ、したがつて男の子などではことに級の中で腕力の强いものが中心になつて、いわゆるボス的な存在となるおそれがある。

女生徒では、この頃から強固なグループが形成される。人数は最大四・五人程度のグループが存在し、あらゆる場合に行動を共にしようとする傾向が見られる。性意識が芽生えはじめるが、まだ異性を求めるというのではなく、興味の形であらわれる。青年後期に現われてくるような異性の友人を求めようとする態度ではなく、かえつて反撥の態度が見られる。

このような中學二年にとつて、指導の重點になるところは、互に協調しあつて、圓滿な社會的接觸の機會を持たせるようにし、男女あまり競爭意識を刺激することなく、共同して仕事をさせるようにすることである。相手の立場に立つて、その氣持をはかつてやる寛容さに缺け、自己中心的な物の考え方が多いので、民主的で寛容な生活態度を形成するよう指導すべきである。また學習、クラブ活動、スポーツなどに積極的に興味を向けるようにし、不健全な方向に興味を向けることのないように導くべきである。



**中學三年**＝中學校の最高學年としての自覺と意識の下に、全體として落付きを見せてくる。中學卒業後の自分の將來の方針について、種々考えるようになつてはくるが、自己を十分に把握し、適性を自覺することは困難である。自己の獨立を要求しながら、自分だけで自分を見出すことがむつかしい。異性との關係は二年生頃に見られた相互反撥の態度が消えて、表面的には無風の状態が續くように見えるが、内心異性と共にいると動搖を感ずることが甚しくなる。男子は肩幅が廣くなり、胸が厚くなつて、體力が著しく增强するのが目立つ。

中學三年の指導においては、まず最高學年としての自覺と責任を感じさせることに重點がおかれなければならない。自覺させ、納得させて、自分の行爲を律していけるように指導する。單なる抽象的な、秩序から切離された自分ではなくて、學校という社會の大きな秩序の中に自分を位置づけていくようにすべきである。それと共に、教師が援助して自らの適性を自覺し、將來進むべき進路を選擇するように指導すべきである。

**高校一年**＝青年後期の特徴が現われはじめる。感情が動搖しやすく、時に樂天的となり、時に悲觀的となる。時に自己を誇大視して考えるかと思うと時に自己否定的な傾向に陷る。一般に自分自身に對して敏感である。抽象的思考を要することがらに關心を持つようになり、現實を無視した理想的傾向に走る。權威に對して反抗的な態度が表面化して來るものがみられる。個性が顯著にあらわれ、いろいろの點で個人差が著しくなる。いずれにしても、青年後期の特徴が最も著しいのが高校一年から高校二年にかけてである。



高等學校に入學して、選擇教科が主となり、自分の個性に適した教科選擇の指導が先ず大切なことである。そして、自らの個性を發見し、望ましい個性形成につとめさせなければならない。あまりに自己否定的になつて、自らを見失つてしまうことのないようにするためには、著名な人物の經歷や傳記の類に、時折親しませて、希望を失わぬようつとめなければならない。

**高校二年**＝一年から引きつづいて、同じ方向にその經驗を發展させていく。異性の友人ができるのはこの時期から多い。また同性の生徒の親友ができるのもこの頃である。この頃になると以前のように單に肉體的な興味の形ではなしに、肉慾的なものに壓倒されることなく、むしろ精神的な結合を求める。精神的には自己反省的態度があらわれ、中學校時代には外的なものに向けられていた强い正義感が、内心の微かな動きに對しても向けられるようになり、自己を責めることは嚴しく、かえつて他を非難することができず、行爲に對する正邪の判斷がはつきりしないで懷疑的な考え方におちこむものがある。それ故、思想的な指導にはもつとも注意を拂うことが必要である。そして、男女の交際などについても、正しい指導をする必要がある。

**高校三年**＝前學年の精神的傾向を繼續するが、卒業、進學、就職を目前にひかえて、觀念的な物の考え方がだんだん現實的になつて來る。そして、世人の行爲に對する態度も物分りがよくなつて來る。 
自己の獨立を求めはするが、世人や長上の行爲もそれなりに肯定することができるようになる。現實をも考慮に入れた自己追求の傾向が眞劍に行われる。

以上、中學校一年から高等學校三年にわたる六ヶ年間の生徒の性格形成の發展的段階をのべて來た。非常に概括的な觀察の結果であるが、こうした一般的特性を一應把握することは、ガイダンスを行う基礎的な事柄である。それ故、私達の學校では、この性格形成發展の段階をホームルームのガイダンス・プログラムを立てる際の發展的な一つの軸と考えたのである。このことについては第三章において詳述するつもりである。

**(六) 個人と境遇や環境との相互作用**　ガイダンスがその對象とするものは、先にものべた如く、生徒一般ではなく、個人である。しかも問題の特定少數の個人ではなく、すべての生徒に働きかけねばならない。たとえその活動が集團グループで行われていようと、生徒の一人一人が對象であることを十分自覺した働きでなければガイダンスとは言われない。社會性の指導といつた場面では、活動の面から見ればグループ活動ではあるが、表面に現われた背後にあつて、個別的に眺めていく裏付けがなくてはならない。

それ故、ガイダンスはあるがままの個性を容認し、個人の尊嚴を基礎とする。あるがままの個性を認めていくということは、部分的側面からのみ個人を評定しないで、全體としての個人を認めて行くことである。ガイダンスには幾多の領域が分けて考えられるにしても、注目する所は常に全人としての個人でなければならぬ。全人的な個人を認めるとはいつても、それを個人の立つ、境遇や環境からきりはなした抽象的人間であれば、尚それは部分的たるをまぬがれない。人間はひとりひとり異つたシチュエイションの中におかれているものであり、このシチュエイションの中にあつて、主體と環境との相互連關によつて發展していくものである。人間は本來的に主體＝環境的存在なのである。主體の側面より見れば生徒の個人個人の中に潜在的な發展の可能性をひそめ持つことを認める。そしてこれが、究極の目標を自己指導におくガイダンスの可能性の承認となる。他面かかる可能性にもかかわらず、生徒の成長過程における環境や境遇は必ずしも望ましいものではないという現實への認識が、ガイダンスの必要性を要求する。必ずしも順調でない環境における個人は、その望ましい發展のためには、他人の助力を不可缺なものとして、待ち望んでいる存在であると考えられるからである。

ガイダンスのために個人の具體的な資料を蒐集するということは個人のあるがままの現實を知ることであり、それはまた、その個人をおかれてあるシチュエイションとの相互作用において眺めることでもある。かくて、全人的に生徒を把握すれば、問題に遭遇した時、その原因の究明は容易となり、ガイダンスの方策が方向をあやまらず、進路選擇の必要に迫られたような場合には將來に向かっての適切なガイダンスが可能となる。



## 三、本校ガイダンスの組織と運營

**(一) ガイダンスの目標**　先にガイダンスの究極の目標は「自己指導のできる狀態」であるといった。自分で生活目標を設定し、自分で目標に到達し得るように生活の設計をし、設計された生活を行い、生活目標に到達するようにするためには、いかなる事柄が考えられねばならないか。そこから、ガイダンスの具體的な目標が設定されねばならない。そのためにはまず

(1) 生徒が自ら、自己のもつ可能性とその限界を明瞭に自覺しなければならない。民主主義教育は、いな、およそ教育という仕事は、人間のもっている成長への無限の可能性を信頼することなくしては成立しない。その如く、自己指導ということも自らのもつ可能性を理解することを先決問題とする。

自己の能力と可能性を眞實に理解することによって、人は、それを最大限に發揮する力を得る。自己の可能性を理解するということは、自己に對する信頼の復活である。自己に對する信頼なくしては自己指導は不可能である。次に、限界を知るということは、換言すれば自己を現實に密着せしめることである。可能性への理解が架空なものとして、抽象化された極端な個人主義的見解の中で自己を霧散させてしまうのであってはならず、それは現實生活の中で一歩一歩實現されていくものでなければならない。從ってこれは次の現實の社會秩序の下における自己の地位の發見という問題に關連する。

(2) 生徒が自ら、現實の社會秩序の下における自己の地位を見出し、それとの關連において自己を把握するのでなくてはならない。人は抽象的な單なる個人ではなく、社會秩序の下における個人としての自己であることはいうまでもない。自己が現實社會の中で、或いは家庭で、學校で、如何なる地位にあるかを知ることなくしては眞實に自覺と責任とを伴った生活とは言い得ない。自己が自己を知るという自覺とはこの意味においては、自己の可能性の理解であると共に、自己の現實生活における地位を知ることでなければならない。そして、これは行動としては、社會的適應と、社會に占むる自己の役割を果たすという二つの面となって現われるであろう。ガイダンスという言葉が、その歷史的な發生の過程において職業指導から來たためか、またガイダンスの語感がそうさせるのか、とかく社會的適應性の面と、心理的な面とが強調されるようであるが、自己指導という言葉が示すような、もつ

と積極的な、意志的な人間の育成も忘れてはならない事柄である。

(3) 生徒自ら、生活目標を設定するために、理想的な人間像を持つようにさせるのでなくてはならない。自己の可能性の理解、地位の自覺とともに、香り高き敎養ある人格とは一體どのようなものであろうか、という倫理的な觀點から理想的人間像を描くのでなければ、自己指導は正しくその指標を立てることは出來ない。

以上のような事柄を考慮し、本校においてはガイダンスの具體的な目標として、次の如きものをあげている。

(1) 個性を見出し、これを正しく伸ばしていくことのできる生徒
(2) 生活現實の中に現われる問題を解決していく能力と、その解決に積極的に當つていこうとする態度をもつた生徒
(3) 健康で明朗であり、他と協力していくことのできる社會性をもつた生徒
(4) 人格の成長を目ざしてたえず努力していくつよい生徒
(5) 香り高き敎養ある生活を樂しむことのできる生徒

## (二) ガイダンスの組織

特別敎育活動の行われる場を、その形態の面から分類して見ると、ホームルーム、生徒會、クラブ活動、アッセンブリーの四つとすることができる。この四者の關係はどのようなものとして考えることができるであろうか。本校では、まずホームルームをガイダンスの基礎



單位として置き、これが學習活動、自治活動を中心とする生徒會、クラブ活動、アッセンブリー等の其の他のガイダンスの中心的地位を占めるものとする(第六表)。生徒はこれらの活動にホームルームを通じて、そこをいわば學校生活のすべての基地として參加する。生徒はホームルームから出て、これに參加し、ホームルームに歸つて來る。ホームルームはこうした意味でガイダンスの基礎單位である。このようにホームルームを中心として行われる特別敎育活動は、内容的に見れば、生徒はここで次のような五種の活動をすることになる。すなわち、研究活動、運動競技、趣味娯樂活動、編集活動などといつた廣義の敎養活動と、自治活動である。

第六表

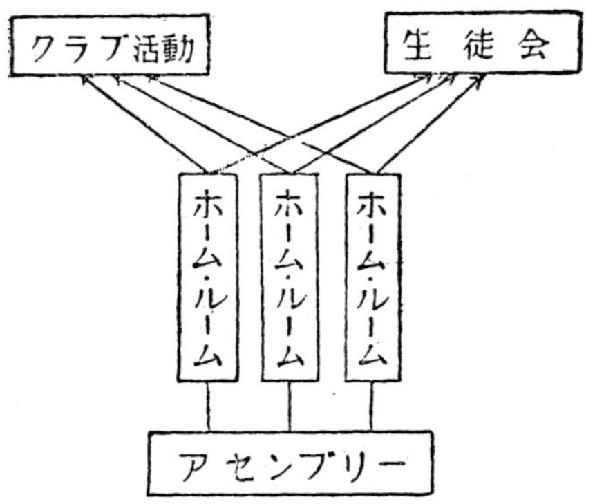


第七表

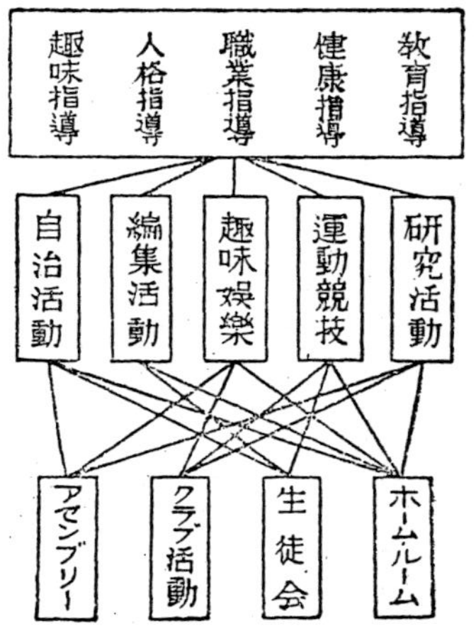


もちろん、それぞれの特別活動の場において種々の内容の活動が行われるわけではあるが、多く關係する活動を圖示して見ると第七表の如くなるであろう。

このように特別敎育活動の計畫を組織してみると、そこで行われる指導は、單

に學科擔任や或いは、ホームルーム擔任、が相互の間の密接な連絡が必要となり、各敎師はそれぞれの立場において自己の責任をつくすと共に、他の敎師と協同し、相互援助をしていかなくてはならない。そのためには敎師のガイダンスの組織も整然と明確になつていなければならない。本校では第一表（八頁）の如き敎育の全體計畫から指導の組織を全體としては次の第八表の如きものとしている。

**第八表**

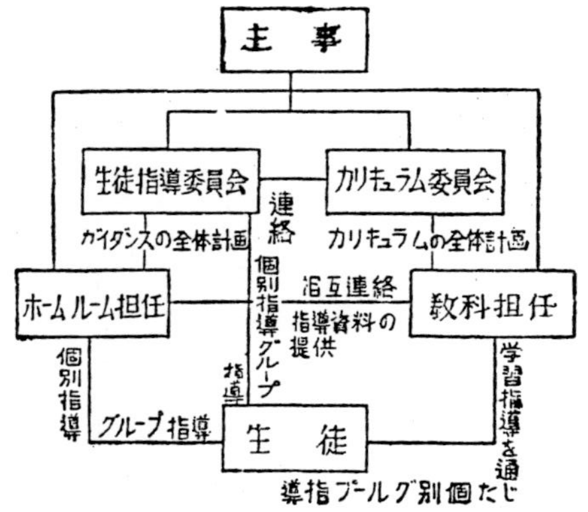


まず、主としてカリキュラムの計畫を立て、その統一をはかるカリキュラム委員會と、生徒のガイダンスを擔當する指導委員會がつくられ、カリキュラムとガイダンスの全體計畫が研究して、立てられる。そしてそれが敎科擔任かホームルーム擔任を通じて、各敎科、ホームルームの獨自性を生かして實施される。生徒指導委員會では、生徒指導全般の問題を研究し、計畫を立てる。そのため、(1)個人指導の研究、(2)ホームルーム活動の研究、(3)生徒會活動の指導、(4)校内の全校生徒生活の指導、(5)對外的な問題、といつた仕事をそれぞれ分擔している。

次に特別敎育活動の運營の實際にわたつて述べるのであるが、もとよりこの書物はホームルーム活動の實際について述べるのが主であるからその他のものは概要をのべるにとどめておく。



## （三）生徒會の組織と運營

生徒會というのは、生徒が學校市民としての十分な自覺と責任とをもつて、學校活動に參加する組織である。それは、生徒が自らの手でお互の秩序を保ち、お互いの福祉を增進していくことを意圖して作られ、しかも指導によつてそのことの可能を信頼することの上に築かれたものでなければならない。それは、生徒會を通して、學校の權限の一部が生徒に委讓されたのであると考えるべきではなくして、生徒會を通じて、生徒は實際の社會生活の理解を深め、その生活の訓練をする場として、すなわちあくまでも生活指導の場として考慮されねばならない。

(1) 規約と組織　次にあげる生徒會規約と組織は、從來の生徒自治會のそれを協議委員會で反省し、全面的に改訂したものを骨子とし指導を加えてできたものであつて、本校の特殊な事情を考慮に入れて作成されてあり、普遍的な理想的なものとして作成されたものではない。

### 生徒會規約

#### 總則

第一條　本會は奈良女子高等師範學校附屬高等學校中學校生徒會と稱する。
第二條　本會は奈良女子高等師範學校附屬高等學校中學校生徒で組織される。
第三條　本會は生徒の活動を自治的に行い生徒相互の協力によつて學校生活の進歩向上を計ることを目的とする。
第四條　本會に協議機關及び執行機關を置く。
第五條　原則として運營は高等學校中學校別箇に行う。

#### 協議機關

第六條　協議機關は生徒大會及び協議委員會よりなる。

第七條　協議機關は左に掲げる諸事項を協議決定する。

1　規約の作成及び改正

2　生徒會の行事に關する事

3　生徒會の豫算決算

4　學校內外の生徒の規律に關する事

5　その他生徒の生活に關係ある問題

第八條　生徒大會は最高の協議機關であつて協議委員會が必要と認めた場合委員長が召集する。

第九條　協議委員會は協議委員よりなり協議委員は學級より二名選出される。任期は一年とする。

第十條　協議委員は三年より委員長を、二年より副委員長を各々一名選出する。

第十一條　高校協議委員長は生徒會長、中學協議委員長は生徒會副會長となる

第十二條　協議委員長は書記會計を各々二名專任することが出來る。書記は他の委員が兼ねる事は出來ない。

第十三條　協議委員會は每月一回委員長がこれを召集する。必要に應じて臨時に召集する事も出來る。

第十四條　協議委員は隨時學級協議會を開き常に學級の總意をよく理解し協議委員會にそれを反映させねばならない。又協議委員會での決定事項は必ず學級へ傳えねばならない。

第十五條　協議委員會は公開とする。但し協議委員の $\frac{1}{3}$ 以上が非公開を要求した場合はこの限りではない。

第十六條　協議委員會は會計監査委員會を置きその必要に應じて臨時に小委員會を作る事ができる

第十七條　高校部中學部の連絡のため必要に應じて生徒會長は合同生徒大會及び合同協議委員會を召集する。

第十八條　決定はすべて多數決とする。



第十九條　協議機關での決定事項は主事敎官會議の承認を經て後効力を發する。

執行機關

第二十條　執行機關は學藝體育風紀厚生圖書の各部よりなる。

第廿一條　圖書部は高等學校中學校共同で運營し他の各部は必要に應じて共同運營する。

第廿二條　執行機關で計畫された事項はすべて協議機關の決定をまつてこれを執行する。なほ豫算案を協議機關に提出し決算を報告しなくてはならない。

第廿三條　各部は委員よりなり委員は學藝厚生圖書部は各々一名體育部は男女各々一名女子のみの學級は一名風紀部は二名を學級よりそれぞれ選出する。任期は各々一年とする。

第廿四條　各部は三年より部長を二年より副部長を各々一名選出する。

補　則

第廿五條　第三學期において十、十一、十二、十三の條において規定された役員は三年は二年に二年は一年に事務を代行させることができる。

以　上

この規約に示すところを分りやすくする爲に表示してみると第九表のごとくである。

第九表

徒會の組織

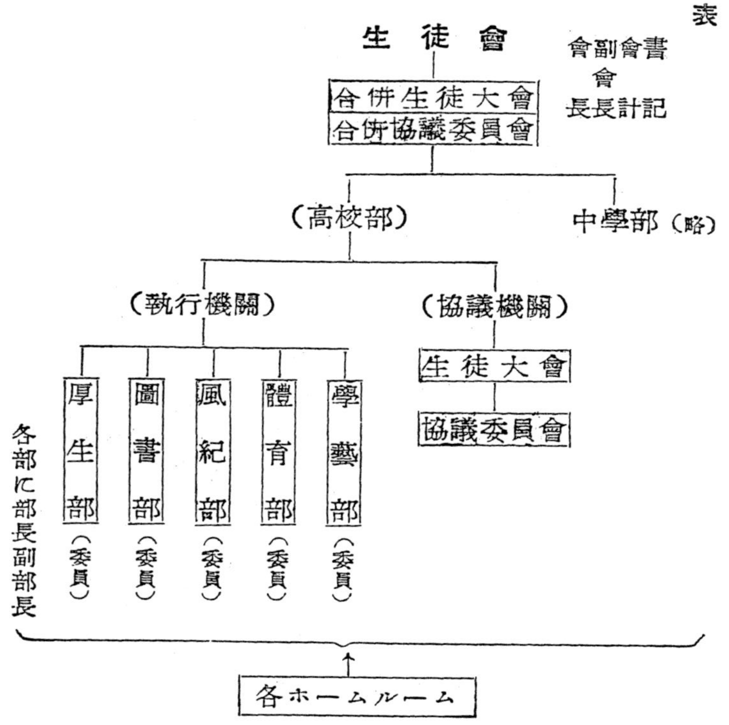


本校生徒會はその下部組織として活動するのは各ホームルームの協議會であつて、この基礎單位から生徒會の協議委員會、執行各部へ代表者を送つている。代表者を通じてホームルームの意見がまとめられ、また協議委員會の決定事項の各ホームルームへの傳達と徹底がはかられる。



（イ）ホームルーム協議會

第一〇表

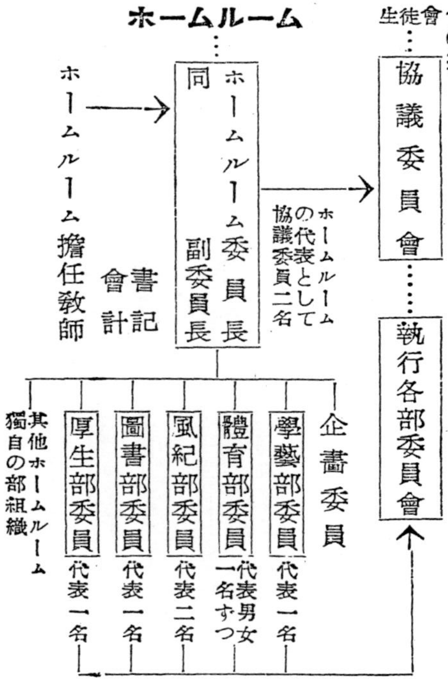


ホームルームは後にのべる如く、ホームルームの全校プログラムにしたがつて獨自に企畫されるが、生徒會へ直結するものとして、ホームルーム協議會をする。ホームルームの組織は第二章に詳述するが、生徒會への關連を表示すると第一〇表の如くである。

（ロ）協議委員會

第一一表

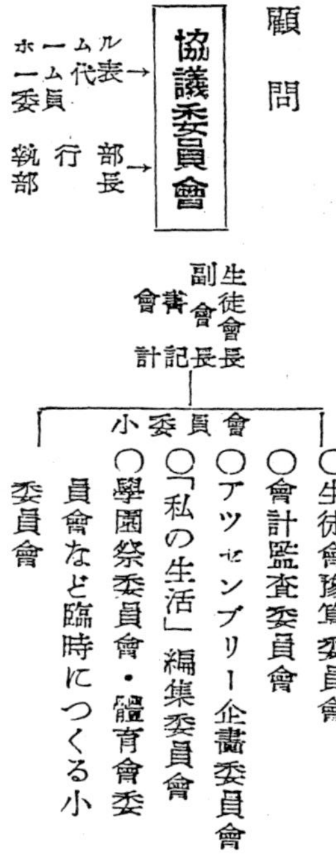


協議委員會は生徒會の最高の決議機關として、各ホームルームから委員長、副委員長の二名が代表として出席し構成する。外に協議機關と執行部との連絡を緊密にするために執行部の部長が出席する。協議委員の中から生徒會長、副會長が選出される。

また協議委員の內部に、學校行事、生徒會行事の圓滑な運營のために常時あるいは臨時に種々の小委員會を設ける。

（ハ）執行各部　協議委員會によつて決議された事柄にしたがつて、實際の仕事の運營に當る。

第二表

顧問

執行各部長
同副部長
會計

ホームルーム代表委員
〃
〃
〃

學藝部―學藝會、展覽會、研究發表會、雄辯大會その他の學藝行事の計畫とその運營

體育部―全校の體育、衞生に關する事柄、體育會、球技會など校內、校外各競技會の運營とその統括

風紀部―全校生徒の服裝や風紀に關する事柄、學校內の清掃・美化・整備に關する事柄

圖書部―學校圖書館の經營に關する事柄

厚生部―購買部の計畫と運營、配給の連絡分配に關する事柄

（ニ）生徒大會

(2)「私の生活」（生徒手帳）　本校における評價と通知、家庭と學校との連絡のために、「學業成績通知票」「體育手帳」「生徒手帳私の生活」の三つを持つている。これらの三つを有機的に使用することにより、敎師はよりよい學習指導、ガイダンスの手掛りを得ることとなり、生徒自身には、自己の學習能力を知り、充實した學校生活を送り、よりよき自己指導が行われ、家庭にとつては子供の學校生活を全體的に知り、今後の指導の指針とすることができる。「私の生活」は生徒會の仕事として敎師の援助のもとに、學校協議會によつて編集されたものである。

「私の生活」はおよそ次のような性格をもつたものである。

（イ）「私の生活」は生徒が毎日これを携帶して、生徒の學校生活における自治的な活動を充實する。

（ロ）敎師、生徒、父兄の三者が一體となつてこの手帳を活用し、これを通じて相互の連絡をはかる。

（ハ）「私の生活」は學校の自治生活の記錄であると共に、心の憩いの場所でもあり、また生徒のメモでもある。



「私の生活」の目次

一、校　歌
二、創立記念日の歌
三、當校の敎育方針
四、學校の事務分掌組織
五、生徒會規約
六、私たちの約束
　――學校生活の秩序のために――

私たちの約束
――學校生活の秩序のために――

私たちは前に生徒會規約をつくり、生徒會が私たちの自治的な活動をする機會として新しく發足した。私たちは自治的な行動が常にその背後に眞摯な責任感によつて裏ずけられねばならないことを思い、學校生活の秩序のために、ここに私たちの日常の生活について次のように約束を定めた。

私たちは奈良女高師附屬中學校附屬高等學校の生徒としてあらゆる場合、あらゆる場所において、その自覺の上に行動し、いよいよたかく强き校風の樹立に努めたい。そしてここに定められた事項をよく守り、いやしくも學校生活の秩序を破壞し、校名を傷つけることのないよう嚴に戒めたい。

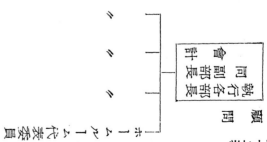

禮

一、校外で先生にであつた時は禮をし、なるべくあいさつの言葉をか

七、ホームルーム、クラブ活動、アッセンブリーについて
八、私たちの頁
九、學校家庭通信欄
一〇、會費徴收欄
一一、臨時會費の徴收欄
一二、お友達の姓名
一三、時間割記入欄
一四、身分證明書
一五、寫眞、私の家庭

けること。又本校附屬小學校、幼稚園などの先生に對しても知っている限りは同じ樣に禮をすること。校内でも、先生、來客には會釋をすること。

二、生徒間では一日のうち始めて會った時と別れる時に會釋を交すこと。

服裝及所持品

一、服裝……原則として制服を着けること。制服を着ない場合も生徒らしい服裝をすること。校章、帽章は必ずつけること。

二、所持品……「私の生活」は常に所持すること。貴重品はなるべく持ってこず、所持品にはみな氏名を書いておくこと。所持品をなくしたり拾ったりした時はすぐ先生にとどけ出ること。

言　　葉

言葉はっきり氣品のあるように心掛け、話題によく氣をつけること。

登校・下校

一、始業の十分くらい前に登校すること。

二、下校時間までに必ず下校すること。

三、校外ではみなりを整え、言葉や態度に氣をつけ、左側通行を守ること。

四、汽車、電車通學生は車内交通道德を守ること。



1　必要でもないのに車内を移動しないこと。

2　さわがしくしないこと。

3　驛及び車内をよごさないこと。

4　鐵道係員の指圖に從うこと。

5　としよりや子供などには親切にすること。

清　　掃

一、普通清掃は終りの會の後すぐに行い、清掃場所擔當の責任者は擔當教官とよく連絡すること。

清掃をする時にはマスクをかけてすること。

二、大清掃は普通掃除にはしない場所を特に注意して美しくすること。

三、清掃時間外でもよくよごれる所はめいめいが努めて美しくし朝掃除は必ず實行すること。

週番勤務

一、學級週番……出缺の報告、傳達事項の徹底、教室の清潔整頓、換氣に注意し、食事時の世話、學級日誌の記入、出缺統計の記入をおこない、その他の事務について先生と連絡すること。

二、學校週番……風紀部がこれにあたる。學校内外の風紀の取締り、集合状況、遲刻状況、昇降口取締り、清潔整頓に注意し、下校時間の徹底、下校後の校内巡視、當直の先生との連絡、學校週番日誌の記入、毎週の努力事項の徹底を計ること。

校内諸規律

一、始鈴と共に靜粛にすること。
二、校舎内の通行は敏速靜粛にし走らぬこと。
三、常に清潔整頓換氣に氣をつけること。
四、學校用具は大切にし、使用後は必ず元の位置に整頓すること。
五、掲示および放送にはよく注意し若し分りにくい場合は週番がよく連絡して正しく傳えること。
六、通學靴、校内靴の區別は、はつきりすること。校内靴には必らず赤い印をつけること。赤旗が出た時には校内靴で校庭におりぬこと。校内靴を使用する時は指定された出入口から出入し校庭から校舎に入る時は靴をよくマツトでぬぐうこと。
七、毎週の實行目標にむかつて誠實に努力すること。
八、圖書館
1 圖書館内では靜かにすること。
2 圖書は大切に取扱うこと。
3 圖書の返納日を正しく守ること。
4 その他すべて圖書館の規則に從うこと。
九、授業時間中に校外に出る場合には敎官の許しをうけ外出許可證を受けること。
十、發火有毒等危險をともなう實驗については敎官の指導のもとに行うこと。



校外諸規律

一、映畫演劇の觀覽は保護者とゆくか、友達とゆく場合は二人以上で行くこと。
二、通學の途中に飲食店などに入らぬこと。
三、夜間の外出は保護者同伴の場合の外は努めてさけること。
四、その他校外生活について疑問の點が生じた場合は先生に申出て指示を受けること。

諸　屆

一、病氣事故による缺席屆は私の生活通信欄に理由を書いて早く提出すること。
二、病氣缺席一週間以上に及ぶ時は醫師の診斷書を添えること。
三、本人は勿論家庭で法定傳染病患者が發生した時は早く屆出ること。
四、服忌の時は其旨を屆出て左記期間内登校を遠慮することを本體とする。

一親等　(父母)七日以内
二親等　(祖父母兄弟姉妹)三日以内
三親等　(曾祖父母伯叔父母)一日以内
服忌の期間は實方養方とも同一とする。

以　上

(3) 私たちの約束 ——學校生活の秩序のために—— 生徒が學校の規則や規定を自主的に遵守し、その權威を失わないように互に努力するためには、學校の規則が、外部から强制されたものであつてはならず、その作成に當つては生徒の參加が殊に必要である。規則を守ることにより生徒全體の福祉が保證され、增進されるものであることを生徒たちが本當に認めたときに學校の規則は生きた强力なものとなることができる。生徒たち自らの手で作られた規則はそれに從うことが自分たちの責任であるということをより一層確實に理解するであろう。

こうした意味から「私たちの約束」は、協議委員會によつて原案が作成されたのみならず、數度にわたつて各ホームルームで意見を出し合い、修正を經て成立したものである。

(四) **クラブ活動** クラブ活動はいうまでもなく、個々の生徒が持つている個人的要求を充足し、個性に適した教育の重要な場である。しかしそれのみならず、これには生徒が自己に即した趣味を見出しこれを伸長するとか、あるいはこの結合を通じて生徒の團體意識を强固にし、市民的關心と、市民としての資格を高揚する大切な手段となるものであるという事柄も指導の上から忘れてはならないことである。それ故これの指導に當つては、あくまでも生徒の自主的自發的な運營が期待されなければならない。またクラブ活動は學年、學級の枠を外して自由に選擇することのできるものであるから、クラブ活動を通じて上級生は下級生を助け、下級生が上級生に協力し一體となつて活動することができる。それ故、ある意味ではクラブ活動は生活指導においても重要なる役割を果すことができるものである。



本校においてはクラブ組織について、生徒協議會で意見をまとめ、ホームルームでの意見も參照して決定した。内容的に分けて、文化的なクラブと運動クラブとする。正規の授業時間内に一週一時間クラブ活動の時間を設けるが、この他放課後の活動が重要なものとなる。

クラブ活動の内容を示すと、

**第一三表**

| 中學校・高等學校 | | |
|---|---|---|
| 種別 | クラブ名 | 研究の内容 |
| 文 | 社會 | ○人文地理を中心とした郷土研究<br>×○經濟學の入門<br>○奈良を中心とした古美術の研究 |
| | 哲×學 | ○現代における種々の思想の解說と研究、良書の輪讀や發表など |
| | 文學 | ○文學の鑑賞讀書會 |
| | 文藝 | ○短歌、俳句、詩、小說などの創作、鑑賞、文藝雜誌の刊行 |

| 文化クラブ | |
|---|---|
| | ○作品の書き方……書道 |
| 演劇 | ○演出、演技、作劇の研究<br>○演劇、映畫の鑑賞 |
| フランス語× | ○フランス語の第一歩から |
| 家庭科學× | ○家庭科學的な實驗研究 |
| 自然科學 | ○物理科學實驗<br>○生物實驗<br>} 科學雜誌の輪讀 工場の見學など |
| 寫眞 | ○撮影、燒付、現像の研究、作品の鑑賞 |
| 園藝 | ○草花栽培、技術、其の他園藝に關する知識の習得とその實習 |
| 音樂 | ○レコードの鑑賞<br>○コーラスの研究 |
| 美術 | ○制作と鑑賞 |
| 被服 | ○被服製作、デザインの研究 |



| | |
|---|---|
| | ○手藝 |
| 英●語 | ○英語會話、ニュースを讀む |
| ラ●ジオ | ○ラジオの研究と製作 |
| 天●文 | ○望遠鏡製作、天體觀測、氣象觀測 |
| 生●物 | ○生物實驗、昆虫・植物などの採集 |
| 辯●論 | ○辯論研究、童話研究 |
| スポーツ | |
| ピンポン<br>バレー<br>バスケット<br>ソフトボール | 生徒會の運動部とは關係なく、クラブとして自由に行う。 |

○ ×印は高校のみ、●印は中學のみにあるクラブ名。
○ クラブ活動の時間は高校は火曜の第五時限、中學は金曜の第五時限。
○ 右のクラブのほか茶道クラブ、花道クラブが放課後に行われる。
○ 一つのクラブでも内容によつて別々にすることのできるようにしている。
**例えば音樂**クラブでレコード鑑賞だけ、あるいはコーラスだけをすることもできる。

# 第二章　ホームルーム　ガイダンス

## 一、ホームルームの意義と必要性

### (一) ガイダンスの基礎單位としてのホームルーム

前章ガイダンスの組織において明らかにしたように、生徒指導にあたる責任者は、教科擔任、ホームルーム擔任、指導委員の三者があり、一人の生徒の指導はこの三つの方向から加えられるわけである。しかし、小さな學校においてはこの三者が機能的には分けられるとしても、教師個人にとつては重複している場合が多い。例えば、ホームルーム擔任が同時にある教科の擔任としてその生徒の學習指導に當つたり、指導委員として生徒指導に當る場合がある。そして小規模の學校においては機能的に分けられるこの三者を教師の三人として別々の専門領域に分けることは出來ないとともにかえつて望ましくないであろう。何故ならば、ホームルーム組織が、生徒の一人一人をよく知り、その行動を全般にわたつて注意し、指導の責任をもつ教師の必要を痛感するようになつたことから發達したものであるとするならば、ホームルーム擔任が出來るだけ多く生徒をよく知る機會が與えられなければならない。そのためには、ホームルーム擔任が同時に教科擔任として、同じ生徒に接觸すれば、それだけ指導は統一づけられ徹底するものと思われる。



それ故、學級組織そのものが既にホームルームの形態を具えているような學校にあつてはあらためてホームルームを作る必要がないであろう。すなわち、我國の小學校低學年における教育のごとく、學級即ホームルームであり、學習指導即生活指導として渾然一體的に分離することのできないものにおいては、殊更、ホームルーム組織を取るということは不自然であるといわねばならない。こうした意味から、ホームルームは中學校から高等學校においてその重要性を增してくるものと言わねばならない。それは丁度、學習指導の外にガイダンスの場の必要が中學校・高等學校において、痛感せられるのと同斷である。

ホームルーム組織が必要とされるゆえんをその發生的見地から見ると、發生の必然的事情として次の事柄をあげることができるであろう。まず近代學校の規模がますます大きくなり、その全體の機構が多くの部門に分れて來たことである。すべての教師が、學校のすべての生徒のあらゆる個人的な事情を知り、個人の性格、性情から、生徒一人一人の家庭の事情まで詳細に知ることのできるような小規模の學校においては、すべての教師がすべての生徒のホームルーム擔任であり、指導主任としてその細微にわたつて漏らすことなき指導が可能であつて、ホームルームの組織は必ずしも必要でないと言える。しかしながら近代學校の如く、その規模が大きくなるに從つて、教師がすべての生徒の個人的な事情を細微にまでわたつて知ることは不可能となり、部分的には生徒と接觸することはあつても、自然のままで組織なき狀態に置かれるときには、教師の生活指導にもれる所があるのをまぬがれ得ない。それ故、かかる學校にあつては、生徒を小さいグループに分けてそこで生徒の生活全般にわたつて指導する必要がある。このような生活指導の基礎的單位として生まれたのがホームルーム組織である。次に近代學校においては、學習指導の能率をあげる爲の種々の方法が行われ、ある場合には、能力別に編成される試みが行われたり、個人的欲求に應ずる履修教科を中心にして學級編成が行われたりするやり方がとられるようになつたことである。この極端な組織はダルトンプランや、ゲーリーシステムであるが、そうした極端に進歩的な方法をとらないでも、上級學校に進むにしたがつて學科内容が專門的に分化し、それぞれの教科を專門とする教師によつて指導されるいわゆる學科擔任制がとられるようになる。このような狀態の下においては、生徒は每日多くの異つた教師に接觸することになり、教師の側からいえば生徒の一人一人について責任をもつて援助し指導する教師がなくなつて來る。そして教師は生徒をただ教科の見地から、また教室における生徒しか知らず、生徒は自己の當面しているいろいろの問題を直接相談して解決するための教師を得ることができない。生徒を全體的に把握し、全一的に指導しなければならぬガイダンスは、これでは十分に行われることはできない。ホームルームをガイダンスの基礎單位としてそこに擔任の教師を置き、生徒の全一的な生活指導をする必要性がある。ホームルームは學校の高度な近代的形態の中から發生した組織ではあるが、われわれはその單なる形態にとらわれることなく、ガイダンスの場としてのホームルームの本質的意味は十分取り入れなければならない。そこではガイダンスのすべてが生徒の個人に向かつて統一づけら



れ、學校におけるすべてのガイダンスの組織の基底をなすものである。

**（二）ホームルームの機能と目的**　上にわれわれはホームルームの必要性を近代學校のもつ特質から、發生的見地に立つて見て來たのであるが、更にこのようなホームルームは學校生活の上にいかなる機能をもつものであるかを考えてみたい。

(1) 教師と生徒との間の個人的な結合の場として＝ホームルーム組織をとる主目的は教師と生徒との間に親密な個人的關係が生じ効果的な指導が行われるような場を學校の内に設けることである。このことを缺いてはあらゆるガイダンスも結局不可能であるということは多くを言うを要しないであろう。ホームルーム擔任教師はまず自分の擔任する生徒の一人一人と十分密接な關係をつくることからはじめなければならない。そしてそれによつて生徒は自己のもつ個人的な惱みの問題を卒直に教師に訴えて來る勇氣をもつようになる。このことは一義的に重要なことであると知りながら實際においてはなかなか出來難いことである。かかる關係を作るために教師は、生徒の側に立つて眞面目に彼等の訴えをきいてやる態度がなければならない。彼等の失敗に同情し、成功を共によろこんでやる指導態度をつくることが必要である。若し、望ましい個人的結合の雰圍氣を醸成することに失敗したならば、教師は自ら、かかる指導態度を持つていたか否かを反省する要があるであろう。情的な結合があればその後のあらゆる指導活動は丁度兩親の子供を指導するごとく極めて自然なものとなる。ホームルームの擔任が生徒個々の生活に關するすべてを知り、生徒の性格を研究し、その一般的な指導をす

る義務をもつた人として學校生活の父や母に比せられるのもその故である。

(2) 社會性、人格、よき習慣の形成の場として＝ホームルーム・プログラムの中にはこうした社會性の指導を中心問題として掲げ、それを研究し、討議するような單元題目をあげている。しかし單にホームルームはこうした研究や討議による指導ではなくして、實際ホームルームの形成者として、ホームルームの力動的な活動に積極的に參加することを通じて、社會性を理解し、高き人格の形成に役立ち、よりよき習慣を身につけることができる。すなわち、ホームルームの役員選擧やホームルーム活動の企畫立案などを通じて、よき指導者、よき社會人としての技能を習得することもできるであろうし、ホームルームのお互いの社交を通じて、よき躾を身につけることもできよう。あるいは相互の激勵、助言によつてよき人格を形成していくこともできるであろう。學習活動や他の特別教育活動もこうしたことの指導も可能ではあろうが、特にホームルームにおいてはかかる場としての機能が大きな役割をもつものである。

(3) 學校生活における基地として＝ホームルームは生徒が學校において家庭にあるようなくつろぎをおぼえる所でなければならない。學校の機構が大きく、複雜になるにしたがつて生徒の精神的な負擔は大きくなるであろう。生徒はホームルームを基地としてあらゆる學校の活動に參加し、やがてこの基地にもどつてくる。そしてここで指導され、激勵されて、さらに次の新しい活動に向かう生氣を得てここを出發する。こうした場所としてのホームルームの意義は重要である。



(4) 學校管理の單位として＝學校管理の單位として、ホームルームが用いられる。生徒の出席缺席遲刻、あるいは學校からの傳達告示の徹底はすべてこのホームルームを通じて行うことができる。

(5) 生徒自治活動の基礎單位として＝學校全體の自治活動として生徒は生徒會や自治會の組織をもつことができるが、そこで決議され、約束された事項はホームルームにおいてその實施が行われる。又生徒協議會や文化的あるいは體育的な生徒會の實行に對する意見などもこのホームルームを通じてまとめられる。

(6) 課外活動として＝教育の全體計畫のところで示したように正規のカリキユラムの中へ直ちに學習指導として組入れることのできない種々の指導、例えば行儀作法に關する問題、社會性、人格性の問題、健康安全に關する個人的な問題、などを、ホームルーム組織を通じて指導することができる。

(7) 家庭と學校との關係を緊密にするところとして＝生徒ののぞましい發達のためには、教師と兩親とが相互に尊敬しあい、理解しあうことが大切である。ホームルームはこのためによい組織である。ホームルームの擔任教師が家庭を訪問する。學校の行事などに兩親が參加する。ホームルームで兩親の招待會をもよおす。生徒の何か變つた事柄について知らせあう、などの方法によつてその關係を緊密にする。こうした活動は教師が生徒の背景を理解し、本當の興味を知り、家庭と學校との教育上の食いちがいを是正することが、生徒の指導にとつて大切なことであり、ホームルーム組織を通じてこのことが可能であろう。

右はホームルームの學校生活の上における機能をのべたものであるが、これによつて、ホームルームは如何に在るべきか、あるいはホームルームの目的といつた問題も明らかになると思う。そこでホームルームの目的とするところは次の項目に要約される。

(1)個人的、教育的、社會的指導、職業指導などガイダンスを十分に行う。

(2)自主的で民主的な生活經驗を得る機會を與える。

(3)學校の管理をうまく遂行させる。

## 二、ホームルームの構成と組織

**(一) ホームルームの構成**　生徒たちをいかなる區分法によつて、ホームルーム・グループに編成するか、という問題は、ホームルームが生徒の學校生活の基礎となる以上、非常に重要な問題である。それでこの點については、いろんな區分法が考えられているようであるが、いずれも一利一害があつて、卓越した方法として決定的なものは今の所ないようである。アイキン氏の Story of the Eight-year Study によれば、だいたい次の十二の分類法が考えられている。

1、新入生・二年生・三年生などのクラス別編成

2、I・Q（知能指數）による編成

3、クラス内のI・Qによる編成



4、各クラス別編成

5、クラス内の男女別編成

6、各學年の生徒をアルファベット順にわける編成

7、性　別　編　成

8、出身學校別編成

9、選擇教科別編成

10、課外活動の興味による編成

11、年　齢　別　編　成

12、年齢性別編成

右の分類計畫の中で、I・Qその他による能力別のホームルームの編成法は、ホームルーム・グループの關心、程度などが同じようであるから、教育活動を行うのに便利である。學習をさせるにも、討議させるにも、指導が容易な場合が多い。同じようなことが、性別の編成、選擇教科別の編成、課外活動の興味による編成などについてもいうことが出來る。これらはいづれもある場合に於いて共通の關心をもつているから、指導上都合のよい場合が多い。

しかし、教育上ある種の不便はあるにしても、能力その他種々のちがつた條件をもつ生徒を集めて混成グループをつくることが、あたかも社會の縮圖の如く、頭のよい子と惡い子、善良な子とよくな

い子、恵まれた家庭の子と不幸な家庭の子など、種々の型の生徒たちを、一つのホームルーム内に含み特権を否定する點で、より民主的な方法だといわれている。

今までの日本の學級經營に於いて、あまり見られなかつた新しいホームルーム・グループ構成法として注目されるのは、異つた學年の生徒を集めてホームルーム・グループを構成することである。異つた學年の生徒によるホームルームの構成の場合には、二つの場合が考えられる。それは異つた二つの學年で一つのホームルームを構成する場合と、一年から三年まで全部で構成する場合である。いづれにしてもこの異つた學年の生徒によるホームルーム構成法には、次の表に示すような利益と不利益があげられる。



| 有　利　な　點 | 不　利　な　點 |
| --- | --- |
| 1、各學年のへだてがなくなり學校は一つのものだとの感じを強くするので、學校を統一して行くのに都合がよい。 | 1、上級生の影響をうけて、下級生が早く不純となり、年齢よりもませて來る。 |
| 2、下級生は上級生の指導によつて、早く學校になれることが出來、またいろいろの點で、年長者のすぐれた點をまなぶことが出來る。 | 2、上級生と下級生の間に階級的意識が生れ、非民主的な空氣が、ホームルーム内に生ずる。 |
| 3、上級生は下級生を指導する責任を與えられるので、指導的な地位にあるものの立場を體驗することが出來、また自己よりも能力の弱い者に對する態度を體得することができる。 | 3、ホームルーム行事はすべて上級生が牛耳をとり、下級生は積極的に參加できなくなる。 |
| 4、種々の課外活動をなしている上級生との接觸により、下級生が自己の課外活動への參加をより廣い觀點からきめることができる。 | 4、他の學年の問題に對してはお互に關心がないので、學習するときのクラスとの關係が圓滑でなくなり、またホームルームそのものの活動計畫の樹立も困難となる。 |
| 5、下級生は上級生の指導の下にホームルームの改善に努力するので、よりよい訓練をなすのに役立つ。 | |
| 6、上級生、下級生互いにたすけ合つて、自律的な生活態度を養うことができる。 | |



異つた學年の生徒によつて構成するホームルームに對しては、以上のような利害が考えられるが、この方法は目下は試驗的に行われているにすぎない。しかし上記のごとき利點も考えられる以上、私たちはなお一層の實驗により、長所を明らかにして行かねばならない。短所もホームルーム・メンバーの構成の仕方の工夫、例えば前記の第四の短所に對しては、ホームルーム・メンバーを一年から三年までとせず、一年と二年、または二年と三年のごとく、二つの學年で構成すれば、ある程度この短所を防止することができる。また、1 2 3にあげた短所にしても、ホームルーム・アドバイザーの注意と努力とによつて防止して行くことができよう。

先にのべた選擇教科別の編成、課外活動の興味による編成などは、この學年制廢止を前提としたものである。出身學校別編成もまた同じ前提のもとに立ち、これは同時に通學地區別の編成にもなり、いろ〳〵の點で便宜があるが、前二者同様の偏向をもつ弊がある。

アルファベットによる分類はあまりにも機械的であるが、一面混成グループを作り易い利點もある。いづれにしても、ホームルーム編成にあたつては、一つの見方よりする利點は、同時に他の見方よりすれば缺點となることが多く、一利一害を免れ難いが、愼重な實驗と研究によつて、よりよい編成法にむかつての努力がなされねばならない。

次に起きて來る問題は、このようにして構成されたホームルームを、いつまで持續させるかという問題である。つまり年度が變つても、同じグループをつゞける方法と、毎年編成替をする方法と、兩者いづれをとるかという問題である。中學校あるいは高等學校にいる期間同じグループをつゞける方法と、毎年編成替をする方法と、兩者いづれをとるかという問題である。この二つの方法には、それ〴〵の長所があり、一方の長所は、同時に他方の短所となつている。これを表示すると次のようになる。

| 編成替をしない場合の長所 | 毎年編成替をする場合の長所 |
| --- | --- |
| 1、ホームルーム・グループの親密の度が深くなり、友情を永續的なものにすることができる。 | 1、多くの生徒に接することにより、新しい友人をつくることができ、また自己に一層適した友人を、今まで未知であつた人の中からさがすことができる。 |
| 2、これによつて協同の精神が培われ、ホームルームの團結およびホームルームの運營上都合がよい。 | 2、多くのちがつた考えをもつ生徒に接することにより、社會人としての修練をなすのに適する。 |
| 3、各ホームルームが自己意識を强化し向上に努力する結果學校全體がよくなつて行く。 | 3、毎年新鮮な感じのもとに、新學期の出發をするので、氣分が變りはげみが出る。 |
| | 4、今まで未知だつた者に接するので、觀察力、批判力を養うのに都合がよい。 |
| | 5、前に同じホームルーム・メンバーだつた者が、他のホームルームにいることは、ホームルーム間の障壁をなくすのに役立ち、學校統一上都合がよい。 |



## (二) ホームルームの役員組織

ホームルームに於いて、その活動の中心となるのは、生徒役員と委員會である。これらはホームルーム・メンバーの中から、それに値する能力ありと認められた者が選出される。選出法には普通選擧による方法がとられる。

ホームルームの役員は普通は、①會長(本校ではホームルーム委員長といつている)、②副會長(副委員長という)、③書記(或は秘書)、④會計、などが置かれる。次にそれぞれの役員の任務をあげてみることゝする。

會　　長

1、ホームルーム活動の中心となり、ホームルームのすべての會合を主宰し、また討議の議長となる。

2、いろいろの場合にホームルームの代表となって、對外活動を行う。
3、ホームルーム活動のリーダーとなり、それが正しく行われているかということを常に注意する。
4、ホームルーム・アドバイザーとホームルーム・メンバーとの間の連絡にあたる。

副　會　長

1、會長缺席或は不在の際にその代理者となる。
2、ホームルーム活動の種々の場合に、そのリーダーとなる。
3、會長を助けてホームルームを經營する。
4、新たにホームルーム・メンバーとなった新入生に對して指導、案内役となる。
5、外來者の應接にあたり、對外的事務をとる。



書　記

1、ホームルームに於けるすべての活動に對する詳細な記錄をとり、かつこれの保管にあたる。
2、ホームルーム・メンバーに關するあらゆる事項を記錄し、かつ保管する。これには次のような條項をあげることができる。
①ホームルーム・メンバー名簿
②ホームルーム座席表
③ホームルーム役員名簿
④その他ホームルーム・メンバーに關する諸記錄
3、ホームルーム・メンバーの毎日の出缺席の記錄をとり、報告する。

會　計

1、ホームルームに於いて、集金、支拂の事務を行い、責任者となる。
2、ホームルームの會計簿の記帳及びその保管にあたり、必要ある場合には會計報告を作製する。

以上の役員に選ばれた生徒は、ホームルーム・アドバイザーと協力して、ホームルームの實行委員會を組織し、通常隔週または毎週の定期的會合によって、ホームルームの運營に參加するのである。そしてホームルームの向上あるいは福祉などの目標のもとに、種々のホームルーム活動を計畫し、各役員はそれぞれの役に應じて、その實施にあたって行くことになる。

委員會は、ホームルーム活動を一層圓滑にまた積極的なものとするために、各ホームルーム内に、それぞれの目的と任務を持った若干の委員會を設けるのであって、これは役員の場合と異り、各ホームルームに劃一的に置かれるものではなく、ホームルームの性格に應じて適當に設置さるべきもので、また各委員會のメンバーの數も一定したものではない。ふつう置かれる委員會には、



①公民（ホームルーム・メンバーの良き市民としての資質の養成に努力し、風紀の向上をはかる。）
②社交（ホームルームの社交行事、例えばパーティなどについて企畫および實施にあたり、他のホームルームとの交際・親善をはかる。）
③學業（ホームルーム・メンバーの學業成績の向上をはかり、能力の弱い者の指導をする。またホームルームの成績報告の作製に對し、ホームルーム・アドバイザーに協力する。）

④新聞（ホームルーム新聞の編集および發行に對して、一さいの事務を行う。）

⑤厚生（ホームルーム・メンバーの保健、學用品のあっせん、教室の美化等にあたる。）

⑥出席（毎日ホームルームの出席狀態を調査し、先生に報告する。）

⑦公報（學校當局より發せられる種々の公報の傳達實施の事務をとる。）

⑧企畫或は計畫（これはホームルーム活動の企畫を行うものであるが、學校によっては、ホームルーム活動の企畫は劃一的に職員の委員會によって決定されたり、或はアドバイザーが自己の受け持つホームルームの企畫を行ったりして、生徒側の委員會を必要としない場合があるが、ホームルーム活動の企畫にはやはり生徒を參加させることが望ましいといわれる。この必要性は上級になるほど大となる。）



ホームルームの委員會には、以上のように多くのものが考えられるが、先にも述べたごとく、これらがすべて各ホームルームに置かれるのではなく、これらの中、必要な最小限度のものが設置さるべきで、澤山の委員會がごた〳〵と置かれてあってはかえって能率を下げることになるだろう。

當附屬中學校および附屬高等學校に於いては、ホームルームの役員は劃一的なものとせず、各ホームルームに於いてそれ〴〵決定することゝなっているので、生徒役員の名稱あるいは人數も、ホームルームによってそれ〴〵異っている。以下にその代表的なものをあげてみることにする。尚この他に、生徒會の基礎單位としてのホームルームという意味において、生徒會執行部の委員すなわち、學藝、體育、風紀、厚生、圖書の委員があり、ホームルーム代表として生徒會の仕事をすると共にホームルームの仕事をそれぞれ分擔する。

高校一年A組

| | |
|---|---|
| ホームルーム長 | 一名 |
| ホームルーム次長 | 一名 |
| 秘書 | 一名 |
| 計畫委員 | 三名 |
| 公報委員 | 三名 |

（任期一年）



高校三年B組

| | |
|---|---|
| 會長 | 一名 |
| 副會長 | 一名 |
| 會計 | 二名 |
| 計畫委員（書記を兼ね、出席簿による順番制で毎週交替） | 三名 |
| 保健係 | 一名 |

（計畫委員以外は任期一年）

中學二年右組

| | |
|---|---|
| 會長 | 一名 |
| 副會長 | 一名 |
| 書記 | 一名 |
| 會計 | 二名 |
| 企畫委員 | 四名 |
| 新聞委員 | 四名 |

（任期一年）

中學三年左組

| | |
|---|---|
| 會長 | 一名 |
| 副會長 | 一名 |
| 書記 | 一名 |
| 會計 | 一名 |
| 生活委員 | 八名 |
| 保健委員 | 二名 |
| 計畫委員 | 六名 |

（任期一學期）



中學三年右組

| | |
|---|---|
| 會長 | 一名 |
| 副會長 | 一名 |
| 書記 | 二名 |
| 會計 | 四名 |
| 計畫委員 | 五名 |
| 保健委員 | 二名 |

（任期 會長、副會長—一年 其他—一學期）

なほ當校に於いてはホームルームの上に、生徒協議會が置かれ、會長・副會長は協議委員として各ホームルームを代表して生徒協議會のメンバーを構成し、協議委員會に出席することになつている。附屬中學の方は男女共學であるので、普通會長は男生徒の中から、副會長は女生徒の中から選ばれているようである。

（三）**ホームルーム擔任**　生徒がホームルーム擔任から受ける感化は、他の授業を擔任する敎師からうける感化よりも大きい。だからホームルーム擔任のもつべき資格は充分檢討されねばならないが、必要な條件として次の事項があげられている。

①生徒に對する同情的關心
②生徒の心に訴える個性
③中學教育の經驗

しかし、大多數の學校では教員數或は教室の關係で、殆どすべての教師がホームルーム擔任となる實狀にある。この場合、どの教師がどのホームルームの擔任に任命されるかという問題は、校長などの責任の下に決定されるが、堀重三氏によれば、この選定にあたつて考慮さるべき事項として、次の五項があげられている。

①教師の好み＝ある教師は一學年のホームルーム・グループを、他の學年のそれよりも好むことがある。なほその上、一學年の中の特定のホームルームをもつ方がよいと希望する教師には或程度よく考慮せねばならない。

②教師の經驗＝まだ一回しかホームルームの經驗のない教師を、あつかいにくいホームルームの擔任にしてはならない。

③教師の全負擔量＝大きいホームルームとか、また他に多くの時間を必要とするホームルームには普通の授業や課外活動に餘り負擔を持つていない教師を振り當てるべきである。

④ホームルームの擔任の變更＝毎年同じ教師を困難なホームルームに振り當てゝはならない。困難



なグループの擔任に適當な輪番制を設けることは、職員の士氣の上に最もよいことである。

⑤クラスの授業における教師の擔當學年＝ある學校では教師は普通授業を教える學年と同じ學年のホームルームを受けもつている。このプランは、ホームルーム・アドバイザーが自分の生徒を更によく知ることが出來て都合のよいものである。

このようにして選ばれたホームルーム擔任は、つねに自己の擔任するホームルーム・メンバーの一人一人について觀察と指導に努力すると共に、ホームルームの生徒間の友愛、さらに進んでホームルームに和やかな空氣と、向上の精神をもたらすように努力しなければならない。そしてホームルームの生徒から敬愛されて、生徒自身に何か困難な問題にぶつつかつた時は、直ちに相談に來る程打解けた間柄となることが必要で、そのためにこの年頃の生徒の心理狀態と、個性に對して深い洞察と知識をもたねばならない。

このような生徒個人に對する知識としては、生徒の知識および成績、家庭環境、課外活動に對する興味、習慣、趣味、品性、健康狀態、職業的素質、などで、これらについて、擔任は記錄をとり、かつ保管せねばならないし、またつねに生徒に關する情報と資料を得て、個性指導上の參考とする態度が必要である。

ホームルームの經營にあたつては、あくまで生徒の自主性を重んじ、教師中心の活動は出來るだけ控え目にし、出來るだけ多くの生徒が活動に參加するように注意せねばならない。そしてまた出來る

だけ多くの機會をとらえて、生徒の家庭・兩親との接觸をはからなければならない。そしてこれによつて、學校と家庭との協力によつて、より一層生徒の全人的發達への援助に力あらしめることができるのである。

ホームルームの諸會合や討議などに對しては、ホームルーム擔任は程良く參加すべきであつて、あまり參加しすぎても、またその反對であつてもいけないといわれている。あまりに深く擔任が干渉することは、生徒の自發的態度を殺すものであるし、あまりに放任することもまたいけないからである。



次に問題となるのはホームルーム擔任の任期である。これには、一人のアドバイザーが同じホームルームを持ち上る方法と、時々變る方法とである。これにさらに前のホームルームの構成の時に述べたホームルームを編成替するかしないかという問題が加わつて來て、次のような表ができる。

(1) ホームルームが學年別編成の場合

| ホームルーム・メンバー | ホームルーム擔任 |
| --- | --- |
| イ、編成替をしないで同じグループを持續する。 | A、前年度のアドバイザーが持ち上る。<br>B、擔任を入れかえ、持ち上りをしない。 |
| ロ、毎年編成替をする。 | A、メンバーは變るが、前學年の擔任が持ち上る。<br>B、全然入れかえて、持ち上りをしない。 |

(2) ホームルームが學年別を無視している場合

| ホームルーム・メンバー | ホームルーム擔任 |
| --- | --- |
| イ、編成替をしないが、メンバー中卒業生が出、新入生が入つて若干の變動がある。 | A、前年度の擔任の繼續。<br>B、交替。 |
| ロ、全然新しく編成替をする。 | この場合は擔任の繼續ということはなくなる。 |

右の表でＡＢに別れる場合、どちらがより効果的かという點に關しては、いろ〳〵と議論されている。次に兩者の利點を比較すると



| 持ち上る場合の利點 | 入れ代る場合の利點 |
| --- | --- |
| 1、生徒の個性を一層深く知る。 | 1、教師によつて、特定の學年の指導が、他の學年の指導よりも上手な者がある。 |
| 2、生徒の個人々々の幸福に對する關心が一層深くなる。 | 2、一定の學年のみをもつて、持ち上りをしない時には、その學年に關しては專門家となることができ、一層効果をあげることができる。 |
| 3、生徒は一層擔任に親しみ、よい感化を多くうけることができる。 | 3、生徒が何年も同じ教師に指導されることは、よくない方面の感化をうけることがないとはいえない。 |
| 4、教師は生徒の向上に對して、何年も繼續して努力することができる。 | 4、生徒は毎年異つた教師から影響をうけるから一方 |

的に偏しなくてよい結果が生れる。

5、長い間の擔任のためあまり師弟間の關係が打ちとけてしまうことはよくない。

6、教師にとつても、はじめてのホームルームの方が氣分が變り、やり易いこともある。

以上のごとく、ホームルーム擔任に關しても、いろ〳〵の問題があるが、すべて各學校の状況に應じて適當な方法がとらるゝべきで、またホームルーム擔任はつねにホームルーム技術に習熟するよう、不斷の努力をなさねばならない。

## (四) ホームルームの時間

一日のうちに、あるいは一週のうちにホームルームの時間をどのようにとるか。またその長さはどれ位が至當であるかということも決定的な意見はない。それはホームルームの目的を考えて決定される事柄である。ある人の調査によると

(1) ホームルームの時間

(イ) 六五%　毎日一〇分―二〇分　一週一度は四〇分―六〇分
(ロ) 一四%　一週一度か三度　四五分―六〇分
(ハ) 一二%　毎日五分
(ニ) 九%　毎日三〇分

(2) ホームルーム時間の時期

(イ) 五六%　始業前に
(ロ) 一四%　第二時限の終りに
(ハ) 一一%　午後の時間の始めに
(ニ) 一一%　午後の時間の終りに
(ホ) 八%　其の他の時間に

となつている。

そこでこの時間を決定する要件をあげてみる。

(1) ホームルームで行うガイダンスや、研究される内容が學習活動とどのように組合つているか。すなわち、學習活動の中で、ホームルームでなされるような研究や指導が行い得るような組織、カリキユラム構成の下にあつては、ホームルームとして取る時間は全體として短かくてすむであろう。

(2) ホームルームの内容がどのように計畫されているか。その内容が豐富であり、十分計畫されている場合にはホームルームの時間は相當多く取る必要があろうが、そうでない場合には多く取ることはいたずらに退屈な時間を増すことになる。

(3) 教師と生徒とのホームルームに對する關心が高いか否か。教師がホームルームの時間を運營するのに巧妙な技能を持つている場合、生徒がホームルームの時間を有効に使うための興味と關心とを示

していう場合には、この時間は相當長くともよいが、そうでない場合は短い時間であることがよい。

こうした意味を考え、本校ではホームルームの時間を次のように立てている。すなわち

(1)毎日朝一〇分間始業前に短いホームルームの時間をもつ。この朝の始めに行われる短い時間は嚴密にはホームルームの時間とはいわれないかも知れない。このような短い時間ではホームルームの活動は十分行われないであろう。そこでこの時間は大部分、學校管理の基礎となるホームルームにおける事務處理の仕事が行われる。

(イ)敎師と生徒と顔を合わせあいさつする。
(ロ)出席委員其の他が生徒の出席を報告する。
(ハ)敎師がその日の行事について學校からの傳達を行う。
(ニ)公報委員もしくは週番がいろいろの傳達公報事項を傳え、全ホームルーム員に徹底させる。
(ホ)協議委員、その他學校委員から決定事項があれば傳え、意見を聞くことがあればそれを聞く。
(ヘ)お互いにその日の學習、あるいは生活について話し合う。

これらの仕事が大てい輪番制による司會者によつて運營される。

(2)授業後二〇分位（これは時間の伸縮は自由である）をこの時間にあてる。この時間では各ホームルームで計畫された簡單なレクリエーションや簡單な文化的な發表會（詩や文章の朗讀など）を行う。その日に起つた事柄を中心として個別的な指導が行われる。



(3)これらは短い時間であるが長い時間としては毎週木曜の午後の初めの時間に四五分の時間をとつている。この長い時間が後にのべるホームルームの全體プログラムによつて企畫された活動が主として行われる時間である。

## 三、ホームルームに於ける健康指導

### (一) 健康指導の目的

健康はあらゆる人間生活の根源であり、單に個人的生活に止らず、個人の肉體と精神の健康は民主社會の維持と發展のために缺くことのできないものである。從つて個人の幸福を保證し、個人と社會が調和ある發展をとげるためには、その基礎として、社會を形成する個人個人が健康であると同時に、各個人が相互に健康と安全を保持しようと協力する社會的態度がなくてはならない。即ち民主社會を構成する基礎として、健康と安全を保持しようとする態度を形成することは特に重要なことである。こゝに健康指導の重要さを見出し、かゝる民主的生活觀により特にアメリカに於いて積極的な健康敎育の問題が近來著しく發展させられるにいたつたのである。即ち健康敎育の目的について、アメリカに於ける敎育委員會と醫學聯盟の健康敎育に對する結論によると

(1) 青少年に彼等自身の健康を保持し增進することを敎える。
(2) 學校生活をとおして健康生活に對する理論と習慣を敎える。
(3) 學校に於ける健康敎育によつて家庭及び社會に對してよき影響を與える。

(4) 子供の將來の生活、更に民族の將來をよくすることに貢献する。

以上要するに個人的な面に於いては、生徒各自の幸福のために健康を保持し且つ積極的に增進し、ひいては社會或は民族の幸福に資し、又一方、學校に於ける健康敎育が生徒を通じて家庭や社會の健康生活に對して啓蒙的なはたらきをすることが望ましいことである。

**(二) 健康敎育とホームルーム**　以上の目的に從つて、健康敎育は、健康生活があらゆる人間生活の基盤であるように、敎育のあらゆる分野にわたつて考慮されなければならぬ。たゞ單に保健體育科のみにゆだねるべきではない。保健體育科に於ける指導の基礎づけとして理科家庭科等に於いて、或はその他あらゆる敎育活動の中に織り込まれなければならない。從來とも此の點については必ずしも全く行われていなかつたわけではない。學校衞生に於いて、或は理科、家政科、公民科等に於いても健康保全に對する敎材が織込まれていた。にもかゝわらず十分の効果をあげ得なかつたのは何故であろうか。それは單に衞生に關する知識をあたえる敎育、一般の敎科指導に於けると同樣いわゆる知識偏重の敎育であつたことに原因する。近來學校敎育が全般にわたり、知識をあたえる敎育から生活指導へと切替えられた時、實踐的要素を最も重要なものとする健康敎育に於いても、健康生活の指導へと進むのは當然である。從つてこれ又一般敎科に於けると同樣

(1) 健康生活に必要なる知識をあたえる。

(2) 健康生活に必要なる技能を身につける。

(3) 健康生活に必要なる態度を養う。

(4) 健康生活に必要なる習慣をつくる。

に指導の目標が置かるべきである。しかも特に第三、四項即ち個人の健康生活、ひいては社會の健康生活につくさんとする眞摯な態度とこの實踐を習慣にまで作りあげることが大切なことである。そして健康敎育に於いては前述の如くその實踐的性格より、多くの場合特別な敎授指導の時間を取ることなく、保健體育科、理科、社會科、家庭科等に於いては勿論、學校生活の全面にわたつて、隨時適切に行われる。そして各科の指導が一應カリキュラムに從つた外的要求により一般的指導が主體として行われるに對して、個人的なガイダンスの場としてのホームルームの重要性は健康敎育的な立場からも輕視することはできない。



**(三) ホームルームにおける健康指導**　ホームルームに於いてなされる健康指導は、個々の生徒がそれぞれ自己の身體的な特質につき正しき認識をもち、よりよき健康生活を設計する際にあたえられる助力であるが、ホームルームに於いてなされるガイダンスは、人格指導、健康指導等々を別々に切り離されるべきではなく、一體として全人的な指導であるべきは當然であり、一應これを健康敎育的立場として見るも尚且つ人格指導の場合と同樣な留意點が考えられる。即ち人格指導と表裏一體として効果を發揮するよう考慮されねばならない。留意點としては先づ次の五つの點が考えられる。即ち



1、十分なる基礎的な資料の上に立つて科學的に指導されねばならぬ。

2、指導は計畫的で繼續的でなければならぬ。

3、時期に於いて適切でなければならぬ。

4、方法に於いて適切でなければならぬ。

5、指導結果については十分これを見とゞけねばならぬ。

(1) 基礎的な資料としては、定期的に行われる身體檢査、特別身體檢査等はもちろんであるが、その他に、月例の體重測定等の如き動的資料から、先天的或は準先天的影響、既往症等の固定條件、或は物質的精神的家庭環境、通學經路時間、生活狀況、出缺狀況等あらゆる範圍にわたらなければならない。これ等については適當な時期に調査し、累加記錄として準備しなければならぬ。又これ等の外に日常の態度、顏色及び艶等常に參考事項についても敎師は積極的或は消極的な健康指導の問題として注意しなければならない。このような細かい點にも重大な健康指導についての鍵が存在することを考えねばならない。少し注意して見ると、わずかな身體的變調も、氣分のむらもよくこれを讀み取ることができる。每日四六時生活を共にしている家族が氣付かない變化を行きずりの表情に、或は朝禮の顏合せに氣がつくことは稀ではない。要するに生徒をより立派なものに、そしてより幸福なものにと願う敎師の敎育愛により發見されるかゝる微細なことがらが、前記の如き基礎的な資料によりはじめて適切な指導へと發展させられるのである。

(2) 健康敎育に於いても、人格指導其の他の指導と同じく、指導は計畫的且つ繼續的でなければならない。學校全體或は學年全體としての健康指導のプログラムに從つて、各ホームルームに於いても組織的に計畫に從つた指導を進めなければならない。又健康敎育が實踐を主體として特に習慣にまで到達させる必要のある事を考えると、指導はよほど忍耐を必要とし、繼續的に繰返さなければならない。これも又若い時に養成された良習慣が終生幸福をもたらすとの敎育愛が問題であり、決して形式主義的であつてはならない。從來、或は現在に於いても何々週間的な行事がやゝもすれば形式的に流れ易い事は何人も十分いましめねばならぬことである。

(3) 何れの指導に於いても適切な時期を失したならば効果を減少することは當然であるが、健康指導に於いても十分この點は注意せねばならぬ。但し人格指導等の場合に比較してやゝ單純であり、多くの場合早きに失することはない。しかし場合によつては心理的効果をも十分考慮しなければならない。又時期を失した爲に重大な結果に落入ることも有り得る。しかしかゝる消極的な指導のみではなく、積極的健康增進についても適切な時期を考え、其の都度適當な指導が加えられねばならない。

(4) 指導の方法に於いても前項と同じことが言える。それだけに又輕視され易く形式主義におち入り易い。ホームルームに於けるヘルス・ガイダンスにもやはり全般的なものと個々のものとがあるであろうが、後者がその主體をなすことは當然である。ホームルームに於けるガイダンスは從來の如く、敎師の注意、訓示式のものゝみであつては決して十分な効果を期待することはできない。一定のきまつた指導の時期を決めなくとも、その都度適當な方法によつて行くべきであるとよいと思う。たゞ方法としてもできるだけ簡單であり、敎師の負擔をできるだけ輕くするような、長つゞきのする方法を考えねばならない。この點で當校では今度新しく體育手帳を作製し全生徒に配布したので、これによつて主なる健康指導が行われている。もちろんこれは、ホームルームの健康指導のみではなく、保健體育科と密接な連絡をとりつゝ、ホームルーム敎師が常に指導を加えるべきものである。

次にその內容の主な項目と一部形式、指導の方法等を附記して見る。

1、序文　2、體育とは　3、體育の目標　4、健康生活の大別

5、環境の狀態

| 環境の記録 | | |
|---|---|---|
| 氏名 | | |
| 生年月日 | | 年　月　日 |
| 出生地 | | |
| 本籍地 | | |
| 現住所 | | |
| 家族 | 祖父母 | 父系 祖父（生死）祖母（生死）　母系 祖父（生死）祖母（生死） |
| | 父母 | 父　生死，　母　生死 |
| | 兄弟姉妹 | 兄　人，弟　人，姉　人，妹　人 |
| 家庭職業 | | |
| 出生時父母年令 | | 父　歳，母　歳，差　歳 |
| 乳兒期榮養法 | | 母乳　人工（牛乳，練乳，穀粉）混合 |
| 嗜好食物 | | |
| 既往疾病 | | |
| 平素罹り易き疾病 | | |
| 好きな運動 | | |
| 通學 | 距離 | 粁　時間　分 |
| | 方法 | 徒歩　バス　電車　汽車　其他 |
| 備考 | | |

入學と同時に體育手帖を所持させ記入せしめる。



6、生徒身體檢查表　生徒身體檢查表寫しである。從來當校では身體檢查表の寫しを作り、身體檢查の結果を記入し、每學期これを保護者に通知簿と共に連絡する。尙身體檢查の結果異狀者については次の形式により家庭に連絡表を送付、狀況によつては保護者の出校を求めて連絡する。

> 定期身體檢查の結果左記の故障がありましたから適宜御留意下さいますよう御通知申上ます
>
> 昭和　年　月　日
>
> 附屬高等學校
> 附屬中學校
>
> 保護者殿
>
> 記
>
> 一、
> 一、

但し體育手帖ができた關係上今後は體育手帖を用いることになる。

7、口腔檢查の狀態

## 歯牙検査票

| 検査年月日 | 年令 | 歯牙 | 歯牙沈着物 | 歯ぎん炎 | 歯そうのう漏 | 不正咬合 | 及その他の疾病異常 | 現在歯 乳歯 | 現在歯 永久歯 | 喪失歯 | う歯 乳歯 處置歯 | う歯 乳歯 未處置歯 | う歯 乳歯 合計 | う歯 永久歯 處置歯 | う歯 永久歯 未處置歯 浅在 | う歯 永久歯 未處置歯 深在 | う歯 永久歯 未處置歯 殘根 | う歯 永久歯 計 | う歯 合計 | 要抜去歯 乳歯 | 要抜去歯 永久歯 | 豫防處置 充てん | 豫防處置 抜歯 | 豫防處置 清掃 | 豫防處置 ふつ化物塗布と鍍法 |
|---|---|---|---|---|---|---|---|---|---|---|---|---|---|---|---|---|---|---|---|---|---|---|---|---|---|
| | | 記號 現在歯（例 ABCヲ/デ消ス） 喪失歯 △ 要抜去歯 × う歯 處置歯 ○ 未處置歯 浅在 $C_1$ 深在 $C_2$ 殘根 $C_3$ | | | | | | | | | | | | | | | | | | | | | | | |
| 年月日 | 年 | 8 7 6 5 4 3 2 1 \| 1 2 3 4 5 6 7 8 / 上 右 E D C B A \| A B C D E 左 上 / 下 E D C B A \| A B C D E 下 / 8 7 6 5 4 3 2 1 \| 1 2 3 4 5 6 7 8 | | | | | | 上 下 計 | | | | | | | | | | | | | | | | | |

8、生徒身體發育表



### 生徒身體發育表

| 區別 | | 全國 | | | | わが縣 | | | | 奈良縣 | | | | わが校 | | | | 自分 | | | |
|---|---|---|---|---|---|---|---|---|---|---|---|---|---|---|---|---|---|---|---|---|---|
| 性 | 年令 | 身長 | 體重 | 胸圍 | 坐高 | 身長 | 體重 | 胸圍 | 坐高 | 身長 | 體重 | 胸圍 | 坐高 | 身長 | 體重 | 胸圍 | 坐高 | 身長 | 體重 | 胸圍 | 坐高 |
| 男 | 12 | 130.4 | 28.2 | 64.6 | | | | | | | | | | | | | | | | | |
| | 13 | 135.0 | 31.4 | 66.9 | | | | | | | | | | | | | | | | | |
| | 14 | 139.8 | 34.5 | 69.1 | | | | | | | | | | | | | | | | | |
| | 15 | 146.0 | 38.9 | 72.4 | | | | | | | | | | | | | | | | | |
| | 16 | 152.7 | 44.0 | 75.4 | | | | | | | | | | | | | | | | | |
| | 17 | 157.9 | 48.7 | 78.8 | | | | | | | | | | | | | | | | | |
| | 18 | 160.6 | 51.7 | 80.9 | | | | | | | | | | | | | | | | | |
| | 19 | 162.1 | 53.4 | 82.2 | | | | | | | | | | | | | | | | | |
| 女 | 12 | 130.8 | 28.2 | 63.4 | | | | | | | | | | | | | | | | | |
| | 13 | 136.0 | 32.2 | 66.6 | | | | | | | | | | | | | | | | | |
| | 14 | 141.1 | 35.9 | 69.5 | | | | | | | | | | | | | | | | | |
| | 15 | 145.6 | 40.1 | 72.9 | | | | | | | | | | | | | | | | | |
| | 16 | 149.1 | 43.9 | 75.7 | | | | | | | | | | | | | | | | | |
| | 17 | 151.8 | 47.2 | 78.2 | | | | | | | | | | | | | | | | | |
| | 18 | 152.1 | 49.1 | 79.7 | | | | | | | | | | | | | | | | | |
| | 19 | 152.8 | 50.5 | 80.7 | | | | | | | | | | | | | | | | | |

9、毎年身長、體重、胸圍、坐高發育グラフ

毎年身長,體重,胸圍,坐高,發育グラフ（中學校）

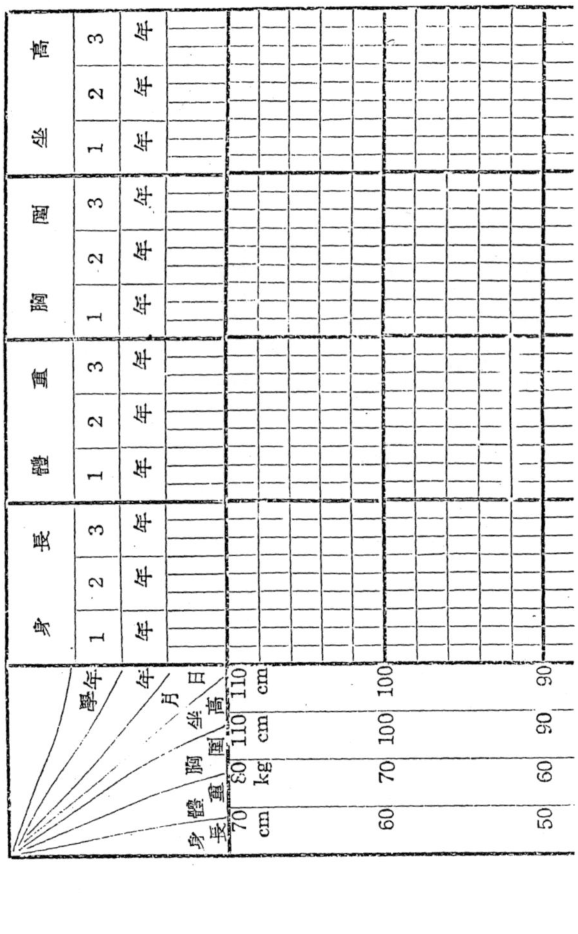


10、毎月身長、體重發育、グラフ

毎月身長, 體重, 發育グラフ

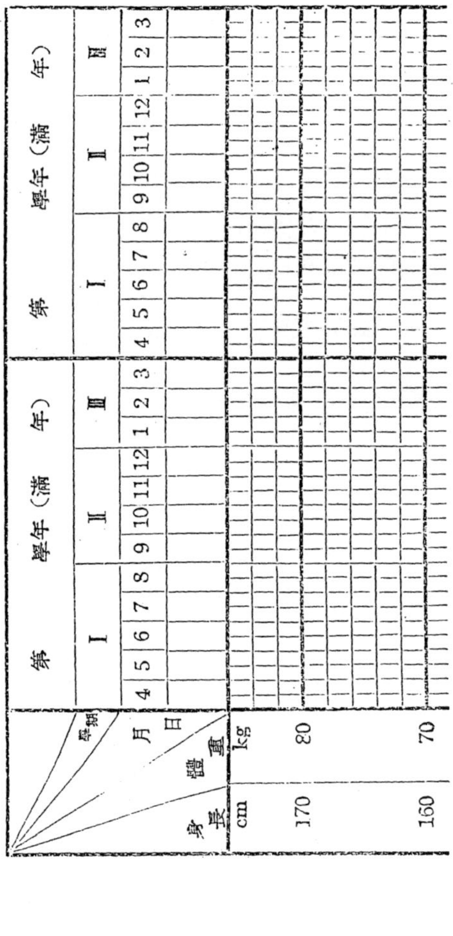

11、運動能力及び筋力の發達について　12、運動能力、筋力の發達表（形式省略）　13、內臓諸機能の發達について　14、榮養狀態について　15、ボルンハルト氏指數　16、上膊周圍規準表　17、良い姿勢とは　18、姿勢檢査表　19、脚・足の檢査表　20、胸廓について　21、ローレル氏身體充實指數　22、運動による代謝量　23、運動と疲勞について　24、運動神經作用の判定　25、傳染病一覽表　27、旅行、遠足、登山、其他參加記錄（學年、年月日、目的地、距離、備考）

26、各種運動競技會參加記錄

各種運動競技會參加記錄

| 學年 | 年月日 | 競技會名 | 場所 | 出場種目 | 成績 |
|---|---|---|---|---|---|
| | | | | | |
| | | | | | |
| | | | | | |
| | | | | | |
| | | | | | |

28、疾病の記錄

疾病の記錄

| 學年 | 年月日 | 病名 | 容態其他必要事項 | 靜養日數 | 備考 |
|---|---|---|---|---|---|
| | | | | | |
| | | | | | |
| | | | | | |
| | | | | | |
| | | | | | |



29、出缺狀況の記錄

出席狀況の記錄（第　　學年）

| 月 | 授業日數 | 缺席日數 | | 體育授業日數 | 體育科缺課見學表 | | | | 課外運動日數 | 體育出席時數 | 備考 |
|---|---|---|---|---|---|---|---|---|---|---|---|
| | | 病氣 | 事故 | | 缺課 病氣 | 缺課 其他 | 見學 病氣 | 見學 其他 | | | |
| 4 | | | | | | | | | | | |
| 5 | | | | | | | | | | | |
| 6 | | | | | | | | | | | |
| 7 | | | | | | | | | | | |
| 第一學期計 | | | | | | | | | | | |
| 9 | | | | | | | | | | | |

30、體育通信

體育通信

| 年月日 | 通信事項 | 受者印 |
|---|---|---|
| | | |
| | | |
| | | |
| | | |

この體育手帳は元來體育科の爲のものであり、ホームルームに於いて健康指導を行うためのもので

ないから必ずしも完全にはその目的には添わないが、しかし非常に都合よく利用効果があげられるものと思う。特に健康指導につき保健體育科とホームルーム教師の連絡が完全に行い得ることは大切なことである。

(5)指導の結果については豫備調査と同樣十分これを行わねばならぬ。そして其の結果を學校醫、或は保健婦等の居る所ではよく相談し、尚其の結果については保護者に十分連絡することが必要である。何れの場合にも保護者と十分連絡をとることは最も大切なことである。親は案外子供を過信し、或は過度に心配し正當な判斷をあやまり易い場合が多い。

以上要するにホームルームに於ける健康指導に於いても、他の指導と同じく教育愛に基く所が大きい。熱烈なる教育愛によつて生徒を觀、その成長を願う時は必ず相當な効果を期待し得ると思う。健康教育に於いては、人間指導の場合の如く熱心さに過ぎるといつた點はあまり心配を要しないのではなかろうか。たゞ實際指導するにあたつては、圓滿な常識と、ガイダンスは教師があたえるものでなく、生徒が自ら判斷し形成するのを教師が助言し、これを助ける、即ち生徒の自主的能力につきその發達をそ害せぬ樣くれ〴〵も注意せねばならない。



## (四) 健康教育の内容

健康教育の指導領域については今更のべるまでもないが、こゝに精神衛生と安全教育について一言附加して置き度い。もちろん精神的缺陷は肉體的缺陷から來る場合が多いが、如何に肉體的に缺陷がなくても、精神的に安定を得ねばやがては肉體的にも破滅を來して不幸に導くものである。精神衛生とはかゝる精神的異狀を常態に導くための努力である。精神衛生の對象たる精神の缺陷又は異狀は、單なる精神病の外に種々の精神的缺陷、精神反應及び性格一般の問題まで含まれ、その個人の行動態度が環境に對して適應していない現象であると考えられる。即ち精神衛生の目的とする適應又は精神的健康という狀態には大體二つの特質があげられる。一つは個人が有している能力を十分使用することができる事。二つは個人が元氣で自信を持ち幸福な感情につゝまれていることである。この二つの特質が人間の態度ならびに行動に生み出される時精神が健康で適應的であるということができる。從つて精神衛生は一層人格指導全般の中に包含されるものではあるが今こゝには健康教育の立場より一考をわずらわした次第である。

今一つ安全教育についてはその内容として交通機關等に於ける事故の防止、毒物その他危險物に對する注意等、一般の災害防止について前述の精神衛生と關連した常時の指導が加えられねばならない。近頃間違つた自由、自由主義のはきちがいよりくる放縱な生活態度より不慮の災害を受ける事が多いが、これ等は決してそのまゝに見のがしてはならない。教師の教育的信念に從つて確固たる指導がなされねばならない。

# ホームルーム健康指導プログラム

| 月 | 旬 | 主な學校行事 | 指導目標 | ホームルームに於ける主な實施事項 |
|---|---|---|---|---|
| 四 | 上 中 下 | 大掃除 入學式 身體檢査 驅虫劑の服用 新入生歡迎遠足 | 衣服身體の清潔 正しい姿勢 | ○服裝、所持品、爪檢査 ○身體檢査異狀者は家庭に連絡して速に治療開始 ○姿勢檢査と矯正 |
| 五 | 上 中 下 | 運動能力の測定 學年別遠足 衞生週間 公衆衞生講話 校內春季球技大會 | 自己身體の總合認識と健康増進に對する工夫 公衆衞生への寄與 | ○身體に關する諸統計の作製展示（ホームルーム及全校） ○蠅、のみ、蚊ねずみの驅除撲滅運動 |
| 六 | 上 中 | 口腔衞生週間 口腔衞生講話又はホームルームの發表 チブス豫防注射 | 口腔衞生の徹底 | ○むし齒治療の徹底 ○口腔清潔の實施狀況調査 |
| | 下 | 登山豫備練習開始 | 夏季衞生に對する認識 | |
| 七 | 上 中 下 | 夏季鍛練行事實施 水泳、登山、キャンプ スポーツクラブ 夏季練習 | 積極的健康増進 | ○夏季行事參加計畫の實施 ○體育手帖の整理 |
| 八 | 上 中 下 | 夏季休暇 スポーツクラブ夏季練習 | 規則正しい生活の持續 | ○生活態度の諸記錄の作製 |
| 九 | 上 中 下 | 驅虫劑の服用 スポーツの醫療講話 運動會豫行練習 | スポーツへの參加と健康の増進 | ○運動會參加計畫の立案 ○健康法についての發表會 |
| 十 | 上 | 全校運動會 | 傷害の防止 | ○災害防止に對 |
| | 中 下 | 縣下高校總合體育大會 縣下中學校體育大會市豫選 遠足 | 眼の衞生 運動と休養 | するポスターの作製 ○運動會の反省 |
| 一一 | 上 中 下 | 修學旅行 體力測定 ツベルクリン檢査 レントゲン檢診 | 身體發育狀況の反省 結核豫防 | ○發育狀況の統計作製展示 |
| 一二 | 上 中 | 音樂會 | | |
| | 下 | 冬休み始まり スポーツクラブ冬季練習 | 皮膚の清潔と鍛練 | ○體育手帖の整理 |
| 一 | 上 中 下 | 冬休み終り 驅虫劑の服用 耐寒鍛練 | 傷害防止 精神衞生 | |
| 二 | 上 中 下 | 校內冬季球技會 | 正しい姿勢 | ○姿勢檢査 |
| 三 | 上 中 下 | | 健康生活に對する一ケ年間の反省と將來への計畫 | ○體育手帖の整理 |



このプログラムに從つて、各ホームルームが更に實施計畫を作製するのである。このようなプログラムの作製は、學校の保健課及び保健體育科に於いて立案し全ホームルームに示される。そしてその後も隨時、健康週間、口腔衞生週間等其の都度各ホームルーム教師に對して注意を喚起し、必要な資料が提供されるのである。しかしこのプログラムは、あくまで一應の目安であり、各ホームルームはそれにそくばくされて自由な活動を害されぬことが大切である。その計畫作製及び、指導にあたつては、前述した樣に別に特別の時間をもうけることなく、ホームルーム時間の開始前に、或は終了後に、

或は生徒との會食等適切な時間に、一般的な指導として織りこみ、形式的な指導にならぬよう注意することが大切である。そしてあらゆる時間を利用して個々の指導が行われるのである。

## 四、ホームルームにおける教育指導

教育指導は、日々の學校生活において、生徒が最も望ましくそれに適應してゆくことのできるようにするための指導一切をふくんでいる。生徒の學習において最も好ましい環境を用意してゆくための一切の教育的助力であり、生徒が入學してより、その在學中、さらに卒業後にわたつての間に繼續的にたえずいとなまれて行くもので、この教育指導によつて生徒は、自己の個性や能力を十分に伸張させ、自己にふさわしい最も賢明なる學習計畫を立て、その學習を最も効果的ならしめることができるようになるのである。教育指導は生徒の興味と能力を探求させ、教育の方向づけ、學科の選擇、教科課程の選擇、上級學校の選擇の指導をもふくめて、生徒の學校生活全領域にわたつて、生徒の成長發達の過程における障害をのぞき、明かるく、樂しく、望ましい發達をすゝめるのである。

### (一) オリエンテーション

生徒が進學し入學する時、教育指導としてとりあげる特別指導として、その生徒の學校生活をいとなむための最初の方向づけを指導する重要な問題がある。オリエンテーションの問題である。中學の新入生徒を一日も早く學校生活になれさせようとするためのものである。校則、校舍内外の事情、學校の歴史、學校の習慣、教官及び友人關係についてはもちろんのこと、



その學科の選擇、學習の計畫、ホームルーム、生徒會、クラブ活動、アッセンブリー等についての紹介のため、ホームルームにおいて入學當初の數日を「新入生週間」として擔任教師は特別指導をする。すなわち新入生に對してはコアカリキユラムの課程の要領をのみこませるための特別な導入について、ホームルーム擔任は新入生を懇切に指導し、工夫をこらしてよき相談相手となつて萬全を期するところがなくてはならない。

このオリエンテーションはもちろん一週間のごとき短時日で果されるものでなく、中學校一年の第一學期の間は、そのホームルームにおいて擔任教師の適切な指導によつていとなまれるべきである。しかも、このオリエンテーションは、兒童期の終り、青年期の始まりにおいて、右せんか左せんか全く生徒自身はその決定にまよう時期であり、いわば人生の危期にさしかゝらんとする時代である。されば、オリエンテーションは、新入生として「新入生週間」内だけの問題ではなく、今後たえず個別的なオリエンテーションが、生徒個人と教師の間において營まれるのが望ましいのである。

ホームルーム擔任教師は、その個々の生徒の實態を早く把握し、その生涯の仕事をえらばんとする岐路にたつている生徒に重大なる示唆を與えるべき注意ぶかき指導が必要である。高等學校一年の新入生徒に對しても「選擇教科のえらび方」において最も適切なるオリエンテーションが必要である。すなわち、ホームルーム擔任教師は、その分擔する生徒をして「生涯の仕事」を選ぶようにしむけ、「終生はたらく興味」を自覺させることであり、高等學校第三學年に對しては、將來の教育および生

涯の仕事への準備を指導せねばならぬ。敎育指導は、中學、高校共、それ〴〵第一學年において最も重要なものと考えられるものであつて、敎育、學校およびその機會について生徒がよくわかつて自ら進んで學習にはげむということが强調されてよいと信ずる。(「新入生週間」については第三章二參照)

## (二) 在學中における敎育指導

在學中においては、生徒個人における個人差をたえず考慮に入れて指導することが必要であることは云うまでもない。この個人差をよくみきわめ、その先天的な能力の差違のみでなく、身體的に備わつているもの、社會的背景及び興味などの差違に基づいて個別的にそれぞれの生徒を指導するホームルームにおいてこそ、生徒に自治と自學との精神をよび起させる大切な訓練を與えることになるのである。

(A) 學　習　法＝より効果的に勉學するためにはどのようにしたらよいかについて研究させ、勉學時間の使い方を有効にし、勉强のよい習慣を身につけるよう導いていく。

(1) 日常生活における勉學の狀態を幾人かの生徒に發表させ、その一日の全時間が、どのように費やされるか、學校における時間、往復に要する時間、睡眠の時間、食事の時間、手傳いの時間、勉强の時間、あそぶ時間等について反省させ、勉强する場所はどこか、ラジオやその他について勉强の妨げとなる騒音はないかどうかについて話し合う。又、勉學のよい方法はどうかについて工夫をさせ、勉强時間について各自に適したものを研究させる。



(2) 勉强の時間を上手につかうために、次の様な示唆を與える。

(イ) 勉强時間を一定する。放課後、適當な運動や遊びをした後に勉强をはじめるのがよい。夕食後から、あまり夜おそくならない迄の時間とする。

(ロ) 勉强をはじめるまでに手間どることのないようにする。

(ハ) 勉强時間は、注意を集中して勉强し、氣分をはぐらさないようにする。勉强時間中の質的充實をはかること。たとえ時間を多く使つても注意散漫では効果は少ないこと。

(3) 勉强のよい習慣について

(イ) 勉强の計畫については、各敎科によつてその手順も異なるから、その説明をよくきゝその豫定をメモに記入し、十分研究しておく。この時間には一學科に偏することのないようにする。

(ロ) 勉强をはじめたら、その一つの事柄に集中して讀書し、ノートを適切にとり、豫定の時間内に終るように工夫する。

(ハ) 仕事はてきぱきやつて、いたずらにぐづ〴〵していない。

(ニ) 自分から研究するという氣持です〻む。

(ホ) 平易な學科と困難な學科との着手の順序を考え、疲れの極限にまでいたらないようにする。

(ヘ) 資料を組織化する、全體的にまとめる様にする。

(ト) 課題を與えられたらすぐに手をつけて、締切り間際まで放つておかないようにする。

(チ) どのような小さな部分でも、つねに全力を傾けて調べ、徹底的にその最善をつくす。

(リ)日々の勉强はその日の中に終る。

(B) 學習の習慣＝生徒が學習の効果を高めて行くには、よい學習の習慣が形成されてゆくことが求められるが、その障害となるような事柄、例えば

(イ)勉强の正規時間に勉强がうまく出來ない(身體的精神的に準備が不足していないか)。

(ロ)自分の學習の設計ができない。

(ハ)集中の能力に乏しい(讀書の習慣ができておらず、ノートのとり方不十分)。

(ニ)學習の方法の工夫がへたで、仕事がおそい。

(ホ)カリキュラムが自分にとつて何をしてくれるかを考えない。

(ヘ)學習者として獨立獨行、自らを恃む精神が發達しない。

のごとき事實がないか、擔任敎師は集團的にも個別的にも指導し、個々の生徒がリズムをもつた樂しい學習をすゝめ、ホームルーム全體としての大きな旋律がかもしだされるようにありたい。

(C) 圖書館の利用＝中學・高校の生徒が、餘暇を有効に利用し効果的な學習をしようとつとめるならば、圖書の活用さらに學校圖書館の利用をしなければならない。圖書館は始業前、放課後および自習時間など、餘暇を利用して閲覧し、又借出しをして、圖書館利用の繼續的なよい習慣とまでにしたいものである。圖書館で研究調査し讀書することの樂しみを身につけるならば、生徒の學習は著しく向上する。注意力の散漫な生徒に、平易な、その趣味に適したものなどを手にとらせることからはじめ、圖書館の面白さがわかり、漸次本格的な勉强に進展していつた生徒の實例があり、勉强の方法のわからない生徒にも、圖書館において種々の參考書に目をふれさせることによつて自然に會得されることもある。

なお縣立圖書館又はC・I・E圖書館などをも利用させると、學習の目的にそうと共に、公共心を自然と養う機會をうることにもなる。

たゞ圖書館の利用には、圖書館の規則を忠實に守らせることをしつけなければならない。

(D) 得意な學科と不得意な學科＝得意な學科を持つことは望ましいことであるが、その學科に偏しないよう、ホームルーム擔任は助言してやらねばならぬ。その生徒が得意とし成績も優秀である場合、これをみとめ賞賛しその進歩向上を激勵してやることは、個性の伸張の重要なるカギである。と共に、その不得意とする學科については、さらに愛情と親切をもつて親しく面接し、その原因を生徒と共に追求し、學科擔任敎師に連絡し、その學科の學習態度の如何を調べ、基礎敎育が出來ていないという場合には、その基本的な事項の練習を行つてその自信をつけてやることも肝要である。多くの場合、その課業に對する興味の缺如を敎室で發表することに對しての不安感、劣等感、恐怖心等を自然のうちにとり除いてやることも望ましい。又、その學科擔任敎師と性の合わない、信用されていないという感じがもとで次第に興味を失い不得意となる場合もある。新しい學科でわかりにくいという場合もあるから、ホームルーム擔任はその原因を生徒の個々について懇切にこまかく診斷してやらねば

ならない。

(E) 環境の整備＝家庭における勉强の條件が整備しているか。市街地で喧騷である、室がない、停電、暖房装置がない、雨漏りがする、机がない等、止むを得ない狀況もあるが、生徒自身の努力によつて、かなり改善されうる餘地があり、電車・汽車の混雜する乘車時間中といえども車中は快適な學習の環境を作り出すことにもなろう。

(F) 特別教育活動參加について＝特別教育活動、即ち學科教室外の作業に參加する事からくる利益を認識させると共に、各種の便益、訓練の機會及び學科教室では修得できない事柄を覺えるという事を知らせる。特別教育活動の內容としての分類における、研究活動、運動競技、趣味娯樂活動、自治活動、編集活動について、その特殊教科としての意義と興味とを感得させ、

(イ)個人能力の發展として、自分の望む事柄をなす能力を習得する事が出來る。

(ロ)社會人としての行動、すなわち議會や演劇や音樂クラブによつて自分が公衆の面前に立つても平氣になれる。

(ハ)文藝クラブ、哲學クラブ、フランス語クラブ、英語クラブなどのクラブと關係のある學科の効果的進步をのぞむことが出來る。

(ニ)學科教室では學習しえられぬような事柄を習得できる。

(ホ)生涯の趣味を見出し習得する。



(ヘ)自己の能力を知り、生涯の職業を決定する動機となる事がある。

等について生徒個々の特性を考慮しつゝ、適確な指導をしていくことが望ましい。

(G) 「教育」のもたらす利益＝教育の目的、その意義、學校の歷史、傳統、組織、學校に對する誇り、學習の方法、生徒としての協力の責任、生徒の諸活動、學習効果の測定法、學習習慣、態度、一般的な學校市民としての資質の改善の方法、學校の與える機會、將來の教育の機會について、特別教科過程の活動、ホームルーム、クラブ、アッセンブリー、生徒會、生徒協議會、學校出版物（學校新聞、その他の出版物）、體育、演劇その他社會的公開行事について、ホームルーム擔任はたえず指導し、彼等がいかによりよくルームの仲間と知りあうようになり、ホームルームの重要性を理解するようになつたか、自分の學校をよりよく知るようになつたか、自分の課程を一層賢明に選擇するようになつたか、學校進路を一層知的に容易に計畫するようになつたか、課外活動を一層賢明に選ぶようになつたか、より能率的に勉强する仕方を知るようになり、教育の重要性をより一層認識するようになつたか、成績採點の目的をよりよく理解するようになつたか、將來の教育への計畫に對して元氣づけられるようになつたかなどをたしかめつゝ、教育のもたらす利益について適切なる指導がなされねばならないのである。

(H) 教科選擇の手引―將來の教育の機會について＝高等學校一年においては、選擇教科の意味を考え、自己の個性の發見に努め、その選擇をあやまらないようにさせることが主要なる教育指導の眼目

昭和二十三年度

## 進路別指定單位案　奈良女高師附屬高等學校

（この表は卒業後の進路にしたがつて如何なる單位をどれだけとることが望ましいかをしめしたものである）

東5, 5等はその進路をとるにつき必要と思わるゝ單位をしめした。

(人5), (5)等はなるべく選擇しおきたき單位をしめした。

| 卒業後の進路 \ 教科 | | 必修教科 国語 | 必修教科 体育 | 必修教科 社会 | 選択 国語 | 書道 | 漢文 | 社会（東洋史・西洋史・人文地理・時事問題） | 数学（解析学(一)・幾何学・解析学(二)） | 理科（物理・化学・生物・地学） | 音楽 | 図画 | 工作 | 外国語（英語） | 農業 | 商業 | 家庭（育児看護・食物被服等） | 指定単位数 | 自由単位数 | 合計 |
|---|---|---|---|---|---|---|---|---|---|---|---|---|---|---|---|---|---|---|---|---|
| 進学コース | 法経科 | 9 | 5 | 9 | 6 | | 2 | 東5 西5 時5 (人5) | 5 (5) | 5 (5) | | | | 15 | | | | 71 (86) | 14 (0) | 85 (86) |
| | 哲学科 | 9 | 5 | 9 | 6 | | 4 | 東5 西5 時5 (人5) | 10 | 5 (5) | | | | 15 | | | | 78 (88) | 7 (0) | 85 (88) |
| | 国文科 | 9 | 5 | 9 | 6 | 2 | 6 | 東5 西5 (時5) (人5) | 5 (5) | 5 (5) | | | | 15 | | | | 72 (92) | 13 (0) | 85 (92) |
| | 英文科 | 9 | 5 | 9 | 6 | | 2 | 西5 + 5 | 5 (5) | 5 (5) | | | | 15 | | | | 66 (76) | 19 (9) | 85 |
| | 史学科 | 9 | 5 | 9 | 6 | 2 (東日) | 6 2 書 西 | 東5 西5 人5 (時5) | 5 (5) | 5 (5) | | | | 15 | | | | 73 (88) | 12 (0) | 85 (88) |
| | 地理学科 | 9 | 5 | 9 | (6) | | | 人5 時5 (東5) (西5) | 幾5 + 5 | (物5) (生5) 地5 | | 2 | | 15 | | | | 75 (81) | 13 (4) | 85 |
| | 数学科 | 9 | 5 | 9 | (6) | | | 5 (5) | 解一5 幾5 解二5 | 物5 化5 | | | | 15 | | | | 68 (79) | 17 (6) | 85 |
| | 理化学科 | 9 | 5 | 9 | (6) | | | 5 (5) | 解一5 幾5 解二5 | 物5 化5 生5 (地5) | | | 2 | 15 | | | | 75 (91) | 10 (0) | 85 (91) |
| | 生物学科 | 9 | 5 | 9 | (6) | | | 5 (5) | 10 | 生5 物5 化5 地5 | | | | 15 | | | | 73 (84) | 12 (1) | 85 |
| | 医学科 | 9 | 5 | 9 | (6) | | | 5 (5) | 10 | 生5 物5 化5 | | | | 15 | | | | 68 (79) | 17 (6) | 85 |
| | 薬学科 | 9 | 5 | 9 | (6) | | | 5 (5) | 10 | 生5 物5 化5 | | | | 15 | | | | 68 (79) | 17 (6) | 85 |
| | 農学科 | 9 | 5 | 9 | (6) | | | 時5 (人5) | 10 | 物5 化5 生5 地5 | | | | 15 | 5 | | | 73 (84) | 12 (1) | 85 |
| | 工学科 | 9 | 5 | 9 | (6) | | | 5 (5) | 解一5 幾5 解二5 | 物5 化5 | | 4 | 4 | 15 | | | | 76 (87) | 9 (0) | 85 (87) |
| | 商科 | 9 | 5 | 9 | (6) | | | 時5 (東西5) 人5 | 10 | 5 (5) | | | | 15 | | 5 | | 68 (79) | 17 (6) | 85 |
| | 音楽 | 9 | 5 | 9 | (6) | | | 西5 (5) | 5 (5) | 物5 (5) | 6 | | | 10 | | | | 54 (75) | 31 (10) | 85 |
| | 美術 | 9 | 5 | 9 | (6) | 2 | | 西5 (東5) | 幾5 (5) | 5 (5) | | 6 | 4 | 10 | | | | 58 (79) | 27 (6) | 85 |
| | 体育 | 9 | 5 | 9 | (6) | | | 5 (5) | 5 (5) | 生5 物5 | 6 | | | 10 | | | 保健5 | 64 (80) | 21 (5) | 85 |
| | 家政学科 | 9 | 5 | 9 | (6) | | | 時5 (5) | 10 | 物5 化5 生5 | | | 2 | 10 | | | 20 | 85 (96) | 0 (0) | 85 (96) |
| | 被服学科 | 9 | 5 | 9 | (6) | | | 時5 (5) | 幾5 + (5) | 物5 化5 生5 | | 2 | 2 | 10 | | | 20 | 82 (98) | 0 (0) | 82 (98) |
| | 師範 | 9 | 5 | 9 | (6) | 2 | 2 | 時5 + 5 | 10 | 10 | 2 | 2 | 2 | 10 | | | | 79 | 6 | 85 |
| | 保姆科 | 9 | 5 | 9 | (6) | | | 5 (5) | 5 (5) | 5 (5) | 6 | 6 | 2 | 10 | | | 育児5 | 67 (88) | 18 (0) | 85 (88) |
| 職業家庭コース | 農業 | 9 | 5 | 9 | | | | 5 | 5 | 物5 化5 生5 | | | 4 | | 5 | | | 57 | 28 | 85 |
| | 商業 | 9 | 5 | 9 | | 2 | | 5 | 5 | 5 | | (2) | | 5 | | | | 50 | 37 | 85 (87) |
| | 工業 | 9 | 5 | 9 | | | | 5 | 10 | 物5 化5 | | | (2) | | | | | 50 | 37 | 85 (87) |
| | 就職 | 9 | 5 | 9 | | 2 | | 5 | 5 | 5 | | | | 5 | | | | 45 | 40 | 85 |
| | 家庭 | 9 | 5 | 9 | | 4 | | 5 | 5 | 10 | | (2) | (2) | | 5 | | 20 | 74 | 11 | 85 (87) |



となるが、これについては高校におけるカリキュラムの大要を知り、適切に教科を選擇させねばならない。

それにはまず、選擇に際し、自己の將來の進路についてある程度の見通しをもたせて、高等學校三ヶ年間の選擇教科を最も合理的なものとせねばならない。豫備知識を與えるものとして、進路別指定單位案（昭和二十三年度—前掲）を生徒各自に與え、卒業後の進路として(一)大學への進學コースをとるもの、(二)職業家庭コースをとるものは、それぞれ必修教科としての國語、體育、社會は除き、他の教科を自己の個性に適したるものより選擇すべく、教師は適切なるオリエンテーションをほどこすことはもちろんである（第三章「選擇教科の取り方」の實施記録を參照）。

**（三）卒業後の研究指導**　中學校三年及び高等學校三年の卒業時における教育指導として進學指導を含む卒業後の研究指導がある。これは職業指導であると共に、教育指導として重要なる一領域をなしている。

## 五、ホームルームにおける人格指導

**（一）人格指導の領域**　ここに人格指導という言葉は廣い意味をもつており、單に倫理學上でいう人格の問題には限らない。それは心身の自覺的統一體として、個人的な問題のみならず、人格と人格との交渉の場としての社會の中における人間の生活をも意味していることを豫め注意しておかねばならない。

一體青年期にある生徒は、日常どんな問題に當面し、その解決に迫られているであろうか。いろいろの觀點から見ることができるであろうが、指導の立場からこれを概括してみると、次の十一項目に分類できるのではなかろうか(シュトラング)。(1)健康及び身體的發達の問題、(2)學業の失敗・成功、あるいは學識の問題、(3)經濟上の問題、(4)家庭關係、(5)性の問題、(6)宗教上の問題、(7)道德的公民的問題、(8)人格的缺陷に關する問題、(9)社會上の問題、(10)生活條件に關する問題、(11)職業指導の問題。

これらの項目の分類は論理的に整備されたものではないから、すべてを盡くしたものではないが、おおよそこれらの問題に要約されるであろう。そこでこの内(1)に關するものは健康指導として、(2)に關するものは學業指導あるいは教育指導として、(11)に關するものは職業指導として考えることができる。その他の問題はここで人格指導として考察しようとするものに多分に關係する問題である。

生徒の中には家庭の經濟的貧困になやみ、それに影響されているものもあろう。父母との關係の調節に困難を感じているものもあろう。性の問題、戀愛問題に學業も手につかぬものもあろう。自己に失望し、極端に自己否定的な考え方に陷つているものもあろう。友人との關係がうまく進行しないで悩んでいるものもあろう。こうした個人的な、あるいは社會的な問題の解決とそれへの適應のなやみがいろいろの形で生徒の成長をはばんでいる。これらの問題解決への助力を生徒は待ち望んでいるのである。



ホームルームにおけるガイダンスは先ずこうした現在における不適應な狀態に對する矯正的、救濟的なものから初めねばならぬであろうが、かかる消極的な面のみを强調することに止るべきではなく、むしろ積極的に個人の將來における賢明な解決の方向が與えられるよう留意しなければならない。指導の目ざす所はその個人にあるのであつて、問題を解決することそのことにあるのではない。問題を解決する力と、それを最善に實現する方法を自ら決定することができる狀態にまで個人を指導することでなければならない。こうした力を啓培するための中核に立つものが、ここにいう人格指導の問題である。指導の究極の目標が自己指導の狀態にあるとすれば如何なる指導も生徒個人の努力を前提としないものは指導の意味をもたぬものということができるが、殊に人格指導にあつては個人の自己形成への意志が缺くことのできない要件であろう。

そこで、かかる意味における人格指導の問題を指導の面から分けて考えてみれば、(1)道德性の指導、(2)社會性の指導、(3)指導者性あるいは協力者としての態度の指導、などの問題があげられるが、これらは互に關連しあい密接不離である。そしてこれらの領域は從來の訓育とほぼ相似たものと言えるであろう。

## (二) 新しき訓育の立場

ホームルームにおける人格指導の問題を述べる前に、われわれは從來の訓育との比較の上に、新しい訓育が如何なる立場に立つものであるかを明らかにしなければならない。何故ならばホームルームにおける種々の指導のうち、こうした訓育の問題こそ最も中心をなすものであり、その大きな部分を占めるものであるからである。

そこで、新しい訓育の立場と考えられるものを示すと、

(1)生徒一人一人の持つ、基本的な人格が尊重されなければならない。民主社會においては人間はその一人一人が絶對的存在であつて、他のための方便や犠牲となることは許されない。その基本的人格においては、優秀者といえども、劣弱者といえども、其の價値は平等である。知能的に、體力的に差異があつても、人間としての價値に何らの高下はないということは民主主義の根本原則であつて、敎育は常にこの民主主義の根ていを忘れてはならない。このことから次の二つの問題が生ずる。

(2)生徒が望ましき發展への可能性をもつことを信頼しなければならない。生徒の内には、繰り返し繰りかえし助力を加えても尙かつ道德性若しくは社會性の向上を示さないものがある。殊に學校における訓育の結果が、家庭や社會によつてくつがえされていくのをみるとき、ともすると人間性への信頼がゆらぐようなことはないだろうか。そうした場合にもなお、敎育の持つ力に信頼し、終極の勝利を信ずるのでなければならない。この信頼を失うとき訓育は外的な强制に墮する危險性がある。外形的な效果を早急に期待するのではなくて、內心の確立こそ訓育の最大の目標でなければならない。

(3)生徒を畫一的なものに統制することのみを躾とか訓育であると考えてはならない。統制の根柢にはいつも指導の精神がなければならない。社會的な種々のエチケットを習得させる躾の面には、風習や傳統の中において形造られたきまつた形式がある。この風習や傳統によつて形成された形はもちろ

— 98 —

ん批判しなければならないものもあるが、人間が社會的な生類である以上、躾敎育が無視されることは許されない。こうした面の訓育において統制が表面に浮び上つて來ることもあるが、社會の成立するために法則や習俗の必要であることを知り、互に相たすけ相倚るためのきまりであることを了承せしめ、進んでこの道に入らしめる所に指導の精神がある。

(4)生徒の性格を單に行爲に現われた表面のみで理解せず、生徒の性格や行爲を生徒の置かれてある場との關連において把握し、その原因の究明によつて正しい指導の方策が立てられねばならない。そのためにはホームルーム擔任が生徒の具體的科學的な資料を手もとに用意する必要がある。

以上四つの項目を新しい訓育の立場を示すものとして述べてみたのであるが、この立場は從來訓育の極端な二つの型と考えられている硬敎育・軟敎育のどちらにも屬するものではない。硬敎育の主張する畫一性を否定するのではあるが、無計畫なその場その場の指導ではなくして綿密な資料にもとずいた計畫性に裏ずけられたものであり、たんに抑制するのが正しくないと共に、無制限なる自由を許す立場でもない。むしろこの兩者が統一され、これを超えた所にその立場を置くものである。

## (三) ホームルームにおける社會性及び指導者性の指導

いうまでもなく敎育の一般的目的は敎育基本法に示されている如く、文化的民主社會の形成者を育成することであるが、この目的を達成するために中學敎育には三つの目標がある。即ち、國家及び社會の形成者として必要な資質の養成と、職業選擇の基礎的能力の育成と、社會的活動の促進である(學校敎育法第三十六條)。これを要約すれば、

— 99 —

望ましき社會人、よき公民の育成ということが教育の最後の目的であり目標である。

そこで學校はカリキュラムにおいても、その他學校生活全般にわたつてこの目標を達成することができるように計畫されねばならない。ところで民主的な社會人となるには、民主的社會における生活經驗を通じて學ばれなければならないということは「なすことによつて學ぶ」という生活學校の原理をまつまでもない。それ故、學校は單に社會人としての智識だけの指導がなされるのではなく、生徒の敎育されるあらゆる環境が、民主的社會的な生活の場として整えられなければならない。學校の中でこうした訓育の場としては、ホームルーム活動が最も適切である。實際、ホームルーム計畫の大部分の時間がこのような社會性の問題に割かれている。ホームルームの中でどのような機會がこの指導のためにあるだろうか。

(1) 民主的な社會生活の實驗室として

(イ)ホームルームの役員の選擧、生徒會におくる代表の選擧を通じて、民主的な選擧の方法を學ぶ。

(ロ)ホームルームの役員として、ホームルーム活動の立案や實施を通じて、よき指導者としての態度や技術を磨く。

(ハ)ホームルーム員として、指導者によく協力していく民主的な態度を學ぶ。

(ニ)討議の進め方、討議における發言の仕方を、ホームルームの討議を通じて學ぶ。

(ホ)ホームルームにおける社交上の儀式や、ホームルームの計畫・活動を通じてよい躾を身につける。

(ヘ)多人數の前でも臆せず落付いて氣樂な氣持で居られるよう訓練することは、ホームルームのような氣樂なグループが最も有効である。

(2) 人格、社會性などに關する題目の研究によつて

(イ)生徒の學校生活の約束—公共の行儀作法

(ロ)交際のエチケット

(ハ)家庭における家族間の關係

(ニ)よき指導者の資質

(ホ)議事法の根本原則

(ヘ)服裝、外見の問題

(ト)友人間の相互關係—友情の問題

(チ)スポーツマンシップ

(リ)奉仕の精神

(ヌ)自己統御(など、第三章一、ホームルーム、プログラム參照)

生徒たちはホームルームのこれらの活動を通じて、自己の要求するものを他人も要求していることを理解し、他の喜びを自己の喜びとし、他の生徒の悲しみを自己の悲しみとして共感することができ

るようになつてはじめて、物分りのよい民主社會の一員となることができたというべきであろう。それは指導者性の指導であると共によき協力者としての態度の指導でもある。

望ましき社會においては、社會を形成する成員が個人的に優秀であるのみならず、更に個人と個人との結合のきずなが緊密に結ばれてあることが大切であり、この個人と個人、個人と團體、團體と團體との結合を望ましくすることの指導が社會性の指導である。そこで、このためには如何なる人間像を描くことができるか。

(1) 一般にあらゆるタイプの人から好かれ、如何なるタイプの人とも親密に交際し ―社交性
(2) 自己の利害をかえりみず他の爲に奉仕し、しかも禮儀正しく上品である ―親切と禮儀
(3) 常に希望をもち、不平をいわず幸福を感じ、明るい言動で他人に快感を與え ―明朗性・幸福感
(4) 他人を尊敬し、自分より劣つたものでもばかにしない ―尊敬の態度
(5) 他人の立場もよく受入れ、反對意見のものも尊重し ―寛容の態度
(6) 進んで全體のために協力し、全體との協調の爲には自説をおさえることができる―協調の習慣
(7) 自分たちのきめた團體におけるきまりをよく理解してこれを守り ―正直な性質
(8) 命ぜられたこと、引受けたことは必ず責任をもつてやりとげる ―責任ある態度
(9) 規則や大ぜいの人の意見にしたがい指導的な地位につくことができる。他面つまらぬ仕事も喜んでやる ―指導者性、服從性

などが結合のきずなを作る上に必要なことであろう。(下に掲げた項目は「累加記錄摘要」の「個人的・社會的・公民的發達記錄」のうちの行動特徴の項目を便宜的にあげてみた。)



## (四) 個性及び道德性の指導

望ましき社會は、まず何よりもその社會の形成者である個人が個人として望ましきものであることでなければならない。社會的結合の關係がうまく調整されているとしても、その成員の一人一人が、身體的に、知能的に、道德的に優れたものでないならば、その社會は未だ完全なるものということはできない。

個性の伸張ということが新しい敎育の目標であるといわれる。しかし普通解釋されている如く個性を「ある個體が他の個體と區別される標徴である」とのみ考えて、個體の差別相のみに着目し、それを伸張することが敎育の目標であるとするならばそれは誤つている。個性という言葉は價値的な意味をもたず、しかも不變のものでなくして生成變化しつゝあるものである。個性の伸張というのはそれ故、個人のあるがままの差別相に着眼し、尊重して、敎師の畵一的な型にはめようとする態度を廢し、あるがままの姿においてより價値多く、より高きものにまで伸ばしてやることでなくてはならない。こうした價値的な觀點を含めて、しかも畵一的な立場を廢する意味に於いて「個性及び道德性」の指導という。

ホームルームにおけるこの指導の場は別して個別的である。ホームルーム擔任はホームルームの時間その他あらゆる機會を把捉して、各人の環境、生育、智能、性格などの調査測定を行い、視察、實驗、テスト、質問紙、面接、作品その他の記錄調査などの方法によつてあらゆる角度から指導のため

の資料を蒐集しておかねばならない。そのためには累加記録や個性観察票などを十分に活用し記録していくことをホームルーム擔任は常に心掛けねばならない。これには次のような項目を継續的に記入していくことができるように用意する。

本人の住所、本籍、姓名、生年月日、出身校、保護者氏名、家族の狀況（同居人を含む）年齢、發育程度、續柄、職業、健康など一罹災疎開引揚の有無、得意な學科、不得意な學科、進學希望、將來の針路、趣味、性質、本人の特長的な點、本人の缺點と思われる點、主なる既往症、食物の嗜好、通學時間、學校と家庭との連絡方法、電報配達局名、市内の親戚其の他の連絡先、學校生徒にて家の近いもの、住所附近の略圖（學校から本人の住所への略圖）、家の形や門構え、履修した教科目及びその成績、性格狀況、標準テストの結果、本人の寫眞、校内における役員、選手、代表名およびその活動狀況、保護者との連絡事項、其の他。

—104—

以上、羅列的であり直接個性指導に關係のない項目もあるが、こうした調書をホームルーム擔任は常に坐右において記入し、實態把握をしていかねばならない。個性、道德性の指導は個別的な指導が主となる關係から、時に起る事件に關連して指導される場合が多いが、先端にあらわれた行動の背景になるものを把握していないと正しい指導はできないであろう。

次にこうした個性、道德性指導に關して、價値ある人間像はどのようなものであるか、一應の輪廓を描いて見ることにしよう。

(1) 感情や偏見にとらわれて判斷をあやまることなく、社會的常識が豊かである　―判斷力
(2) 自分が正しいと信じている事柄は、他人の批判をおそれないで自分の意見を誰の前でものべる。道德的には德性に對する自信と、實踐力　―自　信
(3) 仕事や營業について他のたすけをかりないで、創造していく能力がある　―創造性
(3) 多くの人に信頼され、自信をもつて落付いている　―安定感
(5) 自制し、温和な感情を繼續することができる　―情緒の安定度
(6) 物事を最後までやりとげ成功することが多い　―成功性
(7) 自主的な意見をもち、自分で自分の仕事を處理し、責任をとる　―獨立性
(8) 餘暇を健全な運動や、娯樂や、讀書などですごす　―餘暇の善用

—105—

これらは「累加記錄摘要」の項目に即してみた望ましい發達の像であるが、この項目のみで個性、道德性指導の項目がすべて盡くされているわけではなく、その他いろ〳〵の角度から眺めることができるであろう。

**（五）困難とその調整**　人格の指導は先にものべたように特に個別的指導が行われる必要がある。それ故これは生徒の不適合な行爲に對する對應處置、あるいは、そこまで至らない以前にその原因をつきとめて適切な指導をするといつた仕方が行われる場合が多い。そこで私たちは、次のような狀態が現われた場合には、一應個別的な指導を要すると見て注意している必要があろう。

(1) 新たに發見した生徒の特技、惡癖、進歩、退歩の著しい點

(2) 環境の變化によつて行動が影響される場合

(3) 思想上の轉換期

(4) 言語、態度、服裝、容姿等に生じた變化

(5) 交友關係から見て注意を要する點

(6) 學業成績に著しい變化が現われた場合

(7) 心理發達上から見て特に問題となるような點

(8) 性的な點から見た身體的、精神的變化

などの場合には特に注意して、ケース・スタディーの詳細な對象として診斷し、正しい處置を早急に施す必要があるのではなかろうか。指導の場合においても病氣の場合と同じく、早期發見と早期手當が大切な事である。



## 六、ホームルームに於ける趣味指導

**(一) ホームルームにおける趣味指導の必要性**　ホームルームに於ける趣味指導は、教科の補導として、個性豊かな人間性を育成するために必要なものであると考えられるが、現在この趣味指導の指標をどこにもとめるか、或は何に準據すべきかという問題については、まだ何人もはつきりしない點であつて、それはわれわれに求められる今後の課題であろう。

生徒各人の最も望ましい道徳的習慣、圓滿なる社會性、及び日常生活の習慣による個人の完成などの事柄を達成するため、各人が豊かな趣味をもつことの必要が、われわれの現在もつている缺陷を顧りみても首肯し得られるところである。

ホームルームの醸し出す家庭的な雰圍氣はこの趣味指導を適切に養つて行くことによつて一層役立ち、形式に流れることなく、興味深く、なごやかなものとすることができるであろう。

**(二) レクリエーションの概念**　人間生活に於いて常に緊張の連續は不可能であるといわれる。知的作業、筋肉勞働のいづれの面に於いても一定の勤勞時間を經て次回の活動時間迄は、必ず休養を必要とする。その休養は來るべき緊張時に具えての準備期間であつて、その間活力を補給し、次回への勤力の根源を蓄積するのである。即ち新しい力を再創造する時間なのである。



生徒は、一日の學習に心身の快い疲勞を覺えて歸宅する。その日の責任から解放され、何等拘束される事なく自由に行動し得る時間が與えられている。休養する時間又はその時間の使用法は、各人それぞれによつて千差萬別であろう。しかしながら明日への活躍をめざし英氣を養う爲の時間なれば當然何等かの形に於いて慰安の時間とならなければならない。あるものはその一時を休養に費し、睡眠をとるものもあろう、又ある者は趣味に生きて、自由にされた喜びを存分に呼吸しながらレコードのシンフォニーに耳を傾ける事であろう。ある者は食後の一時を靜かに木蔭で讀書に耽ける事もあろう

う。又日曜の一時を一週間の繁務から解放されて、心ゆくばかり自然に親しみ心身共に新たな活力の補給を取り得る事だろう。その爲には、この時間に行なわれるものとしては決して苦痛を伴うものであつてはその目的は達し得られない。消耗的なものは却つて逆効果を生ずるのである。本務から解放されて自由な、そして自己の好むまゝに喜びを伴い、常にフレッシュな生氣を養い得る、しかも健全な娯樂を私達はレクリエーションと呼ぶ事が出來るのでなかろうか。即ちレクリエーションは學校生活そのものを娯しみ、學習の爲の意慾と、精力とを奮い起させるための適當な補習過程なのである。

生徒の一日の生活を時間的に解剖して見る。先づ前夜の休息（睡眠）に心身の疲勞から回復し、健全な思想を抱き、生氣潑溂、健康そのものの少年少女達は意氣暢々と登校する。一日のスケヂュールは概ね六時限の學習とそれに伴う休憩の時間、十分乃至十五分であろう。

私の學校に例を取つて見る。

| | |
|---|---|
| 職員朝禮 | 八時四十分—四十五分迄(五分) |
| 生徒朝の會 | 八時四十五分—九時(十五分) |
| 第一時限 | 九時—九時四十五分(四十五分) |
| 第二時限 | 九時五十五分—十時四十分 |
| 第三時限 | 十時五十分—十一時三十五分 |
| 第四時限 | 十一時四十五分—十二時三十分 |



| | |
|---|---|
| 晝食 | 十二時三十分—一時二十分(五十分) |
| 午後始業豫鈴 | 一時二十分 |
| 第五時限 | 一時三十分—二時十五分 |
| 第六時限 | 二時二十五分—三時十分 |
| 終の會 | 三時十分—三時三十分 |
| 淸掃 | 三時三十分—三時五十分 |
| 一般下校 | 五時 |

六時限連續は相當量の消耗過程である。各時間後の十分間は移動時間に、十分の休息は時間的に勿論不可能であるとしてせめて次の精神活動への新たな氣分の轉換ぐらいは望ましい。遲緩の狀態にある凡ての行爲を廣義にはレクリエーションと呼ばれるならば、休憩の十分間もある意味でのレクリエーションをなしうる時間であるが、このわずか十分間の休養においては、次の學習の心的準備に要されるものであつて、やはり學習の一部とみておくが、午前中の心身疲勞は、母の心づくしのお辨當を級友達と語りながらいたゞく樂しい晝食のあとの一時もレクリエーションの時間と呼ぶ事が出來よう。食後の休憩に男生徒はいち早くボール遊びにグラウンドへ走り出で、女生徒は好きなピアノを彈奏し、ある者は讀書に、ある者は芝生に出て友達と樂しく語り會う等、それぞれのレクリエーションをしているが、時にはホームルームに於いて極く短い諷刺劇、詩の朗讀、レコードコンサートなどを

することも望ましいのである。放課後は最も大きなレクリエーションを行い得る時間である。一日の學習を無事終了して、その休息をとると共に明日への活力補給の爲に。

レクリエーションは、次の緊張時に備えての活力を補給する爲の休養であつて、從つてそれが消耗過程に入るようにまで行き進んでは意味をなさない。どこまでも學習生活そのものを樂しく活力あるものたらしめる健全な娯樂の時間でなければならない。

又餘暇の時間を如何に有意義に過すかという事を指導するにおいて、社會の多くの青少年或は道德的に或は思想的に間違つた行爲を平然となす者は、凡て餘暇の利用を誤り、その結果しらずしらずに墮落の淵に入り込んでいる事を例をもつて說明し、餘暇をたくみに利用することによつて學習の効果を一層高めることが出來、また教養ある人は餘暇利用の最も上手な人であること、學校生活において學科の學習と共に、それにつゞく極めて重要な價値をもつレクリエーションの必要性を學校生活の體驗を通じて理解させることがのぞましい。

故に如何に餘暇に行なわれるものの、即ち苦痛の伴なわない程度の趣味、休養、娯樂の正しい選擇が必要であるかを知らされるのである。

## (三) ホームルームにおける趣味指導の在り方

趣味活動に對する指導の概要を記してみよう。

趣味活動に先立つてホームルーム擔任の豫備的計畫、その指導助言はホームルームの他の活動におけると同じく細心の注意と觀察による指導が特に必要である。例えばAという生徒の心身の狀態をよ



り深く理解して、他の生徒との比較、その生徒の個性、特に趣味面における報告と資料とを集めておかねばならない。少なくともホームルーム擔任は、そのホームルームの生徒達個々について詳細な趣味上の知識を調査しておき、全生徒の趣味傾向を統計的に調査する。（實施記錄中學二年の項參照）

全體的に渉つては學期又は學年に先立つて趣味活動の豫備的計畫即ち細案を用意して、絶えず計畫性を持ち、思いつきにおちいらずに繼續的に行つていくようにしたい。

(A) 豫備的調査の要項（各條項に渉つての調査表原簿の詳細を作成して、各記入に備えること）

イ、餘暇の時間の長さ、その利用法、その內容

ロ、品性、個性の特質

ハ、身體上の注意

ニ、學校成績の如何

ホ、家庭狀態

ヘ、市民としての本人の姿

これらは趣味活動指導以前に於ける生徒個人の基本調査の大略であるが、出來る限り詳細にしかも餘白を置いて、それに逐次改變を加えて書き入れる樣にして完全なリストに作成して行く。

(B) 全體活動の計畫表　ホームルームの構成の仕方によつて計畫の立て方は異るであろうが、ホームルームの教師は多くの趣味活動を十分指導するのではなく、それらへの足場を作る役目をなすのであ

る。即ちホームルームを土臺とした趣味への關心を起し、それはやがて、クラブ活動へと移行し、そこで十分發展させて行くのである。

趣味活動指導の時間を如何にとるかであるが、中學の各學年に夫々の指導の主題を割ふりして指導してゆく。即ち各學年に於いてその都度例えば年中行事や四季の推移、社會のニュース等に關連して行うのも現實の對象を如何に活かすかという點で効果も多いと考えるが、それは指導者に於いてたゆまない計畫、注意が必要である。

正常な娯樂、即ち洗錬された趣味はよき修養となつて人としての完成への道程を作るのである。その爲には如何なるものがよい趣味か、どうした趣味が低劣で惡趣味かを判然と認識させてゆかなければならない。

# （四）趣味活動の概觀

## (A) 音　樂

（一）音樂の意義

イ、うたうこと―人間の本能、原始人間にも歌があつた、宗敎(のりと、敎會音樂)、勞働歌(各種)、正常音樂(日本音樂・西洋音樂)

ロ、魂の安息所、聽覺による藝術、藝術の説明（1藝術とはどのようなものか、2藝術の我々に及ぼす影響）



（二）よい音樂と惡い音樂

イ、心を高める音樂―日本音樂、西洋音樂、古典音樂、近代音樂、器樂と聲樂

ロ、耳にこびて俗惡な感じをうけるもの―俗歌、流行歌

ハ、放送音樂について反省

（三）音樂の種類

イ、器　樂―日本樂器(琴、三味線、尺八、琵琶、笙、ヒチリキ、太鼓）と西洋樂器(ピアノ、オルガン、ヴアイオリン、ギダー、其他）との比較説明

ロ、聲　樂―ソプラノ、アルト(女聲)、テノール、バス(男聲)

右の器樂、聲樂のいずれの項においても、代表的なものをレコードで聞かす。例えば日本樂器の代表として琴をとり、西洋樂器の代表としてピアノをとりあげ、各々その代表的な演奏者、及び曲目をあげて説明し、聲樂では各パート(四部)の音色を知らして關心をおこさしめる。

（四）音樂の歴史

イ、日本音樂

ロ、西洋音樂

日本音樂と西洋音樂の古典から近代までその變遷を比較説明し、作曲家の苦心、挿話等も

取り入れて樂しく理解させる。

（五）鑑賞—準備、レコード、學校放送のうち音樂の鑑賞、レコードは生徒の理解程度に應じて判り易いものを選ぶこと

(B) 美　術

（一）美術史—東洋美術史、西洋美術史

（二）東洋の美術—日本傳統の美術（奈良の佛像彫刻、正倉院建築、法隆寺の壁畫）、日本畫と中國の畫、現在日本の繪畫、陶器、磁器、漆器、工藝品、支那・印度の藝術

（三）洋畫—油繪について（現代の油繪・パリの博物館）

（四）美術の鑑賞法

1、よい作品とはどのようなものか（見方）

2、どうすれば美術色が樂しめるか—よい作品を出來るだけ數多く見ること、よき指導者に說明されながら鑑賞すること、惡い作品は、いゝ作品を見ていれば直ぐに判ること、展覽會には出來るだけ行くこと、博物館參觀、俗惡なものゝ例を示す。

（五）鑑賞—日本美術寫眞（佛像、繪畫、彫刻）、西洋美術、世界名畫の複製（日本美術全集、世界美術全集）



(C) 文　學

（一）文學の範圍と定義—小說、詩、戲曲、短歌、俳句

（二）文　學　史

日本文學史

○各時代の代表作

○明治文學に於ける外國文學の影響と外國文學について

（三）小說について

1、いゝ小說とは

2、その鑑賞法

3、代表作（短篇など朗讀させる）

その他少年文學、童話文學などについて話す。

（四）戲曲—歌舞伎戲曲、外國の戲曲（シエクスピーア作等）

（五）詩—東洋詩（漢詩）、近代詩—外國の詩の影響—明治以後現在の詩というもの

（六）和歌、俳句—萬葉時代から現代まで例をあげて、判りいゝ秀作によつて鑑賞から入る。」

（七）文學者の挿話や苦心談

（八）俗惡小說（興味本意によるもの）

例　講談、通俗探偵小說、カストリ小說、赤本、卑俗な物語

(D) 演劇、映畫、放送、紙芝居

(一) 紙芝居の製作(主に中學生向)—各子供達の希望者が集つて、計畫を立てる。箱をつくるもの、畫面の準備をするもの、脚本を書くもの、それによつて畫を描くもの、解説をするもの等、各役割をつくつて前以てその準備をさせる。

(二) 上演—その脚本を一度見てやる。繪の指導は擔任の敎師に見てもらう。ホームルームの趣味の時間に、愈々上演する。上演は各學年の共同鑑賞もいゝ、又高學年、下級學年の共同演出も試みて面白いと思う。

上演後は觀劇の座談會を持つ。その要點は、見方、人物評、人情論、演技批評、脚本の選擇の仕方など話合によつて深める。これは演劇・映畫ともそれ〴〵必ず後で試みたい。そして全體としての印象を共鳴、共感して深めさせる。

(三) 映　　畫

イ、學校に映畫敎室を作つて活用する。(學校に設備のない時は地域の映畫館に出かける)

(ロ) 月一回乃至二回位鑑賞

(ハ) フイルム(七—十巻位)、ニユース、文化、物語、觀光用

(E) 讀書—(後掲の「ホームルームにおける讀書指導」の項參照)

(F) 園藝—草木への愛情、自然へのあこがれ、學校園、學級共同花壇のつくり方。園藝の趣味—

春咲く花、秋咲く花、室内の花、庭の樹、街路樹、綠化運動、三尺の庭を愛する、家庭菜園の手入れ、簡單な栽培上の常識、床の花、机上に置いた鉢植の花、敎室の花、人間のゆとり、たのしみ。



(G) 旅行—旅行の趣味、旅の思い出(修學旅行、遠足等)、旅することの利(實地見學、社會見學、生きた學問)交通について(昔と今との交通)、汽車の旅(車中の心得、汽車の常識、切符、急行券、寢臺、食堂車)、船の旅(内海航路、食事)、ツーリストビユーローに行つて實地の指導をうけて來る。その發表、夏—山や海への旅、冬スキー、スケート(宿舎の心得)、日本と世界の主な交通網など、人生も一つの旅であること、旅の恥はかき捨ての觀念をなくすること。

(H) スポーツ—スポーツの精神(高度のスポーツ精神)

○勝敗以上のスポーツ精神

○心の鍛練としてのスポーツ(健全な精神は健全な身體に)

○その觀方、應援の態度

野球、庭球、排球、籠球、蹴球、ハイキング、陸上競技、水泳、スキー、スケート、アイスホツケー、ラグビー、乘馬、角力、柔道、登山等、各種スポーツのアウトラインを知つて、それらに對する常識を持つた上にて眞のスポーツ精神による趣味を高く持つように體

得せしめる。

スポーツ美談や、感激談も讀ませたり話させたりする。

右に述べたスポーツの中、ホームルームのスポーツとして適當なものを選ばせる。又ホームルームで取り扱うスポーツは出來るだけみんなが參加し得るようなものを選ぶよう心がけたい。

準備、各種のスポーツの寫眞

(I) 特技―尚この他に女子に於いては刺繍とか、舞踊とか或は料理とか、生花や茶の湯などの趣味もある故それらはすべて適切に發展せしめる。

以上大要の趣味の主題についての分類を掲げて概觀したのであるが、更にこれらの趣味の活動に生徒が專一な注意と、その完成への喜びとを抱く樣な工夫、配慮は常に拂わるべきであつて、それらは縦横の變化と興味と熱意とが持たれていなければならない。

趣味は樂しいものである。わけてホームルームそのものゝ中に於いても最も樂しいユーモアやウイットをも含めて自づと心踊り、魂うくような活動でなければならない。樂しい音樂や、美しい繪や、面白い映畫や涙ぐましい劇を型通りな今迄のような敎える方法では決して生きて生徒達に訴えない。生徒達が自身でそれらを掘り出して動いて來て、彼等が生きて旅に出で、汽車に乗り、その動作にひたつている氣持になつてこそ、趣味活動の大略は果されたと云える。よい小説を與えてこれを讀み聞



き、ひき入れられて無限の感激の上昇を彼等の顔から、眼から見られた時は、その文學への思慕は、長く生涯において彼等を支配するに相違ない。

最後にこれらの各主題を終えた後においては、娯樂修養の活動に參加する喜びと、その價値の檢討と反省とをなし、更に民主主義理念について常識ある民主人とは、敎養あるよき市民とは、より高き趣味を備え、自己の持つ餘暇を最も有效に使用することのできる、良識のある人間を指すものであるという定義にまではいつてこの趣味活動指導はひとまず終としたい。

## 七、ホームルームに於ける讀書指導

讀書の敎育的意義はいうまでもないことであるが、新敎育においては特にその重要性が强調され、生徒と敎師に對して、調査・レクリエーションおよび研究のための手段を提供するものとして、學校内に設けられてある施設として、學校圖書館があり、生徒は日々その學習を營んでいるが、その讀書指導は社會科、國語科の指導分野の重要なる部分であることは明らかであると共に、ホームルームにおいての讀書指導がのぞましいのである。

讀書指導というものが、國語科の敎官によつて國語の學習時においてなされていることは從來とても見るところであり、社會科の單元學習にたえず取り入れられているのであつて、現行の敎科書では、圖書および圖書館の利用法についての敎材はほとんどないのであるが、讀書指導についてのかな

りの示唆は、學習指導要領に提供されているのである。（國語科編　三―五頁、第二章第三節、第三章第三節、第五節、九九、一〇一頁、第四章の第四節、同第六節。社會科編Ⅱでは、五、六、一〇―一二、一七、三七、四一、六七、六八、一五〇、一五三、一五四、二二一、二八八頁參照）

しかし、國語科や社會科の敎官のみにまかせられるものではなく、又、學校圖書館の擔當敎官職員によつてのみ、果しえられるものでもなく、ホームルームの敎師によつてもまた周到な讀書指導がなされるべきことは云うまでもないことである。ホームルーム所屬の生徒が自己の讀書について、その信頼するホームルーム敎師の懇切なる親しい指導をうけることは、その學校生活、學級生活を最も樂しいものにし、かれらの社會性と情操との發達の指導において一層有効な方法となり、讀書そのものゝ價値の發見、讀書生活の確定という、人生における重要なる仕事の端緒を見出すために、大きな手がゝりとなるであろう。

學校圖書館における圖書および圖書館利用法の指導については別の機會にその考察をすゝめることにするとして、こゝにおいては、ホームルームにおける敎育指導の一環としての讀書指導について概說していくことにしたい。

生徒は讀書の源泉を、學校圖書館にあおぐとしても、それ以外において、各ホームルームにおいて讀書指導が適切に行われ、生徒の積極的な讀書がすゝめられることが、學校生徒における讀書指導の重要な一部面である。これはいかにしてすゝめられていくべきか。



これには、ホームルームにおいての讀書をとくに好む生徒によつて構成されている讀書グループをよく育成し、更に全學級の讀書活動を活潑にさせ、讀書組織を次第に發展させてゆくことが望ましいのであつて、敎師そのものも、たえず讀書しつゝ自己を深め發展を念ずる人であらねばならぬことはもちろんである。そして敎師は、圖書やその他のいろいろの資料の充實をまつてはじめて讀書指導をはじめるのではなく、すべてが未だ十分に用意されざる今、直ちに着手していかねばならぬ緊要なる仕事の一つであることを自覺しなくてはならない。まず第一には、

**(一) ホームルーム文庫**　全校生徒の讀書指導はたえず學校圖書館においても行われているが、各ホームルームにおいてホームルーム文庫を設けていくことを望む場合には、各ホームルームにおいて選出されている圖書委員（これは各ホームルーム一名あて、生徒會の圖書部委員を構成しているもので、圖書出納の世話係をなすもの）を通じて、學校圖書館に密接に連絡され、その指導をもうけることが望ましい。

（イ）中學校において各科の單元學習が行われていく場合、その學習が最も効果的に行われていく爲には、その題目に關係のある參考資料としての圖書が準備されねばならぬが、圖書館の利用と併行してこれはその當該ホームルームの圖書委員によつてそれらの參考圖書はその單元學習の終了するまでそのホームルームの文庫に一まとめにして貸出され、そこにおいてそれ〲のグループに適切にくばられ、相互に交換しあいながら、學習をすゝめていくことも、一つの有効な圖書の利用法といえよ

う。その際、その單元學習の指導教官は、それらの圖書が獨占的に利用されぬよう配意し、且つその學習が終了したならば、速かに再び圖書委員の手によつて學校圖書館に返納されることを確認しなければならないし、ホームルームの圖書委員は最も積極的にその圖書の管理に力をそゝがなくてはならず、またホームルームの各人は、その圖書の取扱いに十分なる協力をはたすように指導されなくてはならない。

（ロ）ホームルーム文庫というのは、各ホームルームの讀書についてのリーダーである圖書委員やその他ホームルーム委員たちによつて構成されている學級圖書委員會によつて運營されていくいわば學校圖書館の分館のような形をとるものである。學校圖書館とホームルーム文庫との二本立てということは一見矛盾の感があろうけれど。

— 122 —

從來やゝともすると各科の教官の要求によつて、學校圖書館の藏書は、各科の研究室の書棚に徒らに死藏されている傾向が强かつたので、もちろんそれは學校内の圖書館に集藏されるべきものであり、學校内の藏書はあげて學校圖書館の中におさまり、生徒は圖書館内の閲覽室において調査に、研究に、またレクリエーションに、讀書三昧にふけることがのぞましいが、これは生徒の學習生活の場と、圖書館との接近において、前者を後者にひきよせようとする圖書館を主體としてみたやり方であるが、逆に圖書館の方から生徒の場に接近して行くことが、教育の一手段として考えられよう。こゝにホームルーム文庫の存在すべき理由があり、又、教育的にみてこれに大きな効果を期待することができる。

すなわち、ホームルーム文庫は、讀書に親しむ習慣をやしなうのに極めて有効である。讀書に親しむ機縁の一として、たえず書物のすがたをながめることが大切であるごとく、生徒がホームルームにおいて書物を手近かにみることができ、それを手にすることが極めて容易であることは、自然に讀書に親しみ、生涯の讀書習慣を身につけることになるであろう。

こゝにおいて、ホームルーム文庫の必要性というか、その教育的意義をあげてみるならば、

（一）ホームルーム生活に最も適切な圖書から成り立つ。

すなわち當該ホームルームの生活（學習・教養・レクリエーション）に最も密接につながるものであり、學校圖書館から選擇して借り出されたもの（冊數は制限）や、生徒の家庭より持參したもの、ホームルームの費用によつて購入したものなどがあるが、ホームルーム教師は、それが低俗な興味本位にながれぬよう、比較的冊數はすくなくとも、選擇されたものであつて、それらがホームルームの學習生活の効果を最大限に發揮しうるよう、つねに指導する必要がある。

— 123 —

（二）ホームルームの學習的環境を整備するのに役立つ。

身近かに、書棚の中に、讀みたくなるような圖書が備えつけられてあることは、ホームルームにくつろぎを感じさせ、落ち着いたやわらかい雰圍氣をかもしだし、ホームルームそのものを親しみある樂しい場所にしてくれる。學習環境の整備こそは極めて重要な先行條件であらねばならない。

（三）ホームルーム文庫において、讀書指導を行き屆かせることができる。

讀書指導は圖書館をはじめ各敎科の學習において、とくに國語科、社會科などの學習において行われるものであるが、このホームルーム文庫において、ホームルーム敎師が、その分擔する生徒の讀書傾向とか讀書内容について、個々の生徒と個別に親しく行き屆いた指導のできることは、樂しいホームルーム生活の一端をなすもので、この讀書指導を通して、生徒個々の實態をしることもでき、學業指導、職業指導、道徳指導もよりなめらかに果されることである。

（四）圖書館を眞に理解し、且つそれを利用する態度を助長させることができる。

圖書を大切にし敬愛の心を以て取扱うことはもちろんのこと、公共的に活用して行く態度が養われてくるようになり、公共物を尊重する態度を發展させ、その適切なる利用において責任を感ずるようになることを助ける。ホームルームにおいて、圖書館を利用するについてのよい習慣を養うことはのぞましいことである。

（五）ひまな時間を有効に使うことができる。

このひまな時間において有効に讀書するということは、讀書の機會を積極的につくることの端緒となるものであり、毎日の學校生活において一日のうち三十分は自由讀書をするとか、何ページ讀むことにきめるとか、生徒のもつ競争心をたくみにつかつて、ひまな時間を讀書生活の充實にむけさせるのがよい。



のごとくであるが、ホームルーム文庫の圖書册數は極めて少數であるから、より廣いくわしい内容をもとめる場合は、もちろん學校圖書館を大いに利用すべきであり、その圖書はたえず學級の進展にともなつて刻々に變つて行くべきであろう。またこのホームルーム文庫そのものゝ運營は、生徒たちが興味をもつて營んでいる限り、あまりホームルーム敎師の行きすぎた指導はさくべきである。敎師はそれを助長しつゝ、生徒の個別的な指導を徹底させるのがよい。

その設備としては、書棚と掲示板とがあればよろしいので、すこぶる簡單である。

中學校の生徒は、その三ヶ年において主として「讀書の力」を身につけ「讀書の技術」を向上させることがのぞましく、中學校三年あたりにおいて「讀書と日常生活」とのつながりについて考えさせるところがあつてよろしいのではないか。更に高等學校の生徒においては、それらの基礎の上に立つて「專門的圖書の取扱」の「正しい習慣」を身につけ、その讀書を生涯の友とする「讀書と人生」について理解し、はげしく探求して行くところにまで到達させたい。

ホームルームにおける讀書指導の大略は右に述べた如く相當の困難をはらみつゝもその敎育的効果の大なることは明らかであらう。而してその方法の適確且つ便宜的處置としてはホームルーム文庫の必要とその實施にあることは前述のごとくである。

然しそのホームルーム文庫は、中學校と高等學校において讀書の目的に多少のひらきの存するように、その取扱いにおいてその樣態の異つてくるのは當然である。

## （二）中學校のホームルーム文庫の指導

單元學習を中心として總合學習をはじめとして各科がむすばれて活動していく中學校においては、蒐集される圖書が敎科と直結する研究調査のためのものが第一に要求され、探求するという深まりよりも、新らしく知り自己を伸ばそうとする擴がりが伸びゆく生徒の生命力としてホームルーム擔任を打つことである。

自らリーダーズダイジエスト的なもの、傳記的なもの、科學的なもの、社會科的なものが第一に要求され、つゞいて文藝的なものが要求され、更に一歩すゝんで中學生の生命力は、レクリエーションの方面、特にスポーツを中心として活動的な面に深い關心を示すのが大きな特徴である。

（イ）圖書の選擇—生徒の要求する範圍の書物には、出來るかぎり書店その他あらゆる機會をもとめて、目を通すことが望ましいが、ホームルームの生徒を、その選擇の仕事に參加させてよりよき文庫を實現していくことも敎育的に望ましい方法である。すなわち、圖書委員及びホームルーム委員數名をしてそれに當たらせ生徒の希望と敎育的目的にかなうものを、少數から漸次にとりそろえて行くのである。この時、決してあせらないことが肝要で、一冊二冊と書棚に增加していく樂しみは、ホームルーム生活の充實そのまゝのすがたである。ホームルームの委員は、日々の新聞の新刊書の廣告や書評を必ずみる責任を感じてくるし、町の書店に立寄つてみる必要が生じるし、各科の敎官にホームルームに適切な良書の推薦を求めるようになる。

一方これらの委員の協力によつてよき圖書の簡便なリストを作製してプリントしてホームルーム全員に配布しその利用法をはかることをする。



更に、同好グループにより、興味深く有益と思われる讀物を各自隨意注文して取りよせるようにし、その評價をさせ、實際に生徒をして正しい評價方法を體得させるよう指導することも望ましい。この方法は、敎師がいつも目を通してからという方法ではなく、或いは失望するという事もありうるし、やゝ程度の高い段階にある指導といえるが、無駄をおそれずに苦心するこの方法は實社會に直接の交涉を持ち、尊い體驗をつかむことが出來るし、ホームルーム全體の求めている讀物のタイプを說明した注文の手紙を出版元に書き送るという貴重な體驗にもなる。

こゝに委員によつて選ばれたリストの大要をあげると（中學二年）

一、リーダーズダイジエスト・子供の科學・野球少年・科學書報・ベースボール・年鑑（朝日、時事）・西洋人名辭典・少年百科・現代文學敎室・星のはなし・文學敎室・ひまわり・世界文學案內・社會科辭典・中等國語辭典・國語科事典・國語寶典

二、文學的なもの—俳句の作り方味い方・短歌作法・ぼくらの劇場・靑少年演劇研究會編脚本シリーズ・少年少女詩の國・世界文學名作講話・世界文學文庫・宮澤賢治・寺田寅彥・室生犀星（詩）・山本有三・芥川龍之介・志賀直哉・夏目漱石・中勘介・佐藤春夫・坪田讓治・島崎藤村・武者小路實篤・國木田獨步・森鷗外・若山牧水・北原白秋の各集、メーテルリンク・ツルゲニフ・トルストイ・ヘルマンヘツセ・アンデルセン集・ガリヴア旅行記・野口英世の母（宮瀨睦夫）

等である。一に屬するものはダイジエスト的なものであり、眞の讀書の目的にはかなわぬものであり、これらのものにのみたよることのないように指導していく必要がある。すなわちダイジエストはあくまでもダイジエストであつて、人の消化したものをうのみにするのでなしに、自己の力で多くを讀み、摘讀することが望ましいのである。

フランシス・ベーコンの言葉の、

「ある本はその味をためせばよい、即ちその一部分だけを讀めばよい。ある本はのみこめばよい、すなわち通讀はしてもくわしく味わう必要はない。そしてある少數の本はよくかんで消化しなければならぬ、即ち勉强と注意力を集中してよまなければならぬ。」

を與えるべきである。

讀書の目的はたえず發見的によむことに重點をおくべきで、マンネリズムではならない。

| 月日 | 要點、感想、反省 |
| --- | --- |
| 圖書名 | |
| 讀んだところ P.—P.— | |
| 工夫した時間 | |

（ロ）「讀書ノート」の記錄—各グループによる讀書硏究、又は個々人の個性に應じて選びよまれた書物の感想を一冊のノートにまとめて行く習慣をつけさせていく。

「讀書ノート」の記錄の要項は、上表のごとき形式でよい。讀書時間の工夫とその時間の最も讀書に適したものの發見と、體のコンディションとの關係などをその體驗



から割り出すのに好都合な結果となるであろう。又、このような讀書記錄は、一冊の書物が、幾日で讀了されたか、いかなる點に意義があつたかなどの反省と同時に讀書する者の人生の成長記錄にもなり、何ものにもかえがたい「心の日記」ともなることであり、この讀書記錄の記入をおこたらざることによつて生ずる效果は、まことに甚大であり、これがつゞけられてよき讀書習慣となることによつて、讀書の技術は一段と飛躍することであろう。中學一年よりこれを實施することは、眞に身についた、且つ無駄のない有効な讀書にいそしむことになる。このメモの充實こそは、讀書する者の、何にもかえがたいよろこびであり、たのしみである。（當校編集「讀書ノート」參照されたし）

次に、ホームルームにおいて、適當な時間において（ホームルーム・プログラム中にある）、その讀書記錄にもとづいて、圖書の紹介を行つたりそれについての討議を行つたりして、よりよき人生への精神的糧となし、讀書の生活化を實踐すべきである。

（ハ）讀書會—ホームルームの讀書意欲が高まつてくると、それ〴〵のグループは、それ〴〵の讀書の進行につれて、適時それらをホームルームにおいてその内容を發表し合うことは、極めて効果のある、樂しい事柄である。たゞいつも文學的なものではなく（しかしながら讀書に興味を感じ、それが深まる機緣となるものは、文學的なものを讀書することにはじまることは、多くの生徒の傾向であるが）、科學的、社會的、個々の趣味的なものを、交互に發表すると、かたよらなくて、しかも中學生の學習分野の全般にわたることになつて、特殊なものに片よるという傾向を避けることができる。

ホームルーム擔任は、この讀書會の指導については、あまり指導がましいことは云わず、すべてホームルーム委員及び圖書委員の創意を尊重し、最後の批評の場合において十分に評價、批判してやるべきで、その過程においては、樂しい一時をすごすべきである。

讀書グループについては、ホームルームの圖書委員が、それ〲の傾向をみて、文藝の中でも、詩の組、演劇の組、小説の組、記錄文學の組、科學研究の組、等とわけてみるであろう。またこのグループは中學生においては時々變化させて組合わせを異にすることがよい。

讀書會の發表は、グループのみでなく、個々の發表にまで高めらるべきであり、グループと個人との交互が望ましい。

## （三）高等學校のホームルーム文庫の指導

高等學校においては、青年後期の心的特徴である(1)自我の發見、(2)生活計畫の漸次的成立、(3)個々の生活領域への進入という諸條件が加わり、そうした地盤の上にうちたてられるものが、高等學校のホームルーム文庫の基調をなすものであろう。

讀書と人生について彼等は懷疑から出發して、讀書の意義を獲得する。中學生時代は主として外から與えられていたものを享受するにすぎなかつたのであるが。

本當に讀むということは、云わばそこに求むる自己を發見することである—讀書は一種の潛在的な自己發見であり、自己深化であり、自己擴大であることを見出すのである。從つてこの出發點に立つ彼等は自から、



1、深く讀み廣く讀むこと—精讀し多讀すること

2、自らを他に讀み、他を自らに讀むこと—興味と熱情とを以て讀書する、併し冷靜に批判的に愛讀すること

3、自らのものにしようなどと思わずに、ひたすらに讀むという態度に到達していく。すなわち、このことは、高校におけるホームルーム文庫の成立及び組織は、中學校の場合に比して生徒の自主性が高く、敎師は側面援助の形となるべきである。

ホームルーム文庫の色は、ホームルームの個性であるということをモットーとする考え方が高校のホームルーム文庫をのぞいて、ひそかに感じられるのは、思いなしではないと信ずる。Aクラスでは寶塚歌劇グラフが、Bクラスでは劇作テアトロが、Cクラスでは映畫藝術が、Dクラスでは婦人公論が目をひくといつたように。

こうした色わけは意識的な意地張りである場合が多いが、又見逃し得ない光景でもある。こゝで高校ホームルーム文庫の需要の大體と最少限に備えるべきものの大要を或るクラスを中心とする傾向から述べてみる。

第一に、彼等の要求は人生哲學への開眼から出發している。

哲學概論的なものから哲學的なものへ

西洋哲學史要・現代哲學辭典・哲學概論・人間の哲學的考察・時間と自由・善の研究・幸福論・

眠られぬ夜のために・アミエルの日記・モンテーニュ隨想錄・パスカルパンセ・懺悔錄・二十歲のエチュード・哲學者の手記・哲學入門・三太郎の日記・愛と認識との出發・人格主義・西田哲學

以上は、彼等の求め方が放射的に雜然としてはいるが、眞劍であることを物語る。教師は各個人について適切に補導しなければならない。放任はあやまつた沼へ彼等をみちびくことになるかも知れない。すべからく建設的にのばすべきである。

第二に、彼等は永遠なるものを求めようとする、いわば宗教への關心のあらわれである。

聖書・キリスト敎の本質・歎異鈔・正法眼藏隨聞記

第三に、文學に對する廣く深い興味と要求を見る。

古典と新刊についてみると、むしろ後者への興味關心が感じられる。これは一つには戰後文學の多樣性に對する眩惑と正當な批判眼の要求であろうと思われるが、今日の景觀からしてそうしたものへの一方的な關心は評論の定まらない現在、徒らに毒される結果となるおそれがある。故に、現代文學も戰前までにとゞめた方が徒等でないことを悟らせたい。（但し近代的なセンスを刺激する上には嚴禁することはよくないが）そして古典の意義をはつきりと反省させる必要がある。古典は歷史の試錬を經て生き殘つたものであり、すでに價値の定まつた本である。古典をよむことにより人は書物の良否に對する鑑識眼を養うことが出來るのであるから。即ち、古典は安心して讀むことが出來る本であるに對して、新刊書をよむことは前述のように一種の冒險である。冒險は一つの新しい意義の發見に行



くものであるから、兩々相まつて知識の充實に向かうのが理想であることは今更云うまでもない。

高校ホームルームにおいて蒐集さるべき日本及び西歐各國の圖書は、

（日本）萬葉集・源氏物語・枕草子・森鷗外・漱石・露伴・藤村・有島武郎・芥川龍之介・志賀直哉・谷崎潤一郎・佐藤春夫・宮本百合子・橫光利一・川端康成・室生犀星・島木健作・石坂洋次郎・阿部知二・林芙美子（日本文學全集、新日本文學全集）・日本戲曲集・萩原朔太郎全集・明治・大正・昭和詩選

（外國）ゲーテ・若きヴェルテルの惱み・ヴイルヘルム・マイスター（ゲーテ全集）・ノヴァーリス・青い花・ダンテ・新生・デイッケンス・二都物語・ユーゴー・レ・ミゼラブル・スタンダール・赤と黑・フローベル・感情敎育・ロマン・ローラン・ジャン・クリストフ・ドストエフスキー・カラマゾフの兄弟・罪と罰（世界文學全集及び岩波文庫本等）・近代劇全集（第一書房）・ジイド・ヘッセ

（近刊）太宰治・坂口安吾・石川淳・野間宏・椎名麟三・梅崎春生・サルトル・現代日本文學論・作家論（小林秀雄、中村光夫）

（雜誌）新潮・人間・文藝



第四に、レクリエーションの面に關して、美術・音樂・寫眞・演藝・映畫・スポーツ等があるが、數量において第一位を占めるものは映畫・演藝に關するものである。戰後の自由敎育が映畫の鑑賞という

ことを社會教育の一部門として開放したことに起因すると考えられるが、それだけ正しい鑑賞の眼をやしなわせる事が大切であると思う。須らく良書を與えるべきである。

映畫と批評(津村秀夫)・映畫藝術概論(岩崎昶)・映畫鑑賞の仕方(春山行夫)・新しい映畫美(津村秀夫)・映畫藝術(月刊雑誌)

演劇に關するものでは、直接脚本として學校演劇に役立つものを欲しているものと、近代劇のあり方についての知識を欲するものとある。從つて月刊雑誌の、劇作・テアトロなどが新しい感覺、批評精神のエキスとなるであろう。古典劇では、芝居入門・文樂の研究・能と能面、など。

スポーツはベースボールを中心としたものであるが、これらは學校圖書館に委ねるべきものと思う。

第五に科學的なものとしては、寺田寅彦の著書、キューリー夫人傳・野口英世・ファーブル・科學概論、等で現狀では彼等は（女子だけであるというハンディキャップもあつて）切實にとりあげる者は、少數である。それよりもスタイルブック的なものを要求している。

眞の意味の人生がはじまる彼等の要求の特色が以上の讀書への欲望に示されているのであるが、これらの圖書は、各家庭からの持ちよりによつて充す外に、各個人の讀書經驗の發表により共感の多數の時は、ホームルーム費から購入費を出して行けばよい。

かくして讀書が人生に與える限界なき可能性を、ホームルーム文庫という親近性をもつわれらの書物から悟り、より深き讀書への探求をつゞける時、眞の意味の豊潤な人生行路は耕やされ、卒業後に



おける自己指導の確立において「生涯の讀書」をおこたることなく、カルチュアというものゝ具象化が實現されるものと信ずる。

ホームルームにおいては、あくまで生徒の興味と欲求を滿足させる讀書體驗の豊かさと生徒個々の讀書水準とその傾向を知悉し、より適切な指導を與えんとする情熱を永續させねばならぬ。

## 八、ホームルームに於ける職業指導

「學校卒業後は如何なる道をとるべきか」という問題は卒業を間近にひかえた第三學年の生徒達が切實に考えるのはもとより、すべての生徒の頭の中を去來する考えである。進學か、就職か、家庭入りか。進學ならばどの學校を選び、どの科に入るべきか。就職ならば、どんな職業につくべきかと考える。進學のコースは將來の職業を豫想して選ぶのが普通であるし、職業選擇が進學コースを決定する場合もある。家庭入りの場合も家の職業に從事するならば職業決定問題に直接關係がある。つまり生徒達は如何なる職業につくべきかと、頭を惱ますのである。

實に職業の選擇決定は生徒の一生の方向を決定するといつていゝ程のものであるから、そのガイダンスは非常に重要である。カリキュラムの中に職業のコースがあり、「職業指導」という教科書を學び、生徒はかなり職業に對する知識と技術を持つているし、自分自身の問題であるから、自覺ある生徒は眞劍に考えるであらう。しかし各生徒の天性にもつともよく適合し、その技能を十二分に發揮出

來る職業を選擇するにはよきガイダンスが必要である。そのためには學校・教師・保護者・社會が一體となつて、生徒の幸福、ひいては社會の幸福のために適切な職業指導をなすべきである。

學校における職業教育には直接には職業科があり、社會科始め他の教科も間接に負うところがあるが、職業指導にはホームルームの指導者の活躍の部面は大きいものがある。ホームルームの活動は職業指導のプログラムによつて最後の完結に至るといつてよい。生徒の自由な創造的なプログラムによつて職業觀や職業概觀や職業選擇にのびのびとその考えを展開させ得るし、各生徒に對する周到な用意をもつて個別指導をなし得る。各生徒の各學科の評價や報告、各種の知能檢査や適性檢査の結果がホームルーム指導者の手許に集まり、各生徒の總合的な評價や、その特性や、傾向が分明になるから、各個人に適切な指導をなし得る。即ち直觀によるのみでなく、客觀的な資料に基く科學的なガイダンスがホームルーム指導者においてなされ得るのである。ホームルーム指導者と生徒の間に自然に生じる親しみが、相互の理解が、指導者の親心と生徒の子心とがガイダンスを有効にする事も大切な點である。

ホームルームにおける職業指導において着眼すべき點は

一、モラルのある正しい職業觀の確立
二、職業概觀の正確な把握とその視野の擴大
三、個人の職業選擇範圍の縮小局限



四、特定の職業の調査研究
五、職業指導と職業教育の組織化
六、生徒の就職斡旋

等を重なものとして擧げうる。

**(一) 職業觀の確立**　職業の眞の意義をよく理解させ、正しい理念を樹立させる必要のあるのは、世間ではややもすると職業は自己の經濟生活のためのもの、財貨獲得の手段とのみ、狹い意味にばかりとり勝ちだからである。勿論、經濟生活のない今日の社會生活は考えられないのであるが、經濟生活がすべてであるというのではない。職業も社會奉仕を主體とするのもあるし、そうでなくとも社會奉仕の性格と財貨獲得の手段という性格といずれも持つものである。

職業は全く利己的のものではなく社會的のものなのである。人は相互に奉仕し、奉仕される關係から職業というものが生ずるので、人類の共存共榮上大切なのである。社會生活をなすものは何人も何等かの職業に從事して自らの生活を支え、これによつて他に奉仕することをもつて義務と考えねばならない。社會奉仕の精神が美しく發揮される時、社會は「理想境實現」も夢でなくなるのではないだろうか。日々、生の營みの大部分を過す職業を通して社會奉仕がなされる事は何という能率的な事であろうか、ということを十分考えさせたい。

又職業に尊いのと卑しいのとがあるように考える者が開けた今日でもあるようである。高度の精神

勞働を必要とする職業を尊いと考え、肉體勞働を主とする職業を價値低く考え、精神勞働中でも官尊民卑の考えがぬけきらず、又形式的に上位に屬する職業を尊いと思い、肉體勞働中ではきたなく人のいやがる職業に從事するものを卑しく見る。千差萬別の職業があつてこそ社會生活が圓滑に營まれてゆくのである。もし職業に尊卑の區別がつくならばそれはその職業に從事する人の職業觀の如何、倫理性の如何、態度の如何によつて生じるものであることを自覺さすべきである。社會生活に必要なあらゆる形態の職業に敬意をもち、眞の理解が出來るように指導すべきである。

戰後の經濟界の困難と混亂は職業生活の倫理性を著しく低下させている。「モラルのある正しい職業觀」を着眼點の第一にあげたのは職業指導の基礎であるからであるが、それは今日の社會の要請でもある。

またホームルームのみならずアッセンブリーも「職業觀」の確立に利用される。

**（二）職業概觀の把握とその視野の擴大**　從來の就職、職業選擇情況は卒業間際に學校側に申込まれた求人要求に對して就職希望者の要望をきゝ、學業・身體・性行等の評價を考え合せ、適當な人物を推薦し斡旋するという程度の場合が多いようであつた。職業選擇に對しては社會の要求に適應してゆく方法で、生徒の職業概觀の把握とか、その視野の擴大とかは考えていなかつたように思われる。從來のような仕方では生徒の個性を生かし、その能力を十二分に發揮させる職業を選ぶ事は難しい。主體性のあるよい職業選擇の爲に是非職業界の概觀の把握と職業界への視野の擴大が必要である。各種



各樣の職業態樣を研究してゆく內に、自己の個性に適應する職業が發見されるであろうし、又他の職業に對する理解が出來て世界が廣くなる。求人に應じるだけが就職の態樣ではない。自己に適應した仕事を社會的に始める事も考えてよいのである。

指導者はラジオ・文化映畫・寫眞・書籍等に注意を拂い、ホームルームの時間に絕えずその利用の具體的な指導を與え、職業科や社會科で得た知識より更に實際的、具體的の經驗を得させる。

雇傭主の所へホームルームのグループで訪問し（職業科の者、職業俱樂部の者同志でもよいのであるが、ホームルームのグループがもつともよいようである。）現實の情況を觀察させ、生きた知識の獲得が出來るように仕向ける。官廳・會社・個人に亘り、各業種に亘るよう訪問を計畫し、實行するように指導する。訪問の箇所の選定、交渉、依賴等に便宜をはかる。

パンフレット・寫眞・繪畫・ポスター・雜誌等の中職業に關するものゝ展示もホームルーム中心ですれば身近かに感じて關心を持ち、よく利用され、職業概觀を擴げうる。これらの資料をもととして互にディスカッションさせることはもつとも有效な方法である。

**（三）個人の職業選擇範圍の縮小局限**　職業界への廣い見解のもとに、さて個人の選擇となると、各人の個性とその興味に應じて局限し、深い考慮をもつて五、六の特定の職業の知識を得るようにホームルーム指導者は援助してやらねばならない。

**（四）特定の職業の調査研究**　個人の職業選擇を五、六の特定のものに局限し、更にその中から一、

二を選擇させ、深究させる。その職業の必要とする敎育及び訓練、作業内容、作業條件、個人的適性（心身、家庭）、收入、將來の地位、職業の將來の見通しとその長所短所等について洩れなく調べさせる。その職業にたずさわる人を觀察し、その人の意見をきゝ、質問し、個人的接觸を持たせる。書籍・雜誌・パンフレット・ラジオ・映畫・講義等すべて利用出來るものを利用し、特定の職業の知識及び技術に精通するように指導する。

書物の索引と參考文献の讀書リストを編集させたり、最良書のリストの掲示の爲の編集や、生徒の手でよいパンフレットを蒐集させたり、書物に對する生徒の意見を綴込みにして置いたり、書物の廣告等の下調べをしたり、出版された書物の評論の比較やいろいろ作業をさせる事も興味ある仕方である。スクラップ・ブックを作らせたり、報告を書かせたり、調査職業の觀察と實驗をさせたりしてもよい。生徒は自然に深い知識を得る事と思う。

この第四項の指導に當つて大切なことは、學科選擇を、更に中學校では高等學校への道、高等學校では大學への道を明らかにしてやるべきである。つまり進學指導である。各種の學校の規則書等は出來るだけ蒐集しておき、その入學案内、解説書等も備え、自由に閲覽させておき、その上でホームルーム全體、グループ、個別という順序で協議指導する。

各生徒の學業、性行、身體情況の評價や、テストや調査書等を參考に、生徒の希望を述べさせた上で助言を與える。



樂しく興味深くする方法はホームルームの時間に、近くの高等學校の生徒、大學の學生（卒業生であれば一層望ましい）等を招き、辨當でも一緒に開きながら、具體的に高等學校の生活や大學生活についての話をきいたり、質問したりする事である。自然な談笑のうちに必要な知識を全部えられる。經驗談には、規則書や入學案内書等に書かれていない生活の面も鮮やかに浮び出る事に留意すべきである。

定時制高等學校や夜間大學や通信敎授等についての知識も必要な者があるのを忘れてはならない。新制度に改革されてからまだ日が淺いので、一變された學校の樣子はよくわからず、學校一覽表や入學案内書等のよいのが澤山ないから、進學指導には特にホームルーム指導者の努力が必要である。進學の目的達成のためには受驗の指導もせねばならない。

## （五）職業指導と職業教育の組織化

社會組織の共同の協力のもとに組織化するとよい。兩親、P・T・A、雇傭主とその連合會、勞働組合、縣廳、市役所、職業安定所等各種の組織の協力をもとめ、學校における職業指導及び職業敎育を組織化し、生きたものにすべきである。ホームルーム指導者は絶えずこの事を頭において利用すべきものは最大に利用すべきである。

學校においては職業科、各敎科、ホームルーム、アッセンブリーは互によく連絡協議し、職業の指導と敎育とが二重になる事や矛盾することのないように組織されていなければならぬ事は言を費す迄もない事柄である。

（六）**生徒の就職斡旋**　就職斡旋は從來も行われてきた事であり、今更繰返す必要もない。たゞ、從來のように卒業の間際になつての「でたとこ勝負」式のものであつては餘りに無計畫であるから、改めるべきである。社會の動向、特に經濟界の情況に注意し、求人の模樣を豫測し、絕えず職業安定所などと連絡をとり、正確迅速に雇傭主側の要求と雇傭條件を知る。一方各生徒の學力、能力、性向、身體狀況、家庭環境、家業、家計等の記錄や調査表を整備し、生徒の希望職業についての懇談指導も終えておく。そして各個人に適應した求人があつた場合に斡旋する。唯收入がありさへすれば何處でもよいし、成績の順で片付けてゆくというような考で就職の斡旋をしてはならない。個人も社會も共に毒されてしまうから心すべきである。

求人に應じ世話するだけが就職斡旋ではない。個人で經營したり、數人のグループで仕事を始めようとする時に必要な各種の世話をするのも就職斡旋である。この場合は資本の問題や後援者の問題や困難な問題が澤山あつて卒業直後の生徒の手には負えないものが多いから一層の世話が必要である。ホームルーム指導者の手に負えない種類、性質のものもあろうが、その時は自分がなし得ないからと手離すのでなく、適當な指導者を見付けてやるようにする。

卒業直後獨立して事を始めようという生徒は少いが、もしあつた場合は面接協議の時よくその可能性を檢討し、可能性があれば積極的に各種の斡旋をしてやるべきである。

受持つた生徒達の爲には、ホームルーム指導者は唯學問と敎育の世界に閉じこもるようではいけない、廣い社會面との接觸を保つて生徒の就職斡旋をはかつてやるべきである。

以上ホームルームにおける職業指導の着眼點について概略をのべ、その具體的方法について少し觸れた所もあるが、更に方法について考えてみよう。

一、ディスカッション＝ホームルーム全體のディスカッション、グループのディスカッション、パネル・ディスカッション、共に皆有効な方法である。職業觀の確立、職業概觀の把握と擴大、職業選擇範圍の局限、職業の深究等のために大いに利用出來る。一寸考えても、職業における自己實現の問題、對人關係の問題、經濟的實効、公民としての責任、職業と科學等と、ディスカッションの話題は頗る多い。生徒の司會で思う事をおおらかに素直にのべさせ、ホームルーム指導者は生徒連の考えが正鵠を失わぬよう、目標に到達するよう助言すればよい。

生徒同志のディスカッションばかりでなく、時には雇傭主や就職者を混えてのディスカッションをする事も興味深いと思う。違つた雰圍氣、實地の裏付のある實驗談は生徒を刺激して、職業に對する興味を增し理解を深めるのである。特に卒業生で就職している人々や、進學した人々を迎えての語りあいの會は是非持たせるべきである。

以上の場合に職業や學校が一方に偏しないように、各種各層を網羅するように、注意が肝要である。雇傭主や就職者や卒業生等を招待してのディスカッションをする時は、ホームルームの時間中では晝食時を利用し、一寸した午餐會を催したり、茶會をするという趣向をとらしてもよい。和やかで、話が弾むから効果的であると思う。たゞ食べる事が主にならぬようにしなければならない。

二、クイズ・コンテスト、ゲッシングゲーム、シャラード＝この頃ラジオの放送等にも時々でるクイズ・コンテストは米國のホームルームでは早くから行われ、ボケイショナル・クイズやミュージカルボケーショナル・クイズ（オペラ・クイズ、ソング・クイズ等あり）等、興味深いものが多い。クイズ・コンテスト、ゲッシング・ゲーム、シャラード等はレクリエーション的傾向があり、楽しい中に、種々の知識が得られるようで、ともすれば實際的になり過ぎて趣の少くなりそうな職業指導に色彩をそえる方法であるから、ホームルームの時間にとりいれてみてよいと思う。

三、ボケーショナル・コスチユーム・パーティ＝前條と同じ意味においてとりいれると面白いのではないか。

四、劇化・詩化＝藝術的な雰圍氣が職業觀の確立や、職業概觀把握のために美しく作用する。これも米國で盛んに實行されているそうである。生徒達は若くて浪漫的傾向が濃いから、劇化・詩化の方法は拍手をもつて迎えられるであろう。

五、放送、映畫＝詳説するまでもない方法である。

六、寫眞、繪畫、書籍雜誌、パンフレット、ポスター、スクラップ、圖表＝先ずホームルームに蒐集し、それを分類し、展示する。直觀に訴え、手取り早い知識の獲得には展示はよい方法である。これらの利用結果を報告させるのも一法である。以上擧げたものには常に新しい、しかも確かな認識を指導者は持つていなければならない。指導者は不斷の心掛けが大切である。



七、累加式記錄保持＝ホームルームにおける職業指導中重要である個別指導のために、正確で精しい記錄が必要である。新學籍簿はその中心の役割を演じる。職業指導に使用される主なる項目を示してみると

1、個人の資料
2、社會的・身體的・經濟的現狀の資料
3、學科の評價及び順位表
4、知能テストの評點記錄及び順位表
5、他のテストの評點記錄とテスト用紙
6、課外活動參加の記錄
7、職業計畫とその希望調査表
8、大學進學の計畫についての摘要
9、讀書傾向調査表
10、職業熟練テストの評點記錄
11、逸話、事件、行爲等の記錄
12、毎年の職業選擇相談の摘要記錄

13、興味調査表
14、毎年の趣味活動、クラブ活動の選擇についての記錄
15、自叙傳
16、仕事の經驗の報告
17、職業選擇の知識についての調査

以上の資料が必要である。その中テストについてだけ書きそえる。次のようなテストが必要である。

1、普通一般の知能テスト
2、書寫、語彙、作文のテスト
3、興味調査のテスト
4、個性調査のテスト
5、社會慣習についてのテスト
6、人物評價のためのテスト
7、アチイーヴメント・テスト
8、公民としての奉仕觀念についてのテスト
9、雇傭主側のテスト



以上九つのテストについてもそれぐに幾通りものテストがある。我が國現行のものも相當あるが、米國のテストは種々工夫されて隨分種類が多い。

これから得られた資料をよく見ると各生徒の全貌が浮び出てくる。直觀によるのでなくて、客觀的な具體的な材料によつて判斷するのであるから、正しい指導をなし得るようになる。

ホームルームの指導者は生徒の一人一人の資料をよく頭にいれておいて、職業の指導に誤りのないようにすべきである。

八、面接協議＝面接協議の機會は毎年與えられなければならない。卒業學年のみというのでは眞の指導は出來ないのである。生徒の第一選擇、第二選擇あるいは第三選擇あたりまで希望を述べさせ、各種の資料を參照し乍ら、どの職業が最適であるか協議する。人格尊重の立場で、面接は全く民主的な氣持で終始されなければならないのは勿論のことである。かりにも押しつけがましい所が少しでもあつてはならない。主要な協議事項は後の指導の參考資料になるから記錄しておくべきである。

面接の結果、生徒は更に一歩前進の契機がつかみうるように指導したいものである。指導者は感情や私心を混えず、良識をもつて、親切に、愼重に、誠心誠意考えてやり、生徒の發展を助長するよう圖らねばならない。

九、就職斡旋事務＝履歴書指導とか、就職試驗への注意等種々あるが明白なことであるから省く。以上たゞホームルームにおける職業指導の輪かくだけを記したのである。

# 第三章　ホームルーム活動の實際

## 一、ホームルーム・プログラム

**(一) ホームルームの學校計畫**　ホームルームにおける指導は、もとより、そのホームルームの構成員である生徒たちのかもしだすホームルームの性格によつて異つてくるのが自然であり、それを無視して、一般的にどのホームルームにも通用するような指導計畫というものはあり得ない。そして、偶發的な事柄に即應することのできない融通性をもたないものであつてもならない。ホームルーム員の共通に持つ缺陷に眼をおき、共通の長所の助長を目ざし、ホームルーム内に起つた事件をとらえて柔軟性のある計畫でなければ指導は生きてこないであろう。ホームルームのグループ指導の計畫にはこうした融通性、柔軟性を盛る必要がある。

しかしながら他面、中學校・高等學校の三年間を見通して、學校におけるホームルーム指導の計畫が立てられていなければ、指導はつねに偶然的なものに流れ、ホームルーム擔任または生徒の企畫委員の性格によつて一方に偏したものとなり、指導の全領域をおおうことができない。ここに、ホームルーム指導の畫一性を期待するのではなく、融通性のあるしかも指導の全領域を見渡した學校の全體のプログラムが豫め用意される必要がある。

148

ホームルーム活動の全體計畫を立案するには種々の方法があるであろうが、私たちの學校では次のような學習指導のカリキュラムの構成の場合と似かよつた方法によつて立てて見た。

(1) まず、學年の發達に應じた、身心の特徴や性格形成の發展段階を考察する。

敎官全體の自由に觀察した生徒の狀態を自由討議によつて話し合い、その結果を指導委員會でとりあげ、他面、兒童心理學、青年心理學の研究の結果などを參照しながら、この學校の生徒に即した性格形成の發達の特徴を規定した。第一章(二〇頁)の生徒の一般的特性としてあげたものがそれである。

(2) (1)の考察に基いて、學年に應じたホームルームでの指導目標を立てる。

149

(3) 第一・二・三の各學期に應じて、それぞれの時期の目標を立てる。

(4) ホームルームで行う指導の領域をきめる。

この領域の決定の仕方はいろいろあり、カリキュラムの決定の場合のように社會機能の分析による方法も考えられるが、ホームルームでの指導がカリキュラムの一つの敎科であるような形の内容を盛ることはよくない。私たちの學校では、一般にガイダンスの領域と考えられるものの分析から次の五種の領域を決定した。

(イ)敎育指導(或は學業指導)、(ロ)人格指導(社會性指導、道德性指導、指導者性指導)、(ハ)健康指導、(ニ)趣味娛樂指導、(ホ)職業指導

(5) 目標と指導の領域との二つの軸から、ホームルームで行う單元題目の例を拾いあげた。
このようにして作りあげられたものが、次表のホームルーム・プログラムの試案である。

## 中學校

| | 中學一年 | 中學二年 | 中學三年 |
|---|---|---|---|
| 目標 | 學校生活を十分理解し、それによく適合させる。 | 學習の徹底をはかり、自學自習の氣風を樹立させる。 | 自己の適性をよく自覺し、將來進むべき職業や學校を研究させる。 |
| 第一學期 | 目標—學校をよく知り學校生活によく馴れさせる。<br>單元の例<br>一、學校の種々の規約について<br>二、生徒の日常生活について<br>三、ホームルームはどんなところか<br>四、勉學の計畫<br>五、クラブ活動への參加<br>六、友人同志よく知り合う<br>七、圖書館の利用 | 目標—餘暇の有効な利用をはかり、効果的な學習をするようにつとめる。<br>單元の例<br>一、學校圖書館、縣立圖書館などの利用の仕方<br>二、讀書の有効な仕方<br>三、演劇、映畫の觀賞<br>四、樂しい有効な學級新聞の計畫<br>五、學習の態度や心構え | 目標—中學校の指導者としての自覺と責任をもたしめる。<br>單元の例<br>一、中學最上級生としての立場と責任<br>二、青年期の特質<br>三、公共奉仕の精神<br>四、指導者の資質 |
| 第二學期 | 目標—生徒相互の理解を深め、生徒の一員として義務の觀念をはっきりさせる。<br>單元の例<br>一、ホームルーム役員の役目を知り、選擧をする<br>二、討議の議長の技術（議事法の根本原則）<br>三、民主的な相互の關係（社會におけるよき市民たる資質）<br>四、體育會への參加…スポーツマン・シップ<br>五、家庭關係—家庭における作法<br>六、公共の場所における行儀作法 | 目標—男女共學の趣旨を反省させ、男女の協調をはかると共に、計畫的な生活のできるよう努めさせる。<br>單元の例<br>一、男女の協調<br>二、日常生活の計畫性<br>三、得意な教科をのばし、不得意な教科を補うのにはどうするか<br>四、音樂、美術、文學などの趣味を高める<br>五、スポーツへの參加 | 目標—自己の適性の自覺をさせる。<br>單元の例<br>一、就職か、進學か<br>二、就職や進學上の失敗の原因<br>三、進路決定に必要な自己分析<br>四、職業選擇に對して知るべき事柄<br>五、職業人としての責務 |
| 第三學期 | 目標—一年間の學習や行動の反省をさせ、二年生となる覺悟を新にする。<br>單元の例<br>一、學習の方法の反省<br>二、自分の個性の自己觀察（自己の向上）<br>三、一年を終えるにあたつて、ホームルーム員の相互批正<br>四、缺席や遲刻について<br>五、健康と安全 | 目標—學校自治を徹底し、積極的な參加と健全な發達をはかる。<br>單元の例<br>一、中學生の立場と責任<br>二、時間の嚴守<br>三、學校生活の改善<br>四、協議會の進め方の改善<br>五、規約の實行について | 目標—進むべき職業や學校の研究。<br>單元の例<br>一、若干の授業や、學校に對する深い特別な研究<br>二、高等學校の研究<br>三、中學生生活の總反省 |

—150—

—151—

## 高等學校

| | 目標 | 第一學期 | 第二學期 | 第三學期 |
|---|---|---|---|---|
| 高校一年 | 選擇教科の意味を考え、自己の個性の發見につとめ、その選擇をあやまらぬようにさせる。 | 目標―高等學校におけるカリキュラムの大要を知り適切に教科を選擇させる。<br>單元の例<br>一、高校におけるカリキュラム<br>二、教科選擇の手引<br>三、クラブ活動への參加<br>四、友人相互の親ぼく<br>五、勉學の計畫 | 目標―自己の個性を把握し、望ましい個性の形成につとめさせる。<br>單元の例<br>一、個人の性格の研究<br>二、個性と共同生活<br>三、著名な人物の經歴や傳記 | 目標―社會における個人の責務を自覺させる。<br>單元の例<br>一、民主的な個人としての行動<br>二、一ヶ年間の反省<br>○品性の向上<br>○學習の結果<br>○健康や安全 |
| 高校二年 | 男女の身體的・精神的特性を理解し、男女間の正しいエチケットを得させる。 | 目標―教養の必要なる所以を知らしめ、教養ある人はどんな人かを理解させる。<br>單元の例<br>一、教養ある人の態度、言語、生活<br>二、學問と教養の問題<br>三、科學的な物の見方、納得して行う態度 | 目標―男女の身體的・精神的特性を理解させる。<br>單元の例<br>一、青年後期の特質<br>二、自己統制の必要<br>三、抽象的思考と現實の社會的立場<br>四、友人關係 | 目標―男女交際の正しいエチケットの理解。<br>單元の例<br>一、西洋における男女のエチケット<br>二、日本の因襲と特色<br>三、今後の正しい交際のエチケット |
| 高校三年 | 自己の將來の方針を決定し、それに向つて出來るだけの努力をさせる。 | 目標―高等學校最上級生としての自覺と責任とをもたしめる。<br>單元の例<br>一、高校最上級生としての立場と責任<br>二、生徒會活動の活ぱつな運營への參加<br>三、將來の方針の確定<br>四、大學について | 目標―高校最後の努力が集中できるように計畫する。<br>單元の例<br>一、職業選擇について知るべき事柄<br>進學決定について知るべき事柄<br>家事從事について心得べき事柄<br>二、學校と社會 | 目標―卒業後の學校や職業の研究。<br>單元の例<br>一、大學や職業について各個の深い研究<br>二、高校の總反省<br>三、結婚について<br>四、卒業後の親睦の計畫や研究 |



このようにして立てられた單元題目や目標を學年別に强調點を分析して表にあらわしてみると次の如くなる。

| 指導上の重點＼學年 | 中學校 1 | 中學校 2 | 中學校 3 | 高等學校 1 | 高等學校 2 | 高等學校 3 |
|---|---|---|---|---|---|---|
| 敎育指導 | × | × | | × | | |
| 健康指導 | ∨ | ∨ | ∨ | ∨ | ∨ | ∨ |
| 社會性指導 | | × | | | × | |
| 道德性指導 | | | | × | × | |
| 職業指導 | | | × | | | × |
| 趣味指導 | ∨ | ∨ | ∨ | ∨ | ∨ | ∨ |

（×は强調點　∨は全學年通じて大體同じように分布されているもの）

ホームルーム活動の計畫立案の手續きに關しては、普通次の三つが考えられる。

(1) ホームルーム內において、ホームルームの擔任と生徒の協力によつて、自由に選擇され立案されねばならぬという見解＝こうした手續きによつて作成された活動は先にものべたように、極めて融通性をもち、生徒の實情に即して、その必要性と興味に合致させることができ、有効に行われるならば最もよい案となるであろう。しかし、無用な題目を反復したり、指導の領域を落したりする恐れがある。また有能な教師でなくては、ホームルームの計畫は貧弱なものとなり生徒の興味も失われる危險性がある。

(2) 指導委員會などによつて、すべて活動が作成されねばならぬという見解＝この案によれば危うげは少いであろうがホームルームがその活動や題目の選擇をする自由が極端に制限される。

(3) 自由選擇の案＝指導委員長や校長などによつて、活動の大體の要項が示されるが、各ホームルームはこの大綱に即して自由に題目を選擇し、發展せしめる自由をもつもの。私たちの學校はこの第三の立場に立つて計畫が立案されている。即ち、ここに掲げられた單元題目は例として示したものであつて、ホームルーム擔任はこの線にそつて自由に各自の活動計畫を作成し得るのである。

**(二) ホームルームにおける年次計畫**　先にかかげた學校計畫にしたがつて各ホームルームでは、年次計畫（學期毎に計畫する場合もある）をホームルーム擔任とホームルーム委員長や企畫委員などと協議して作成する。學校計畫では作成の手續きから見ても明瞭なように、活動に指導の性質をもつたものが多いのであるが、ホームルームにおいてはホームルーム自體の組織や運營から生ずる活動や、學校行事、生徒會行事などから生ずる計畫や、學校や社會に對する奉仕の意味をもつ計畫などを考えて、ホームルームの年次計畫を立案する。中學二年の年次計畫を一例として掲げる。他學年のものは實施記錄を參照されたい。



## 一ケ年の計畫

中學二年

| 月 | 題目 | 要項 |
|---|---|---|
| 四 | 中學二年としての心構 | 新學年の覺悟と計畫の討議 |
| 五 | 讀書 | 有效な讀書法の指導、讀書調査、讀書の紹介、良書推薦 |
| 五 | スポーツ | 中學生のスポーツのあり方、スポーツの見方、自分のすきなスポーツについてのいろ〲の話 |
| 六 | 健康 | 自ら健康を增進することをどのように工夫しているかの發表と討議 |
| 六 | 演藝映畫 | 演劇や映畫についての話し合いによつて、われわれの生活をゆたかにするためにどんなものが必要かを考えしめる |
| 七 | 夏休みのプラン | 夏休みを有效に過すプランについて話し合う |
| 九 | 夏休み中の生活發表 | 夏休み中の生活を發表する |
| 一〇 | 體育會 | 體育會における態度等について |
| 一〇 | 修學旅行 | 修學旅行をたのしく意義あらしめるために目的地の研究、守るべき事項について |
| 一一 | 藝術 | 文學、音樂、美術等の鑑賞によつて美的情操を養う |
| 一二 | 年の暮 | 年の暮の世相について話し合い、新年を迎える心の準備と冬休みの有效な暮し方 |
| 一 | 男女の協調 | 男女の共學の問題について學級における男女の協力についてどうしたらよいか討議する |
| 二 | 學校生活の改善 | 學校生活を樂しく美しいものにするにはどうすればよいか |
| 三 | 規約の實行 | 學校のいろ〲の規約について守れているかどうかの話し合い |
| 三 | 一ケ年の回顧 | 一ケ年の學校生活を回顧して、新しい學年を迎える心の準備をする |

（三）**實施と効果の判定**　學校計畫にしろ、ホームルームの年次計畫にしろ、これらはまだ試案的なものであつて、常にその實施にあたり、評價し訂正していく必要がある。それは實施される都度記錄され、教師と生徒の双方から評價がなされる。記錄の取りかたは各ホームルームの自由にゆだねられてよいと思うが、それを整理するために、次のような實施記錄の樣式を用意している。

年　　組　　ホームルーム實施記錄　　　　人數（男　名／女　名）

| | |
|---|---|
| 月　週 | 題目 |
| この題目を取りあげた理由 | （ホームルームの實情にかんがみ、どのような理由でこの題目を取りあげたかを記す） |
| 目標 | （この活動によつて、生徒に到達させたい目標） |
| 準備 | （活動の事前に行われるいろいろの準備—調査、研究、豫備テストなど） |
| 實施　生徒活動の實際 | （生徒活動の實際の摘要を記す） |
| 觀察 | （活動の實際に即して指導のために觀察した事柄を記す） |
| 記錄 | |
| 効果の判定 | （この題目は有効であつたか。生徒活動はどうか。興味はあつたか。改善すべき點は何か、など實施後の効果の判定を記す。） |



## 二、中學一年の實施記錄

（一）**一ケ年の計畫表**　學校のホームルームの全體プログラムに準據して、各ホームルームのプログラムが計畫される。その場合、計畫の基礎となるものは、ホームルームを形成する成員の特色である。時には成員の持つ長所がプログラムの中に組入れられ强調される場合もあろう。また、時には成員の共通する缺陷を是正する意味において、プログラムが編成される場合もあるであろう。

我々の學校では一年生は今年は抽せんによつて入學生が選拔され、知能的には大して優秀さは見られない。そして、附屬小學校から入學したものをはじめ、附近の小學校約二十校ほどから入學している。こうした特殊事情から中學一年におけるホームルームの努力點は、主として級友間にのぞましい交友關係を作りあげることにおかなければならない。子供達を自然のままにおけば、同じ小學校より來たもののグループがホームルームの中に根をはつて經營上面白くない現象が生ずる。殊に附屬小學校から來たものは幾分馴れている爲にイニシアチイーブが取られることが多い。こうした缺陷を先づ除くことが當面の問題である。そして、すべてのホームルームの生徒が同樣な機會をもつ樣に計畫しなければならない。

そこで全體プログラムにそつて、先づ私のホームルームでは、一ヶ月のうち第一週を「教養のつどい」、第二週を「レクリエーション」、第三週を「社會と私達」、第四週を「生徒會に直結する協議會、または自治會」にあてた。中學一年のホームルーム擔任のお互いの相談によつて立てられた大略の計畫は次の通りである。

| 學期 | 第一學期 |
|---|---|
| 月 | 四月 |
| 題目 | 中學生になる |
| 目標 | 中學生としての自覺と誇をもたせる |
| 第一週 教養のつどい | 1、入學の喜びと覺悟<br>2、私達の學校を知る |
| 第二週 レクリエーション | 1、級友の親睦…自己紹介（茶話會） |
| 第三週 社會と私達 | 1、植樹祭<br>2、P・T・A |
| 第四週 ホームルーム協議會 | 1、清掃について |



| 學期 | 第一學期 | | | 第二學期 | |
|---|---|---|---|---|---|
| 月 | 五月 | 六月 | 七月 | 九月 | 十月 |
| 題目 | ホームルーム | 學習方法 | 級友の親睦を計る | ホームルーム役員選出及討議法 | スポーツマンシップ |
| 目標 | 日常生活を組織化し樂しいものにする | 學習を一層効果的ならしめるため | クラスの一員として團體生活に協力する態度を養う | 民主的な態度及責任の自覺 | 健康と健全な精神を養い明朗な級の雰圍氣をつくる |
| 第一週 | 1、學校記念日（學校の沿革） | 1、學習方法のプランを立てる（グループにて）<br>2、學級文庫開く<br>3、P・T・A | 1、ホームルーム議長選出（議長の意義を知り適正な人物を選ぶ）<br>2、グループ研究發表 | 1、ホームルーム役員選出<br>2、夏休み研究發表及展覽會<br>3、P・T・A | 1、健全な精神は健康から<br>2、運動と學習のバランス |
| 第二週 | 1、子供の日<br>2、レクリエーション<br>3、P・T・A | 1、演劇に際して（學園祭練習） | 1、七夕祭<br>2、夏の星座（話合い）<br>3、クラス會（誕生會を含む） | 1、夏休みの思い出（話合い） | 1、フェアプレーの精神涵養<br>2、グループ對抗競技 |
| 第三週 | 1、清潔週間（ホームルームに重點）<br>2、春季の遠足調査 | 1、圖書館の利用<br>2、梅雨期の衛生ホームルーム、食物に注意（辨當）、衣服に注意 | 1、夏休みのプラン作成 | 1、役員の使命及責任 | 1、運動會（父兄一般人來校）<br>2、P・T・A |
| 第四週 | 1、ホームルームの清掃美化 | 1、學園祭の反省 | 1、學期末反省<br>2、P・T・A | 1、民主的な討議法 | 1、運動會の反省 |

| 學期 | | 第三學期 | | |
|---|---|---|---|---|
| 十一月 | 十二月 | 一月 | 二月 | 三月 |
| 讀書の秋 | 禮法 | 自己觀察(個性) | 自己觀察(學習) | 一年を終るにあたって |
| 讀書により日常生活を豐かにし且正確な智識の涵養 | 家庭及學校その他に於ける禮法を知り學生としての態度涵養 | 過去二學期間の行動を反省させ一層の向上をはかる | 過去二學期間の學習狀態を反省し學年末仕上げの計畫をなす | 過去一ヶ年の學習體育の反省。今後のホームルームの計畫に資す |
| 1、學級文集作成(回覽)<br>2、讀書週間 | 1、責任を果して嬉しかつた事<br>2、人にめい惑をかけてすまなかつた事(校内及校外に於ける教養としての生活を話し合) | 1、冬休み作品展覽會<br>2、研究發表會 | 1、過去一年間に使用した學習ノート展覽會<br>2、學習文集回覽 | 1、學級文庫の整理<br>2、掲示作品の整理 |
| 1、讀書發表會<br>2、P・T・A生徒の讀書發表を聞く | 1、クラス會 | 1、かるた會<br>2、羽根つき會<br>3、頓智教室(P・T・A參加) | 1、酷寒とスポーツ | 1、ひなまつり<br>2、學年末クラス會 |
| 1、文化の日(地域社會に於ける文化事業調査)<br>2、圖書館見學(校外) | 1、冬休み生活プラン作成 | 1、お正月の行事(各家庭の練習話し合い、新年の覺悟を語る) | 1、燃料不足と耐寒法 | 1、奈良とお水取行事 |
| 1、私達の義務と責任 | 1、學期末反省會<br>2、P・T・A | 1、過去二學期間の各自の行動反省 | 1、過去二學期間に於ける各自の學習狀態反省 | 1、學年末反省會<br>2、P・T・A |



## (二) 實施記錄――新入生週間

(1) 新入生週間プログラム

第一日(四月十二日、火曜日)

1、入學式

2、敎師と生徒、父兄との話合い

イ、入學の喜びとその覺悟

ロ、私達の學校を知る―a 中學校教育の目的、b 學校の規則(生徒會委員指導)

第二日(四月十三日、水曜日)

1、基礎能力その他の調査…午前中

2、私達の學校を知る…校舍案内

3、ホームルームとはどんなところか(目的、内容、方法說明)

イ、座席の決定(個人及びグループ)

ロ、役員決定

ハ、ホームルームの美化(清掃及び室内の裝飾)

第三日(四月十四日、木曜日)

午前中

1、教科書と教科擔任の紹介

2、アッセンブリー

第四日(四月十五日、金曜日)

1、自學自習、圖書館の利用(中學生の學習生活開始に當って)

2、クラブ活動

第五日(四月十六日、土曜日)

午前中

1、授業

午後

2、ホームルームの時間—a 級友の自己紹介、b 植樹祭



第六日(四月十七日、日曜日)

1、新入生歡迎會(於生駒山上)

第一日—教師と生徒兩親との話合い

イ、入學式の後、生徒・兩親・教師共にホームルームに集って、生徒が立って自分の姓名を紹介し、その抱負を語れば、兩親はその保護者として、種々なごやかな雰圍氣の中で語り合う。

ロ、兩親への話(本校の教育全體にわたって簡單に說明してあるので、話したままのせておく)

「今日はお忙しいところを態々御出下さいまして有難うございました。最近學校の教育が變りつゝあるということは皆樣御存じの事と存じますが、特に當校一年では更に新しい學習法を採用してすゝめることになっていますので、この方の御說明を申上げて御了解をお願いし、且學校と協力して教育の效果が十分に上るようになりたいと思っています。それで今日は一年生にどのような教育を行おうとするかという大體のお話しをいたします。

一、學校教育の目標—最近の教育は新教育という言葉で言われていますが、これは終戰前の軍國主義的教育に對しての言葉であります。今までの教育は國際的にはいれられないような狹い國家の政策に忠實に從うことの出來る國民を作ることにおかれていました。すべての事が國家の政策遂行という立場から考えられねばならなかったので、知識を詰込み、或はまた型にはまった行爲を强要し、不可能と思われるようなことでも可能にして行く、所謂鍛錬主義的なものとなったのであります。それで一人の人間がのび〳〵と成長して行くことがなく、又自分の頭で自分の責任に於いて考えて行動するという自主的合理的人間でなく、唯盲目的に上の命令に從う型にはまった人間を作ればよいというようなことになったのであります。從って盲目的に國家の政策に從う人間は出來ても、自分の正しい判斷によって、自主的に、社會的に、あるいは個人的な生活の向上を圖って行く實踐力のある人間の育成は出來なかったのであります。つまり一人一人が立派な人間に、社會的にも國家的にも有用な人間としてよりよい生活をしていくところに目標をおくべき教育が狹い國家の政策を實現するために必要

な人間の養成を目標としたところに大きな缺陥があつたわけであります。これが新教育と從來の教育との目標上の差異であります。

それで新教育は、各個人の人格の完成を目指し、社會的にも國家的にも有爲な人間として生活出來るようにしていくところに目標をおいているのであります。教育基本法にも「教育は、人間の完成を目指し、平和的な國家及び社會の形成者として、眞理と正義を愛し、個人の價値をたつとび、勤勞と責任を重んじ、自主的な精神に充ちた心身共に健康な國民の育成を期して行われなければならない」と明示してあります。從つて平和的、民主的な文化國家を建設して行く人間を育てる事を目標としている學校教育は當然、(1)各個人の能力を最大限に伸ばすこと、(2)よりよい社會人になれるようにすること、(3)職業的な能力を十分つちかつてやること等をねらいにしなければなりません。これからが現在の學校教育の目標であります。私達は常にこのことを頭の中において教育しているわけであります。 — 164 —

二、教育活動—さて右のような目標を達成する爲に學校は具體的にどのような活動をして行かうとしているかということについてお話いたします。學校といえば勉强をするところだ、漢字を覺え、掛け算や割り算を習い、地理や歷史を暗記するところだと思つていらつしやる方があるかもしれません。從來の教育は確かにそれのみだつたという感じがないでもありません。然し新しい教育は世の中に出て役に立つ人間を作ることが大事なのです。その爲には勿論字もおぼえ、計算も出來なければなりません。然し何よりも生活上のいろ〳〵な問題を解決するということに學習の主眼がおかれなければなりません。尙普通の勉强のみでなく、その外に學級におけるいろ〳〵な會や、學校全體の生活の集會や、まだいろ〳〵の事がありますので、それ等についても少しくわしく御說明申上げます。

(1) 普通教育活動(教科による學習)—これは今までの學校の授業だと思つて下さい。今までの知識を得ることを目的とした教育、私たちは學校ではいろ〳〵の事を學びました。めつたに使わない漢字を覺えたり、數學では因數分解等の難問題を役にも立たないのに習い、地理では世界中のありとあらゆる土地の名や產物(それらが直接或は間接に我々のその後の生活を豐かに或は好轉させるために果してどれだけ役に立つた事でしよう)いろ〳〵な草の名を覺えたり、小學校四年の頃あぶら菜の花にめしべとおしべが何本づつあるかということを盛に暗記したり、その後、いろ〳〵な花について、花瓣の數、がくの數、めしべとおしべの數を全部暗記させられた私が、その後の生活に於いて、そんな數が必要であつたことはいまだかつてなかつたようです。たゞめしべとおしべがあり、おしべは數多くめしべは一本あるのが普通であるというぐらい敎えられた方がまだ有意義であつた、と思つているのです。 — 165 — 一體こんな專門的知識が小學校の四年生にどうして必要であろうかと思います。我々は一つの學問の一部分を切り取つて來て學んでいたのであります。一般社會人を作るのに役にも立たない學問の切れ端を小さな子供達に强いて何になりましようか、敎育される內容は有用な役に立つことでなければならない。役に立つ人間を作るためには學校に於いて社會で行うような生活經驗を積ませなければならない、大人の生活でなく子供達の生活を體驗させなければならないということになりました。

こういう立場から昔は理科で「蛋白質」とか「熱量」とかいつて學んでいたものを、最近は「何をどれだけ食べたらよいか」となり、數學で「立體圖形」として學んでいたようなことを「住宅」として學ぶことになつた。要するにそれは生活に於いて經驗する一つのまとまつた問題を中心に學習するのであります。このまとまりを最近は「單元」といつています。生徒がよく今後單元という言葉を使いますからよく覺えておいて下さい。この學習の爲にはいろ〳〵な調査研究等が必要で今までのような教科書中心の學習ではなくなります。從來の教師が教科書を中心に教えた授業が、生徒が生活を中心に研究する學習に變つたのです。これはどこまでも生活力をつけるということが問題なのです。このことを近頃學校は何をしているかと誤解される方がありますからよく御了解を願いたいと思います。

さて各教科がまちまちにこのような生活上の重要な問題をとり上げて學習をすゝめますといろ〳〵都合のわるいことが起ります。第一に生活指導が教科的に偏よつた面からなされる、第二に各教科が獨得にねらうべき點の取扱いがおろそかになる、第三に同一の生活問題がどの教科でも取上げられて重複する部分が多い、第四に生徒達は學習の單元が多すぎるので調査研究につかれる。以上のような理由の解決策として今年の一年生のみについては全教科共、同一の單元を取上げることにしました。即ち一つの問題を中心に各教科がそれぞれの立場から研究して行くのです。例えば、この四・五月は中學生という題目で、はじめて入つた中學生の生活に理解をもたせようとして、社會科では「われわれの學校」とか「學校制度の變せん」とかというような事を研究し、數學では「學校の模型を作ろう」



とか「學校教育施設と教育費」というような方面を研究し、家庭科では「學校禮法」「友達」等の如き方面（くわしくは御配りした表をみて下さい）を研究します。この學習の事を假りに綜合單元による學習と名づけておきます。

ところがこの勉强だけではどうしても足らぬ點が出て來ます。國語のよむ力、字をかく力、計算する力、着物を縫う力、等々の如き技能は特に時間をかけて練習しなければなりません。又音樂や繪畫、文學等の心情の方面も同樣にやらねばなりません。これはお配りした圖の二つの圓のうち下段のものであります。このプリントの二枚目はさしあたり一學期の中學生と健康の二つの單元などのように學習して行くかということの概略を示すものであります。

## 一年生の教育

奈良女子高等師範學校
附屬中學校

一、學校教育の目的
1、個人の能力を最大限に伸ばす
2、よき社會人の養成
3、職業的資質の啓培

二、教育活動
1、普通教育活動（綜合單元による學習／技能の練磨や心情の陶冶）
2、特別教育活動（ホームルーム（木・五）／クラブ活動（金・五）／アセンブリー（火・五）／生徒會による自治活動）

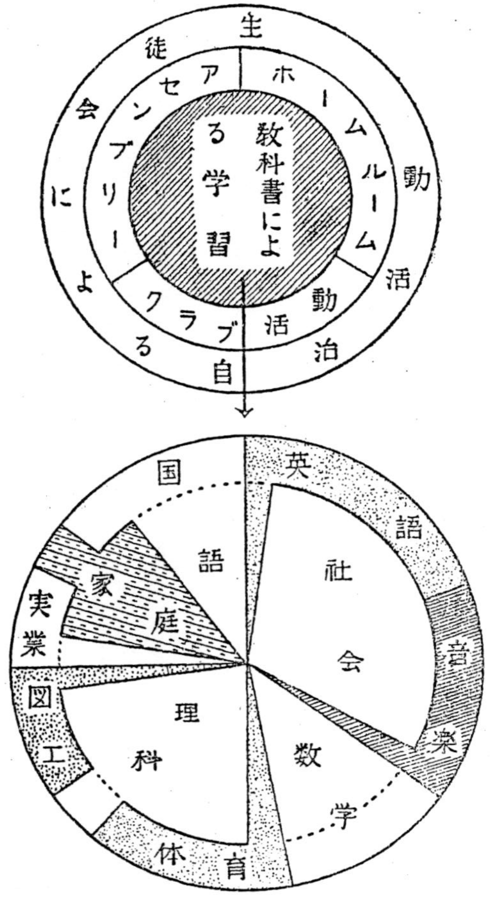


學習指導の斷面

（内圓—綜合單元による學習
外圓—基礎技能の練磨・心情の陶冶）

## 三、綜合單元の計畫

| 月 | 四—五 | 六—七 | 九—一〇 | 一一—一二 | 一—三 |
|---|---|---|---|---|---|
| 號番 | 1 | 2 | 3 | 4 | 5 |
| 一年 | 中學生 | 健康 | 家庭 | 自然と生活 | 都市 |
| 號番 | 6 | 7 | 8 | 9 | 10 |
| 二年 | 農牧生産 | 天然資源 | 機械と近代工業 | 交通機關 | 生活の安全 |
| 號番 | 11 | 12 | 13 | 14 | 15 |
| 三年 | 個人と共同生活 | 消費生活 | 自由と統制 | 生活と文化 | 生活の建設 |



## 一年生第一學期の學習内容（案）

| | 中學生 | 健康 |
|---|---|---|
| 國語 | ○中學生のことば<br>○觀る目のはたらき | ○すこやかな心<br>○科學者の道 |
| 社會 | ○われわれの學校<br>○學校制度の變遷<br>○民主的な學校生活<br>○學校のもつ役割<br>○學校生活の改善 | ○個人衞生<br>○公衆衞生<br>○國民病とその對策<br>○人口問題 |
| 數學 | ○校舎の測定と模型<br>○學校敎育施設と敎育費 | ○健康と食物<br>○調和あるからだ |
| 理科 | ○私たちのからだ<br>○郷土の生物 | ○健康を保つに必要なことがら<br>○病氣と病源體<br>○豫防と治療<br>○結核とその豫防 |
| 家庭 | （男女）<br>○學校禮法<br>○友　達<br>○中學生らしい身なり<br>○ホームルームの美化<br>（女）<br>○縫方の基礎<br>○日常服の手入<br>○掃除道具の作製と使用 | （男女）<br>○食物のとり方<br>○疾病の豫防と救急法<br>（女）<br>○エプロン，フキン製作<br>○基本的調理法の實習<br>○救急法實習 |
| 體育 | ○體育理論<br>○運　動 | ○衞生理論<br>○運　動 |
| 圖工書作 | ○美しい學校，模型<br>○私達の學用品 | ○運動具をつくる<br>○クロツキー（運動している人のクロツキー）<br>○健康に關するポスター |
| 職業 | ○實業科で何を學ぶか<br>○學校園について<br>○學校園の經營法 | ○作物の栽培にとりかゝる前にどんなことを知らねばならぬか |
| 英語 | ○敎室内の會話<br>○私たちの持物（學校，學科，クラブ活動，友達） | ○私たちの運動<br>○私たちの洗濯<br>○私たちのお掃除 |
| 音樂 | ○私たちの學校唱歌（校歌）<br>○中學校の音樂<br>音樂の意義　　音樂の要素 | ○健全なる音樂<br>○基礎的な樂典 |

(2) 特別教育活動（教科外の學習）—前に述べました通り教科による學習のみが全體ではなくその外にホームルーム、アッセンブリー、クラブ活動、生徒會による自治活動があります。

（イ）ホームルーム　と申しますのは、字は家庭教室であります。家庭的な教室といつた方がいいかもしれません。然しこれは物としての教室そのものもさしますが、教室そのものよりも擔任教師を中心とした教師生徒一體的な存在、或は擔任教師の家庭的な指導の事を言うのが普通であります。中學校では小學校とちがつて教科毎に指導の先生がちがいます。教室もそれ〲移動します。それで生徒の色々な道具をおいたり、食事をしたりする教室が必要なわけです。この教室をホームルームというわけですが、又擔任教師は自分の教科の時のみしか生徒に接しないので個人的ないろ〱な問題について指導する時間も機會も小學校程めぐまれないわけです。それで特別に時間を設けて指導します。

— 170 —

擔任教師は生徒のいろ〱の事について指導します。これは折にふれてなされるわけですが、毎時の始業前と放課後にそれ〲十五分間位づつ挨拶や傳達事項やその外のことについて話し合います。それから毎週木曜日の第五時間目に一時間だけホームルームの時間というのを設けて、學級のことについていろ〱話し合つたり、擔任教師の話をきいたり　時には學級として樂しく遊んだり致します。これ等の事をするのがホームルームの仕事であります。

（ロ）アッセンブリーは生徒集會と譯します。全校の生徒が週一回（火曜第五時限）體育館に集つて、名士のお話をきいたり生徒達の發表をきいたり、共同の學校生活について話し合つたりいたします。

（ハ）クラブ活動　これは學校で指導する教科の外の、同好會的な集りであり、即ち寫眞同好會、文學同好會、ラヂオ同好會というようなものであります。これ等をクラブとして組織して金曜日の五時間目に教師が中心になつてやることになつています。これは學年の別を廢し、中學校の生徒は全員同時にこの研究をします。そして皆どの班かに入ることになつています。

（ニ）生徒會による自治活動　今までは校友會といつていたのですが、生徒達自身が主體となつて活動して行くという意味で生徒會と改名致しました。生徒達は會費を毎月出していろ〱な活動をします。第一に生徒協議會を作つて各學級から委員を出して全校の生徒達の風紀その他について話し合います。又文藝部を作つて新聞を發行したり、學藝會その他の文化的方面の活動をし、運動部を作つて對外的にも活躍しています。又厚生部は保健、慶弔の事も扱い、圖書部は生徒の圖書をそろえてその利用に供しています。

— 171 —

以上申上げました普通教育活動と特別教育活動では前者は主に今年の一年生の扱い方、後者は學校生活の全體について申上げた次第でございます。時々專門的な言葉を使いましたからお分りにくかつたことと思いますが、例えばアッセンブリーということは何をするのかということをおぼえておいていただかないと、子供達が家へ歸つてから今日のアッセンブリーは面白かつたといつても何の事か分りません。どうぞ御父兄におかれましてもせい〲子供達の學校生活を理解していただき、お暇の折は參觀に來ていただいて、學校と協力して子供達を眞に役に立つ、生活力のある人間にそだてていたゞきたいと存じます。

## 第二日

(1)私達の學校を知る

校舍案内―本校中學生の一員として今日から出發するのである。校舍はどんな風に配置建築されてあるか、學年別、教科別、各々の特別教室の位置、凡てこの校舍内のものは先生と生徒の使用し得るものであり、それらは私達によつて十分に活用されなければならない。私達はその校舍を早く知ることによつて、新しい學校への親愛感が一層早く深まるのである。私達の勉學の殿堂たるこの校舍に親しむと同時に私達のものとして、どこまでも大切に、鄭重に取り扱う樣心掛け度い。

ホームルームを出て右手正面に生徒昇降口、平常は出入口には頑丈な鍵が下され生徒達の登校及び下校時刻のみ開放されるのである。履きもの、傘類はそれぞれ學年、組別の一定の場所に整頓して置かれる。整然と並べられてある下駄箱、傘棚を見て、ゆきとゞいた清掃にも、自分達の生活の大きな部面のあることを感じる。

それより正面玄關に出る。右手に事務室、學校の事務的なことは凡てこちらで取扱われる。昨日學校の費用はこちらへ納められ、定期券購入のお世話もお願いした。

その右隣、教官ホール、先生方は朝一度は必ずこゝに集合され、先生のみの朝禮が行なわれる。それ以後先生方はそれぞれ教科別の教官室へ行かれるのである。教務係の先生のみこの部屋に席が



ある。例えば時間割を組むことも、明日の學習の臨時變更の通達を生徒揭示板を通じて知らせるのもこの係の先生によつて行なわれる。登校後の外出は、先生の許可ある時のみ。この外出證（外出證と記した木札）を先生から頂けば校外へ出られる。例えば社會科の學習に是非裁判所へ出かける必要のある場合等。と直接生徒に必要な事柄から說明して步く。

次は主事室、この學校は、奈良女子高等師範學校及び附屬高等學校、附屬中學校、附屬小學校、附屬幼稚園の全學園併せて、內藤校長がおられ（四月十二日當時）、附屬高等學校、中學校には、丁度他の學校の校長先生に當られる近池主事先生が居られる。

次々移りゆく教室に好奇的な目をまばたきながら、割烹教室に入る。整然と並べられたガスコンロや、拭き清められた調理臺にそつと手を觸れながら女生徒達は樂しい實習を夢みている。

廊下を距てゝ英語教室、教室の壁に貼布されてある讀めない發音記號を見ても、その口形圖を見ても早口々に、A、B、Cだとか、キャット、ボーイ等と如何にも得意げに旣知の單語を早口に云い合つている。未來の英文學者も出るかも知れないと思うと、責任の重且大は、その無邪氣な、純眞な生徒に接して今更ながら教師の痛感するところである。斯くして約一時間餘の校舍案內は終了する。ホームルームに歸る。

(2)ホームルーム時間の活用

1、目的　ホームルームの目的、內容、方法に就いて討論させ

Aホームルームの意義

Bホームルームの一員としての在り方を理解させ、更に

C役員の選出は二學期になつて行うが、一應學級を組織化する必要を感得させた。

2、プログラムを始める前に、次の様な引用文を毎日、黒板に書いておいた。

Aホームルームは家庭の茶の間

Bホームルームは苦樂を共にし個性を磨き合う所

Cホームルームはよき學校市民になるため勵まし合う所

Dホームルームは豊かな人間性を養う所

3、教師から次の事項を指示した。

A今日は始めてのホームルーム時間であるが、これからは毎週の木曜日のホームルーム時間をどんな風に過せばよいか、皆と相談してきめたい。

Bこれにはホームルームとは、どんな所で、どんな事をし、どの様な方法で行えばよいか、十分研究してから相談しようと提案した。

4、週番から議長(男女各一名)、書記(二名―一名は黒板の板書、一名はホームルーム帳の記錄)を選出し、次の順序で討論を行つた。

Aホームルームの目的

Bホームルームの行事

C行事の運營方法



5、黒板の引用文の意味を討論させた。生徒はまづ個性、學校市民、人間性を問題にしたが、何れも辭書による抽象的な理解しか持つていなかつたので教師が平易に解說した。大體次の様な結論を得た。

A家庭の茶の間の様な暖かさを持つこと。

B苦しい時も、樂しい時も何時も一緒でお互いに個性を磨き合うこと。

Cお互いに注意し合い、勵まし合つて教養のある人になり、クラスや學校を立派にすること。

6、教師は、はからずも私達はこの四月より、父母、兄弟、姉妹になつた事を强調し、歌えば、何時、何處ででも、一つ氣持に融け合う事の出來るような、ホームルームの歌を作る事を提案した。歡聲をあげて作詩作曲ともにクラスの自選で、早速募集する事にした。

7、ホームルームの時間を利用する方法を討論した。

A出身小學校のホームルームの活動を紹介しあつた。

B誕生日會、音樂會、演劇會、映畫觀賞會、お話會、クラブ研究發表會、讀書會、學級新聞編集會、生活反省會、お互いに注意し合う會などの結論を得、時々兩親を順々にお招きする事にきめた。

8、一年のプログラム作成は愼重にした方がいゝという提案があつて、來週のホームルーム時間は、グループ別に上級生のホームルームを見學し、尙上級生各組のプログラムを參考にして、立派なものを作成しようという事になり、見學分擔表を作製した。

9、運營は行事の種類によつて委員をきめておく事が望ましいけれど、お互いに適任者がわからないから、週番が來學期まで代行し、二學期になつて愼重に協議する事を約束した。

10、ホームルームの美化は先づ

イ、淸掃―亂雜に取り散らかした部屋と、整頓され、拭き淸められた床、庭に咲いた矢車草の二三輪が工作で作つた柱掛けの花いけに可愛いく差してある部屋とに入つた時の感想を述べ合い、塵一つ落ちていないすき透る樣な床の上に、順序正しく並べられた机、椅子、その部屋へ入れば自ら心の緊張を覺え、規律正しい生活の第一歩が踏み出される事を話合つた。

淸掃班は通學方面を考慮して全員二班に分け、隔日制をとる事にした。

高等學校三年生の風紀部員がこれら新入生の淸掃作業の指導に當るのである。

はたきのかけ方から、机、椅子の運び方、箒の使用方から、用具の後始末まで手をとる樣にいとも懇切に敎えてくれた。又衞生上マスクを掛ける事を是非勵行しましようと注意があり、三人の上級生の指導のもとに嬉々として働く姿は、平和な家庭そのものだとほほえまずにはいられなかつた。

ロ、室內裝置―住みよいホームルームとは、氣持の落着く部屋、勉强のよく出來る部屋、美しい感情につゝまれる部屋等種々斯くありたい部屋の希望が出た。このホームルームの人達は六つのグループに分けて活動する。各グループの考案、工夫によつて、週每にそのグループの特徴を生かした裝飾をする事に決定した。例えば學園の切花を頂くとか、自家で自作の切花を寄附するとか、又有名な繪畫を持つて來て一定の期間部屋に貸すとか等、一二の例をあげた。



## 第三日

(1)敎科と敎科擔任敎官の紹介―先づ小學校に於いて經て來た敎科を話し合い、最も自分の特意とする學科は何であつたかを發表させた。その後に特に展覽會に出品したとか、何々の會に出場したとか、詩の朗讀を行つて好評をはくしたとか、それぞれ學科を通じての特徴を發表した。

次に中學生としての新しい敎科課程を說明し、各敎科に異る擔任敎官の紹介、各敎科擔任のホームルームへ出張を願う、各學科の性質を簡單に說明する。この國語敎官室の二番目の机に居られるのが皆さんの國語科を擔當して下さるN先生である、という風に校舍案內の際、特に關係敎官の部屋は指示しておいた。今敎官の紹介があつてその記憶を新たにし得たのである。

次に小學校と中學校との學科を比較し、新しい敎科を話し合つた。未知の世界への憧れは、炯々と光る眼の中に希望を語り合つていた。

(2)アッセンブリー――體育館に一年を中心に二、三年の生徒が定刻に入場着席する。初めにアッセンブリー指導係のT教官よりアッセンブリーについて説明があつた。上級生は大體理解出來たようだが、入學早々で學校生活のすべてがまだ判然としない一年生はお話だけでは分りにくい様子。二度・三度參加する事によつてその意味を把握する事と思う。

今日は生徒會の規約審議を行う事になつている。從來我々の學校には教官、生徒一體の校友會組織があつたが、この四月より發展的に解消して生徒のみの組織で生徒會を結成することゝなつた。これは生徒が自らの學校生活を、生徒相互の協力によつて進歩向上させてゆくために發足したものである。



先學年末より各學級より選出された準備委員達が先づこの規約を作るため、休暇中も幾度か會合し、苦心の結果立案したものを教官會議で一應審議し、やゝ修正を加えたものを今日の生徒協議會にかけるのである。委員達はこれを白い模造紙に幾枚も墨書し、體育館の正面の壁に長く貼り付けた。教官はオブザーバーとして出席している。準備委員長・副委員長・委員達が正面の机に並び、その中で副委員長が議長、委員の二人が書記となつて、議長は原案を讀みつゝ説明を加えていつた。規約は總則・協議機關・執行機關・補則に分れているので、一項づゝ幾條かまとめて質疑應答を始めた。

「第二條と第三條は反對にした方がよいと思います。」元氣な二年生が立つて發言する。

「何故ですか。」

「生徒會の目的を述べてから組織に入つた方がよろしい。」

「どうですか。ほかの方々は。」

二、三人交々立つて意見をのべる。議長はこゝで委員長よりの説明を求めた。よく通る聲で落ついた口調で説明後

「それでは多數決にしますから手をあげて下さい。」

三分の二（主に上級生）が原案に贊成して、原案のまゝ可決する。

「學級協議會は隨時開く。と書いてありますが自由に開いていゝのですか。」



「協議委員が開きますが、それは週一回、ホームルームの時間がありますが、その第四週目に定例學級協議會をすることになつて、その週の土曜に學級できまつた案を持ちより、協議委員會をすることにしています。」

「執行機關は學藝・體育・風紀・厚生・圖書部ですがそれぞれの内容、特に風紀部の役目を詳しく說明して下さい。」

委員達が度々立つて說明をする。中で、風紀部は從來なかつたもので、生徒心得（生徒が常に携えている「私の生活」の中に掲げられている）の實施及び實行の促進をする部であること。終戰以來、ゆるんで來た學校生活をひきしめるため今學期より大いに活躍する抱負を語つた。

「そのような各方面の活動をするには澤山の資金がいると思いますが、その豫算や生徒の會費はどう

なりますか。」

「目下先生方と御相談して豫算案も大體出來かけておりますが、決定するのは規約が定まつて委員が選出された後になります。會費もその後きまります。」

一年生が始めて立つて發言する。

「擔任の先生は一年生の組には一學期の間、何も役員をおかない、と云われましたがどうなるのですか。」

「一年は組に男女正副四人の週番がありますから、一學期はその方々でしつかり仕事をして下さい。」

等々。



規約はさすがに研究を重ねて提案されたものであまり修正されなかつたが、新しく生れる生徒會に對して自覺ある生徒は熱心に質問を重ねた。今日の一年生はまだ發言する能力を持たなかつたがこの雰圍氣をまのあたり見ることによつて、生徒會についての認識を得、自分達の學校生活を生徒相互の協力によつて向上させるための…この我々の會は我々の手によつて規約がつくられ運營されてゆくのだという事を如實に理解することが出來たようであつた。

規約は修正可決したあと教育會議の審議をへて實施されることとなり、かくして生徒協議會は終了したが、最初のこうしたアッセンブリーの參加によつて、今日のようなのがアッセンブリーの一つの形なのだ―ということを具體的に認識させることが出來たわけである。

「アッセンブリーつてどんなことかと思つてましたが、面白かつた！　先生、來週は何ですか。」

「來週はホームルームをどのように過したらよいかという題で、各組から討論の選手を出して、パネルディスカッションをする筈です。」

「うわー、僕の組、誰がいゝかな。」

「候補者、A君！」

「いや、Bさんよ！」

にぎやかな聲を聞きつゝ今日のアッセンブリーはその最初として、生徒達にこの様に關心をもたせた事に於いて先づ成功であつた。



第　四　日

今日から綜合カリキュラムの計畫にそつて彼等の學習生活がはじまるのである。小學校と異り、各教科毎に教室は移動して行く、大ていは一時間ごとに移動しなければならない。未だ校舍の內部は熟知していない、移動に際しては學級の週番（入學第二日、ホームルームの項參照）がそれぐの教室を教務と連絡し又生徒揭示板によつて指示されたものを知らすのである。新しい先生と新しい教室、フレッシュメンは多大の期待を抱いて教室に臨むのである。この時教師は生徒の興味をおこし、期待に十分そい得る樣愼重に計畫を立てなければならない。かくして一日も早く新しく學校生活に馴れさせる事が必要である。

學習生活に先立つて先づ自學自習の習慣をつける事が第一の急務である。それには第一生活時間の合理化を計ること。第二、圖書館を十分に利用し得る樣指導しなければならない。

## (1) 生活時間の合理化

一、目　　的

A、生活に計畫性を持つ事が、B、學習能率をあげ、C、健康を增進し、D、十分な休養と娯樂をとり、E、入學の喜びと希望を完うする事が出來る秘訣である事を感得させた。

二、實施內容

1、かねて豫告しておき左の樣な表を配布して、昨日一日の生活記錄を取らせた。

— 182 —

| した事 | 時刻 | | 學習 | 睡眠 | 運動 | 手傳 | 食事 | 通學 | 其他 |
|---|---|---|---|---|---|---|---|---|---|
| 睡眠 | P.M. A.M.<br>10〜 6 | | | ○ | | | | | |
| 合計 | | | | | | | | | |

2、學習、睡眠、運動、手傳、食事、通學、其他に就き、各々トータルを出した。

3、週番から議長、副議長、書記二名を選出して左の事項を實施した。

4、學習時間別のグループを分けた。大體、標準は豫習一時間半、復習二時間である事を皆が了解した。

| | 0.5時間 | 1 | 1.5 | 2.0 | 2.5 | 3.0 | 3.5 | 合計 |
|---|---|---|---|---|---|---|---|---|
| 豫習 | 2名 | 11 | 17 | 5 | 0 | 1 | | 36名 |
| 復習 | 0 | 5 | 9 | 14 | 6 | 1 | 1 | 36名 |

— 183 —

5、同樣に睡眠時間別のグループを分けた。サンマータイムの關係もあるが、七時間半から八時間が健康上適當な事を確認させた。

| 6時間未滿 | 6〜6.5 | 6.5〜7 | 7〜7.5 | 7.5〜8 | 8〜8.5 | 8.5時間以上 | 合計 |
|---|---|---|---|---|---|---|---|
| 1名 | 5 | 11 | 16 | 3 | 0 | 0 | 36名 |

6、標準の學習時間と睡眠時間を確保するように、生活に計畫性を持つか持たないかは、優等生と劣等生、幸福と不幸の別れめである事を、具體的に教師が强調した。

7、各自の合理的な生活表を作る前に、標準を協議して扇形グラフにまとめた。この作業を通じて、生徒は生活を能率的にし、小さい時間を利用しなければ、標準の學習時間、睡眠時間を確保出來ない事、更に今迄、如何に時間とエネルギーが亂費されていたかを痛感したようである。

8、標準表を參考にして、各自の合理的な生活表を夫々工夫した。家庭環境の相異により必ずしも標準時間が確保出來ず、活潑な質問が出たが、教師はその都度、個別指導を行つた。これにより有効適切な生活規正を行う事が出來た。

9、明日美しい扇形グラフにまとめて提出し、家庭の眼につく場所にはる事を約束した。

## (2) 圖書館の利用

### 一、目　的

A、自習時間の有効な利用法として圖書館の活用に着眼させ、B、圖書館の規定を理解し、C、圖書館道德を遵守するように指導した。

### 二、實施内容

1、先程、有効な時間の使い方に就いて研究したが、先生がお休みで自習時間が出來た樣な場合どうすればよいかという教師の發問で、圖書館の活用に着眼させた。

2、圖書館を自由に活用出來る事から來る樂しみや利益に就いて話し合つた。教師はベーコンの言葉を引用し、讀書の樣々の利益に就いて强調した。

3、圖書館に引率し、週番の生徒達に豫め課しておいた次の樣な仕事を行わせた。



A、學校圖書館の規定及び、B、十進分類表の説明、C、貸り出しから退館までの一切の手續きの三つを含めて劇化した。生徒は興味をもつて書司の役目、書物の分類、索引カードの見方、貸り出しカードの書き方、圖書館作法などを了解した。

4、ホームルームに歸り、圖書索引の競技を行つた。一人十枚の小さい紙片を用意し「辭典類は何番の戸棚ですか」「理科の參考書は?」「米國の學校制度を調べるには何番の書棚でさがしますか」などの發問をして、どの生徒が一番正確に云い當てたか競技を行つた。レクリエーションをかねて生徒は大喜びで圖書索引技能を習熟する上に、大いに効果があつた。

5、圖書館道德を討論した。

書物の取扱いとして、A、汚れた手で扱わない、B、隅を折つたり破つたりしない、C、落書をしない、D、切りとりをしない、E、又貸しをしない、F、貸り越しをしない等。

圖書館内の作法として、A、靜かに歩く、B、私語しない、C、椅子を動かし廻らないなど——活潑に論じ合つた。

6、入學記念に、ホームルームで圖書を買い、毎學期買い溜めて讀書會に利用すると共に、卒業の時一冊づつ記念に持つて出るようにしようという事を、教師が提案し滿場一致で可決した。メモリー圖書と名前をつけた。

(3) クラブ活動—新入生にとつてクラブの選擇は興味しん〳〵、先づ如何なる方法でその研究が行なわれているか知り度いのである。今日は上級生のクラブ活動見學、新入生は希望の眼をかゞやかせてそれぞれ目的の研究室で參觀し、後ホームルームに歸り各自參觀の感想を話し合い、ホームルームの敎師は個人的に指導を行つて、各自選擇クラブを決定した。

左に本校中學校、高等學校の各種クラブを參考までに掲げて置く。

中學校クラブ活動

社會、文學、文藝、演劇、ラヂオ、天文、生物、寫眞、園藝、被服、音樂、美術、英語、辯論、スポーツ、數學の各クラブ

高等學校クラブ活動

社會、哲學、文學、文藝、演劇、フランス語、家庭科學、自然科學、寫眞、園藝、音樂、美術、被服、英語會話、スポーツ

## 第五日

(1)授業―新入生週間…特に入學以來最初の一週間を新入生週間と稱し、この期間には新入生が一目瞭然上級生から見わけがつくよう、みどりのリボンを胸につけて歩るく。上級生はこのマークをつけたものには特に親切に指導してやる。例えば不安そうな顔付きで敎官室の前に佇む生徒を見つけた時は「あなたどうしたの？　先生に御用があるの？　お名前がわからないの？　何科の先生？　じやあ私がお尋ねしてあげましょう」といつて心當りの先生に伺い、生徒を案內する。又理科敎室といつても



第一理科、第二理科とあればちよつとまごつく、すぐそばを通りかゝつた男生徒が「あゝそれは僕がこれからゆく敎室の隣だから一緒に來るといゝ」と上級生の方から進んで學校生活に馴らしてやるのである。

又校舍案內の際にホームルームの先生から、圖書館のことはくれぐれも利用する樣にと云われたことを思い出してある數人が、社會科の研究に出かけて行く、小學校ではかつて見たことがなかつた立派な圖書館、周圍の書棚には立派な圖書がぎつしりつまつている、上級生はすでに丸テーブルに向かい大きな辭書を、あちらでもこちらでも頁をくつている、こゝが圖書閲覽室なのである、どんな本でもある、早く調べたい氣持で一ぱい、四面ぎつしりつまつた書物の中で、どういう項目を自分は選び出せばよいかまよつた、丁度居合せた高等科の生徒が「イギリスの學校制度はこちらですよ」とイギリスの敎育一般のところを指示してくれた、こんな素晴しい圖書館で思う存分研究し度い、と新入生は大變な意氣込みである。彼等にとつて今は見るもの、聞くもの凡てが新しく、希望に輝いているのである。新入生のこの純眞な熱意のある態度を少なくともホームルーム敎師は大切に育てゝ行かなければならない。

(2)ホームルームの時間

1、級友の自己紹介　毎週一時間規定されたホームルームの時間である。先づ私達がホームルームを樂しくするには級友相互によく理解し合わなければならない。如何なる困難に遭遇するも、共に

その苦勞を分ち合い、解決にまで到達しなければならない。そしてその間の行動の過程が級友相互の一層の向上をはかる爲に、役立つものでなければならないのである。又一方娯しみはこれ又自己にのみとどめる事なく、私の樂しい事は、嬉しいことは級友全體の樂しみであり且喜びであると方向づけたい。ホームルームの擔任も又同樣の生活をなし、常によき相談相手となり、やがて社會の一員として圓滿な生活を營み得る樣、現在の團體生活に協力し、或る時は順應し得る樣、しかも相互の個性をのばしながら、そして人格を尊重しながら共に進んでゆく、よき伴侶である立場をよく理解させる必要がある。



入學式後行つた自己紹介は、極く形式的なものであつた、否むしろそれにとどめたのである。今日は自分というものを最もよく知つていたゞく爲の紹介である。

2、自己紹介の内容　發表形式は自由、姓名と學校の經歴は必ず最初に發表して次に自己を紹介する。自己のみが經て來た獨自の歩みについて、即ち自分というものを他人に知らすに最も必要な生活の經驗を話す。過去六年間の生活の中、成功談、失敗談、嬉しかつた事、悲しかつたこと、樂しかつたこと、それぞれ非常に印象的であつたと思われる、しかも最もよく自己を表現していると思われる事柄を發表させる。

例

1、私は「田山幸子」です。

2、私は京都府綴喜郡田邊小學校出身です。

3、私の性質を最もよく表現すると思われる事柄を一つ御紹介いたします。私は平常からあまり騷々しい場所は好みません。家に居ても、學校に居ても、おしやべりの方ではありません。體は先づ健康です。ところが一番悲しい事には、皆さんが最も樂しく、嬉しい行事の一つである遠足についてであります。喜ぶ皆のこの報せを先生からもたらされると、途端に私は悲しくなります。それは私が乘り物に醉うという事なのです。今度こそはと氣分を轉換して先生や、級友の人達に勵まされて出かけます。ところがやつぱり醉つて、お友達に迷惑をかけ、私自身非常な苦痛をなめるのです。これは私の體質にもよるのでしようが、又一つは平常から非常に内氣で、はつらつ性に乏しい、明朗性でない事が、一層乘り物に醉うという事の裏づけになるのです。健康に注意するは勿論、今後は大いに、明朗な氣持になれる樣に努力して行き度いと思います。」



右の事柄の發表によつて、生徒達は、山田さんという生徒の溫順な性質を知ると共に物事に消極的であり、明朗性に缺けている事をしつて、優しそうな人の反面の缺點を何とか皆でなおしてあげようと同情して、田山さんの人となりをよく知る事が出來たのである。

### (3) 植　樹　祭

總戰後國内はあらゆる面で疲弊した。國力は低下し、原料資源は貧弱な國内のものにまたざるを得なくなつた。國民の生活は最大の苦境におち入つた。耐乏の生活は明日の日本を建設する國民への試練として、我々の眼前に横たわつたのである。食物に不自由をし、住むに家なく、溫まるに衣類の補充つかず、燃料の不足も甚しい、この窮乏の生活にも冬期は容赦なく訪れのであるある。室内の寒氣もさることながら戸外の酷寒はその峻烈骨髓に徹する折柄、家庭方面に、産業方面に木材の使用は甚しく、又燃料不足も同樣我々の耐乏生活の大きな部面の一つなのである。

この頃は少々の台風でもすぐ水害を受ける事が多い、要するに山が荒れているからである。多くの山がどん／＼裸にされて行く、ある調査によれば日本の保有林とその生長速度から見て適當な伐採量は一年に一億四五千萬石である、ところが戰爭中から十年この方の伐採量は一年平均一億五千萬石以上だという。はげ山が到るところに露出して來た。森林の荒れるのを防ぎ、適當な状態に安定させる爲には一年に少なくとも五六十萬町歩の植林が必要だといわれている。しかし一方苗木や勞賃の高値の爲に容易にそれがはかどらないのである。伐採と植樹は、全國的計畫のもとに行なわれなければならないといわれる。伐採は知つても植樹を知らぬは亡國の民である。

社會の歩みと共に國家窮乏の折柄植樹の意義をしらしめ、又新入生の入學を記念して、彼等自らの手によつて若木の植樹を行つたのである。

新入生の成長と共に、校庭の一隅にある若木は今初夏の微風にその若葉をなびかせている。

— 190 —

## 第六日

### 新入生歡迎會

期　日　四月十七日（日曜日）

場　所　生駒山頂

參加者　先生方全員及び高等學校、中學校生徒會員

集　合　午後十二時半……ラッシニアワーをさけて各自自由に正十二時迄に登山し晝食を濟ませるため

開　會　午後一時

閉　會　午後三時

プログラム

一、開會の辭…高等學校三年生

二、會長（主事先生）のお話

三、歡迎のことば…上級生代表

四、御禮のことば…新入生代表

五、餘興：上級各クラス共五分間

六、閉　會　の　辭

— 191 —

例年は若草山の山頂で行われたのに、今年はひとつ趣向をかえてやつて見たいと生徒會の委員達が計畫して教務を通過した案である。

當日、花見時のくづれ易い天候が氣にかゝる。一年生擔任は、一年生の始めての校外行動であることを心配して近鐵生駒驛前十時に生徒を集合させて揃つてケーブルで登山することに決めた。

前日より曇りがちで夜中はしと／＼ふりこめた程の空模様があたかも可愛いゝ一年生の喜びに答える様に朝になるとしつとりと大地がうるおつたまゝ晴れあがつている。嬉しい！　どんなに喜こんでいることだろう。委員の生徒達もいろ／＼骨折つていたがほつとしたことゝ思う。ふもとは既に滿開

の櫻のもとで一年生の人員點呼する。百二十七名中三人缺席。昨日から屆出てある生徒達ばかりだ。皆大はしやぎでケーブルに乘る。乘りなれたこのケーブルも中學生になつた今日は特別樂しい樣子。知らないもの同志が何年來の知人同志の樣に話し興じている。山頂は櫻も半開、うらゝかに開けた空のもと、廣々した緑の山頂で三々五々、自由にお辨當を食べる。どこかの小學生も先生に引率されて上つて來た。春の遠足かそれとも同じ目的のためか。

上級生達も刻々に數を増して山上は晝頃までにすつかり賑やかになる。航空塔で遊ぶ者や、グループで樂しく話に花が咲いているのや。

一時——

平坦だが一寸スロープになつた所に一年生を一番前列の中央にしてその兩翼に上級生が並び環狀に近い形になる。豫定のプログラムにそつていよ〳〵開會の幕は上る。

中學三年のお兄さんより「妹や弟の入學を心から喜び共々に手をとり合い自分達の學校生活を向上充實させてゆきましよう。」と挨拶があつた。一生懸命聞いている。終つて新入生代表B君の御禮のことばがある。しつかりと賴母しい挨拶をするのでほつとする。ついで全員腰を下して餘興に入る。お姉さん方の獨唱、合唱、ヴァイオリン二重奏、お兄さん方のハーモニカ合奏、ある組は擔任の先生が特別出演でお父樣になつて家庭寸劇を出す。かと思へば美しい着物姿の舞踊等々……十五のクラスからそれぞれ趣向をこらしたものが飛出す。さん〳〵とふりそゝぐ陽光のもと終るたびに拍手が山にこだまする。



生徒のが終れば今度は飛び入りの先生方が素晴しい獨唱や、手品や、獨り芝居、ゼスチュアと、プログラムは豊富な内容を次々とくりひろげて行つた、上級生も始めて見る先生のかくし藝に歡聲をあげて大喜び……

豫定通り三時頃盛大裡に閉會して自由に解散した。

この生徒達はいつの日か、この晴れやかな青天井の舞臺の繪卷物を心の中にくりひろげることがあるだろう。

生徒達は三々五々うちつれて山を下りてゆく。

次に新入一年のこの日の感想作文を例示する。

## 新入生歡迎會

一年　水木とし

四月十七日、それは私たち一年生の歡迎會の日、しかも生駒山上で、なんてすばらしいんだろうと胸をおどらせて待つた日だ。

三月には「兄さま姉さまさようなら」と歌つて送られて小學校を卒業したのも何か遠いことのようでもあり、またいつの間に中學生になつてしまつたんだろうとおどろいたりする。

上級生の方達から迎えられる私たちの幸福がしみじみ思われた。

あたたかい春の日をあびて集まつた生駒山上ケーブルの窓から見た青い空がどこまでも高かつた。そしてほころびかけた櫻も印象的だつた。

頂上に集まつた皆の顔、だれもかれも嬉しそうだつた、はちきれそうな元氣にあふれていた。ひんやりした草の上にすわつて見る。次から次へと出てくる上級生の方達の餘興はうれしかつた。來年になればまたこうして新入生を迎える私たちだ。今日の日がまた、たまらなくなつかしくなるのだろうなあと考える。

私達は先づ上級生の方達のはきはきした司會に感心する。面白い寸劇に笑い、きれいな獨唱や合唱にうつとりしながら、又ハーモニカや私の好きなヴァイオリン等もあつた。この樣に眞心こめて歡迎して下さる上級生にどうしたらよき下級生、よき妹になれるだろうかと思つた。

先生のかくし藝もとび出してこの會に一層の光彩を與えた、なごやかな午後だつた。春にしては暖かすぎる太陽が照つていた。

會が終つて頂上からみた奈良盆地はぼうつと紫にかすんで山々は帶の樣につらなつていた。私たちは樂しかつた歡迎會を思い、これからの學校生活の希望にみちて山を下つた。



## 三、中學二年の實施記錄

### (一) このホームルームの特色と本年度の努力點

私たちの擔任しているホームルームも、おそらく全國の多くの中學校とほぼ同じであろうと思う。特質といつて、特にとりあげるものはない。若しとりあげるものがありとすれば、私たちの經營上の力點が反映している結果であるといえる。個人の完成を目標とする教育に於いて、社會のために生徒の一人一人が犧牲にならねばならない理由はない。一人一人が眞に個性を發揮することのできるホームルームでなければならない。教師が、自分の理想とする型を設定して、それに生徒をひきずつていくというような經營はいけない。級訓といつたものや、級風といつたものはとりあげたくない。生徒は自ら行動し、自ら判斷し、學級社會の一員として强く正しく生活することのできる機會を與えるような經營でなければならない。生徒の誰でもが、學級社會の活動の中心となることができねばならない。二人か三人かのリーダーによつて引きずられるようなホームルームは、形は美しくみえても最も非民主的なホームルームである。

私たちのホームルームは、男二十四人、女二十四人の共學である。都市に存在する學校ではあるが、農村の生徒もいる。父兄の職業別、經濟的地位も各種ある。知能別も各種の段階を含んでいる。隨つて、生徒の教育的環境は、多くの學校とほぼ同じである。私たちは、生徒がホームルームの生活にどんな關心をもつているかについて、一年間の觀察と擔任の話合いによつて、次のような結論を得た。

一、生徒はホームルームの生活を樂しんでいる。
二、男女共學は最も自然的に行われている。
三、生徒間は極めてうまくいつている。
四、擔任の教師を信賴している。
五、ホームルーム意識は、學校生活の秩序を破るようなことはない。

共學は新教育の課題の一つである。性の覺醒と共に共學の問題が重要視されているが、私たちは生徒の生活の凡てに男女の協力ということを中心として、男女混合のグループをつくり、男女協力の活動を計畫してきた。グループのリーダーに男子がなることもあれば、女子がなることもある。餘暇利用のスポーツに於いても、男女混合でソフトボールを樂しんでいる。隨つて男女間の對立はなく、勿論同性間の對立もない。入學以來の一年間を通じて、生徒間のいざこざは一度もなかつた。

ホームルームが一年以上固定する時はホームルームが協力して、他と競爭する意識が強くなつてくる。そして校内のホームルーム對抗マッチになると、それが強くあらわれてくる。相手のチームが勝つた時は、それに對して拍手をおくるというフエアプレイの精神が缺けてくることが多い。それが時には、學校の秩序を破壞するかもわからない。私たちは、その點に就いてはたびたびホームルームに於いて討議を重ねてきた。ホームルームの團結意識は自然に發達するものである。そしてそれを正しく伸ばすところに指導の重要性がある。

私たちは、生徒が學級社會の一員としてどんな資質や能力を必要とするのだろうかと考えた。そして次のようなことがらをあげた。

一、正直であること
二、親切であること
三、勇敢であること
四、各自の責任を果すこと
五、約束を守ること
六、他人の學習に協力できること
七、自分のいろいろの問題を話し得ること

これらは、ホームルームの各學年の指導目標を凡て包含するものである。中學二年生として、特に「他人の學習に協力できること」をとりあげている。この協力を更に分析してみると

1、積極面として—他人と協力して問題を解決する能力、自學自習によつて問題を解決する能力の向上
2、消極面として—他人の學習をさまたげることなく、自己の餘暇を有効に過す能力の向上

を考えている。



## (二) 實施記錄—餘暇の利用法

### (1) この題目を取りあげた理由

兒童期より青年前期に入ろうとする生徒に對して、餘暇を有効に利用することを指導することは極めて大切な事である。中學一年生は新しい學校生活にはいることによつて、今までとちがつた青年社會に順應する時期であり、少年の世界から青年の世界への環境の變化のために上級生の指導によつて、いろいろの活動に參加できる程度であつた。中學二年になると、學校生活も身につき、學校のいろいろの活動に對して積極的に協力しなければならない時代である。

發達心理の上から考えてみると、中學二年になるとぼつぼつ青年前期の兆があらわれ、精神生活に於いて動搖期に入り、極めて不安定な時期に入るのである。隨つて生活全般にわたつて、特別の留意が必要となつてくる。彼等の日常生活を明るくし、健全な發達方向をたどるように指導することは、ホームルーム教師の大きな責務である。

こうした意味に於いて、生徒の日常生活の面に於いて特に餘暇利用の指導を重視しなければならない。

ホームルームの指導に於いて、不安定な青年の内面生活をどのように指導することによつて安定せしめることができるだろうか、青年の内面生活の不安定ということについて、次のような理由をあげることができる。



1、知識の發達と共に生活領域は時間的、空間的に擴大し複雜になること

2、感情の興奮性が増大し、はげしい感情を制する意志力がそれに伴わないこと

3、性的覺醒

これは生徒が成人への成長發展に伴う過程にあり極めて不安定ながら旺盛な生活力をもつているから、如何に導くかがホームルームの最も重要な課題となる。殊に課業以外の時間を有効に利用することによつて、不安定で誘惑の多い青年期を安全に、健康に、有意義に過させることが出來る。

これまでの學校教育に於いては、教科指導という點に主力を注いで、餘暇の指導ということに對しては殆ど顧みられなかつた。放課後の生徒生活の指導は、校外指導という訓育面のみを取りあげて、生活を豊かにする面の指導は全然行われていなかつた。精神生活に於いて極めて不安定でしかも旺盛な成長を遂げつゝある青年期の指導として、禁止的道徳律でその伸びんとする生命をふみにじつた過去の訓育的な指導に對して、旺盛な活動力を出來るだけ發達させて、精神生活を高い理想に向わしめて安定させようとするのが餘暇利用の指導目的である。新しい學校教育が、教科活動と特別教育活動によつて、全人陶冶の教育の目標を達成することをねらつている。したがつて、それらの諸活動が當然に餘暇の利用に關係づけられなければならない。例えば、クラブ活動は學校に於いて教師の指導のもとに行われるけれども、それが餘暇の利用面まで發展することによつて、生徒の生活に直結され生活の趣味生活を深めて行くことになる。



又、從來の訓育に於いては、趣味や娯樂に對して極めて消極的であつた。甚だしきは娯樂は學徒には不必要であると斷定して禁止的な指導さえ行われたことがある。

現在の生徒は娯樂ということに對してどんな考えをもつているか、調査した結果を次に示す。（調査は凡て二年のある組の生徒を對象とした）

1、どんな娯樂に趣味をもつているか。

（男）　將棋（一〇人）、トランプ（五）、麻雀（二）、はつきりしない（七）

（女）　トランプ（九）、はつきりしない（一五）

2、どんな趣味をもっているか。（一人で二以上の趣味を記入した者もある）

（男）ラヂオ工作（一一）、星の研究（八）、寫眞（四）、讀書（一〇）、切手蒐集（二）、模型飛行機（五）、園藝（一）

（女）手藝（一四）、園藝（八）、創作（四）、演劇（四）、讀書（一八）

3、娯樂について、次のことがらにつき、自分の思うとおりに○をつけよ。

われわれの生活に必要である（男一七、女一五）

われわれの生活に必要でない（男四、女五）

わからない（男三、女四）

4、次のことばの中で、娯樂が必要である、不必要である、という理由に相當するものに○をつけよ。 —200—

| 理由 | ○をつけた數 必要 | 不必要 |
|---|---|---|
| イ、金がかゝる | | 男　二・女　一 |
| ロ、生活をたのしくする | 男八・女六 | |
| ハ、時間がつぶれる | | 男一〇・女一三 |
| ニ、つかれがなおる | 男二・女一 | |
| ホ、勝負を争う | | 男　八・女一〇 |
| ヘ、仲よく遊ぶ | 男五・女三 | |

以上の調査の結果に就いて考察を加えてみると、娯樂というものに對して、男子は將棋、女子はトランプというのが多いけれども、娯樂生活についての態度といった面には相當の關心をもっている。しかし娯樂は生活に必要であると認めながらも、生活に不必要であるという理由についても肯定している。要するに娯樂と生活との關係に就いて、深く考えることもなく時間つぶしに行われていると言うことが出來る。趣味生活に就いて考えてみるに、中學二年になって大體に於いて趣味生活に入りかけつつあると考えられる。男子に於いては、科學的な方面に、女子に於いては情操的な方面にと、男女の發展方向が明瞭にあらわれてくる。

娯樂は金のかゝるもの、そして單なる暇つぶしであるという觀念が今日でも一般社會に認められ、 —201—
寸刻を惜んで働くことを勤勉力行という德目と考えられている。

生徒の道德的感情といったものにもこうしたものが潛在的に藏されている。これは日本人の心の中に深くしみこんでいる封建的な保守的な人生觀である。今日われわれに與えられた健康にして文化的な生活という立場から趣味や娯樂というものが生活に必要缺くことのできないものであることを確認しなければならない。

趣味や娯樂に就いての適切な指導は青年時代の不安定な時代に、理想に向かって進む軌道を與えるという點から適切な指導が要求される。ラヂオの工作を好む生徒は、設計製作することに夢中になって他の事を顧みない狀態の場合もあれば、すっかり希望を失って他の方面に趨って顧みないような狀態になる事もある。熱し易くさめ易い靑年前期の特性に着眼しての指導が必要になる。興味の持續と趣味生活への發展という問題がある。或は、讀書を好む生徒も增加してくる。その場合、讀書內容の調査と指導が必要である。少くとも月一回は「どんな書籍、雜誌を讀んでいるか」「今月はどんな本を讀んだか」の調査を行つて、讀書指導をなすとともに、讀んでよい書籍は推薦しなければならない。趣味生活や娛樂生活には金錢的な支出が伴う。しかしそれとても、いろいろ工夫する事によつて最少限度で抑えることもできるのである。

娛樂生活、趣味生活、スポーツ生活はどこまでも餘暇の利用ということに生活的な意義があるから、餘暇をどうしてつくり出すかの問題がある。これを一言にてつくすと、生活の能率化である。わが國の經濟生活、社會生活、家庭生活等全般の生活にわたつて改善しなければならない點が多い。餘暇をうみだすことは生活の能率化という語でつきるが、生徒の場合に於いては學習の能率化ということになる。「ヨクマナビ、ヨクアソベ」という敎訓は、生活の能率化と餘暇利用をあらわした格言である。古いものであるが、その精神は今日でも生きている。學習の能率をあげることは、本人の能力に依ることが多い。餘暇をどのように利用するかの指導は、餘暇を如何にしてつくり出すかの指導があつて、はじめて實が伴うのである。したがつて、生徒の能力に應じて、その能力を最大に發揮して學習活動を有效にして、餘暇をつくり出さなければならない。學習を要領よくする生徒は學習目標を明確に把捉して、その目標に對する活動が合理的である。どの生徒もそうした學習が成されるように指導



することが學習能率を高めることになり、餘暇をつくり出すことになるから、餘暇利用の指導の基礎は學習指導の根本原理に歸することにもなる。

この題目を指導する上に實施した諸調査は前記の他に次のようなものがある。

五月〇日〇曜日(曇天)、歸宅後就寢までの生活時間の調査(夕食、入浴時間を除く)の學級平均は次のようである。

| | 男子(廿二人)平均 | 女子(廿四人)平均 |
|---|---|---|
| 運動 | 二五分 | 一八分 |
| 趣味 | 五一分 | 三一分 |
| 娛樂 | 五五分 | 二一分 |
| 無意義に過した時間 | 二四分 | 二〇分 |
| 家庭學習 | 七七分 | 一一六分 |
| 家事手傳 | 一六分 | 三六分 |

調査當日の生徒歸宅時刻は市內の者で四時三〇分前後であり、郡部通學生は五時三〇分前後であつた。就寢は大體午後十時前後であるから大體五時間前後の時間が與えられていると考えることが出來る。その時間の中、家庭學習として敎科の自習に利用される時間が、男子に於いて二五%、女子に於いては三八・五%も占めている。又家事手傳に於いても女子は男子に比して多くの時間を消費してい

るから餘暇も少なくなつてくる。生徒の時に既にこのような差があることは女子の餘暇利用という事に對して特に指導面に留意しなければならない問題がある。

次に以上の調査について、更に分析的に餘暇を何に利用したかに就いて調査した結果は次の通りである。

どんな運動をしたか

（男子） 卓球2、まりなげ4、野球1、散歩1

（女子） バレー2、卓球1、散歩1、ボート2、かくれんぼ1、たからさがし1

どんな娯樂をしたか

（男子） 映畫3、ラヂオ聽取8、トランプ1、將棋3

（女子） トランプ

どんな本を讀んだか

（男子） 米ソ戰はば、夕立勘五郎、復活、海と魚、困難にうちかつた人々、新聞（朝日、毎日、毎日小國）、雜誌（ホームラン、ベースボール）

（女子） 雨姫樣、漱石全集、ヒロシマ、山本有三全集、新聞、雜誌（少女の友、ひまわり）

趣味としてどんな事をしたか

（男子） ラヂオ工作、望遠鏡の製作、園藝



（女子） 手藝、ピアノ、デザイン、園藝

以上をまとめて結論的に

(1) 中學二年生としては精神的に不安定な青年前期に入りつつあるので、理想をめざして進ましめるために、餘暇利用を特に强調して健全なものに導かねばならない。

(2) 自分の趣味を發見し、發展させなければならない。

(3) 健全な娯樂を自らたのしみ、又他人と協力することによつて、社會生活、學校生活をたのしくしなければならない。アッセンブリー、體育行事、其の他の諸活動に對しても積極的、指導的に參加できなければならない。

(4) 餘暇の利用に對して、男女協力が出來なければならない。この時期は性的覺醒とともに、その初めの傾向として、男女相互に遠ざかろうとするから、特に留意しなければならない。

(5) 學習の能率化について、工夫がなされなければならない。

(6) 女子は餘暇利用について、一層の關心が必要である。

(7) 餘暇利用の實踐を通して、青年期の生活を豊かにして、民主主義的な性格が形成されねばならない。

(2) 目　標

餘暇の利用が、中學生の生活内容を豊かにし、廣い幅のある人間を育成するに重要であるという見

地から、次のような事を指導する。

1、餘暇とはどんな時間であるかを理解すること。

2、いろいろな餘暇利用法の知識を收得し能力を發展させること。

3、自分に適する個人的、社會的レクリエーションを工夫し、わづかの時間でも樂しみ、有効に過す習慣を養うこと。

4、集團的レクリエーションを通して、他人と協同する態度を養うこと。

5、レクリエーションをより科學的に行おうとする習慣を養うこと

(3) 準　備

1、指導前教師の準備(豫備調査)

(1)平日、土曜日、日曜日の生活時間の記錄(出來れば晴天・雨天の場合の記錄)

(2)以上の調査を基礎にして、生活實態を把捉して集計すること

2、生徒と協力して準備するもの

青少年に推薦できる圖書目錄

簡單にできる娯樂と用具

わが國の行事暦

學校の行事豫定



奈良を中心としたハイキング・コース地圖

奈良市のレクリエーションの施設表

各種スポーツのルール

餘暇利用を主題とした壁新聞

餘暇利用を主題とした劇

餘暇利用を主題とした紙芝居

標準的な生活時間表

(4) 實 施 計 畫

1、導　入

(1)われわれは生活時間をどんなに使つているか。

(2)生活時間の調査集計したものを全體討議することによつて、研究問題の設定

2、展開—(問題解決の學習活動)

豫期する活動

(1)われわれは、一日にどれ位の餘暇をもつているか。

(2)われわれは、餘暇をどんなに使用しているか。

(3)われわれはどんな本を讀んだらよいか—現在の讀書調査を基礎にして。

(4)われわれは、どんな運動競技に興味をもつているか、どんな態度で運動競技をしているか。

(5)われわれは、どんな娯樂に興味をもつているか—われわれに適した娯樂にどんなのがあるだろうか。

(6)われわれは、どんな趣味生活をしているか。

(7)餘暇を見つけるための生活設計はどうしたらよいか。

(8)學校では、餘暇利用にどんな活動をしているか、どんな施設が必要であるか。—

(9)社會生活や家庭生活にはどんな施設が必要であるか。

(10)餘暇利用に對して、われわれの協力できる事はどんな事か。

3、整理—(發表と討議による問題解決)

(1)圖表及び壁新聞の提示。

(2)討議—發表者の意見を中心として。

(3)劇

(4)簡單なレクリエーションの實際を示すこと—個人又は數人にて行えるもの。

4、評價—(餘暇利用がどんなによくなつたか)

(1)餘暇利用の計畫表の作成

どの點が改良され、進歩したか、何か新しい工夫を加えたか。



(2)觀察と記錄

a餘暇利用がよくなつたことは生徒の學習生活にどんなよい結果を與えているか。

b他人と協力できているか。

c生徒の日常行爲が上品であるか、下品であるか。

d晝食後の休みや、放課後の學校生活は有意義に行われているか。

e學校の茶話會、クラス遠足、旅行、海水浴等の場合の娯樂會にどんなことをしたか。

fクラブ活動や生徒集會においてどんな活動をしたか。

g餘暇利用が强調されたような結果はあらわれていないか。讀書や、スポーツに熱中して、他のことを犠牲にするようなことはないか。

(5)生徒の活動の實際

1、われわれは一日にどれ位の餘暇をもつているか。

(1)一日生活時間表の作成(平日、土曜日、日曜日に就いて)

(2)生活時間表によつて

a學校で學習した時間。

b家庭で學校の學習に關係ある學習をした時間。

c通學に要した時間。

d 家事の手傳いをした時間。
e 其他、食事、理髪、入浴等生活上の必要のための時間。
f すきな本や雜誌を讀んだ時間。
g 運動をした時間。
h 自分の趣味のために使つた時間。
i 娯樂のために使つた時間。
j 家の人と話したり、ラヂオを聞いた時間。
k 何もしないで過した時間。
以上の項目によつて生活時間を分類する。
(3) 餘暇とは、どんな時間で、どれ位あるか。

2、われわれは、餘暇をどんなに使つているか。
(1) 讀書について
どんな本を讀んでいるか。
最近讀んだ本についての印象發表。
有効な讀書法。
學校圖書館の利用について。



青少年の推薦讀書。
讀書會の計畫。
(2) スポーツについて
どんなスポーツをしているか。
どんなスポーツを見るのがすきか。
われわれはスポーツをどのように樂んだらよいか。
學校のスポーツ施設について希望すること。
學校の體育行事について。
日本のスポーツの現状についての話合い。
陸上、水上、野球、其他について
スポーツの持つている使命。
個人的、社會的、國際的(オリムピック大會のこと)
(3) 趣味生活について
趣味生活の調査
○趣味とクラブ活動。
○學校のクラブ活動に對して、どんな希望をもつているか。

○趣味生活に於いて金がかゝる場合が多いが、どのようにしたらよいか。

(4) 娯樂について

われわれの間に行われている娯樂にはどんなものがあるか。

○よいと思うもの。

○よくないと思うもの。

○適當な娯樂の方法と機會。

○男女が一緒にできるような娯樂。

3、餘暇をどのようにしてつくりだすか。

餘暇をもつ人と餘暇をもたぬ人の生活についての比較。

○家庭學習に時間を多く必要とする者。

○家事手傳に多くの時間を要する人。

○通學のために多くの時間を要する人。

○身體が虚弱で休養しなければならない人。

○ぼんやりと時間を空費する人。

以上の種類をつくつて、餘暇をつくり出す生活設計をする。

4、社會は餘暇利用にどんな施設と機會をあたえているか。



學　校——施設、機會、希望

家　庭——施設、機會、工夫

地域社會——施設、機會、希望

どんな施設があるか。

何時それを利用したらよいか。

どんな希望をもつているか。

(3) 觀察と指導

1、生徒の生活時間の調査

○歸宅後は運動をする者がすくない。歸宅後の時間の大部分は教科の自習に使い、娯樂及び趣味がこれに續いている。同級生の住宅分布狀態が地域的に分散している本學級としては、放課後は學校で運動するが歸宅後は兄弟姉妹を相手として運動する位で、運動する者はすくない。

○男子は殆ど家事のために時間を使つていない。女子に於いても比較的にすくないのは、家庭の生活程度が比較的に高く、又俸給生活の家庭が多いためである。

○平日に於いては一家團らんの家族會をもつことがなく、ラヂオを聞いたりする位である。家族の協同によつて營まれる娯樂會は家族の誕生會や或は季節に一回位のもので、それも和やかに夕食時間を過す程度である。

○どんな時間が餘暇であるかを討議して、平日ならば放課後、いろいろの課程活動から解放された時間の中、自由に利用できる時間をさすことであることを考えさせる。

○家庭學習も餘暇利用の一方法であるが、家庭學習は學校における學習の延長であるという意味において、餘暇利用の上から除くことにする。

○生活時間の調査によつて、自分は有効に時間を利用しているか、學級の他生徒と比較することによつて、いろいろ反省することができた。

2、讀書の指導

讀書調査の方法として、讀書表を各自作らせておいて本を讀む度に、次の形式の讀書表を提出させている。



| 讀書表 | | | 年　組　○○○○ |
| --- | --- | --- | --- |
| 月　日<br>月　日 | 著者 | 書名 | 讀後感 |
| | | | |
| | | | |

○月に一度は、學校へ持つて來て本や雜誌について調査して、記錄しておく。

○男子は冒険小説、探偵小説が多い。又野球に關する雜誌が極めて多い。

○女子はセンチメンタルな少女小説が多い。しかし讀書力の進んだ者は相當に程度の高い文學的作品も讀む傾向があらわれている。又野球に關する雜誌に親しむ者もあれば、映畫雜誌に親しむ傾向もあらわれている。

○この時代の生徒向の書籍はすくない。少年向と青年向との中間のもので、健全な讀みものが望ましい。

○學校圖書館は趣味のための讀書に利用するのではなく、研究のために利用している程度である。

○讀書法は、たゞ興味本位に讀む程度である。終りまで讀み通す根氣はまだ出來ていない者が多い。



○讀書の姿勢に對しての指導が必要である。又、書籍の取扱いについても指導する。

○讀書會は學級で組織し、放課後の餘暇利用の一方法として、書籍の貸借、讀書後の印象發表等をなすように指導する。

3、スポーツについて

スポーツを好まない生徒はない。しかしスポーツに對する理解については、不充分である。スポーツを樂しむ者は、スポーツを冒瀆しているし、又スポーツに熱中する者もスポーツを冒瀆していると言える。單に樂しむというのでなく、スポーツに於いて要求されている秩序、正確、形式などの精神的な面をも重視しなければならない。全力を盡して行動することが必要である。だらだらしたたわむれのようなことは禁じなければならない。

その反面、熱中して過激な運動になつて身心の疲勞が大きいこともいけない。これまでの選手制の弊害もここにある。又、勝負にのみ走る傾向もいましめなければならない。プロ・スポーツ（例えば日本野球）に對して生徒の關心は大きい。弊害のある程度でないが、今後どのように發展していくか觀察を要する。プロ野球にしても、その精神的な面や技術的な面のみに興味をもつている場合は弊害は少しもない。スポーツを親しむという點に於いて望ましいことでもある。學校や社會におけるスポーツ施設に對する希望としては自分一個の好惡を中心として考え、學校全般、社會一般という大きな立場から考えなるようところまで發展していない。スポーツについては、特に學校の球技大會についての反省があつた。學級の選手となつた者の自覺と、應援する生徒の態度について、勝敗を第一に考えることはよくないということが反省された。勝敗を爭うために、審判について不平をいつたりすること、試合がきたなくなること、應援が下品になること、等が反省されるとともに、どこの運動競技會でもまだ美しいものになつていないことは、よくないことだという所まで發展した。

日本のスポーツの現狀については、だんだん戰前の水準に近づきつゝあること、水上に於いては殊に輝かしい成果をあげていることはよく知つている。



スポーツから國際社會の仲間入りできる場合についての、國民全體として、どんな態度を必要とするかのことも考えさせる必要がある。

4、趣味生活について

中學二年の生徒としては趣味が確定していない者が多い。自分の交友狀態によつて、友達がラジオの工作をやるから自分もやつてみたいと思つたとか、本を見て急にやつて見たくなつたとかいうのが多い。その趣味が本人の知能性格に適切であるか、又時間的の餘裕が充分か、經濟的の餘裕はあるかを考察して指導する必要がある。

趣味は高尚なものでなければいけないから、具體的な例について批判させる必要がある。批判の着眼點として

妥當性—能力、性格の上から、時間的、經濟的

高尚性—健全、明朗、合理的、民主的、敎養的、普遍的

5、娯樂について

○娯樂は趣味生活への發展性をもつていることを考えさせる必要がある。或は趣味生活の一面の表現でもあること。

○娯樂を時間の空費と見る傾向が強い。

○娯樂は裕福な人の專有物であると誤解されている。

○中學二年生位の年齢層の娯樂は男女別々に行われていることが多い。男子の娯樂は粗野なもので、女子の娯樂は、それに反して、靜的である。しかし何れも勝敗がつきものになつている。隨つて、男女の區別なしで出來るような娯樂が工夫されることが望ましい。學級で工夫して、實施させて、各その感想を述べさせるとよい。

○健全な娯樂はどんな娯樂であるかを理解させるために、工夫した各種の娯樂を實際にやらせて、その長所短所を考えさせるとよい。健全な娯樂を知らないから、從來からある一般化されたものだけが傳統的に行われているのである。

○生徒は、多くの娯樂を知る必要がある。どんな機會でも、すぐ仲間に入つて、樂しめることが望ましい。男子は將棋、女子はトランプの遊び方一、二種位で、それも學級の人數の上から見ると男子は八〇％、女子は四〇％位であるから娯樂については、案外に無關心である。娯樂の仲間入りできることは民主社會の上から考えて極めて大切なことである。

6、餘暇をどのようにしてつくりだすか。

能率をあげる生活について考えさせなければならない。日本人の通弊でもあるが、生徒は自己の生活をどのように營むべきかについて、討議させてみる必要がある。寸陰を惜んで努力するという事が、能率をあげることとは矛盾することではないが、能率をあげて仕事をてきぱきしあげて餘裕をつくると、とかく怠惰であると考えられ易い。



生徒として、簡單な生活であるから、その單位生活に於いて能率をあげることによつて、十分な餘暇をつくりだすことが出來るのであるから、各自工夫させて、生活計畫表をつくらせて指導するとよい。

7、地域社會、學校、家庭に於ける餘暇利用の施設や機會について、新しい民主的な立場から考えさせ、理想案を立案させる。

(7) 効果の判定

1、餘暇を如何に利用するかは、知識の問題ではなく、實踐の問題であるから、ホームルームに於いてこうした問題を解決することによつて、これからの生徒の生活がどのように改善されていくか、餘暇が如何に利用されているかを觀察し、個別的に指導して行かなければならない。勿論、知識的な面として、

(1) 餘暇利用は、どんな機會をどんな方法ですることか。
(2) 健全な娯樂の條件。
(3) スポーツの目的。
(4) 趣味生活の意義。
(5) 家庭のレクリエーションにはどんな機會と方法があるか。
(6) 學級學校のレクリエーションにはどんな機會と方法があるか。

(7)讀書の方法。
(8)われわれの讀んでよい本はどんな本か。
(9)國民の祝日とその意義。
(10)餘暇をつくりだす方法について。

2、右についての客觀テストとして次のような問題について實施した。

(1)スポーツの目的について次の各項の中、適當であると思うものに○をつけよ。

a 勝敗が目的である。
b 娯樂が目的である。
c 餘暇を利用するのが目的である。
d 心身を鍛練するのが目的である。

(2)レクリエーションについて次の問題に答えよ。

a レクリエーションとはどんなことか。
b 次のようなレクリエーションとしてはどんな方法があるか。
イ個人、ロ家庭、ハ學校、ニ地域社會、ホ國

(3)われわれが讀んでよい本の條件を書け。
(4)餘暇をつくりだす方法の中、次の各項の中、どれが最もよいと思うか。

a 仕事をすくなくする。
b 能率をあげる工夫をする。
c 計畫を立てて仕事をする。
d めんどうな仕事をやめる。

3、觀察事項として、次のような項目について個人觀察表をつくり、繼續して記入して、隨時個別指導をしている。

尙、學級の共通問題については、ホームルームを通じて指導している。

觀察項目

(1)ひまな時を、どんなに過しているか。
○健全な運動、娯樂、讀書に過す。
○よくない遊びに過す。
○なにもしないで無益に過す。

(2)他人と協力ができているか、自分一人で樂しんでいるか。

(3)どんな趣味をもつているか。
○よい趣味である。
○よくない趣味である。

○廣い趣味をもつている。
○深い趣味をもつている。
○殆ど趣味がない。

觀察項目の具體例

(1)どんな事に興味をもつているか。
(2)餘暇利用を効果的にしているか。
通學生の場合、放課後、汽車の時間まで時間がある時、その時間をどんなに利用しているか。
家庭學習を効果的にして、餘暇を生み出しているか。
(3)趣味は生徒に適しているか。
その趣味に、生徒の能力、經濟的負擔力、時間的餘裕に適當であるか。
その趣味のために、他人が迷惑になつていないか。
(4)スポーツを適當にしているか。
殆ど運動をしない。
過勞になつている。
スポーツに對する技能や態度はどうであるか、他人とよく協力する、ルールをよく守る。



(5)讀書の生活

どんな本を讀んでいるか。
その本は適當であるか、否か。
何時讀んでいるか。
讀む姿勢はどうであるか。
讀書のために他の生活が犧牲になつていないか。
尙、次のような各自の生活設計表をつくらせて、それにより日々實踐を計畫的にさせる。又餘暇利用に關する作文を書かせて、それに對する關心を高めると共に、壁新聞の編集、紙芝居等によつて、學級の生徒を啓蒙している。

4、指導計畫及び指導の方法についての評價。

(1)生徒の直接經驗を基盤として指導することができたか。
(2)方法や教材は有効適切であつたか。
(3)生徒の要求を考え、滿足させることができたか。
(4)教師の期待した目標と、生徒の自覺した目標との間に間隔がなかつたか。
(5)個人差に對して考慮したか。

右の項目を、本題目のもとに具體化してみると。

(1)餘暇の利用の指導に於いて、生徒の生活を基盤として、その生活をどのように發展させるように工夫したか。

(2) 餘暇利用に對して、生徒の個人並びに、共同の問題を解決することができたか。

(3) 生徒の興味、能力、性格、環境のちがいに應じて、餘暇利用の方法及び機會に對して、適切な指導ができたか。

という點について指導計畫なり方法に就いて評價する。

## 四、中學三年の實施記錄

### (一) 一ヶ年の計畫

| 月 | 題目 | 要項 | 月 | 題目 | 要項 |
|---|---|---|---|---|---|
| 四 | ホームルーム組織について | 生徒の互選により、役員(係員)を決定し、その任務を自覺する。 | 九 | 一人一研究發表 | 夏休みの個人研究を發表し合う事により互の知識を廣め、より研究的な態度を養うようにする。 |
| 四 | 三年生になつて | 中學最高學年としての自覺をせしめ、學生生活を緊張させ將來の事柄について考えさせる。 | 一〇 | 讀書について | 讀書のし方について討議し、良書の紹介をし合う。 |
| 五 | ホームルームの計畫 | 年次計畫をたてる事によつて樂しく意義ある運營が出來る樣に、全體協議できめる。 | 一〇 二 | スポーツ | 體位の向上と級友の親睦のために行う。 |



| 月 | 題目 | 要項 | 月 | 題目 | 要項 |
|---|---|---|---|---|---|
| 五 | 劇について | ホームルーム出し物としての劇を協議して決定する。 | 一〇 | 敎養について | 落ちつきとより敎養を身につけるため、敎師よりの講話をなす。 |
| 六 | 友人關係について | 友情心理について討議し、よりよい交友關係が描かれる樣指導する。 | 一一 | 讀書について | 豐な情操と知識をつけるため、互の選んだ良本を讀み合う。 |
| 六 | 劇の鑑賞 | より鋭い高尚な鑑賞眼を養うと共に、クラスの意氣の團結統合をはかる。 | 一二 | 私達のエチケットについて | 亂れ勝ちな社會にあつて正しく美しく生きてゆく爲、若い人達のエチケットについて討議する。 |
| 七 | 學習について | 高校進學にそなえて、一層勉强に精勵するよう、學習について反省し、討議し合う。 | 一二 | 趣味について | 高尚な豐かな生活をするため、趣味について話し合い、各自の趣味を發表し合う。 |
| 八 | 遠足 | 親、子、師の親睦をはかるため、また夏の鍛練のため笠置方面に遠足水泳を行う。 | 一 | 作文發表 | 生活をかたり合い、自己の表現力を養うため、相互の作文發表をし合う。 |
| 八 | 近親をかたる會 | 生活指導のためグループ別に話し合う。 | 二 | 中學卒業に際して | 中學生活の反省をし將來の志を立てるために講話をなす。 |
| 七 九 二 | 進學職業指導 | 高校進學の心構えと態度を決定するため敎師より講話をなす。 | | | |

### (二) 實施記錄——進學の指導

六・三制の學制改革が、世間の人々を戸惑わせ、驚嘆させ「男女共學」という新しい試みが、一層波紋を大きくさせたのは、つい昨日の樣に思われる。當時、新制中學校の第一回生として入學した子供達が、三年目の夏を迎えている。そうして、今では中學校の共學が、何の不思議な感じを與えないばかりか、むしろ當然の事として、耳にひゞくようになつた。年月の流れの早いことが今更のように思われる。去年の四月に「新制高等學校」と各府縣の中學校・女學校が看板を塗りかえて間もなく、夏に不意打に行われた統合問題、と同時に起つた共學の問題は、義務教育制度の改革以上に世間をさわがせた。そうして、それらの學校がどんな形で、生徒を募集するかということに、皆の關心がむけられているように思う。今年度までは、舊制の中、女學校の生徒として、特別待遇をうけてきたのであるが、來年度には、初めて新制中學の生徒が入るのである。彼等にすれば、過去に通過した關門は、たとえ、競爭者が何人あろうとも、兎に角「義務制」という名に於いて通過してきたものである。不幸にして、榮冠をかち得ぬとも、必ず落着ける安住の場所があつた。それだけに、心配の中にも一種の心安さがあつたわけである。しかし今度は義務教育に一應の終止符をうつて、自己の將來の進路の決定である。即ち、就職か、進學か、これが彼等の目の前に横わつている大きな問題であり、保護者や、ホームルーム擔任の念頭をはなれぬものである。進學指導に於いても、職業指導に於いても、從來女子だけを對照としていた場合と異つて、相當に廣い範圍と、深い内容をもつたものと考えねばならぬ。殊に男子に於いてこれが自己の生涯を左右する岐路に立つものと考えられるだけに、その指導の容易でないことを痛感させられる。

私の學校では、生徒の大部分が、今のとこでは進學を希望している。故にホームルームに於いても、一應指導の方針を「進學」の方向にむけてすゝめてゆく必要があろうかと思う。



學級全體として今までに行つた進學に關する調査は次のようなものである。

一、進學志望調査（其の一）

1、高等學校進學希望の有無

（イ）高等學校に進學するもの

（ロ）中學で卒業するもの——(1)就職する、(2)家庭に入る

2、高等學校の選擇

| | 普通科 | 商業科 | 工業科 | 農藝科 | 水產科 | 家庭職業科 | 其の他 |
|---|---|---|---|---|---|---|---|
| 第一志望 | | | | | | | |
| 第二志望 | | | | | | | |

調査の結果　　三年〇組

1、（イ）高等學校に進學するもの

男　子　$\frac{23}{23}$　100%

女　子　$\frac{23}{25}$　92%

（ロ）中學校で卒業するもの

2、高等學校の選擇

男子　　20
女子　　80%

| | 男子（二三人中） | | 女子（二五人中） | |
|---|---|---|---|---|
| | 第一志望 | 第二志望 | 第一志望 | 第二志望 |
| 普通科 | 二〇人 | 二人 | 二二人 | 一人 |
| 商業科 | 一人 | 七人 | 一人 | 三人 |
| 工業科 | 二人 | 四人 | ○ | ○ |
| 農藝科 | ○ | ○ | ○ | ○ |
| 水産科 | ○ | ○ | ○ | ○ |
| 家庭科 | ○ | ○ | ○ | ○ |
| 職業科 | | | 二人（未） | 二人 |



二、進學に關する調査（其の二）

次の事項に答えなさい。

1あなたは毎日學習のためにどれ位時間を使いますか。

（イ）學校にくる爲の勉强に使う時間　　分

（ロ）高校へ進學するための勉强に使う時間　　分

（ハ）其の他に使う時間　　分

2、進學の爲に特別していることがらについて

（イ）主にどんな學科を勉强していますか。

（ロ）どんな方法でしていますか。該當欄に○印をつけなさい。

①家庭教師、②家族の誰かに指導してもらう、③受驗書によつて、④其の他

（ハ）受驗書はどんなものを使つていますか。

3、次の教科の中から

（イ）あなたの好きな教科を三つ選び出して、好きな順に並べなさい。

（ロ）あなたの嫌いな教科を三つ選び出して、嫌いな順に並べなさい。

社會、國語、數學、理科、家庭、農業、圖畫、音樂、體操、英語

4、職業選擇について

（イ）あなたは將來どんな職業につきたいと思いますか。又どんな職業を選びたいと思いますか。

（ロ）保護者の方の御意見も伺つてごらんなさい。

（ハ）以上の事項は、どんな觀點から選ばれたかを、次の項目によつて説明してごらんなさい。

a 將來性があるかどうか

b 伸展性があるかどうか

c 就職の難易

d 昇進の見込があるかどうか

e 經濟的に生活の安定が得られるかどうか

f 自分が生涯その仕事に誠意をもってやれるかどうか

g 融通性があるかどうか

5、進學について、學校又は擔任の先生に對する希望があれば書きなさい。

調査の結果

一、(イ) 六十分前後　四人

九十分前後　六人

百二十分前後　二十二人

百二十分以上　十二人

きまらない　二人

(ロ) 六十分以下　十二人

六十分　九人

六十分以上　八人

きまらない　十六人

(ハ) 三十分前後　十五人

六十分　七人

百二十分以上　五人

きまらない　十八人

二、(イ) 國語四人、英語八人、數學十三人、社會二人、理數科二人、全科二人

(ロ) ①一人、②九人、③十五人、④三人

(ハ) 進學適性檢査　十人

標準學科檢査　六人

ワーク・ブック　二人

高校入學試驗問題集

合格指導問題

中學校の代數

教科書の復習　三人

三、學科の好き嫌い調査

（昭和二十四年六月末現在）

| 教科 | 好き 男 | 好き 女 | 嫌い 男 | 嫌い 女 |
|---|---|---|---|---|
| 數學 | 12 | 8 | 1 | 0 |
| 理科 | 12 | 11 | 1 | 3 |
| 社會 | 8 | 11 | 3 | 2 |
| 體育 | 8 | 3 | 2 | 6 |
| 英語 | 6 | 9 | 1 | 1 |
| 音樂 | 5 | 5 | 9 | 7 |
| 國語 | 4 | 12 | 7 | 1 |
| 圖書 | 2 | 5 | 9 | 5 |
| 家庭 | 0 | 9 | 3 | 2 |
| 農業 | 0 | 0 | 13 | 17 |
| 歴史 | 0 | 0 | 0 | 1 |



四、職業選擇

| 男子 職業 | 本人 | 保護者 |
|---|---|---|
| 學者 | 三 | 〇 |
| 理工科方面 | 五 | 一（技術家） |
| 商業 | 二 | 一 |
| 教育家 | 二 | 三 |
| 醫師 | 一 | 四 |
| 藝術家 | 一 | 一 |
| 職業野球 | 二 | 〇 |
| 未定 | 七 | 九 |
| 實業家 | 〇 | 二 |
| 建築技師 | 〇 | 一 |
| 農耕 | 〇 | 一 |
| 合計 | 二三 | 二三 |

| 女子 職業 | 本人 | 保護者 |
|---|---|---|
| 洋裁 | 五 | 五 |
| 保姆 | 三 | 二 |
| 藥劑師 | 三 | 二 |
| 語學利用 | 二 | 二 |
| 醫師 | 一 | 一 |
| 雜誌編集 | 一 | 〇 |
| 書記（事務員） | 一 | （一） |
| 文化方面 | 二 | 一 |
| 家庭 | 二 | 五 |
| 教師 | 一 | 〇 |
| 未定 | 四 | 六 |
| 合計 | 二五 | 二五 |

五、〇二學期から補習してほしい。
〇日曜日も圖書館の使用を許してほしい。

○受験のために、參考書がもつと多くほしい。
○少人數で放課後補習してほしい。
○問題をプリントにして出してほしい。
○男女別に教えてほしい。
○考査が終つたらなるべく早く答案を返えしてほしい。
○五日制にして進學の為の勉强をしたい。
○平素もつと多くテストをしてほしい。
○夏休を利用して補習してほしい。
○適性検査をしてほしい。
○ワーク・ブックの答の點検をしてほしい。

など。

## (三) 家庭調査

一、通學區域分布圖

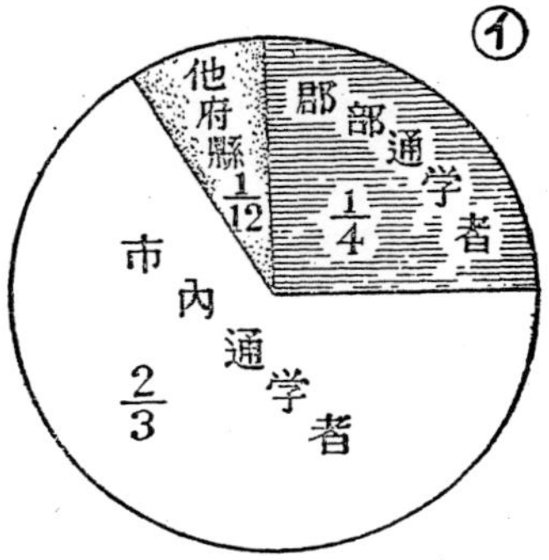
(イ)
郡部通学者
1/4
他府縣
1/12
市内通学者
2/3

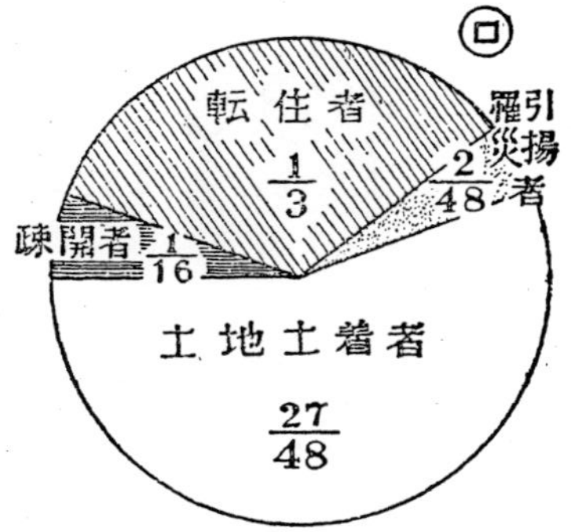
(ロ)
轉住者
1/3
引揚罹災者
2/48
疎開者
1/16
土地土着者
27/48

二、家庭の職業分布圖

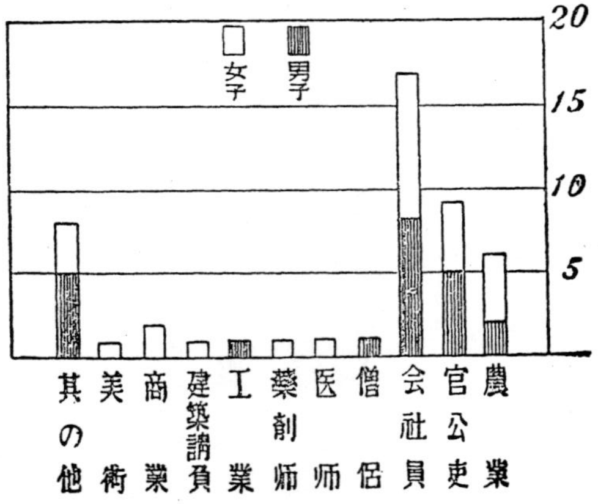
20
15
10
5
女子
男子
農業
官公吏
会社員
僧侶
医师
藥剤师
工業
建築請負
商業
美術
其の他



三、出身學校分布圖

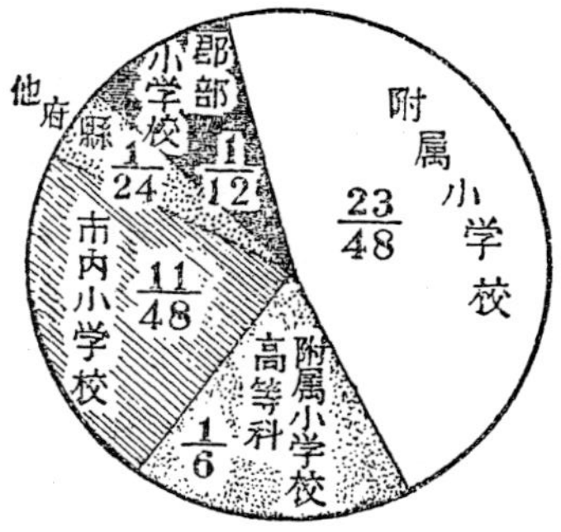
附属小学校
23/48
郡部小学校
1/12
他府縣
1/24
市内小学校
11/48
附属小学校高等科
1/6

四、家庭の宗教分布圖

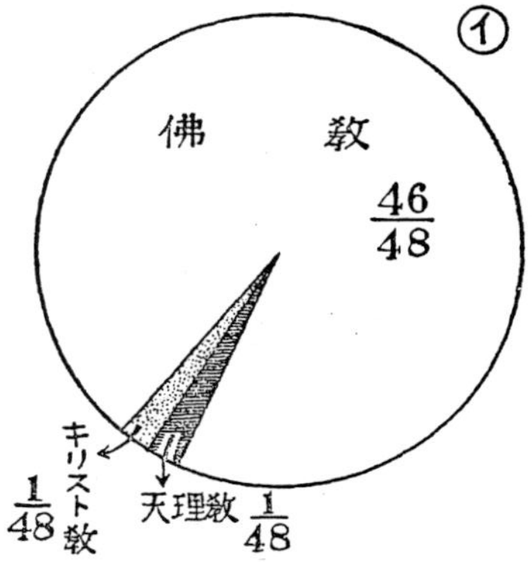
(イ)
佛教
46/48
キリスト教
1/48
天理教
1/48

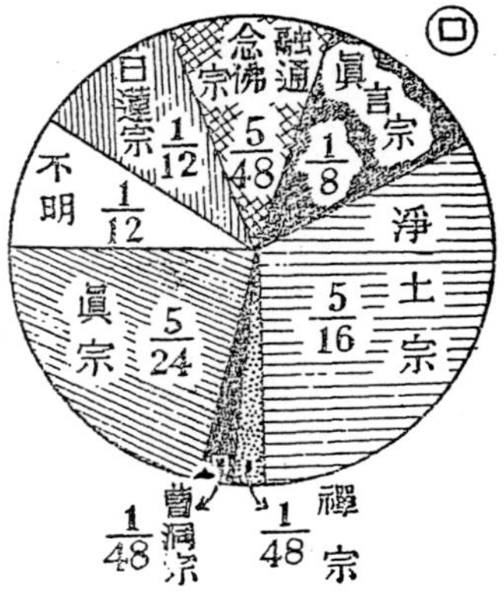
(ロ)
眞言宗
1/8
融通念佛宗
5/48
日蓮宗
1/12
不明
1/12
眞宗
5/24
淨土宗
5/16
禪宗
1/48
曹洞宗
1/48

# 家庭調査票

| | |
|---|---|
| 生徒氏名 | 昭和　年　月　日生　出身學校 |
| 本籍地 | |
| 現住所 | 電話　番　又ハ呼出 |
| 保護者 | 職業（なるべく具體的に） |
| 家族の状況「同居人も記入して下さい」 | 氏名／年令／本人との關係／出身學校又は在學校／これまで就かれたことのある職業 |
| 家庭の宗教 | 罹災疎開 |
| 乳幼兒哺乳狀態 | 母乳／人工榮養／母乳と人工榮養 |



| | |
|---|---|
| 主なる既往症 | 病名と何歳頃か |
| 身體上常に留意なされている點 | 體質的に……<br>體格的に……<br>體力的に…… |
| 精神上常に留意されている點 | |
| 食物の嗜好度 | すきなもの……<br>きらいなもの…… |
| 本人の特徴と思われる點（あらゆる角度から見たもの） | 特別な趣味として現在精進していること又は將來への希望 |
| 學校に對する御希望或は御意見 | |

向、卒業までに實行してみたいと思う事柄に、次のようなものがある。

一、休暇中、或は其の他に、アルバイト等に從事した者に對する仕事の種類の調査と、感想をきく會をつくること。

二、中途退學の主なる原因の說明。

三、いろ〳〵の職業の人の賃金表と學歷などとの關係の研究。

四、他の中學校に於ける進學狀況の內實調査。

五、敎科目選擇の手引として

（イ）最上級生中から數人の代表者の出席を得て、懇談の機會をつくる。

（ロ）各個人の選擇敎科の計畫表にもとずいて、能力、健康、家庭事情、興味などの方面から進路の方向づけをする。

六、將來の計畫をたてる時期の調査。

× × × ×

三年になつたばかりの生徒達は、進學の問題をどんなに考えているのだろうか。

四　月　〇　日

A「來年の高校はどうなるのだろう。共學か？　このまゝか？」

B「そら、このまゝだろう？」



C「そんなことわかるかい？　新制中學校の生徒が、初めて入るんだろう。僕らがかわきりだぜ？」

B「フーン。でも『先生は口癖のように、勉强せんと、他の學校に負ける』と、言うてはるがな。」

C「そら他校へ行くにしても、試驗はあるだろうし、此の學校でも、外部からも募集して、僕らがこのまゝで上へあがられんとすると、當然競爭はあるだろうからなー」

a「私達かて心配よ。何もこのまゝ上へ行けるとは限らないでしようし、むしろ、そんなことを望むことが無理でしよう。駄目だつたらH校やK校なんかへ行かんならんでしようネ。」

b「cさん、入學試驗の準備をしているの？」

c「うーん、してるということもないけれど、まあ、時々ね。」

b「どんなことしてるの？」

c「おさらえだわ。」

b「何の？」

c「うるさいな。そんなこと聞いて何するの？　他人のこと、どうでもえゝやないの。」

b「言うてくださつてもかまわないでしよう。別に人に言いふらすわけでもないし……」

c「數學や英語やら。」

a「偉いわネ。每日？　どの位するの？」

c「決つてないわ、野球で遲うなつたり、宿題が忙しかつたら止めるし。もう少しきめてせんといかんのだけれど…まあ精々一時間までぐらいね。」

B「D君は一生懸命やつとるらしいぞ。」

A「今まだ學年始めでうか〳〵しているけれど、じきに夏休みになるで、もう今かて四月の終りだろ。この間始まつたと思うてるのになー球技會の練習や、何や言うてたら、五月も、すぐ終るなー」

a「ふん。」

A「それがすんだら、學園祭だろ？　試験。夏休み。終業式には先生から『成績の悪い人は夏休みにうんと補充しておくこと、でないと毎度いうことだが三月には泣くようなことになつても、もう手遅れだ』とお說教だろ。うかうかしていられん。」

C「『光陰矢の如し』とはこの事か。」

B「いやに昂奮したネ。」

a「矢張り男子は心構えがちがうわネ。」

b「そら何といつても、一生を左右する大もとになるのだものね。」

A「人生第一步の踏み出しだ。」

B「でも男子でも、のんきにしている人もあるよ。」

A「そんな人は、かまわんでもよいよ。」

c「でも折角、新教育々々といつて舊い殼を破ろうと、先生方が苦心していらつしやつても、何時までも、入試々々とひつかゝつていたのでは駄目ネ。」

a「そうよ、たとえば、私達がこの學校で、新教育の精神で勉强していても、一方で昔の詰込み主義の試験が行われるとするでしよう。そして他の學校のYやMの中學生がそれに添うような準備をしていたら、私達競爭して負けるのは、當り前でしよう。負けないようにする爲には矢張り、或程度は詰め込まんならんわネ。」

C「そんなことを僕達がこゝで言つてみたところが仕方がないよ。國家の方針がそうしたところへ向かないことには……」



a「だから今年の高校の入試だつて、文部省の指令では、試験をしないで地域制になつたということでしよう。」

b「私の兄さんもそうだつたわ。結局志望すれば、皆、入學出來たのよ。」

B「そんなことしたら、S校が超滿員でF校が定員不足というような事も起つてくるでしようネ。」

C「そやなー」

A「僕らは新中へ入る時も、學制改革の草分けを承わつて、兎に角新しい方法だつたネ。あの時も僕らは案外のんきだつたが、先生やお母さんには隨分心配をかけたようだつたが、今度もだなー。でも今度はもう子供でもあるまいし——」

d「私の家のお父さんも、この間夕食後にこの話が出た時にもそう言つていらつしやつたわ。結局は入試の問題や、學校の成績云々の問題でなくて、卒業して社會人として立つて行くことの出來る人間に敎育されるような學制でありたいつて。要は人間敎育の問題だつて。」

b「あツ!?　こゝに四ツ葉のクローバがあるわ。三ツの葉は、希望、信仰、愛護のしるし、殘る一葉は幸、求めよとくその葉。希望高く、信仰かたく、愛護あつくあれ……」

樂しそうに唱いながら、土手を下りて行つた後ろ姿が……青い芝生に足を投げ出して、語り合つていた子供の横顔が、聲が、今私の頭の中に、靜かに閉じた瞼の中に浮んでくる。何時までも子供ではない。いゝやまだ子供だ。子供ながらに自分の身邊の事柄を心配しているのだ。

三年前の入學式の式場で、「學校はあなた方一四四人を新制中學校の生徒として、これから先き三年間の責任はとるが、高校入學の責任までは保證しない。言い換えれば、新制中學を終えて高校に進むときには、一應外部の志望者と同一條件のもとに入學試験を行つて、合格したものを改めて高校の生徒とするのである。」という意味の事をはつきりと、言い渡されている生徒達である。それというのも、いまゝで毎年行われた附屬小學校から女學校への入學は、決して世間の人々が、普通考えているような、特權を與えているのではなかつたが、初めて新制中學校が産まれて、一年生の生徒をどうするかの問題にぶつゝかつて、義務制であるということから、一應全部の者が入學を許可されたわけである―勿論前に掲げた分布表にある樣に外部からも許可したのであるが―中學校と高校とでは性質がちがうのだという觀念をはつきりさせる爲にも、むしろこのまゝずる／＼と高校に入れるものという甘い考えを持たせない爲にも、こうした最初の言い渡しがあつたのである。勿論當時高校は、まだ男女別々であつた爲、男子は當然三年すれば、他校へ行くべく運命づけられていると思つていたわけである。ところが突然起つた高校の統合問題と、共學問題は彼等にとつては、少からぬ關心のまととなつたのである。然し昨年あたりはまだ女學校の色彩が濃厚で、男女共學の新制中學が、何か居候のような、つけ足りのような感じがしないでもなく、萬事、高校の動くがまゝに動いてきたような感じをもたないでもなかつた。しかしこの春になつて、いろいろの機會にぶつゝかる度毎に―新入生を迎える場合にも、學校の特別教科活動などで、自分達が最上級生であるという自覺を新にすることが多くなつてくると、高校と中學校との間にハッキリとした太い線が引かれていて、それを乘越えることが、非常に苦勞であるという意識が目覺めてきた。そうして、新制中學校は全國に先きがけて、男女共學で發足したのに比して、高校は縣下の各學校が先きに共學で發足したところに―理由は何であ



ろうと―生徒達の間に、今日耳にした會話のようないろ／＼な疑問や、不安などの生ずるのも止むを得ないことであり、男生徒に對しては同情の念の禁じ得ないのも、無理からぬことのように思われる。

「どうしたものであろう？」進學の事がいつも頭からはなれなかつたが、實は私自身迷つていたのだ。學年はじめの氣ぜわしさにかこつけて、というよりは、むしろよい口實にして、一日々々と心の奥に押しやつていたとも言おうか。「早く何とかして……」と思う片わら「いやそんなにあわてなくともよい」という聲とが、互に否定しあつているようにも思える。今日のあの話題。恐らく彼等は私の居ることに氣がつかなかつたゞろう。私達の心配している事柄と、生徒達の不安に思つているものとが、偶然にも一致しているところのあるのも不思議だつた。折角今まで伸びてきた若芽が今こゝで摘みとられてしまうことなく、あのまゝの姿で伸ばしてやりたい。皆が幸福になれるように。



五月〇日

L「五時限はN先生から高校全般についてのお話があるのね。」

F「早いな――」

E「今の高校の人は三年の三學期頃に、そんなお話があつたようだつたけれど……　私達、今三年になつたばかりなのに!?」

K「でも去年の人と私達とでは事情が違うでしょう。矢張り少し早い目から認識しておかないと、間際になつてあわてゝも仕方のないことだし。」

皆銘々、思い〳〵のことを話しながらも、今日は一生懸命になつて聞いていた。中には手帳に寫しとつているのもあつた。

× × × ×

d「やゝこしいわね、私、高校いうたら、所謂今日聞いた『普通部』だけかと思つていたのに、その他にも澤山あるのね。男子だつたら、將來の職業の事も考えて、普通部以外にも行く人があるかもしれないけれど、女子だつたら、大抵普通部でしようね。新制大學にゆくにしても、家庭に入るにしても。」

f「でもそうとも限らないでしよう。大いにミシンをしようとか、或は榮養士になろうとか、看護婦の免許をとろうと思つたりする人は、女子の職業課程のある學校を選べばよいとおつしやつたわね。」

h「そうしたら今のところでは、この學校は職業課程が置かれていないから、他の學校に行くよりほかに仕方がないのね。」 244

d「それならどんな學校があるかしらん?」

f「今の手藝位ではつまらないから、せめて「仕立」位、置いてもらえたら、卒業して洋裁を習いに行かなくて濟むでしように……」

h「希望者が多ければ、或は實現出來るかもしれないわ。」

口々に感想を述べながらホームルームに歸つて行つた子供達に刷物を渡して、明日の返事をまつた。

進學志望調査(其の一)(二二七頁參照)

五月〇日

昨日の調査の結果を私は大體豫想はしていたが、しかしそれ以上に進學の希望が多かつた。なかには、努力の不足な爲、このまゝ卒業して適職に就いた方が無理な進學をするよりは、かえつて本人にとつて幸福ではないだろうかと思われるような生徒、又更に、それに加えて家庭の事情から後者を選んだ方がよいように思われるものでも、現在では、一應進學を希望しているのは、向學心の爲か、世間に對する親の虚榮かとも考えられたが、いや、生徒の將來を慮ばかつての温い親心にほかならないのだと胸のつまる思いを禁じ得なかつた。

六月〇日

昨日又プリントを渡して第二回目の調査を行つた。(二二八頁參照)

以上の調査は個人的に知つて參考資料となす場合に役立つことが多いのだが、然し問題Ⅰ、Ⅱの解答から、大體級の傾向が讀みとれると思われ、今後の全體指導の爲の何らかの參考になることがあるかもしれないと思つて一應まとめてみた。四月、何心なく耳にはさんだ生徒の會話の中にも、勉强時間の事を話していたようであつたが、あれはほんの一人の生徒の事であり、級の傾向は今日はじめてわかつたことであつた。鬪心をもつて、自分自らを開拓しかけている生徒が案外少數で、氣に懸けているがどうしてよいかわからないまゝにしていると思われるものゝ方が多かつた。 245

六月〇日

今日は「日本敗れたれど」の映畫を見に行くことになつていた。一時間目がすんで出かけようとしていたら「お客樣です。」と取次の者がきた。

久しくお逢いしなかつた南〇君のお父様だつた。入學して間もない頃にも一度來られていろ〳〵とお話したことがあつたが、その後關係していられるお仕事が忙しくて最近は餘りお話も充分に出來ないで居ることが多いのであつたが……

お話した中で非常に力說しておられたのは次のような事柄であつた。「私は今までに中學校が既に受驗準備をしていなければならないと思いますというのは、ふだんの教育そのまゝが受驗の場合の力になつてほしいのです。勿論、この學校がよい學校にならねばならぬ事は皆が承知し、努力していることですが、その爲には、そこに居る生徒の質の向上であることは、わかりきつたことです。第一步の踏み出しが大事です。それには基礎をつくるこが必要です。だから私はこゝの學校は普通科だけで結構だと思います。そこで子供の基礎能力になるものをうんとつけていたゞきたいのです。私は現在工場をもつて居りまして、いろ〳〵な人を使つておりますが、普通科を出た人と、實業科を出た人とでは、隨分ちがいます。實業科を出た人は、直ぐ間に合いますが伸びません。敎わつた事だけはやつてのけますが、基礎學科がたゝきこんでない爲に、新しい事柄にぶつかつた時に、それを開拓してゆくだけの力がありませんが、普通科を出たものは、最初は困りますが後でぐんぐん伸びてゆきます。日本の社會は戰爭のためにすつかりたゝかれてしまいました。この立ち上がりには、戰時中の遲れを取かえし更に今後大いに世界的な水準にまで進展してゆくためには、新しい事を產み出す力強い澤山の若い人が必要なのです。それには基礎學科をたゝきこむ必要があると思いますね。中には女子で實



業科を選びたい人もありましようから、その人達には指導の方法も講じられようかと思います。從來は書物に書いてあることはそのまゝ實現し、眞似ることは出來ても、進步させる力、創造の力が足りませんでした。科學をどう應用すればよいかを敎えればそれだけで十分間に合うようになると思います。繰返えして申しますが、何と言つても基礎學科ですね。それには理解力の强い秀れた人を集める必要がありましよう。外部の中學校は程度が低下していますから、もう一押しすれば一〇〇%の入學の効果を擧げることも不可能でないように思います。

六　月　〇　日

「進學指導」を語る會(生徒をまじえて父兄と)　午後三時より　於作法室　(三年生全體の中から)

餘りお天氣がよくなかつたので心配していたが、皆熱心に來て下さつたので嬉しかつた。保護者との懇談は度々することがあつたが生徒を混えて行つたのは、今日が初めてゞあつた。最初は、皆遠慮勝ちであつて、極めて靜かな話合いだつたが、次第に熱してきていろ〳〵な意見や、感想、希望等が伺えて、大變有意義な會合だつたと思う。その時の場面を斷片的に取り出しておこう。司會は〇△先生がして下さつた。

×　　×　　×　　×

司「進學指導の方法として御希望なり、御意見がありましたら伺わせていたゞき度いと思います。」

×「私は事情の許す限り敎科の特別指導をお願い致したいです。」

△「この問題は、入學試驗の問題に關係してくると思いますが、入學試驗をするかしないかについての良否の問題だと思います。それ以外に何かよい方法がないものでしょうか。私一個人の考えからいえば、高校の入試は最も入學難の時期で苦しみましたが、何もよいことは殘っていません。試驗することが、よい生徒を集め得たことになっていますが、それは學科偏重の今までの傾向から以上の事が考えられたので、決して試驗制度がよいと思えません。又激烈な試驗をして入った高校が必ずしもよいとは思いませんから何とかよい方法がとられたいものですね。」

司「適性檢査程度ならば？」

△「適性檢査が、能力、才能を見る最高のものかどうかと疑問に思います。その時によって成長の程度は知り得ますが、それでもって、絕對的なものとは思えません。知＋感情＋意慾の三つでもって人間が出來上るのであって、學科そのものがすべて人間を價値づけるものではないのですから。」 — 248 —

×「適性檢査を何度も繰返えしてみてはどうでしょう。」

△「又それに合うような方法を練習するでしょう。」

〇「受驗の苦しみは、なめさせたくありませんが、頭腦のよいものが、足踏みした形になっては困ります。入學後に於ける學習についても同樣のことが言えるのですが、例えばK高のように、すべてが沈滯していて、切磋琢磨してゆこうという氣風がありません。もし、大勢の人を通した爲にそうした氣風が出來るなら、何とか方法を考えねばなりません。それにしても試驗法は、私も不贊成です。或る程度の鬪爭意慾をつけてゆきたいものですが、それが出來れば、矢張り小學校から御一緒なのですから、手をつないでゆきたい氣持は十分もっております。」

口「私も、自分の今の立場から申しますと〇さんに贊成なのですが、中學校の時に入學のチャンスを與えられなかった方の事を思いますと門戶を開いてあげたいような氣もいたします。」

司「三年生は外部から入ったものが四十%で、各學校に人數を割當てゝ推薦だったのです。」

×「今の三年と、一年とでは學力に差がありますか。」

司「あります。」

×「そうすると矢張り試驗のあった方がよいのですね。」 — 249 —

△「この學校へ入れゝばよろしいが、駄目ならどこの高校にもパスするという標準を置いてもらって、皆がその線內に入るように仕向けて下されば我々も安心します。」

司「毎日の勉强振りはどうですか。」

S「勉强らしいことは一つも致しません。それに學校の行事が多うございまして……。女のお子樣は、高校を卒業して、それで家庭に入る方も多いでしょうから問題は少いように思いますし又大學に行かれる方があっても男子と性格を多少異にしているように思いますが、男子は將來の生活ということを考えますと、矢張り大學にはやりたいと思います。そうした時に、高校からどの大學へでも進めるだけの十分な力をつけておいていたゞき度いと思います。私の上の息子が今〇高へ行っていますが、生徒の質がとても惡くて心配です。來年は澤山落第させて程度を高めるといつているようですね。それから、共學も結構ですし世間では女子の被害ばかりを言つているようですが、私はむしろ男子が損をしていると思います。」

×「私も同感です。男子は勢力が餘つているように思います。」

△「男子に刺戟されて女子の方が得をしている感があります。」

□「高校の入試については最も進んだ方法が採られたいものですね。」

×「結局、實力を養つてやることが問題なのですね。私の考えている實力というのは數學をやれば數學だけの力がつくというのでなく、物の考え方が綴密になり、又語學をやれば、言葉の意味が正しく理解出來た上に、正しく話せることになり、それを通して物事の正しい理解、判斷が出來、深く多方面に亘つての全人がつくりあげられるといつたことなのです。私は中學の英語の時間が非常に少いのでびつくりしました。勿論時間の少い割合には程度の高いものをよんでいるようですが……。先程も力の餘つている子供さんがあるという話が出ましたが、そういう生徒の指導の一方法として、教科書以外の本――副讀本を與えて、個人の能力に應じて指導するといつた方法がとつてもらえたら結構かと思います。」

先「やれば機會があるのですから出來るのですが、結局おしつけなければやらないのですね。」

△「子供だから刺戟がなければやらないでしょう。先生にはお骨折かと思いますが、そんな風にお願い



出來ましたら有難いですね。他に實力主義でやつている學校があるとすれば、必ず差が出來ますから用心しないといけませんね。」

司「生徒から何か希望はないか。」

生1「僕達、學科を別にするものがあつてほしいです。例えば、理科や數學のようなもの。」

生2「それは、ホームルーム制になれば解決出來るだろう?」

生1「でも、選擇しても男女共學である以上は、解決出來ないと思うね。」

司「話は違いますが、中學の落第について、どんなお考えをもつていらつしやいますか。」

△「中學は義務制ですから、現級にとゞめることによつて進歩する見込のあるものは、落第させてもよいが。」

×「高校はどちらかといえば知的教育となりますが、中學は人間教育ですから、精一杯していて出來ないのは落第させても仕方がないと思いますね。」

○「能力別の學級編成をしたらよいでしょう。」

先「數學をやり始めてみましたが、手が足りなくて中止しました。」

△「私は分けた方がよいと思います。」

生1「贊成！」　生2「贊成！」

生3「私は不贊成です。何故なら、私達は、先生からよく理由をきいて、わかつていますが、家の人が

わかつてもらえなくて困る場合があると思います。それからもし分けるのなら必要な學科だけにしてほしいと思います。」

△「分けないとするなら、副讀本か、補助本を與えて、個別的に力を伸ばしていたゞくことですね。そうして副讀本の方もテストをして怠けられないようにしていたゞけたら。」

×「或學校で中學一年の生徒を能力別編成したところがあるそうです。そうしたら矢張り父兄から反對が出たそうですが。一時は非常に卑下した子供もあつたそうですが、結局よくわかつてよいということになつたそうです。」

△「數學は指導のし難いものですね。餘り早く先生が『お前は出來ない』とレッテルをはり過ぎるのではないかと思いますね。努力すれば甲になり得るのだという自信をもたせて向上する見通しをつけてやることが必要でないかと思いますね。」

生「自分の納得で、どの段階にでも好きなところへはいれて、こゝでは無理だと思つたら適當なところへ移れるというようにしてもらつたらよいと思います。」

△「私は女子の父親ですが、もし息子に嫁をもらうとすれば、勉强のよく出來る人も結構ですが、矢張り人物をみますな、男子でも、學校時代には餘りふるわなかつた人が、卒業してから立派な社會人として立つている人がありますから、學科ばかりをふりまわすことは出來ないと思います。」

×「勿論そうですね。」



〇「將來の教育が社會に出て十分に活躍出來る知識、柔軟な性質と知能とをつくることにあるのでしようね。」

いつの間にか降り出していた雨の中に、作法室の窓から、若草山の綠が、一層濃く目にしみた。あゝもう梅雨だな。薄暗くなりかけた部屋の中に、熱心な方々のお話がつゞいていた。

南〇君のお父樣のお話といい、今日の座談會のいろ〳〵の方の御意見といい、それ〴〵私にはよい參考になつたと思う。そうして保護者の方々が、皆といつてよい程に、學力の—實力の不足を感じていらつしやるようだ。新しい教育の狙いの一つとして、理解力の養成と、現在及び將來に於いて、自己が直面した問題を解決してゆく能力を養成することがあげられている。そうして、その目標の達成手段として、前者に於いては、「經驗させること」即ち實驗、分解、資料の蒐集(調査、參考書其の他のものなどによる)等が行われ、それに伴つて、觀察、考察が重視されていると考えられ、後者の場合は、それが「學習問題の發見」「學習の計畫」「實施」等が取上げられているのである。こゝまでは、教師の指導で、誰もが早晩到着し得る地點であると私は考える。これを「舟を漕ぐ」ことにたとえてみると、舟の漕ぎ方は、以上の方法で一應の理解が出來、舟が漕げても、殘つている問題は「如何に上手に漕ぐか」にあると思う。これの解決は、たゞ自分の練習による以外に道はないと思う。從來の教育が「知識の傳達」とか「詰込み主義」とかいつて、今では葬り去られた狀態になつているのも、要するに「理解させる」ための手段が適當に行われなかつたことゝ、學習の分野が「練習」にのみ重きを置かれていたことにあるのではないかと思う。そうした缺陥を補つて、新教育の方法が唱えられたことは、まことに喜ばしいことであるが、その反面「練習」の分野が非常に狹められたというか、忘れられた嫌いが感じられないでもない。文字を書かせれば、簡單な字が書けない。計算をさせればやさしいものが出來ないというのも、實は、理解させる爲の種々な手段に多くの時間が費されて、制限された時間内では「練習」の時間まで充分にとることが出來ないのかも知れない。「少しも勉强をいたしませんで……」と、會う保護者の殆んど誰からも聞かされた言葉であつた。勿論、學習法自體が從來と違つて來ている以上、昔の勉强法を考えて、兎に角机の前に座つて本を讀んでいれば勉强をしているのだと思つているような考えは改めねばならないが、さりとて「練習」の時間の少いのは困つたものである。學校に於ける學習時間の中に「練習」にとることが出來ねば、又少ければそれだけ家庭に於いてその時間をつくらねばならないのではないだろうか。勿論生徒各自に能力の差があるのだから、ワークブックも結構、副讀本もよいだろう。方法は何であつてもかまわない、要は生徒が自ら求めて、興味をもつて學習出來るものでなくてはならないと思う。そうした意味で、今少し家庭に於ける學習の方法を檢討して、内容の充實したものであることを、生徒に要求する。



六　月　〇　日

ホームルームに用事があつて、放課後入つて行つたら、女の子供達が、オルガンを圍んで話し合つていたが、何時の間にか、私も仲間にいれられてしまつた。

生「今までの女つて、つまらないですね、先生。」

先「どうして。」

生「朝から晩まで家の中に居て、御飯の支度や洗濯やらで、一日がすんでしまいます。つくつた御飯も食べてしまつたらそれまでで、洗つた着物も着たら又汚れてしまいます。つくつては壞し、壞してはつくり、まだそれだけならよいけれど、忙しくて新聞もろくに讀めないといつた狀態では、女が馬鹿になるのも無理はありません。だからお母樣がよくおつしやいましたわ『女は學校を卒業した時が一番えらいのだ』と、その點男子の仕事は建設的だからはり合がありますわ。だから私、昨日も、家で『卒業しても(高校の意味)家に居るのは嫌だから〇〇關係のところへ行くか通譯にでもなる』といつたら、お母樣がそれはこわい顏をなさつて……。お母樣の理想は『敎養の高い常識に富んだ、健康な家庭人にしたい』んですつて。先生、これからの女性は須らく男女同權で社會に進出すべしですね。」と同意を求めた。

「そうね」私は直ちに返答が出來なかつた。

生「Tさんはいゝね。お父樣が賛成していらつしやるから。私のお母さんは古くさいわ。」

生f「私はでも家に居ることがつまらないとも思いません。今の樣なゆとりのない生活であれば情ないとも思い、何とかしなければとも思いますが。」

先「そうね、たしかにFさんのおつしやる通りだと思います。でも社會に進出する人が偉くて家に居る人が文化程度の低い人だと決めてしまうことは出來ないのではないでしょうか。たゞ家に居れば接する社會が、職業についている人よりも狭いことが多い爲に（必ずそうだとは言えませんが）、うつかりしていると取残されてしまう恐れがあるかもしれませんね。職業をもつていると、毎日目にふれ、耳にきくことが新しいことが多い爲にというか、早い爲に、時代から遅れることも比較的少いということが言えるのだと思いますわ。だから結局は心掛一つで、如何に新聞をよみこなし、ラヂオを聞きこなすかということにあるのではないでしょうか。」

生「私のお母さんは、お勤めをしてもよいが、○○へだけは行かないでくれつていうのよ。女らしさを 256
失つてくれては困るし……なんて取越苦勞をしていらつしやるわ。」

生「それは私達の心掛一つだと思うわ。」

生「だからそんなことは絶對にないということを示して安心させればよいでしょう。」

先「家の中の仕事は目立たないけれども、それをする人がなかつたら、お父様はそとで十分なお仕事が出來るかしら。あなた方を大きくしたのも誰かしら？ そう思うと、毎日々々、つくつては壊し、壊してはつくつているように見えている仕事が、建設的でないようにみえても、實は子供を育てるという大きな／＼、そして女性にだけ與えられた？ 仕事を完成する過程だと考えてもよいのではないでしょうか。女性が社會的に進出して行くことは大變望ましいことだと思います。たゞ、今のところでは職業と家庭の兩立ということが非常に困難な時代にあるように思いますね。

なか／＼むつかしい問題ですね。尾○さんのお母さんが今は○○へ勤めることを絶對反對していらつしやつても、又先でお考えが變るかも知れないでしようし、又變らないとしても、あなたの好きな英語を生かす仕事はまだ他にもあるのですから、お家の了解も得られ、あなたの希望も滿足されるような方法を考えましようね。

私達が、これから氣をつけなければというよりも、むしろ大いに改めてゆかねばならないことは、もつと日常の雜務を少く簡業にして、餘暇をつくり出すことを工夫することでしようね。所謂、仕事の時間と、餘暇をはつきり區別出來るように、皆がなりたいものです。昔は朝から晩まで休みなしに仕事をしつゞけることがよい事のように思われて自他共に許していましたが、そん
な生活だつたから日本女性の浮び上れなかつた原因の一つだとも考えられるでしよう。手先で仕 257
事を處理するのでなく、或程度頭で片附けてゆくことが大事だと思います。しかしそう言うと如何にも毎日の生活が杓子定規で、うるおいがないというように誤解されるかもしれませんけれど、それは又別の問題でしよう。物事の處理は適確に、しかも敏速に、それでいて、物の美しさを、あらゆる角度から感じ取るだけの豊かな感覺をもち、それを十分に表現し得る能力をもつている人が、私には羨やましい女性です。それは職業をもつているか否かの問題ではないと思いますがね。」

この頃の生徒達は、家に居てする仕事が、つまらないという考えをもつている。新憲法の實施に伴つて、女性の地位の向上が叫ばれ、社會への進出が前にも增してめざましくなつてきた。「職業は神

聖である。」「働く者は幸福である」という考えから、學校を卒業して家で遊んでいるよりも、社會のために少しでも働くことが出來ればという考えから職業に從事する婦人が多くなつたのであれば、まことに結構なことであるが、「家庭に居るのはつまらない」という考えからであるならば、こうした方面の指導に一考を要する。次に、生徒達がもつている職業に對する希望や、あこがれは一應前の調査から了解出來るのであるが、英語を使用する仕事とか、具體的にはつきりと、通譯とかいうのが見られ、それが女子の希望するところである。職業に貧富貴賤の別はない筈であるが、一應時代の傾向が窺われる。私達が女性に對して注意をしてゆかねばならぬことは、男女同權、女性の地位の向上等、新しく女性に與えられた事柄に對しての正しい理解と實踐とである。本來の女性の使命がどこにあるかを忘れさせぬことである。外面的に見て華やかな仕事を追つて、家庭の仕事に不滿と物足りなさを感じて、しらずしらずのうちに、家庭の仕事から離れてゆくようなことが恐ろしいことがらだと思う。がそれだからと言つて從來のように「家庭」という小さな社會にのみあれというのでは更にない。今日も生徒達に洩らしたが、現在に於いては、家庭と職業との兩立し難い惱みが生じるのである。何が惡いのでもない。早くこの問題が解決されるような社會制度になつてほしいことだ、と同時に生徒達には、決して女性本來の使命のあることを忘れさせてはならない。 —258—

六　月　〇　日　　　球技大會の日

ホームルームの正面にかゝげられた額の數が、今日を記念にして又一つ殖えた。何時もより以上に皆の顔が輝いているように思われたのも、私一人ではないだろう。

思い出してもワクワクする。丁度私が出て行つた時に二△組――三×組のソフトボールの試合、五回戰の裏、三×組の攻撃でツーダン、一二壘にランナーを出しているところ、絶好のチャンス、トータルは〇＝〇であつた。構えた〇藤君の一撃が、遂にホームランとなつて一擧三點の得點で見事今日の榮冠をかち得たのだ。

一年違うとあんなにも身體の發育が違うのかしらんと思われた。勿論個人的な生長の相異はあつても、すつかり身長も伸び體も出來てきた私の級の生徒達を、今日つくづくと眺めて、大きくなつたものだなーと思う。そうしてあの鮮かな〇藤君の打撃、又ボールもらさぬ守備振りに、一人ホクソ笑みを禁じ得なかつた。 —259—

「僕は職業野球選手になります。有力な運輸會社に入つて。」この間の調査の答がそうであつた。一年生の夏、〇藤君のお家を訪ねたとき、お母様もそんなことを言つていらつしやつた。寢ても覺めても、野球々々で、今日も朝から〇西君や二三のお友達と一緒に小學校の運動場へ練習に行くと言つて出かけたまゝお晝になつても歸つてきませんで困ります。一寸度が過ぎるのではないかと思います。それにもう一つ頑丈な身體でありませんので、よく運動選手にある肋膜等にでもなつたらと心配いたしまして……殊に一昨年に輕い肋膜をいたしましたので、又再發しないかと餘計なことが氣になります。此の頃は暑い爲か、それとも過激すぎるのか食事が少しもすゝみませんし困つて居ります。直ぐ上の兄が今廣島の文理大に行つて居りますし、長兄は早くに學校を卒業しまして、今大阪の○○會社に勤めて居ります。次兄が家に居ります間は、一緒に勉强したりしますが、一人になるとすつかり駄目でございまして……、氣短かで、飽きつぽくて直ぐに止めてしまいますのがあの子の短所でございましてね、矢張り一番下でございましてしかも氣まゝな病氣をしたこと等であまやかしたことがいけないのでございましたでしようか。それでも案外しほらしいところもございまして、私が薪わりをして居りますと『お母ちやん、割つてあげようか』等といつて割つてくれますし、自轉車で一寸した使い歩き等もしてくれますので助かります。食べ物は特に肉類は大好物で、嫌いな物は特別にございませんので、その點は樂でございます。何だか、こまぐしたものをつくるのが好きでございまして、野球以外には大工さん道具がこの子の遊び友達でございます。毎日主人に職業野球選手になるのだといつ —260—
ては叱られております。今では家の者が皆反對でございましてね、まだ子供でございますからその間に分別もつくようにはなりましようが」とポツリ〳〵話されるお母様の心境も十分にくみとられた。何時の間にか○藤君が歸つてきていて學校とはまるで別人のようにお行儀よく挨拶にきたのも憶えている。手造りの潜水艦も見せてもらつた。通されたお座敷の壁にとても美しい富士山の刺繍の額がかけてあつて、それがお母様の御手製であつたことも思い出された。

もう一度調査物を出してみたら矢張り本人の希望は「職業野球選手」その下の欄に家庭の希望として「教師」と言う文字が强く目の中に飛込んできた。教室と運動場とでは、まるで別人のようである。お母様のお話をきゝ○藤君の健康状態を考えた時に私も彼の希望をそのまゝ通してあげることが出來ないように思えた。又職業野球選手なるものが○藤君が考えているような生ぬるい技術でなれるものではないということをも……。

「○藤君お目出度う。今日は素晴らしかつたね」連れ立つて歸る野球の道中に偶然逢つた。彼特有の目がやゝはにかんだ態度で答えた。話しながら歸る。野球に明けて、野球に暮れる彼の今の生活。野球をしていることが一番今の彼にとつては幸福なのであろう。

「先生。好きな事を一生の職業にもてる人は幸福でしようね」「……」「僕、野球で生涯過せたらね」と彼は洩らした。「でもこうした事も言えるでしよう。自分の仕事の他に趣味をもつているということは、生活にゆとりを與えるものであるということも……、どちらがよいかということは觀點の相異だ —261—
と思いますが……、でも人が自分が一生立つてゆく職業を選ぶ場合に、只好き嫌いの問題だけで決定出來るものではないと思います。勿論それが職業選擇の大事な要素の一つに數えられはするでしようが、それ以外に、自分に適しているかどうか、能力があるかどうか、體力が伴うか、將來性があるか、仕事自體に發展性があるか、經濟上の安定性があるか、融通性があるか等といつた角度から檢討して、その上に更に自分が喜んで出來る仕事であれば一番いゝわけでしよう。女はいずれ家庭に入つてしまうから、たとえ、職業に就くにしても、お嫁にゆくまでの一時的なものとみてよい場合が多いでしようし一決してそればかりでなく一生その仕事に捧げる人もありますが一男子は何といつても、職業によつて自分の一生を支配される場合が多いと考えられますね。」一心にいいきかせた。

何時の間にか別れ道に來ていた。「さようなら」。○藤君は何も言わないで聞いていたが何とひどいたかしらん。彼は成績が餘りよくなかつた。でも能力はある筈だ。二年生の進級の時には大變進歩したので(全體からみればまだ〳〵努力の餘地は殘されていたが)、私は通信簿に大變ほめておいた。今度の三年生の成績も恐らくそれ以上の進歩をしていてくれるだろう……。この間の進學調査では、自分で多少の準備もしている樣子が見えてはいるが、時間的にも短いし、毎日決つてやつているわけでもないようだ。一年の時は圖工が好きのようだつたが、此の頃では嫌いな學科の一つになつているのは、工作がなくなつた爲かも知れない。體操・社會・國語等が好きな學科として擧げられている。「私はまだ身體が弱いから。」と自重もしているようだ。ふだんの學習に實の入らないのが殘念であり、苦にもなる。

七　月　○　日　　終業式の日

三年生の一學期の成績を皆が緊張した氣持でみていた。中學校の最高學年、一人々々が始業式の日に抱いた新しい覺悟と決心と抱負との實現が、この一枚の紙になつてあらわれた。



七　月　○　日

○藤君のお母さんが訪ねていらつしやつた。「今でもやつぱり野球ばかりしております。家では、父は職業野球にだけはさせんと言つて機嫌が惡いのですが、困つたものです。まあ何になるにしましても、矢張り、せめて高校だけは卒業させておかないと困りますし、この間も『僕、京都の○○高校に行くんだ』と言いますので、理由をきいてみましたら、あそこは甲子園によく出るから、奈良では出られないからッて、そんなこと申しますのです。」

先「それにしても今度の成績では餘程努力していたゞかないと困ります。」

「海にやらないとまた變にひがんでも困りますので希望通りに何でもさせてやつていますが、その代り歸つてきたらウント勉强にも力こぶを入れさせます。二年の進學成績は割合にあの子としてはよい方でしたのも矢張り寒い時期で野球も餘りしなかつた爲に氣持が大分勉强の方にむいていたからだと思います。」

先「全然やめさせるのもどうかと思いますから、そこは適當に御指導下さいませ。氣がむいて一寸熱心に努力なされば効果はあるのですから。やらないでいて實力が發揮されないことは本當に惜しいですからね。」「この夏休みは協力して、勉强をしようと言う氣持を起させてみようではありませんか。」と約束した。

八　月　○　日

休暇も半分過ぎた。やがて暦の上では秋が近づこうとしている。叢の虫のコーラス團もどうやらメンバーが揃つたか、演奏會の準備をしているらしく時々メロディーの一節が、洩れてくる。今日は○藤君をはじめ十人餘りの人達に便りを出した。

『○　藤　君

お元氣ですか。お休みも半分過ぎましたね。毎日どんなに過していますか。廣島のお兄樣も歸つていらつしやつて賑やかでしようね。私も學生時代に、歸る人を待つたことがありますがその時の氣持を思い出して、君の今の氣持がわかるような氣がします。私は毎日、君の大好きな野球が、勉强の最もよい消化劑になつてくれていればと祈つています。健康に氣をつけて、殘りのお休みを有意義に過して下さい。九月には元氣でお目にかゝりましよう。』

生徒達が新しく進んでゆこうとしている高校の關門が、どんな形で現われるかは、誰もが未知數である。しかし恐らく教科の色彩を多分にもつた「テスト」の領域を免れることは困難であろう。とすれば兎に角、學力を充分につけることが、今の私達として、考えておかねばならないことである。どんな形で現われようと、實力が最後を物語るのである。個人的に進路を見出して、決定するのは、まだこれからの問題である。右に行くか、左に行くかは、わからない子供達ではあるが、兎に角自分達の進みたい希望校に、大手をふつて入れるだけの實力をつけることが、先決問題のように思う。長い夏休み期間が、皆が銘々の立場に於いて、或者は一層の强化を、或者は、自己の不足を補つて、根を深く掘下げることに努力して、本當に有意義な期間となることを望む。更に、當校の生徒は、戰災もうけず比較的恵まれた環境に於いて、過去二ヶ年と一學期間を、新教育の方針に基いて、歩んできたのである。何の屈託もなく、伸び〲と、眞に明朗そのものとして……。この眞直ぐな芽が、今こゝ



で高校進學の爲に傷けられて曲つたり、摘みとられてしまつたりすることのないように、そうして新制中學校の第一回生として入學した彼等が又、新日本建設者としての第一回生として、世の中に活躍する日の一日も早く來ることをひたすら希うのである。

○　藤　君　の　個　人　調　査

一、學業成績並に教科に關するもの

（イ）成　績—一年生—級の約$\frac{1}{4}$以下、二年生—級の約中位のところ、三年生—級の約$\frac{1}{3}$以下

（ロ）比較的成績のよい教科—體育

比較的成績のよくない教科—社會、日本史、圖工

（ハ）好きな教科—體育、社會、國語

嫌いな教科—理科、圖畫

二、智能指數

一年生(田中B式による)—偏差値45

二年生(鈴木式による)IQ—112

三、向性指數—120

四、身體狀況—現在はきわめて良好。缺席なし

五、本人に對する特別注意事項

入學當時は注意散慢の狀態が目立つたが次第に落着きをみせて來た。

六、家庭の狀況（家庭調査より）

七、進學並に將來に關する事項

（イ）進學希望の有無—有

第一志望　普通部

第二志望　商業部

（ロ）將來希望する職業

本人＝職業野球選手、家庭＝敎師

（ハ）家庭に於ける學習狀況

(1) 學習時間　一二〇分、內四〇分—進學のため

(2) 學習敎科　英語、數學、一般理科

(3) 方　法　○受驗書による、○家族のものに敎わる

(4) 使用している書物—○進學適性檢査標準學力檢査、○各高校の入學問題集

(5) 其の他—私は身體が餘り强くなく、前にも肋膜をしたことがあるから、ふだんに、いたわつてゆかねばならないと思いますが、その範圍に於いて私が現在選擇している職業に、身體の續く限りに於いて伸びることが出來ると思います。



八、家庭調査

| | | | | | |
|---|---|---|---|---|---|
| 生徒氏名 | ○藤○克 | 昭和九年四月二十四日生 | 出身學校 | 女高師附屬國民學校 | |
| 本籍地 | 奈良市○新○町八十五番地 | | | | |
| 現住所 | 右に同じ | 電話　番 | 又は呼出 | 三八六五 | |
| 保護者 | ○藤○郎 | 職業（なるべく具體的に） | 無職 | | |
| 家族の狀況「同居人も記入して下さい」 | 氏名 | 年齡 | 本人との關係 | 出身學校又は在學校 | これまで就かれたことのある職業 |
| | ○藤○郎 | 六〇 | 父 | ○中學中途退學 | |
| | 〃 よし子 | 五一 | 母 | ○倭實科女學校卒 | |
| | 〃 光一 | 二七 | 長男 | ○中學卒 | ○○會社就職 |
| | 〃 正二 | 二一 | 次男 | 廣島文理大學在學中 | |
| | 〃 靖子 | 一八 | 長女 | 女高師附屬高校在學中 | |
| | 〃 ○克 | 一六 | 三男 | 女高師附屬中學在學 | |
| 家庭の宗敎 | 眞宗 | 罹災疎開 | なし | | |
| 乳幼兒哺乳狀態 | ○母乳 | | | | |

| 主なる既往症 | 病名と何歳頃か　肋膜炎（十二歳の時） | |
|---|---|---|
| 身體上常に留意なされている點 | 體質的に……過激な仕事をさせないようにしています。<br>體格的に……胸圍の擴大に注意しています。<br>體力的に……向上する樣に奬勵しています。 | |
| 精神上常に留意されている點 | 1、末子で氣まゝをさせましたこともある爲か、やゝ短氣の嫌があるように思います。<br>2、比較的物を大切にいたしません。 | |
| 食物の嗜好度 | すきなもの……獸鳥肉類<br>きらいなもの……なし | |
| 本人の特徴と思われる點（あらゆる角度から見たもの） | 工作が好きです。<br>性格的には姉娘よりもやさしいところがあるように思います。 | |
| | 特別な趣味として現在精進していること又は將來への希望 | 野球が好きです。 |
| 學校に對する御希望或は御意見 | 出來るだけ御鞭達をお願い致します。 | |



# 五、高校一年の實施記錄

## （一）一ケ年の計畫表

| 週＼月 | 4月 | 5月 | 6月 | 7月 | 8月 |
|---|---|---|---|---|---|
| 學期 | 第一學期 | | | | |
| 第一週 | | 5月5日 レクリエーション レコードコンサート 誕生會 | 6月2日 劇の練習（ホームルーム全員） | 7月1日 讀書會 詩の朗讀 | 8月4日 |
| 第二週 | 4月7日 レクリエーション（バレー）（全員の參加） | 5月12日 六月開催の學園祭についてのホームルームの意見 | 6月9日 讀書會（感想發表） | 7月7日 今學期の反省 レクリエーション | 8月11日 全員出校 夏休中の顔合せ |
| 第三週 | 4月14日 ホームルームの組織 委員選擧 | 5月19日 遠足について 協議 | 6月16日 レクリエーション 映畫鑑賞 | 7月12日 來學期の計畫 バレーをして樂しむ | 8月18日 |
| 第四週 | 4月21日 選擇教科の取り方について | 5月26日「學校の規則を守るにはどうしたらよいか」討論 | 6月23日 學級協議會（學園祭の反省） | 7月21日 | 8月25日 |
| 第五週 | 4月28日 生徒手帖昭和二十四年度生徒會行事豫定案に就て協議 | | 6月30日 誕生會 ホームルーム擔任に物を聽く會 | | |

| 學期 | 月 | 第一週 | 第二週 | 第三週 | 第四週 | 第五週 |
|---|---|---|---|---|---|---|
| 第二學期 | 9月 | 9月1日 夏休の反省 學期始めの會 | 9月8日 運動して樂しむ會（ソフトボール） | 9月15日 誕生會 自叙傳の朗讀 | 9月22日 ホームルーム協議會 修學旅行の計畫 | 9月29日 運動會を最も効果的にするにはどうしたらよいか「討論」 |
| | 10月 | 10月6日 よい音樂の鑑賞（レコードコンサート） | 10月13日 「讀書と人生」討論 効果的な勉強の仕方 | 10月20日 遠足のプラン作成 | 10月27日 ホームルーム協議會 | |
| | 11月 | 11月3日 レクリエーション ピアノ獨奏其の他 | 11月10日 誕生會 「最近の文學」について | 11月17日 學校でのよい作法 | 11月24日 ホームルーム協議會 | |
| | 12月 | 12月1日 映畫について感想會 | 12月8日 誕生會 「日常の教養」について討論 | 12月15日 運動をして樂しむ會（バスケット） | 12月22日 ホームルーム協議會 第二學期の反省 第三學期の計畫 | |
| 第三學期 | 1月 | 1月5日 | 1月12日 「職業の失敗の原因」討論 | 1月19日 誕生會 美術鑑賞（繪畫、彫刻）研究發表其他 | 1月26日 ホームルーム協議會 | |
| | 2月 | 2月2日 運動をして樂しむ會（ピンポン） | 2月9日 「健康について」討論 | 2月16日 誕生會 文藝コンクール | 2月23日 ホームルーム協議會 | |
| | 3月 | 3月2日 誕生會 音樂會（レコードコンサート） | 3月9日 運動をして樂しむ會（バスケット） | 3月16日 「學校生活の改善」討論 | 3月23日 ホームルーム協議會 學年の反省 來學年の計畫 | |



## (二) 教科選擇の指導

### (一) 中學卒業から高校進學へ

私達のホームルームは、終戰後第二年目の昭和二十一年の春、附屬高女一年として入學したのであるが、昭和二十二年新制中學實施と共に、中學二年として、組の再編成などもあつて、その後二年もまたゝくまに終り、中學三年になつたのであつた。

中學三年も樂しく過ぎて、はや卒業を目前に控えるようになつて來た。

この間ホームルームの生活は、敗戰日本の暗い現實のもとにあつても、あかるく、たのしい我家であつた。何時も生徒は、ピチ〳〵と元氣にみち、時に苦しみや悲しみも味わつたのではあるが、常にあかるい笑顔のならぶホームルームであつた。

今や卒業を目前にして、學窓を巣立つという數人のものを除いては、高校進學者ばかりであつた。中學三年も第三學期になると、奈良公共職業安定所から就職についてのあつせんもあり、所長の巡回講話をきく日などが來た。

一月十三日、奈良公共職業安定所の所長が學校に見えて、職業指導のお話があつた。中學の就職希望者は少數であつたので、高校二、三年の卒業生と一緒に講話をきいたのであつた。

中學卒業生の中には、卒業してタイピストになろうというもの、洋裁を修業して、やがて、それで身を立てようというものなどが、一二あつたが、大部分のものが、高校進學への希望に燃えて居た。

忙しく第三學期の行事のすゝめられて行く間に、高校進學への心の準備が、中學三年生の間にきざして行つた。

併設されている附高、附中に於いては、高校生も身近な學友である。晝の休みや、下校の道連れに、中學三年生は高校生に、高校の教科の組織や、授業のあり方などを、ぼつ〳〵尋ねるようになつた。そして選擇したい學科や、教えをうけたい教官などを心に描くようになつて行つた。

二月十六日の放課後、體育館で、主事から附中一年の入學者選拔法が發表された。それはかつてない方法で、一般及び附屬小學校から抽せん法によつて、定員を選拔しようというのであつた。きく生徒も妙な顔をして、新しい選拔法と時の推移に、顔をほころばしたり、けげんな顔をしたりした。主事から中學入學者選拔法の發表と共に、中學卒業生の高校進學者について話があつた。附屬高女一年として入學した私達のホームルームは、幸運な中學生であつた。そのまゝ無條件高校進學の許しがあつたのである。

高校進學には、試驗があるらしいなどと、この頃ホームルームで生徒達が話合つて居つたのであつたが、この日、はつきりと高校進學についての方針が發表されたのであつた。

高校進學について心の安定を得た三月の始めに、いよ〳〵高校入學後の教科選擇についての準備がすゝめられた。

三月十日、ホームルーム擔任から、高校教科選擇についての心得を話しておいた。



三月十一日には、ホームルームの時間に教務課長の方で立案した高校カリキユラム表がわたされて、擔任から教科選擇についての話の後、それについて生徒との話合があつた。

三月十六日には、中學三年生の高校進學者のためのP・T會が催された。そして高校進學について、主事、教務課長からの話があり、その後右、中、左の三組に分れて、擔任と父兄との高校進學についての懇談が行われた。

母一人子一人であるから、將來二年制の大學が出來るなら、そこに入れて自活の道をつけておきたいという母親の意見もあり、それにともなう高校教科選擇についての相談もあつた。

四年制大學にはいつては、婚期を失するから高校だけで終らせたいので、家庭科方面に力を入れさせたいという母親もあつた。

子供の自由な希望にまかせて、大學に行けるなら大學にすゝませたいなどという父親もあつた。

すでに生徒にわたしておいた教科選擇表によつて、父兄と生徒の話合が行われて居つて、この日選擇表を持參して、家庭では決しかねるので、P・T會を機會に相談に來られた父兄もあつた。

兩親と生徒達は、高校進學について、眞劍に考える時期が來たようであつた。

あわたゞしく第三學期も終りに近づいて行つたが、高校・中學の生徒委員達は、度々の自治會で、二十四年度の校友會機構、自治會の運營について、より有効な組織と運營についての、企畫がすゝめられつゝあり、度々の會合などが行われた。

その間にクラブ活動についても、過去のクラブ活動を反省して、生徒自身の手で、クラブ活動についての希望調査などが行われた。

三月十五日、女高師生の卒業式と共に、高校生の卒業式が行われた。高校卒業生は、高三と、高二の三分の一ほどの生徒であつた。高校の卒業生は、戰争末期に入學して、あわたゞしい戰爭の終末と敗戰日本の立上りのうごめきの中に教育をうけて來た人々であつた。しかし何時に變らぬ女高師講堂の、若草山の右手に見える式場で、幾度か先輩を送つた人達が、今又送られる身となつたのであつた。

高校生の晴れの卒業式も終ると一層卒業の氣分が、中學三年生の間に濃厚になつた。

いよ〳〵三月十九日中學三年生も中學を卒業することになつた。

中學の卒業式は、高校・中學の終業式の日に行われたのであつた。卒業生總代は、一五八名の新中卒業生の代表として、卒業證書を授與された。

中學卒業者の中で、家庭にはいるもの四名、轉住などの都合で他の高等學校に受驗したもの三名、短期の養成機關に入り、早く實務につこうと他に轉じたもの一名で、その他は全員附高進學であつた。

三月の休みは、中學卒業生にとつて、高校進學について更に深い思索を加える時期となつた。

學校側では、敎務課のものは、三月の休みは、高校各學年の教科選擇希望を中心に時間割の編成に頭をしぼる苦しい時となつた。

休みになつてまもなく、中學三年卒業の各クラスは、クラス會などをやつた。



卒業して遠く離れて行くもの、再び同じ學舍に高校生として肩をならべて學ぶことの出來るものなど、心にそれ〳〵の思いを抱いて、別れのクラス會を催したのであつた。

數人のものではあつたが、學窓を離れて行く人々を思うと擔任の心も悲しみに心痛むのであつた。

高校進學者はクラス會の間にも、教科選擇などについて、尙いろ〳〵と話合つていた。

クラス會が終つて、親しい級友同志など記念の撮影をするものもあつた。

## (三) 高校入學と教科の選擇

高校の教科選擇について中學三年の終りにわたされて、保護者と共に如何なる教科を選擇すべきかを考えた教科課程表は、次にあげた第一表のようなものであつた。

國語、社會、數學、理科、體育、藝能、家庭、外國語、職業の各教科にわたつて、二十八單位乃至三十單位を一年間にとることになつている。高一に於いては、國語の三單位、社會の五單位、體育の五單位は必修である。その他は選擇教科となつている。

卒業までに、八十五單位をとることになつているのであるから、一年で少くとも三十單位近くをとつておくことが有利であることや、將來の志望に應じた關係教科を選ぶことや、一般數學や生物などが高校卒業後直ちに社會に出るものに關連するであろうことなども話合つておいたのであつた。又學科によつては、例えば數學の場合解析の二は、解析の一の終了後に履修されることなども話しておいたのであつた。

## 第一表

| 教科 | | 單位 | 學年 一 | 學年 二 | 學年 三 |
|---|---|---|---|---|---|
| 國語 | 國語 I | 3 | 3 | — | — |
| | 〃 II | 3 | — | 3 | — |
| | 〃 III | 3 | — | — | 3 |
| | 〃(選擇) I | 2 | | | |
| | 〃 II | 2 | — | | |
| | 〃 III | 2 | — | — | |
| | 漢文 I | 2 | | | |
| | 〃 II | 2 | — | | |
| | 〃 III | 2 | — | — | |
| 社會 | 一般社會 | 5 | 5 | — | — |
| | 日本史 | 5 | — | | |
| | 世界史 | 5 | — | | |
| | 人文地理 | 5 | — | | |
| | 時事問題 | 5 | — | | |
| 數學 | 一般數學 | 5 | | | |
| | 解析 I | 5 | | | |
| | 〃 II | 5 | — | | |
| | 幾何 | 5 | | | |
| | (解析幾何) | 5 | — | — | |
| 理科 | 物理 | 5 | — | | |
| | 化學 | 5 | | | |
| | 生物 | 5 | | | |
| | 地學 | 5 | | | |
| 體育 | 體育 I | 3 | 3 | — | — |
| | 〃 II | 3 | — | 3 | — |
| | 〃 III | 3 | — | — | 3 |
| 藝能 | 音樂 I | 2 | | | |
| | 〃 II | 2 | — | | |
| | 〃 III | 2 | — | — | |
| | 圖畫 I | 2 | | | |
| | 〃 II | 2 | — | | |
| | 〃 III | 2 | — | — | |

| 教科 | | 單位 | 學年 一 | 學年 二 | 學年 三 |
|---|---|---|---|---|---|
| 藝能 | 書道 I | 2 | | | |
| | 〃 II | 2 | — | | |
| | 〃 III | 2 | — | — | |
| | 工作 I | 2 | | | |
| | 〃 II | 2 | — | | |
| | 〃 III | 2 | — | — | |
| 家庭 | 一般家庭 A | 5 | | | — |
| | 被服I，家庭經理I，家族I | (7) | | | — |
| | 一般家庭 B | 5 | | | — |
| | 食物I，育兒，保健，住居 | (7) | | | — |
| | (家庭經理 I / 家族 I) | 2 | — | | — |
| | (育兒,保健,住居) | 2 | — | | — |
| | 食物 II | 5 | — | | |
| | 〃 III | 5 | — | — | |
| | 被服 I | 5 | — | | |
| | 〃 II | 5 | — | — | |
| | 保育 I | 2 | — | — | |
| | 家庭經理 II | 3 | — | — | |
| | 家族 II | 2 | — | — | |
| 外國語 | 英語 I | 5 | | | |
| | 〃 II | 5 | — | | |
| | 〃 III | 5 | — | — | |
| 職業 | 耕種 | 2 | | | |
| | 園藝 | 2 | | | |
| | 農産加工 | 2 | | | |
| | 手藝 | 3 | | | |

1. 各學年とも28單位～30單位を選ぶこと。(必修單位共)
2. 選擇單位の內，社會，數學，理科各5單位以上を三年間の中に必ず選んでとること。
3. 卒業までに85單位とること（但し高三は本年度に28單位とれば卒業できる）
4. I，II，III は段階的單位だから，Iがすまないものは IIはとれず，I，II のすまないものは IIIはとれない。



そのほか各教科の單位數は五單位乃至二單位のものであるから、それらを合計して三十單位近くをとつておかねばならぬことを話しておいたのであつた。

その後第二表のような昭和二十四年度選擇カリキュラム表がわたされて、時間配當の上から排列された各教科の選擇を、高校各學年生徒は、父兄や擔任と話合つて選擇教科を決定したのであつた。

## 第二表

昭和二十四年度選擇カリキュラム表(第一次)

奈良女高師附屬高等學校

| 年 | A | A | B | B | C |
|---|---|---|---|---|---|
| 一年 | 體育 I<br>音樂 I<br>漢文 I | 一般社會・解析 I<br>英語 I | 體育 I<br>國語學・圖畫 I・園藝 | 幾何・生物<br>一般家庭 A | 國語 I<br>國文學史<br>書道 I |
| 二年 | 體育 II<br>國語 II<br>書道 II | 世界史・解析 I<br>物理・被服 II | 國語 II<br>國語學<br>育兒、保健、住居 I<br>園藝 | 時事問題・幾何<br>生物・一般家庭 A | 體育 II<br>國文學史<br>工作 II<br>家庭經理、家族 I |
| 三年 | 國語 III<br>國語(選) III<br>圖畫 III | 世界史・物理<br>食物 III | 國語 III<br>國語學<br>園藝 | 時事問題・幾何<br>生物 | 體育 III<br>手藝<br>國文學史<br>音樂 III<br>保育 |

| | D | | E | | F | |
|---|---|---|---|---|---|---|
| 一般數學・地學<br>一般家庭A | 國語 I<br>國語(選) I | 一般數學・生物<br>一般家庭A・英語 I | 體育 I<br>書道 I | 一般社會・解析 I<br>一般家庭B | 國語 I<br>音樂 I | 一般社會・化學<br>一般家庭B |
| 世界史・地學<br>一般家庭A・英語 II | 國語 II<br>音樂 II | 日本史・生物<br>一般家庭A・食物 II | 國語 II　體育 II<br>國語(選) II　音樂 II | 人文地理・解析 I<br>一般家庭B・英語 II | 國語 II　體育 II<br>漢文 II　書道 II | 世界史・化學<br>一般家庭B |
| 世界史・地學<br>英語 III | 體育 III<br>漢文 III　書道 III | 日本史・生物<br>被服 III | —<br>— | 人文地理・英語 II<br>英語 III | —<br>— | 世界史・解析幾何<br>化學 |

生徒の希望科目を整理して見ると、選擇科目の不平均があつて、人員の過剩な科目や比較的閑散な科目や、全然志望のないものなどもあらわれて、カリキュラムの實際を運營するにあたつて、支障の多いアンバランスが生じて來たのであつた。



そこでアンバランス調整の必要が生じて來たのでホームルームに於いて教務課と擔任教師などを中心に、カリキュラム配列の變更について、生徒との話合をしたのであつた。

最初のカリキュラム表による私のホームルームの生徒の選んだ教科と、その人數の割合は左のような状況であつた。

| | | | |
|---|---|---|---|
| 漢文 | 一 | 生物 | 一〇 |
| 國語學 | 一 | 地學 | 〇 |
| 國語(選修) | 一〇 | 音樂 | 二五 |
| 國文學史 | 二 | 圖書 | 一一 |
| 書道 | 三八 | 工作 | 〇 |
| 解析 | 三三 | 一般家庭A | 一三 |
| 幾何 | 二 | 一般家庭B | 九 |
| 一般數學 | 三〇 | 園藝 | 二 |
| 化學 | 五 | 英語 | 三七 |

この人數は、一學級の人數であるから、A、B、Cの三學級の生徒が、合して選修科目の授業をうけるということになると、八〇人乃至九〇人という教室も出來て、一教室に收容困難という現象を呈するので、やむなく生徒との話合をして、生徒の希望も出來るだけ妨げぬように工夫して、第三表の

ような選擇カリキユラム表を作つて、再び教科選擇を行つたのであつた。

第三表　昭和二十四年度選擇カリキユラム表（第二次）　奈良女高師附屬高等學校

| 年 | A | | B | | C | | D | E | | | F | |
|---|---|---|---|---|---|---|---|---|---|---|---|---|
| 一年 | 國語 / 音樂Ⅰ・國語(選)・園藝 | 解析Ⅰ | 國語Ⅰ / 國文學史・國語學・音樂Ⅰ | 一般數學・幾何 | 一 / 一 | 一般社會・生物 / 英語Ⅰ・一般家庭A | 體育Ⅰ / 圖書Ⅰ・漢文Ⅰ | 體育 / 書道Ⅰ | 一般社會・一般家庭B / 一般家庭A | 一般社會・生物 / 化學 | 體育 / 書道Ⅰ | 一般家庭A・一般家庭B / 生物・英語Ⅰ |
| 二年 | 國語Ⅱ・體育Ⅱ / 書道Ⅱ・園藝 | 英語Ⅱ | 國語Ⅱ / 國文學史・國語學 | 化學・幾何 / 物理・世界史 / 被服Ⅱ | 體育Ⅱ / 漢文Ⅱ・圖書Ⅱ | 生物・食物Ⅱ / 一般家庭A | 體育Ⅱ・國語Ⅱ / 音樂Ⅱ・書道Ⅱ・漢文Ⅰ | 國語Ⅱ / 工作Ⅱ・國語(選) | 人文地理・世界史 / 一般家庭A・一般家庭B | 時事問題・生物 / 化學・日本史 | 體育Ⅱ / 音樂Ⅱ | 世界史・一般家庭B / 生物・解析Ⅰ |
| 三年 | 體育Ⅲ / 書道Ⅱ・保育・園藝 | 解析幾何・英語Ⅱ / 食物Ⅱ | 體育Ⅲ / 國文學史・國語學 | 化學・幾何 / 世界史・物理 / 被服Ⅱ・食物Ⅲ | 國語Ⅲ・手藝 / 漢文Ⅱ・書道Ⅲ・圖書Ⅱ・音樂Ⅲ | 生物 | 一 / 音樂Ⅱ・書道Ⅱ | 一 / 工作Ⅱ・國語(選)Ⅱ | 人文地理・一般家庭A / 世界史・一般家庭B / 英語Ⅲ | 時事問題・日本史 / 生物・化學 | 國語Ⅲ / 國語(選)Ⅲ・音樂Ⅱ | 世界史・一般家庭B / 被服Ⅲ・生物 |

その結果は、左のような若干の變更をもつたものとなつた。

| | | | |
|---|---|---|---|
| 漢文 | 三 | 解析 | 一七 |
| 國語學 | 〇 | 幾何 | 〇 |
| 國文學史 | 四 | 一般數學 | 三二 |
| 國語(選修) | 五 | 化學 | 八 |
| 書道 | 二八 | 生物 | 二一 |

| | | | |
|---|---|---|---|
| 地學 | ○ | 一般家庭A | 二一 |
| 音樂 | 二八 | 一般家庭B | 六 |
| 圖畫 | 一一 | 園藝 | 二 |
| 工作 | ○ | 英語 | 三八 |

教科選擇については、生徒もいろ〳〵と迷うこともあつたようである。自分の思うものをうまく組合せてとれないというような焦慮や好きなものを澤山取りたいが、時間が許さないなどの悩みがあつた。それだけホームルームでの指導が必要であつた。

第二次の選擇によつて、生徒も上級生になつてからの教科の選擇なども考え合せて、選擇科目を決定して大體落ちついたようであつた。

これによつて四月末には高校カリキュラムの方向もほゞ決定したので、五月にはいると、高一も新しい陣容で、學習をすゝめることが出來るようになつた。

大體生徒の教科選擇の態度を見ると、皆眞劍に考えて選んだようである。教師の注意もあり、あまり自分の負擔に無理のかゝるものは避けたようである。それでも將來のために是非というものは、少々無理でも選ぶようにして居つたようである。

それと基礎的なものは一年でとつておこうと心がけたようである。

多くのものが、自分の好きな教科を選擇したのであるが、自分の好かない教官のものを避けるという傾向もあつたようである。

その後選修制度の高校で、何日かを學んでからの生徒の意見をきいて見ると、今後のために參考になるようなものがあつた。

その一つとしては、同一教科の教官を餘り他人數にした場合、受講して何となくまとまりがないということや、人數の多い教科は、一教室の人數が多いために、かなり學習に不自由を感ずるという意見を述べている。出來れば相當に大きい教室があつて、生徒の希望をみたして、尙餘裕のあるような設備があるとよいと思う。

出來るだけ時間割編成の上でも、數學のようなものは午前中にして、體操などは午後の時間に繰り入れて欲しいなどの意見を述べて居る。

次に、一生徒の選擇教科の取り方についての一記録を附記しよう。

選修制度を體驗して

(生徒M・Y)

中學校のお勉强もあとわずかでおしまいだという時、或日の終の會の時間に、ホームルームの先生が一枚のプリントをお配りになつた。

「はて何だろう?」

いさゝか不氣味な心持でそのプリントに目を通してみた。

「ハハア、選修制度のことをかいた紙だな。」

と直覺した。ついで先生から大體の御說明があつてのち、

「これを家へ持つてかえつてお家の人とよく相談して自分は何を選擇するかを大體きめておいてください。なお明日の晝休みの時、敎務室のN先生から色々お話をして頂きますから。」

とおつしやつて終禮は終つた。

さて、その後のホームルームの様子はどうだろう。はじめて選修制度で勉强できるうれしさと不安とで皆口々に大聲で話し出した。

例のやかましい私達の組のおしやべり娘によつてホームルームの中は今や割れんばかりに響いていた。

「ちよつと〳〵、あなた何取る？」

「そうね、私いまから云つておくけれど、英語は絶對に取らないつもりよ。」

「そんなことといつたら、K先生に叱られるわよ。」

「かまわないわ、何も先生お叱りなどなさることはないと思うわ、自分の個性を生かすための選修制度なのだから。」

又、一方ではこんなこと云つている。

「私、外國語科か理科かどちらが適當だと思う？」

「そうね、あなただつたら外國語科よ。」

「そう、でもどつちにしようかしら？」

皆んなはどんな良いコースを選ぼうかと顔を眞赤にして苦心さんたんのようす。

「あなた音樂とるの？」とTさん。

「いゝえ」とYさんが返答。

「私、取るのよ、ねエあなたも取らない？」

「いやよ。」



「どうして取らないの？　私取るからあなたもつき合いしてよ。」

「じや、つき合いしてあげようか。」

「うん、してよね、キツト、その代り私もつき合いしてあげるわ。」

その時、例のH先生、窓から首をつき出して、

「これ〳〵、人のつき合いでいやなものを無理に取る必要ありませんよ。」

「ウワーツ。」

「ちやんと聞いてましたよ。……人が取るから自分も取るなんてそんなバカなことしないでよろしい。一體誰ですか？　無理にすゝめるのは……。」

Tさんちよつとはずかしそうに頭をかるく叩きながら、それでも横目でH先生の顔をギヨロ〳〵とにらんでいる。

其の夜、私は父に選擇制度のことをいろ〳〵と説明して、

「どれ取つたらいゝのか敎えて……。」

「どれでもお前のすきなものを先に選んでごらん。」

私はどれを取ろうかなと考えた末、とう〳〵必修科目を除いて、英語、一般家庭A、一般數學、國語(選修)、園藝、とこれだけ選んで、

「お父さん、これだけ選んだけど……」

「どれ〳〵、みせてごらん。」

父は一目見て、

「お前は理科系統はきらいか。」

「いゝえ、好きです。」

「そしたら生物でも入つたら？」
「生物に入るんだつたら何を捨てるの。」
「そうだな、何でもいゝからお前の捨てゝ惜しくないものないか。」
「ないわ。」
「一般家庭をすてゝしまうのいやか。」
「いやなことないけど好ましくもないわ。」
「そんなら仕方がないから一般家庭を捨てゝしまいなさい。」
「はい、仕方がないわ。」
ふと表を見て、
「あれつ、習字取つてないな。」
「ええ、國語の選修とつたら取られないの。」
「國語の選修みたいなもの捨てゝしまいなさい。」
「どうして？」
「どうしてつてお前、字が下手じやないか。」
「そう、下手ですわ。」
「だから、どうでも習字は取つておかないと大きくなつてから字が下手だつたら困るからな。」
「でも國語の選修すてるの、いやだわ。」
「ほかに捨てるものあるか？」
「二單位の物だつたら園藝だけど、園藝も捨てるの、いやだわ。」



「園藝は取つておく必要あるな、家の事も色々してもらわなくては……。又園藝していたら氣が晴れるからな。」
「うん、そしたら結局捨てるのがないわ。」
「だから國語の選修思い切つて捨てゝしまいなさい。」
「…………。」
「な、來年取つたらいゝから。」
かくして、とう〳〵私は大切な國語の選修を捨てゝしまつた。いやだけど、父のもつともな言葉に反抗できない。
私は涙をのんで國語の選修　書道と取りかえつこしたのであつた。
そして更に、將來何科にすゝむかだいたいのことを書いて行かねばならぬのであつた。父は醫者になることをすゝめる。私は文學を勉強したい希望で一杯である。その時今までだまつていた母が、
「お父さん、本人のいやがるものを無理にさせても決して効果のないものだからやつぱり本人の性質や趣味からも考えていやなものをさすよりもすきなものをさせる方がいゝんですから。」
と言つた。私は理解ある母の心が嬉しかつた。私は紙の端に、「將來何科に進むかは未定」と書いた。
翌日學校へいつてお友達に、どう選擇したか色々ときいてみた。
「Nさん、あなたどんな？」
と云つて記入した選擇表を見せ合つたら、Nさんはちやんと國語の選修を取つておられた。
「や――あなたいゝな、國語の選修取るの。」
「あなた取らないの？」
「うん、私取りたくてたまらないけどお父さんがいけないつて云うから……。」
「あなたみたいな人が國語の選修とらないんだつたら一體どうするの。」

「うらやましいわ、私取りたいのに。」

「でもあなたが取りたかったら、取ったってかまわないじゃないの。」

「でもお父さんがあんなに云うのに反對できないわ。」

始業式もすみやがて昭和二十四年度選擇カリキュラム表（前掲）が發表された。ＡＢＣＤＥＦの別に平均各五單位ずつの教科を選ぶわけである。ところが、幸か不幸か、生物はどうしても取れず、その代りに一般家庭Ａが取れる。又一般數學の代りに解析となった。そして結局、國語の選修は取れなかった。けれどその他は萬事うまく取合わせがついた。つまり

Ａ、國語（必修）、圖畫　Ｂ、一般數學　Ｃ、英語　Ｄ、一般社會　Ｅ、體育、書道　Ｆ、一般家庭Ａ

という組合せとなった。來年こそは國語の選修を取ってもっと文學を深く研究して行きたい。

選擇制度になっている以上、自分の希望するものをとり、兩親の云うことも或る程度はきいても、自分の滿足する科目をとるべきであり、又そのための選擇制度であると私は思う。

— 288 —

# 六、高校二年の實施記錄

## （一）本學年の特質及び指導の眼目

高等學校も第二年目を迎えて本學年は樣々な特質を持ち、指導すべき事柄も多い。中學から高校へとかわった當座は、落着きも乏しく、何だかたよりなく感じられたクラスも昨年度末頃からは次第に落着きを見せてきた。しかし一面、もう無邪氣さは影をひそめ、次第に大人の世界へと移り變りつゝあるように見受けられる。即ち年齡的にも青年後期に入り、表面的なものから次第に内面的なものへとむかって行く。物事を深く考えて内へ内へと沈潛して行く。いわゆる理性が芽生えてくるのであるが又それにも徹しきれず精神的な相剋により自ら苦惱を感じる。批判的なこの態度は四圍に對して疑問を感じ、又自己を見つめることにより自己嫌惡に落入ったりするのもこの頃ではなかろうか。從ってこの時の指導をあやまれば重大な影響をのこすであろう。又異性に對する關心もたゞ何となく興味を感ずる時代から、進んで異性の友人をもとめるようになる。もちろんそれは次第に高まろうとする内面的な要求からくるものであるが、しかし結果としては決しておろそかにすることはできない。特に現在の樣な社會狀勢の下では、この樣な時代に最も間違った道へ、誘惑にかゝりやすい。從って從來のような事なかれ主義なことではなく、積極的な指導を加えるべきだと思う。即ち今年度に於ては

— 289 —

(1) 内面的な慾求、知識慾に對して十分な糧をあたえ、精神的安定を保つこと

(2) 男女關係についての積極的な指導

の二點に重點を置き指導して行きたいと思う。

## （二）指　導　計　畫

(1) 月間行事の豫定（ホームルームの時間…木曜第五限…の使用計畫）

ａ、第一週、第二週…ホームルーム・プログラムの實施、定められた指導の目標を達成するための行事に使用。討論會、研究發表會、讀書會、ホームルーム教師の講話、外來者との懇談會（但しこれは計畫はしたがまだ實施の見とおしはたゝない）等計畫委員が會長、ホームルーム擔任と連

給の上、一ヶ月前に豫定を立て、一週間前までに細案を決定し、ホームルーム全員にはかる。

b、第三週…レクリエーション、此の週は誕生會の形で其の月の誕生者を祝つてホームルーム全員にてレクリエーションに使用する。レクリエーション的内容はもちろん毎時間その時間の開始以前に、或は終了後に織りこんで、ホームルームの時間を和かな樂しいものにすべきではあろうが、かえつて短時間で、他のプログラムをもこわすことになるので、このようにした。もちろん各時間ともレクリエーション的要素が全く入らないというのではない。内容としては、二十の扉、話の泉、とんち敎室、レコードコンサート、カルタ會、ものはづけ、かくし藝大會等。計畫實施は、六ヶ月後の(例えば四月誕生會ならば十月)誕生者が責任をもつて計畫委員と連絡の上で行う。

c、第四週…協議會―この週は全校與えられた問題、又は特別の問題の無い時は、ホームルーム内の問題につき協議する。決定した意見は學校委員により生徒會に持出される。

d、第五週…此の週は豫備として隨時、これまでに十分行われなかつたこと、或は特別行事として使用する。或はこの時間をホームルームのスポーツの時間として使用してはとの意見もある。



(2) 第一學期間の實施事項

| 月 | 週 | 週間の主な指導内容 | ホームルームの時間(木・第五限)の實施事項 | 主な學校行事 |
|---|---|---|---|---|
| 四 | 1 | | | |
| | 2 | ホームルーム・プログラムの協議<br>單位の選擇 | ホームルーム組織、役員の選定<br>ホームルーム・プログラムの協議 | 始業式・入學式 |
| | 3 | 正しい姿勢の强調 | 四月誕生會(とんち敎室其の他) | |
| | 4 | 球技大會の計畫 | 球技大會の反省 | |
| 五 | 1 | 健康への關心 | | |
| | 2 | 讀書と敎養 | 讀書法の發表(有志) | |
| | 3 | 公衆衞生への參加<br>學園祭の計畫 | 五月誕生會(レコードコンサート)<br>其の後、學園祭劇脚本讀合せ | 校内球技大會 |
| | 4 | 一般敎養の問題 | 學校生活はどうあるべきか<br>協議會 | 遠足(學級每に) |
| 六 | 1 | 學園祭の準備 | 學園祭劇、各係共同演出及連絡會 | |
| | 2 | 男女交際についての調査 | 學園祭への參加 | 學園祭 |
| | 3 | 學習結果の整理 | 六、七月誕生會(二十の扉其の他) | |
| | 4 | | | |

| 七 | | | |
|---|---|---|---|
| 5 | 男女交際への關心 | 男女交際についての討論 | |
| 1 | 夏休みの計畫 | 夏休み中の計畫についての話合い | |
| 2 | 個性の發見 | 夏休みの準備<br>一學期の反省 | 夏季自由研究週間 |

## (三) 男女の交際についての指導

### (1) 指導の意義と指導計畫

先に「本學年の特質」の項にのべたように、この學年における最大の問題としてとりあげてみた。その意義は次の通りである。

異性に對する漠然とした興味は中學二、三年頃から動くのであるが、この時期になると進んで異性の友人を求めようとする意向が見受けられるようになる。もちろん、當校では男女共學を實施していないため、自然に異性の友人をもつ機會を惠まれず、大部分のものはそのまゝこの時期を送るのである。たゞ一部積極的なものは進んで異性との交友をもとめ、また偶然機會を得て交際に入るものもある。從來とは異り、現在ではそのような機會も多いのではないかと思われる。これに對して放任すること、もしくは單なる禁止令や罰則によつて取締る態度は面白くない。こゝにこの問題に對しての積極的指導の必要性がある。



しかしながら、問題が問題であるだけに、指導の方法を誤れば、いわゆる藪蛇的な結果に終らないともかぎらない。又この樣な問題に對しては、無關心をよそおつて、受付けないかもしれない。指導計畫は詳密にたてる必要がある。

そこで指導計畫として次のような方法をとつた。

一、豫備調査—男女交際についての關心、現在もつている經驗などにつき、質問紙によつて豫備調査をし、この問題についての興味を起させ、客觀的にこの問題にあたつていく心がまえをもたせる。

二、研究方法についての話しあい—この問題をいかにほり下げていくかについて、自由な立場から意見を述べさせ、次の劇化の計畫をたてさせる。劇化することは、この問題を主體化して認識すると共に、客觀的にこの問題について考える手がかりとなるのである。

三、劇化—委員の手によつて脚本をつくり全員が分擔して劇化していく、この仕事の過程を通じて、男女間のエチケット其の他の話しあいを行う。

四、發表と批評會—同學年の他學級と合同して劇の發表會を行い、そのできばえと共にとりあげられた問題についての反省會を行う。

### (2) 男女交際についての調査(無記名)

六月十一日(實施)　　調査人員三十八名

一、あなたは次にあげるどんな男の人と交際がありますか。

（イ）親類の人、（ロ）父母兄弟の知人、（ハ）友人の兄弟、（ニ）先生、（ホ）新中の男生徒、（ヘ）同居人、（ト）雇人、（チ）出入りの人、（リ）近所の人、（ヌ）何かの時知りあつた人、（ル）その他。

二、あなたは男子のお友達を持ちたいですか。

（イ）持ちたい、（ロ）持ちたくない、（ハ）どちらともいえない。

三、あなたははじめてあつた男の人に話しかけることができますか。

（イ）平氣でできます、（ロ）必要があるときはできますが積極的には話せません、（ハ）はずかしくて話しにくいです。

四、あなたは男の人と謙虚な氣持で交際できますか。

（イ）平氣でできます、（ロ）多少は意識しますが大してこだわりません、（ハ）常に異性であることを意識します。

五、あなたは男の人と話したり交際したりするとき、何か特別に心の注意をしますか。

（イ）します、（ロ）別にしません。

するとすればどんな注意をしますか。

六、あなたは男の人と交際するとき何か特別の作法を意識して或いは無意識に行つていますか。

（イ）行つています、（ロ）別に心あたりがありません。



行つているとすればそれはどんな作法ですか。

七、あなたは男の人と交際する場合には監督者が必要だと思いますか。

（イ）必ずなくてはなりません、（ロ）あつた方がよろしい、（ハ）なくてもよろしい、（ニ）ない方がよろしい。

八、多くの男の人と交際することはよいことだと思いますか。

（イ）できるだけ多くの人と交際した方がよろしい、（ロ）餘り多きを求めず自然に數人と交際する方がよろしい、（ハ）なるべく相手は一人がよろしい。

九、映畫にあらわれてくる外國の男女交際の習慣について日本でもそうありたいと思いますか。

（イ）できるだけあのようでありたいと思います、（ロ）よい所もありますがあのまゝではいけません、（ハ）國情がちがうから日本風に考えなおさなくてはなりません、（ニ）根本的に反對です。

十、日本の舊來の男女交際のありかた（七歳にして席を同じくせず）的な考え方をどう批判しますか。

（イ）全然いけないと思います、（ロ）ある危險な年齢にはなるべくさけた方がいゝと思います、（ハ）結婚まではなるべく接觸しない方がよろしい。

十一、男女關係には當事者の感情と社會的立場のどちらを尊重すべきでしょうか。

（イ）當事者間の感情が絶對です、（ロ）當事者間の感情が中心ですが社會的立場も考えなくてはなりません、（ハ）社會的立場をまず考えて後、事に處すべきです。

十二、生徒が校外生活において男の人との特殊な交際關係にあることをどう考えますか。
（イ）まつたく自由だと思います、（ロ）父母の監督承認のもとならよろしい、（ハ）在學中はなるべくさけた方がよろしい。

十三、配遇者の選擇にはどの方法がよいと思いますか。
（イ）自由に交際して自分の眼で選びます、（ロ）父母知人兄弟等の推せんに基いて自分の眼でえらびます、（ハ）父母や信頼する先輩の意見を主として決定します。

右の項目について調査した結果は左の通りである。

一、（イ）親類の人 17
（ロ）父母兄弟の知人友人 15
（ハ）友人の兄弟 2
（ニ）先生 4
（ホ）新中の男生徒 0
（ヘ）同居人 1
（ト）雇人 4
（チ）出入りの人 4
（リ）近所の人 8
（ヌ）何かの時知りあつた人 4
（ル）その他 0

二、（イ）持ちたい 29
（ロ）持ちたくない 5
（ハ）どちらともいえない 4

三、（イ）平氣 1
（ロ）必要があればできるが積極的にははなせない 34
（ハ）はずかしくて話しにくい 1



四、（イ）平氣 1
（ロ）多少は意識 29
（ハ）常に意識 7

五、（イ）する 14
（ロ）しない 22

六、（イ）行う 12
（ロ）心あたりなし 22

七、（イ）必ずいる 6
（ロ）あつた方よし 18
（ハ）なくてもよし 11
（ニ）ない方よし 0

八、（イ）多いほど可 9
（ロ）自然に數人 22
（ハ）一人 5
（ニ）不可 0

九、（イ）できるだけあのようでありたい 12
（ロ）よい所もあるがそのまゝでは不可 12
（ハ）國情がちがうから日本風に考える 12
（ニ）根本的に反對 1

10、（イ）全然不可 14
（ロ）危險な年齡をさける 21
（ハ）結婚までなるべくさける 1

二、（イ）當事者の感情中心 6
（ロ）當事者の感情中心だが社會的立場も考える 28
（ハ）社會的立場を先ず考える 1

三、（イ）まつたく自由 3
（ロ）父母承認ならば可 24
（ハ）在學中不可 9

三、（イ）自由に交際してえらぶ 8
（ロ）父母の推せんにもとづいて自分でえらぶ 27
（ハ）父母などの意見を主とする 1

(3) 男女交際のエチケットをどのようにして研究したらよいか、についての學級討論會

六月三十日（木）

豫備調査により、この問題に對しての關心がかなりたかまったが、この自由討論會をもつことにより、實際の研究計畫を生徒の手で考えさせるとともに、一層この問題に對しての關心をたかめることができた。

**活動の實際**

ホームルーム敎師「この前に男女の交際について調査しましたが、結果を見ますと色々と進歩的な意見が多いようです。それは非常に結構なことです。しかしそれだけに又極めて研究を要するといえましょう。何れにしても男子を正しく理解し、正しく行動することは非常に大切な事です。啞のようにたゞ默って等という事では過されません。若しその樣な機會があった時にはどのようにすればよいか、今から〝男女交際のエチケット〟といったようなものについてしばらく研究して行きたいと思います。それで今日は最初に〝男女交際について〟一般的に話し合い、その後〝どんな方法で研究したらよいか〟を取りあげて見たいと思います。ところで今日の司會は誰にして頂きましようか。」 278

A「會長のWさん。」

W「でもわたくし　問題が問題だけにどうしてよいかわかりませんので先生にお願したいと思います。」

一同「それがよろしい。」

敎師「では今日は突然だし、無理もありませんので、私がやる事にします。男女の問題については昔からいろいろの人が樣々な意見をのべています。古今東西を問わず樣々な論議がつくされています。みなさんも今までこの問題について、いろ〳〵のものをよみもし、又考えても見た事と思います。思ったまゝの事を言って下さい。今の時代を生きる若い女性としてどんな交際でありたいと思いますか。默ってないで誰からでも、どうです。」

A「今までの日本で言われていました男女七歳にして席を同じくせず、といった考え方は斷然考え直さねばならないと思います。」

E「年取った人ならいざしらず。私達若い者は勿論そんな思想から拔け出していますが、一般の人々はまだ〳〵だめだと思います。」 279

A「何でもない事でも男の人と話し等しているとすぐ變な目で見ます。」

F「一般の人だけでなく先生だって……」

敎師「これは手ひどい。しかしそれはひがめというものですよ。」（笑聲）

W「とにかく男女共學も行われつゝあるのですから、私達は大きい考えをもって異性間の友情をそだてゝ行かなければならないと思います。」

敎師「みなさんの意見は全く正しいのですが、異性間の友情と簡單にすごされない問題がありはしませんか。」

G「私共には經驗のない事なのでよく分らないのですが、異性間の友情というものは、果して存在し、又努力によつてそだてられるものでしょうか。」

教師「今でこそ私達はこの問題についていろ〳〵話し合いもし、體驗する機會も與えられているのですが、過去の日本では男女と考えただけで、近寄つてはならぬもの、友情などもつての外だといつた風だつたのです。さてこゝで友情と戀愛という事を取り上げて見たいと思います。」

I「私は男女を考えただけで、そのむすびつきは戀愛だといつた世間の解釋に反對です。純潔な美しい友情、同性間に於けると同樣の友情がきつとあると信じます。」

W「私たちは、そんな友情をそだてゝ行けるものと思います。たゞ問題はそういう友情にむすびついた男女を見る世間の人達の考え方にあると思います。」

F「私達は如何に清らかな友情で男女の間が保たれるかという事を實踐して、世間のそんな考え方を私達の力であらためなければならないと思います。」

教師「みなさんの御意見はよくわかりました。それをきいて私も非常に心づよく思います。たゞ一寸待つて下さい。フランスのボナールという人は友情論という著書の中でこのような事にふれています。即ち男女の友情についてはみなさんの述べられたような友情は存在しないというのです。〝男女のあいだにあつては靜かな友情は冷淡を根柢としているものであり、動搖なき友情は戀愛を根柢としているものである。〟そして〝男と女とは眞の友情にある立派な率直さと自由奔放さとを共に



味わうわけにはゆかない〟と述べています。こゝに結論するまでの論理を今省く事は誤解があるかもしれませんが、無知な世間の人々でなくてもこういう考え方は存在します。こうなると男女の友情は悲觀的になつて來ます。しかし又ルソーはエミイルの中で述べています。〝兩性間の交際の中にはよかれあしかれ趣味が形成される。物質的な事柄であれば婦人の趣味について見るがよい。彼女等は感覺の判斷を守つているのだ、精神的な事柄なら男子の趣味がよい。彼等はむしろ悟性にたよつているのである〟兩性が短を補いつゝそだてゝ行く友情、こゝに私達は樂觀的な考え方を見出します。しかしこれとて別にボナールの考えをくつがえす何物にもなりません。もちろん戀愛に發展することがいけないというのではありません。正しく育てゝ行けるなら結構な事です。しかし何れにしても、よかれあしかれ戀愛的なものへと發展するということを一應考えて置いて頂きたいと思います。こゝに男女交際についておろそかにできないゆえんがあります。さて、それでは具體的な問題に移る事にして〝男女交際のエチケット〟といつたら何か見當がつきますか。」

B「少女雜誌か何かに時々書いてあるような氣がします。」

教師「例えばどんな事。」

B「別に氣をつけて讀んだわけではありませんので（笑聲）覺えていませんが、男のお友達にお手紙を書く時の作法だつたと思います。」

教師「笑い事ではありません。今度から氣をつけて讀んで置いて下さい。皆さんはどうです。」

C「わかりません。」

W「他の婦人雑誌等にも何か書いてあつたように思います。それでみんなで氣をつけてそんなのを集めて置いてホームルームの時間か終禮の時にでも發表したら如何でしよう。」

A「でもそれではあまり消極的でたよりないように思いますけれど……」

F「誰か實際に男のお友達をもつている人に體驗談を語つてもらつて、それをもとにして考えて行つては……」(笑聲)

A「共學の學校へ轉校して行かれたNさんに共學の樣子を知らせてもらつたらよいと思います。」

教師「そうですね。それはいゝでしよう。しかしどの程度參考になるかあまり期待できませんね。」

G「この間の學園祭の時の劇のどれかを批判していつてはどうでしよう。」

A「劇を批判するのはよろしいが、この間のは主に飜譯劇ばかりであまり適當なのがないと思います。」

B「飜譯物だつていゝと思います。」

A「でも生活環境が全く違いますからぴつたり來ないのではないでしようか。」

H「では日本のもので適當なのをさがして劇化したらよろしい。」

B「日本ではその樣な事が許されていなかつたので男女の交際といえば、何かこそ〳〵としたいやらしいものばかりしかない。」

H「だつたら誰か創作して劇にしては。」



教師「大分話が進展しましたね。劇化という事が問題になつていますが、なか〳〵よい考えですね。たゞ本をよみ合うのよりは實際に動作してみるとよくわかりましよう。男女の交際という事を批判しながら劇としてはどうでしよう。」

一同「さんせい。」

教師「では劇化するとして既成の脚本をやるか或は創作するかという事になつている樣ですね。」

W「小說か何かをよんで批判していつてはどうですか。」

I「青い山脈等どうでしよう。」

相當數「それがいゝ。」

教師「面白いですね、但しどの部分をどのようにやるか相當考えねばなりませんね。」

W「先生、これは夏休み迄にやるのですか。」

教師「いゝえ別に何日迄にという事はありません。まあ九月に役割を決めて演出にかゝる。それも芝居をする事のみが目的ではないからその動作中での男女の心理やエチケットを考え乍らやるからかなり時間がかゝりますね。」

K「出來たら發表するのですか。」

教師「どうしましよう。或はアッセンブリーで發表してもらつてもいゝし。」

K「でも一年生などはまだ早いし、そんな人の前で發表するのはおかしいと思います。」(笑聲)

教師「そんな風に考えなくても何も普通の劇と變つた事はないでしょう。」

L「先生他所のホームルームでもやつているのですか。」

教師「えゝ、高二が大體今年の目標が男女の特性の理解とエチケットですので高二は全部この問題について考えています。たゞし劇にしているかどうかはしりませんが、大體劇化するのではないでしょうか。」

X「だつたら高二同志で發表しあつたらどうでしょう。他の學級のも見たいと思いますし。」

一同「さんせい。」

教師「それでは他の學級の先生方にも一度あたつて見ましよう。そのつもりで一生懸命やつて下さい。 —304—
もしそうだと大體十一月頃になるでしようね。それからまだすぐの方法という事も決めないで色々案をねつて見たら如何でしよう。青い山脈或はその他の既成の小説を劇化するのと創作するのと、それから先の雜誌等からエチケットをさがすといつてましたが、それも非常にいゝ方法だと思います。必ずしもストーリーでなくてもパノラマ式にいろいろの場合をもちだしてアクトをつけるのもなかなかいゝ方法だと思います。それでこの三つについて立案して見ましよう。それで委員でも決めて案をねつてもらいましようか。」

一同「賛成。」

教師「一番問題は創作だと思いますが、その方の委員は。」

一同「Oさん。」

教師「一人ではなかなかですよ。」

W「ではOさんに誰か適當な人を決めてもらつたらよろしいでしよう。」

O「そしたらMさんとBさんGさん。」

教師「ではOさん、Mさん、Gさん、Bさんにお願いします。」

一同、拍手。

教師「既成脚本の方は?」

一同「Fさん、Hさん、Kさん。」 —305—

教師「いろいろあつめる方は。」

一同「Wさん、Nさん。」

教師「ではその方におねがいします。しつかりやつて下さい。所で他の人も出来る丈委員まかせにしないように協力して下さい。特に雜誌等で男女交際のエチケットを積極的にさがして集めて下さい。又色々の場合どうしたらよいかを批判して置いて下さい。」

(4) 今後の指導

○各委員の發表（九月上旬）脚本の創作、既成小説の劇化、エチケットのしゆう集、劇化の各委員により夏休み中に作られたものを發表し、その中で適當なものを決める。

〇役付、演出、全生徒を各人物に割付け、その中適當に演技者を決める。他の者は全員でその人物の心理、その場合の行動について批判し研究する。又演技もなるべく交替で行うようにする。別に全體の演出者を決定して劇としてのまとめをつけさせる。

〇發表、十一月又は十二月中頃までには完成して同學年内で他のホームルーム（他に三學級、都合四學級）と合併してお互に發表しあう。發表は單なる演劇發表でなく、なるべく各場合の劇中人物の心理、或は動作を分析的に批判し、又そのような解説をつけるようにする。

(5) この問題について生徒が研究したものの一部をつけ加えて置く。

男女交

〇訪　問

・訪問の時間は午前中ならば九時から十一時まで、午後は一時から四時頃までとし、夜間の訪問はつとめてさけること。

・異性の訪問を受けた際は、一應家人に告げた上で、招じ入れるようにすること。

・單獨で異性の部屋に入る際は、前もって必ず相手の諒解を得た上で入室し、扉は開放しておくこと。

・なるべくお互の家人をまじえて歡談し、男女二人でしめ切った部屋で話すようなことはしないこと。

・お互の挨拶は小聲でなく、明朗快活に行うこと。

・率直で上品な言葉を遣うようにし、その話題についても注意し、下品な事や卑猥なことは言わない



こと。

〇會　合、社　交

・常會等多數の男女がいる場合は、特定の人々とのみ行動、私語することのないように注意すること。

・ダンスパーティー、ティパーティ等に於いても、特定の人々とのみ行動、私語することのないように注意すること。

・他人の發言は靜かに傾聽し、妨害になるような言動をつゝしむこと。

〇應　待　の　態　度

・乘物に乘る場合、乘物内にある場合等、男子は常に女子をいたわる態度でありたいが、女子も男子の好意を謙虚な態度で受取ること。

・階段を上る場合は男子は先導し、下る場合は男子は婦人に從うて下る。又階段の下で婦人に出會つた場合には默禮して男子は先に昇る。

・廊下などで婦人に出會つた時は、男子は自分は壁の側に依り婦人を自由に通らせる。

・道を並んで歩く場合、原則として女子は男子の左側にあるのがいゝ。

・男子は途上知合いの婦人に出會つた時に成る可く談話を交わさないのがいゝ。然し止むを得ぬ時は其の婦人の方向に暫くついて行き談話を終れば辭し去る。

・男女お互いに人の前を通らないようにし、後から通りこす時は聲をかけていくこと。

・人が失策や過失をした時、男子は大聲でやじつたり、女子はくすくす笑つたり、じろじろながめたりしないこと。
・女子が必要以上によく笑うことは、男子にとつて不快であるからつゝしむこと。
・女子の纎細なことを考えて、男子はあまりひどい冗談や、ふざけた事などを言わないこと。
・男女とも人前で、髪をといたり、女子が人の目につく所で化粧したり、服装を整えたりしないこと。

○言　　語

・長上に對しては相當の敬語を用い、同輩同志も丁寧な言葉を用いること。
・自稱は男女とも「私」を用いること、男子は同輩に對しては「僕」を用いてよいが、長上に對してはさけた方がよいと思う。
・男女相互間、ことに男子は女子に對する呼び方についても注意しなければならない。男子は女子に對して名を呼びすてにしないようにする。
・男女間の言葉は率直で、上品な言葉を使うようにし、下品な言葉、なげやりな言葉をさけなければならない。小さい事でも「失禮」或は「ありがとう」などの言葉を發するようにしむけたい。

○文　　通

・みだりに異性に手紙を出さないこと。
・文通には葉書を用い、その用語に注意すること。



○そ　の　他

・交際の相手をかならず兩親につげること。特に仲のよい友達が出來た時は、お互の家に紹介すること。
・男女で外出する時は、家人に行先、用件、所要時間を明らかにつげ、出來るなら保護者に同伴してもうこと。
・無意味な贈物はしないこと。

## 男女交際の劇

登場人物

| | | | |
|---|---|---|---|
| 武 | 十八歳 | 石田先生 | 五十八歳 |
| 哲子 | 同 | 武と哲子の友人數名いづれも十八歳前後 | |
| 哲子の母 | 三十八歳 | | |

### 第一幕

哲子の母「そうでございますか——つまり先生方の仰言います事は轉校、退學、まああの二人を分けてしまおうとなさるのでございますね。」

石田先生「しかしそうなさる方が武君、哲子さんにとつて、又貴方方御父兄にとつても分別ある態度と言えるのぢやないでしょうか。奥樣にしても世間からの非難は充分御承知の上で武さんと哲子さんの同居をお認めになつたのでしようから。」

母「先生、私何もかも申上げましよう。武さんのお父様は此の夏休みが始まつて間なしに轉勤されたのです。武さんと哲子が交際を始めてから一年の間私は武さんをよく觀察しました。今では哲子とおなじ位あの人の事はよく分ります。人一倍知識慾に燃えた思索型の立派な少年である武さんにはそれだけに苦惱も多く、殊に本當の母を持たないと言う家庭の環境はどんなにかあの人にとつて淋しい事だつたでしよう。しば／＼訪れるようになつた武さんを私共は出來るだけあたゝかくいたわりました。」

先生「本當にお母様方が、その様にお子様の級友の一人一人に迄理解の目を注いで頂けるのは理想的な事なのですが……」

この時廊下を歩いてくる音、哲子登場。

哲子「いらつしやいませ。先生、あゝ暑かつた。圖書館に行つて武さんと一緒に河原を歩いて歸つて來ましたの。武さんは今度のテニスの仕合いの相談に園田さんとこへお寄りになりました。」

母「ね哲子ちやん、貴女と武さんの下宿の一件が問題になつて轉校か退學で二人の環境を變えるつて事にまで成つて來ているの、お母様は先生に貴女と武さんの友情についてよくお話し申上げていましたのよ。」

哲子「ねえ先生、私はあの方と知り合つた時から、考え深くつて學校新聞やクラブ活動でも卑劣な妥協



を嫌つてぐん／＼押しまくつて行かれるあの方の若さと男らしさに敬服しましたの。そして兩親の理解のもとにおつき合いをはじめた私共は熱心に勵まし合つてひたすら學問への道を進みました。武さんが明るさと以前にもましたよい成績を取り戻した事は先生もお認めになりましよう?」

母「こうして迎えた夏休みでございました。こんな事情から父親同志の相談もあつてとうとうちの離れに下宿する事になりましたけど、休み中の事とて學校にお屆けに上る事も出來ぬうちに日が經ちまして。」

哲子「私達は學校でのお勉强だけでは得がたい、それでいて私達の生きて行く道に大切な事柄があります。私共女性が正しく自分を發見してその知性と理性を以つていかに價値高く生きるかを考える時男性を眞に正しく知ると言う事が必要でないとどうして言えましよう。それが男女共學と言う形で社會に現れているのに學校内のみでそれは行われて、家庭で行つてはいけないと言うのはどういうわけなのでしよう?」

先生「貴女方の御話を聞かして頂いて相當廣い目で見る事が出來る樣になりました。だが私はやはりその樣な飛躍した物の見方は出來ません。」

母「しかし先生、それは先生の本當の御意見でいらつしやいましようか。私達は數多の困難から拔け切れないのではないでしようか。」

先生「私は結局二人の同居通學を理論でなく、生活態度の上から現在の狀況では好ましくないと考える

のです。」

母「先生、この子達は自分達の理性に目覺めて協力する事を誓い合つているのでございます。この子達の自覺は兩親の協力をうながしました。この子らは男女を切實に感じていながらなおもつと遠い高いものを凝視しているのでございます。そして私達人間の感性は私達が現在考えているよりも、もつともつと美しいものでございましょう。しかしこの子らがたとえ戀愛關係にまで進んだとしてもこれだけの人間の智慧の上に芽生えたものをどうして祝福しないで居られましょう。」

先生「いやお二人のお心は良くわかりました。私は今、新しい世界のあけぼのを眺めてでもいるかの樣な氣持です。私共はだが今更古い殼は破れても拔け去る事は出來ない、此の樣な問題の解決は私共の肩より若い人達へと移つていつているのです。」

母「ごめん下さいませ。私も哲子も今日の事はいつ迄も忘れられない事でしょう。

先生、私は消え去るべき古い殼から拔ける事は望みます。けれど古來の底光りのする人間の本性に基づいた美德の失われない事をも併せてこの子供達に望みましょう。」

石田先生靜かに退場、その後を長い間見送つている二人、陽がいつの間にか力を失つている。



第　二　幕

武と哲子の友人數名、この事件に關連して男女の交際について話し合つている。

C「男女の交際については色々種類があるけれど、結局眞面目にお互の向上を助長して行く爲の交際こそ理想だと思うよ。」

B「今までの私達のまわりの男女の交際はあまりに知性を缺いた感覺的なものでありすぎたのね。」

A「でもそんなのはやがて跡を絕つと思うわ。共學になつてお互に机を並べて相互の長短を通して理解するようになつてからは、異性に對する好奇心なんてすつかりなくなつて、もつと眞摯なものになつて來たもの。」

D「そうだともそういう所にこそ男女共學の好ましさがあるんだよ。僕達は自由に解放され、男女の區別のない生活に自主的に邁進するのだ。」

やがて現れた武と哲子をかこんで若人達の眞劍な話は盡きないが今はそれを省く事にする。哲子、武はグループの友人達に勵まされ皆を送り出して部屋を出る。夕もやは靜かに開け放された窓から流れ込み、その外にねむの花がほのかに見える。

武「おや、哲子さんどうかしたの?」

哲子「ううん、何でもないの…だけど男女の間の眞の友情なんて保たれるなんて考えるの間違つてないかしら?」

武「現實の社會は若い多くの人達の燃えるのぞみをはゞもうとしている。僕達は眞に僕達の本性に生きたい。その爲に戰うのだ。」

哲子「わかりましたわ。女性の能力の可能性も限界も何だか急にわかつた樣に思うの。私は伸びるわ。

私はこの價値のある幸福を決して手放しはしない。」

長い沈默……滿月は中空に昇り二人をくつきり照らし出す。遠い山も軒端も濃い色に染り虫の音が草影より絕間なく聞える。

哲子「あゝ秋ね。自然はいつも美しく平和だわ、宇宙の聲が聞えさう。」

（終）

哲子、武、その友人達の談話を省略したため、このむすびはやゝ唐突かもしれない。數人の理解者の外はこの事件に對する周圍の聲は否定的であつた。そしてその事を別として哲子は友情と戀愛について女性らしいなやみに苦しむが、武の知性によび戻される。

第一幕、第二幕とも全部でないため原作を多少まげたかも知れない。しかし之でこの劇のあらわそうとするものは大體くみ取つて頂ける事と信ずる。



# 七、高校三年の實施記錄

## (一) 一ケ年の計畫表

| 學期 | 第一學期 | | | | |
|---|---|---|---|---|---|
| 週 ＼ 月 | 4月 | 5月 | 6月 | 7月 | 8月 |
| 第一週 | | 5月5日 誕生會 かくし藝會 | 6月2日 劇の練習 批評 | 7月1日 誕生會 | |
| 第二週 | 4月7日 ホームルームとは何か 擔任の說明 | 5月12日 音樂鑑賞會（レコード・コンサート） | 6月9日 文學鑑賞會 | 7月7日 今學期反省 夏休暇の計畫 | |
| 第三週 | 4月14日 ホームルーム組織 委員選擧 | 5月19日 遠足旅行について立案 | 6月16日 映畫批評會 | 7月12日 ホームルームの反省 擔任講話 | |
| 第四週 | 4月21日 ホームルーム行事豫定計畫 | 5月26日 學校規則を守るには、討論 | 6月23日 職業の選擇はどのようにするか、生徒發表 | | |
| 第五週 | 4月28日 生徒會行事、豫定原案協議 | | 6月30日 同右 | | |

| 學期 | 月 | 第一週 | 第二週 | 第三週 | 第四週 | 第五週 |
|---|---|---|---|---|---|---|
| 第二學期 | 9月 | 9月1日 夏休みの反省卒業後の準備について | 9月8日 音樂鑑賞會 | 9月15日 運動會は如何に行うか討論 | 9月22日 ホームルーム協議會 | 9月29日 レクリエーションバレーボール |
| | 10月 | 10月6日 誕生會 | 10月13日 大學の選定はどのようにしたか生徒發表 | 10月20日 卒業旅行はどのようにするか討論 | 10月27日 ホームルーム協議會 | |
| | 11月 | 11月3日 家事手傳いはどのようにしているか生徒發表 | 11月10日 結婚に就いて擔任講話 | 11月17日 見合結婚か、れん愛結婚か討論 | 11月24日 ホームルーム協議會 | |
| | 12月 | 12月1日 誕生會 | 12月8日 音樂鑑賞會 | 12月15日 卒業前の準備はどのようにするか | 12月22日 ホームルーム協議會 | |
| 第三學期 | 1月 | | 1月12日 誕生會新年を祝う會 | 1月19日 高い教養とは何か討論 | 1月26日 ホームルーム協議會 | |
| | 2月 | 2月2日 社會人としての心得講話 | 2月9日 文學鑑賞會 | 2月16日 卒業行事の計畫 | 2月23日 ホームルーム協議會 | |
| | 3月 | 3月2日 卒業後の親睦はどうするか討論 | 3月9日 別れの會誕生會 | | | |



## (二) 職業選擇の指導

高等學校最上級生として來年三月にひかえた卒業後の各自の進路を明確にする爲には、今の內から各種の職業に就いて、詳細な知識と理解とを持つていなければならない。この樣な理由から我がホームルームに於いてこの問題を研究することにした。

六月二十一日(火曜日)兩クラスホームルーム擔任三名とホームルーム委員會合し、この問題に就いての研究方法、內容に就いて協議し、次の樣な方法を決定した。

1、卒業生の就職狀況の調査、このクラスの生徒と昨年迄當校で學んでいた人々の中で昨年三月高等女學校第五學年修了として卒業し、現在種々の職業に就いている人がいるので、主として此等を對象として、職種、就職資格、職業內容、待遇等を皆に調査してもらい、發表してもらう。これにもとづいて、今度就職する場合にはどのような準備、心がまえが要るか討論すること。

2、公共職業安定所に委員が出かけ、女子高等學校卒業生に對する求職狀況、就職條件等について調査してくること。

3、(1)及び(2)の調査は高校卒業後たゞちに就職出來るものに限られ、從つて種類も少く範圍もせまいであろう。次には高校卒業後新制大學その他特別のコースをたどつて後得られる樣な比較的程度の高い職業に就いて調査することの方が本校生徒にとつては切實な問題である。この種の職業に就いては社會科、實業科の先生、生徒の父兄等にお尋ねしたり、或は書物によつて調査することに決定した。

以上3つの目標について、(1)はAB両クラス全生徒に調査を依頼し、(2)はA組委員が調査、(3)はB組委員が調査し、今週及び來週のホームルームの時間にこの問題を取り上げることに決めた。

六月二十三日(木)　ホームルームの時間

於三年A組ホームルーム、生徒、三年A組、B組全員

昨日両組ホームルーム委員から傳達された事項について、各自の調査して來たこと發表してもらうことにした。

先ずA組委員司會者となり、各自の調査した職業の種類をあげてもらつた所、次のような結果になつた。

職業の種類…銀行、會社、官公廳の事務員、教員、保姆、タイピスト等

次に具體的に各職業について採用試驗、職務内容、體驗談、感想等を發表してもらう。官公廳としては勞働基準局、奈良地方裁判所に務めているSさんとUさんについて生徒發表。會社としてはS合名會社、關西配電會社、N證券會社に務めているAさん、Dさん、Kさんについて發表。いづれも採用試驗は簡單で、時事に關する常識問題、數學の初歩程度で特別な準備はいらない。然し仕事をするについて一番困ることは珠算の下手なことで、社會的常識についても足りないことを痛感させられた由、毎日愉快に働いている。男の人達は實に熱心で親切に指導して吳れる。風紀上の問題等で心配す



ることは全くない。

次に教員檢定試驗に合格して大阪の小學校で教べんを取つているIさんについて、はつらつとした兒童に接して毎日を樂しく過している。教育者として無力ながらも努力し、務めの尊さを感謝している由。

その他の各種職業についてなごやかなふん圍氣の中に發表があつた。

終つてから次に私達が將來就職する場合にどのような準備をなすべきかに就いて討論を行う。今までの體驗談から見て採用試驗に特に時事關係の問題が多いから、その準備をする必要がある。就職後の準備としては大部分の職業が經濟問題に就いての知識と珠算の技術を必要とするので、その準備をせねばならない。珠算は夏季休暇中にでも先生にお願いして講習會を開いていたゞこうということになつた。

次に委員が職業安定所に出かけて、調査して來た事柄を發表した。

現在高等學校卒業生に對する求人は、一般的に金づまりの影響があらわれて非常に數が少い。現在來ているのでは、製造工業の女子工員、商業の店員、進駐軍關係の雜役、肉體勞働者だけである。女生徒に最も適當な銀行、會社の事務員の求人は全然ない。今後は學校の卒業生が就職する時には、從來のように必ず安定所を經由して求職する必要はないように法規が改正された。從つて個人的に保護者や知人に依頼するか、又は學校から直接求職してもらう樣、それゞ出來るだけ早く行つた方が安全

である。求人側としては一般に眞面目な努力家、健康な人を望んでいる。學業成績も大切だが、更に出席状態が大いに參考にされるから注意され度い。技能方面はあまり要求はないが、珠算、簿記は上手なのに越したことはない。以上の樣な發表であつた。

「効　果　判　定」

生徒は未だ一般に就職に對する具體的な心がまえが出來てなく、本日の發表や討論に就いても活潑に行われなかつた。それは本校生徒は一般に中流家庭又はそれ以上の子女である爲、卒業後就職する者の率は非常に少く、又上級學校進學者もその率が低く、卒業後は家事手傳い、洋裁等の所謂嫁入り前の準備教育を經た上で結婚へのコースをたどる者が大多數である關係上、就職についての關心のうすいのは或程度はやむを得ぬことであつた。然し女子の社會的地位は向上し、女子が獨立して社會人としての自己の進路を開拓すべき現在に於いて、保護者及び本人が持つている從來と全く同じような封建的な態度に對しては、今後の適當な指導が行われねばならぬことを痛感させられた。然し本時に於いて、得る所は少く、生徒の研究に對する熱意も少かつたとはいえ、就職の如何なる意義をもつものか、就職の喜び、社會に對する貢けん等について多少なりとも生徒は新しい視野を開いたことと思われる。

—(終)—

昭和二十四年十月一日印刷
昭和二十四年十月十日發行

【定價 金三百二十圓】
〔地方價 金三百四十圓〕

奈良プラン
ホームルーム

著者　奈良女子高等師範學校附屬高等學校中學校教育研究會
代表者　近池義隆

發行者　大阪市南區北桃谷町四十七番地　永田耕作

印刷者　大阪市南區北桃谷町四十七番地　永田文夫

發行所　東洋圖書
大阪市南區北桃谷町四十七番地
振替大阪三九五五六番
東京都新宿區赤城下町六十六番地
振替東京一〇三七番

# 東洋圖書の優良圖書目録

鈴木治太郎著　實際的個別的　**智能測定法**　A5四〇〇頁　三八〇圓　送四〇圓
文部省「學習指導要項」に推奬の、完全に一般化され標準化された智能テストの決定書。

鈴木治太郎著　三回連用個別的　**智能檢査票用紙**　B5六頁　五圓
記入にも採點にも保存にも整理にも便利、特に被檢者に答を書かせる餘白がつけてある。

守田　保著　實際的　**個性調査とガイダンス**　A5三〇〇頁　三〇〇圓　送四〇圓
教育は個性に初まり個性に立脚し個性に終る個性調査と個性に即したガイダンスを詳說す。

鈴木治太郎著　**優秀智能兒**はどんな**親**から**生**れるか　B6九〇頁　七〇圓　送二〇圓
著者の智能測定法により檢出した優秀智能兒はどんな親から生れたかを調べたもの。

奈良女高師附屬中・高著　奈良プラン　**ホームルーム**　A5三三〇頁　三〇〇圓　送四〇圓
ホームルームの計畫とその實施の具體的記錄。實驗學校の奈良女高師附屬の實際活動の記錄。

奈良女高師裁縫研究會著　**裁縫精義**（基礎單衣・袷綿入・羽織・コート・作業服・帶袴・襦袢寢具・特種物）（全七冊　上製箱入）　A5　送五〇圓　一七〇〇圓
最精・最確・最良の現代和服裁縫の綜說書。高專、高校教科書用、一般學校必備の書。

岩城準太郎著　**日本文學史の主潮**　B6二二〇頁　二三〇圓　送三〇圓
神代原始文學より近代文學までを概說して透徹したる批判を加え、文學研究の基礎を養う。

西田與四郎著　社會科の學習　時事問題研究　**國連・米・英・ソ連の話**　B6一三〇頁　一六〇圓　送三〇圓
我が有數の人文地理學者の著者が實地の見聞を基礎として主題の歷史と現狀を說いたもの。

神戸伊三郎著　採集・分類・形態・生態・發生　**昆虫學習圖鑑**　B6三三〇頁　三三〇圓　送四〇圓
學習讀物として役立ち、又圖鑑の役目も果す。分類・形態・生態・發生・生長などがわかる。

神戸伊三郎著　採集・分類・形態・生態・發育　**植物學習圖鑑**　B6四八〇頁　三二〇圓　送四〇圓
類の代表をとり上げ詳しく圖解してある。發育生長などの事が詳しく圖解してある。

神戸伊三郎著　分類・形態・解剖・發生・生態　**動物學習圖鑑　獸類篇**　B6三四〇頁　三五〇圓　送四〇圓
人生との關係に注意を拂つて解說してある。生物の進化の事も適應の事も說明してある。索引を活用して必要生物を調べられる。

株式会社
秀英出版

# 正しいしつけ

奈良女子大学奈良女子高等師範学校附属小学校学習研究会

〔日本図書館協会選定図書〕

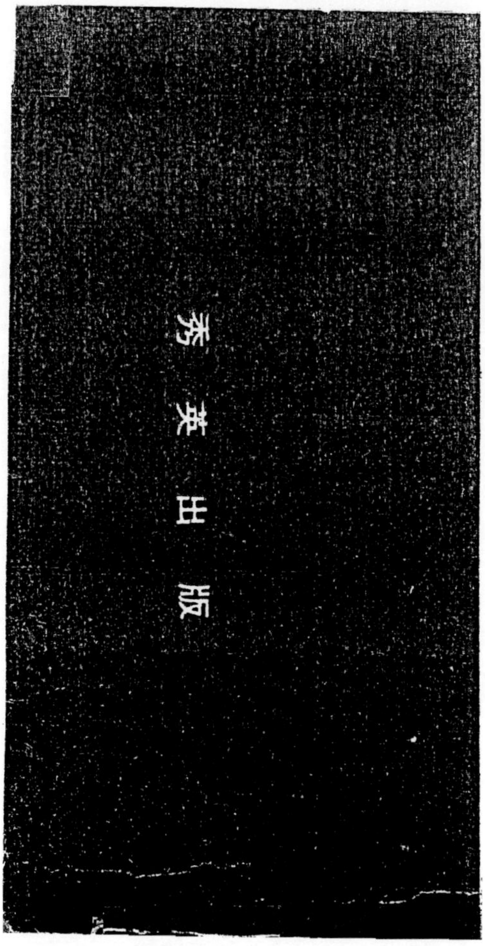


# 正しいしつけ

奈良女子大学奈良女高師附属小学校
学習研究会著

# はしがき

大海に島もあらなくに海原のたゆたふ浪に
立てる白雲

「たしかな教育の方法」を二十三年九月末に世に送り出してから、ほゞ一箇年が経過しました。「たしかな教育の方法」という書名が僭越であるように、「正しいしつけ」という書名も身の程を知らないものです。たゞ私たちは、たしかな教育の方法を求めて進んでいる中に、正しいしつけとは、このようなものではないかと、考えるようになってきました。機関誌「学習研究」をお読みくださっている方々には、その経緯を御諒解頂けると思います。

何時の間にか子どもたちが古い殻をぬぎすてて、新しい生活の建設に歩み出してきたのを発見したのです。子どもたちはまだ廊下をはしっています。けれども学校がしずかになったことや、子どもたちがすなおになったことなどは一歩も後退しません。いな一日一日と進んで行きます。後戻りをしないしつけをねがっている私たちには、こんな少しの進歩でも、大きな力になります。その子どもたちの歩みを辿りながら、私たちの考えをまとめてみました。

人間として強い人間、真に愛すべき子どもを育てようと、苦心していられる、多くの先生方や親御さん方に、この報告が役立つことを祈っております。

昭和二十五年八月

奈良女子大学奈良女子高等師範学校附属小学校主事
重松鷹泰

## 同人

池内房吉（總務部　前六年月組）
今井鑑三（總務部　一年月組）
青木　洋（總務部　六年星組）
高島喜雄（總務部　三年星組）
前田卓央（總務部　音楽）
島津多樹（研究教養部　図画）
渡辺房雄（研究教養部　三年月組）
倉富崇人（研究教養部　五年星組）
濱　眞喜男（兒童文化部　五年月組）
細呂木見良（兒童文化部　四年星組）
長岡文雄（兒童文化部　四年月組）
笹倉美好（兒童文化部　一年星組）
松本武夫（環境整理部　六年月組）
堀米勢吉（環境整理部　工作）
西垣重一（環境整理部　園芸・事務）
田上　昇（保健給食部　二年月組）
土谷正規（保健給食部　体育）
松本千代榮（保健給食部　体育・ダンス）
中須賀玲子（保健給食部　二年星組）
今尾みさ代（保健給食部　養護）
勝田さよ（事務）
中村菊江子（事務）
中野ミサ子（事務）
高橋史郎（研究教官　京都大学）
南　博一（研究教官　貝塚市派遣）
東森江美子（研究教官　布施市派遣）
青木あさ（研究教官　青森県派遣）
西野禎一（研究教官　豊中市派遣）

## もくじ


第一章　はじめに……一
しつけの重要さ……一
しつけの新しい意味……一
しつけのめあて……六
第二章　しつけの原則と工夫……八
全生活によるしつけ……九
一貫した方針　生活のリズム　生活のゆとり
雰囲気によるしつけ……一四
敬愛の情　自由な空気　自然さ
自己確立としてのしつけ……一九
自己とは何か　位置　発動性　統制力

学校行事……二九

行事の分類　行事の特質　計画実施の着眼

賞と罰……四三

罰の意味と種類　罰の適用

賞の意味と種類　賞の適用

第三章　しつけの進め方……五七

学年別指導系統……五七

一年生のしつけ……五八

二年生のしつけ……六二

三年生のしつけ……六四

四年生のしつけ……六七

五年生のしつけ……七一

六年生のしつけ……七四

学校の年次計画……七七

わが校における実験例……七七

学級担任のしつけの着眼と実際……八七

一年月組……八七　一年星組……九一

二年月組……九五　二年星組……100

三年月組……一〇五　三年星組……一〇九

四年月組……一一三　四年星組……一一八

五年月組……一二一　五年星組……一二四

六年月組……一二七　六年星組……一三一

学級担任としてのしつけの思い出……一三四

第四章　新しい学習としつけ……一四〇

新しい教育形態……一四〇

しごと（単元学習）の本質……一四二

けいこ（基礎学習）の本質……一四五

なかよし（特別活動）の実情……一五二

# 第一章　はじめに

## しつけの重要さ

新しい教育であろうと、古い教育であろうと、それが本当の教育であるならば、その中には「しつけ」というものが当然に入っているべきである。何故ならば、教育は人を育てることであり、他の人と一緒に、よりよい社会をつくっていく人々を育てることだからである。そのよりよい社会が、どのような秩序をもつものであるかということには、古い時代と新しい時代とにおいて違いがあるであろうが、社会の望ましい秩序をうちたて、その秩序に従って、自分たちの生活を相協力してよりよいものにしようとする人は、それに必要な「しつけ」をうけなければならない。

## しつけの新しい意味

然るに、終戦後のいわゆる新しい教育に「しつけ」が欠けているとか、新しい教育における「正しいしつけ」がどんなものであるかわからないというような声があちらこちらで聞かれるということは実に不思議なことである。一体このような声は、どこから、何故起って来たのであろうか。修身の教科がなくなったからとか、軍隊式な訓練がなくなったからとか、ということは決して理由にはならない。

子どもたちの行動なり態度なりが、今までの教師や親たちの考えに合わないものであるということがその理由であろうか。教育者たちが声を大にして、「しつけ」ということをやかましくいわないためであろうか。新しい教育になって、子どもたちの態度なり行動なりに、今までとは異なった様子が現われて来たことは確かであるけれども、すぐにそれによって「しつけ」がうまく行われていないというふうに速断することは許されない。教師が声を大にして「しつけ」の重要性を叫ばないからといって、子どもたちの生活を指導し、その社会生活の経験の発展に努力を傾倒している教育が、「しつけ」を無視しているとはすぐにはいえない。

しかし、静かに新教育の歩みをふりかえってみると、古い教育の強圧主義に対する反動から、子どもたちを放任しすぎたというような事実はないわけではない。何でも子どもたちの思うようにさせる、子どもたちにその必要がわからない限り、いろ〳〵な禁止や命令を出すことは新教育をそこなうものであるというような考えが、家庭といわず、学校といわず広く行渡ったということも事実である。今、「しつけ」のことが、新たに問題になって来たのは、一つには、この反動に対する反省である

と考えられる。又、出発まもない新教育が「しつけ」というものを如何に取り上げ、如何に実施していくかということについて確信のないまゝに、或いはカリキュラム、或いはガイダンスというような、流行におし流されていったことも、今改めて「しつけ」が問題にされる所以であろう。

けれども、最も根本的には、戦後における日本の社会生活の秩序の混乱、並びにそこに現われた著しい矛盾というものが、青少年を不良化の方向へかりたてたことが、教育者並びに一般の人々の「しつけ」に対する関心をよび起して来たといえよう。殊にいわゆる青年層の、手のつけられないような無軌道ぶりというものが、純真な子どもたちに感染していくのを防ぎとめようとする人々の心持も、又「しつけ」への関心を高めた一因であろう。更に、一般の親たちのしつけへの関心を高めたものとして、戦後の我々の生活様式そのものがあると考えられる。凡ての物資が不自由であり、高価であり、一軒の家の中に多数の人が雑居し、各人、殊に母親の仕事が過重である一般人の生活では、従来にもまして、子どもたちの慎重な行動、合理的な生活態度というものが要求されるのは当然で、例えば、忙しいお母さんは子どもたちが着物を汚してくることに対して前よりも多く苦痛を感じ、家の中であばれて、器物をいためることを一層苦にし、疲れきった父親は子どもたちが行儀よく食事をしたり、静かに勉強したりすることをより強く望んでいる。このような点からも、一般の人々は、「しつけ」に

ついて強い関心を抱かざるを得ない。更に、終戦後の生活においては各所に生命の危険がひめられている。交通機関の安全装置も不十分で、道路や、溝には危険物が埋蔵され、一見美しげな果物や御菓子の中にも病原菌や有毒物が含まれており、わずかの不注意から火災が起り、人命を損傷する等の危険がある。このようなことも、「しつけ」の重大性を痛感させる一因である。

従来「しつけ」ということばは、他律的な習慣養成というようにせまく考えられ、「子どもたちが共同生活に入っていって、そして皆と協力して生活を進めてゆくにはぜひ身につけねばならぬ習慣がある。例えば便所へ行ったら手を洗うという習慣はそれであって、そのようなものは、子どもが理解すると否とにかゝわらず大人たちの権威によってでもこれを身につけさせなければならない。」そのような他律的な習慣養成を「しつけ」と考えてきた。これに対して、自律的な意志を育成し、自主的な性格をつくることを「訓育」というふうによんで、「しつけ」は「訓育」の前段階であり、「しつけ」と「訓育」とは他律的と自律的とで性質の反対のものであるという考えが行われていた。この考え方は一体正当であろうか。

習慣というものは、ある行為がくりかえし起ってくるような傾向のことであって、その傾向はやはり子ども自身、すなわち子どもの個体、或いは子どもの外界に対する理解の変化に基づくものである。



その個体の変化なり、外界の変化なりに対する刺激が外から与えられるという意味で、他律的とよばれているが、それらの変化は常に外界からの刺激や、内部的情勢によって起ってくるものである。自律的な意志の育成、すなわち自主的な性格の形成の場合における、個体の変化である外界の理解の進歩と本質的に異なるものでもない。

だから、自律的とか他律的とかいっても、それは単なる便宜的なものであって本質的な差別ではない。従って「しつけ」と「訓育」と反対のように考えたり、「しつけ」が他律的な区別であるといって、自主的な性格の形成をめざす民主主義教育に反すると考えたりすることは根拠のないことである。

従って私たちは「しつけ」即「訓育」という広い意味において、「しつけ」を解釈する。最近、「ガイダンス」ということばが使われるようになってきた。その内容は極めて多方面で、職業指導とか、学習指導とか、社会性の指導とか、保健の指導とか、さまざまな方面を含むようであるが、その根本というものは、やはり個人の完成、性格の形成であって、こゝにいう「しつけ」もしくは「訓育」とはその中心において一致するものである。現在、「ガイダンス」のことがやかましく叫ばれるのも、結局、「しつけ」のことがやかましく叫ばれるのと同じ理由からである。そのような見地からすれば、「しつけ」はすなわち「訓育」であり、又すなわち「ガイダンス」であるということができる。勿論、すべてのことばには語感があり、従来の慣用があり、「しつけ」といえば何か固苦しい強制的なような気がし、「訓育」といえば広く根本的なような感じがし、「ガイダンス」といえば新しいそして個人の尊重というような印象を与える。けれども、それらのものの本質は一致するものであり、自主的な性格の形成とか、各個人の性格の形成というようなことは、どの場合にも絶対必須の要件であるから、ひっくるめて「しつけ」と呼び、又考えていって差支えはないであろう。

## しつけのめあて

このような「しつけ」をどのようにして研究するかということは一つの問題である。それにはまず目あてとなる人間像、すなわち性格の構造が問題にならざるを得ない。我々は既に「たしかな教育の方法」において、「人間として強い人間」というものを一つの目あてとして実践並びに研究を進めてきた。我々の「しつけ」の研究はやはりこの目標に向かって進まざるを得ない。

「人間として強い人間」はどういうものであるかということについては我々自身の間にも又いろいろな解釈があるのである。これを一概に説明することは出来ないけれども、人間らしい生活を自分たちの共同生活の中において実現するに必要な資質（徳性・知識・技能・体力・人生観等）を持つ人間で

独立した人間としての尊厳を持っているような人間であることはまちがいない。又、それ故に、現存の社会生活の秩序の中に入りながら、それを乗り越え、よりよき秩序を実現していくところの人間であることはいうまでもない。けれども、最も重要なことはそれらの資質が統一ある性格として実現していることである。単なる資質の寄せ集めであることは出来ないということである。

だから我々はこの「しつけ」を研究していくに当たっては、常に性格の構造の変化、性格の力動的な発展という関連において、「しつけ」に関する諸問題を究明していかなければならない。

# 第二章　しつけの原則と工夫

子どもたちの性格を望ましい方向に形成していくきっかけというものは実に無数にある。けれども、その沢山なきっかけは、同じような方向にうまく助け合って働くことは非常にむずかしいことである。このむずかしさというものが、「しつけ」のむずかしさであるわけである。このむずかしさを乗り越えていくために、およそ次のような三つの原則が必要と考えられる。

一　子どもの生活の全部面にわたって存在しているそのきっかけを常に生かしていく。言いかえれば、子どもの全生活を通じてしつけていくということである。

二　その全生活の場面というものを支配している空気というものを、望ましい性格形成に適合するようにしていく。何故ならば、我々はどんなに細心の注意をはらっても、子どもたちの性格のきっかけとなるようなさまざまなものを、ことごとく、意識的に統制していくということは不可能である。その全生活の場面の空気を作っていくということによって、そのきっかけが自然に有効に働くようにしなければならないからである。

三　さまざまのきっかけに反応する、子どもたちの自己の在り方を、問題にしていかなければならない。その自己は性格の中心であり、同一のきっかけに対しても、それを生かしたり、殺したりする要因であるからである。このような、子どもたちの自己を確立させていくという原則を立てた場合には、当然のことであるが、急速にその効果が外面に現われるということは期待出来ない。けれども、その変化は確実なものであるから、あともどりしない「しつけ」を期待することが出来る。

更に、この三つの原則について考えてみる。

## 全生活によるしつけ

まず、子どもたちの全生活を通じて「しつけ」をしていくという場合に、いくつかの重要な事柄がある。

その第一は、その全生活を指導するに当たっての一貫した方針が必要だということである。夜、寝ている時でも、朝起きた時でも、食事の際でも、登校の途中でも、学校における運動場での遊び、教室での各種の勉強、校外での遊び、家事の手伝い、就寝前の反省等あらゆる部面を通じて、その子供たちに適合した一定の指導方針が存在しなければならない。

私たちは始め、単元学習（しごと）を徹底させるために、各学年の指導の角度というものの必要を感じ、それを実践的に次第に究明してきたが、まもなくそれは、その学年の子どもたちの基礎学習（けいこ）にも、特別活動（なかよし）にも、養護体育にも、又、いわゆる狭い意味の生活指導の分野にも拡充して適用出来るし、又適用しなければならないということがわかってきた。そのような広い意味での指導の角度は、ここでいう全生活を貫徹する指導の方針ということが出来よう。その詳細は次章以下において述べることにする。

このような一貫した指導方針が存在しない場合には、子どもたちはいろいろな発展のきっかけの間にはさまって、或いは右し、或いは左して動揺を繰り返し、その性格を発展させることが出来なかったり、更に悪い場合には表裏のある性格や、矛盾し、分裂した性格をつくるものである。学校における教師の指導方針と、家庭の指導方針がくい違う場合や、学校長の指導方針と担任教師の指導方針のくい違う場合、母親と父親の指導方針のくい違う場合、教師や両親の指導方針と、教師や両親の知らないしかも子どもに強い影響を与える年長の友だちの要求がくい違うような場合、そのような事例をたくさん発見することが出来る。そのようなくい違いを避けるために、実践的にも、理論的にも、根拠のある一定の指導方針が子どもの発達段階に即して究明され、貫徹されなければならない。

次に、全生活を通じて「しつけ」をしていくのにたいせつなことは、子どもたちの生活のリズムを重んずることである。子どもたちの成長には、それぞれの分野において遅速があり、強弱がある。又子どもたちの一日の生活、或いは一週間の生活にも緊張の高まる時や、緊張のゆるむ時がある。それらのものが綜合されて、子どもたちの全生活にリズムが現われてくる。このリズムは非常に根強いものであって、小手先の指導では容易に変化させ得ない程のものである。もしこれにさからって、指導を加えようとすると、子どもたちの生活の中にさまざまな矛盾や衝突が起って、子どもたちを望ましい性格に育てていくための豊富なきっかけが混乱し、相殺し、有効に働かないばかりか、時には逆効果をきたすことさえある。だから、我々は子どもたちの全生活のリズムによく注意し、これをよく活用するようにしなければならぬ。子どもたちの生活を見ていると、子どもたちの集団生活にも、そのようなリズムが見られ、個々の子どもの生活にも見られるようである。不幸にして我々はまだそのリズムの明確な形なり、それを左右する条件なりを詳かにするに至っておらないが、このリズムが重要なことだけは明らかである。「鉄は熱いうちに打て」という諺があるが、機を失した指導が効果がないことは、昔から人々のよく知っていることである。その機というものと、子どもたちの生活のリズムとは極めて深い関係があるように思われる。

第三に、子どもたちの全生活を通じて「しつけ」をする場合にたいせつなこととして、子どもたちの生活に一定のゆとりを与えることがあげられる。ゆとりのある生活は子どもたちの性格をその本然の姿にたちかえらせる。勿論、その本然の姿は理想的なものとは限らない。望ましくない姿である場合もある。けれども、その本然の姿にかえった時に、始めてそれを進歩向上させる傾向が生まれてくるのであって、子ども自身でいえば、自らにあらざるものを自覚し、これを補おうとする傾向が生まれる。教師や両親にとっては、あるがまゝの子どもの性格に附加し、改善すべきものを見定めることが可能になってくるのである。ゆとりのない生活においては、子どもたちの性格の本然の姿は現われない。そして、そこにおける指導は偽りの上に偽りを重ねることになる。現在の我々の生活は極めて多忙であり、物質的にも、精神的にもゆとりのないものである。あれよ、あれよ、という間に押し流されてゆく生活のように思われる。自分の本然の姿をとり返すためには非常な努力がいる。けれども、我々成人は、子どもたちも、又そのような状態にあることを忘れているようである。昔も今も子どもたちは子どもたちなりに忙しいのである。殊に、新しい教育になり、子どもたちが自分から各種の活動を試み、自分たちの生活の建設に参与するようになってからは、特に、子どもたちの生活には、時間的ゆとりが少なくなってきているようである。場合によっては、新しい教育のさまざまの要求が、一人前に子どもたちに課せられている上に、教師や親たちの考えによって、昔の教育の要求が又相当に、子どもたちに課せられているようなことがある。子どもたちは社会科とか、生活学習とか、単元学習とかで、さまざまの活動を要求され、又自治活動や自由研究で、各種の活動に義務づけられ、その上家庭で珠算や習字やその他のおけいこを要求されている場合が大分ある。それらの要求の一つ一つはいずれももっともである。子どもたちも、それに興味を持つのであるけれども、かれらはこの他に自分勝手な遊びもしなければどうしても気がすまないのであるし、かれらの生活は多忙を極め、寸断されるということになってしまうことがあるのである。「小人閑居して不善をなす」というような考えからすれば、むしろそれに賛成する人もあるかも知れないが、それは小人を小人としてとどまらしておくだけであって、日に三誠省みて日に進み、月に進んでいく、本当の自主的な人間を作る所以にはならない。目あてのない生活は子どもたちを育てる所以ではないけれども、寸断された多忙の生活は逆に自分自身の目あてを見失わしめることになる。学校であった出来事についての話し合いを母親とする機会、就寝前の静かな反省、登校準備を終えて出発するまでの静かな落ち着いた時間、他人の話や読書に心を傾ける心静かな時間等は、このゆとりを与えるものである。

全生活を通じて「しつけ」をするということは、これを逆にいえば、「しつけ」のための特別の時間を設けないということになる。何時から何時までは「しつけ」の時間であるとか、何日から何日までは「しつけ」の強調週間であるというようなことはおかしいことである。ただ、自分たちの生活にゆとりを与え、生活を検討し、反省する機会を設けるという意味においてなら、必ずしも排斥する必要はない。しかし、そのようなゆとり、反省の機会は、むしろ不断に用意されるようにするのが賢明であろう。

## 雰囲気によるしつけ

第一の原則について述べてみよう。

「しつけ」のきっかけに統一ある方向を与え、これを有効に働かすためには、子どもたちの全生活を支配している空気を望ましいものにしなければならない。

その望ましい空気は、およそ次のような三つの性質をもっているべきであろう。

その第一は、愛情にみちているということである。温い血が通っているということである。冷い家庭とか、温い空気とかいうことは、普通よくいわれていることであるが、その実態は、その生活の場の中の人々の努力の間に、尊敬と愛情とが存在していることである。尊敬や愛情は、その人の努力の本質的にもっている方向を認めることである。そのような方向が認められない所で、「しつけ」のきっかけに方向が与えられたり、子どもたちの性格が育て上げられる筈はない。尊敬と愛情とは、とかく別のもののように考えられ、尊敬は子どもたちから、教師や、父兄に向けられ、愛情は両親や教師から、子どもに向けられるように思いならわしている向きもあるが、教師や両親の子どもに対する尊敬——無限の発展性を持っており、それを実現していく子どもへの尊敬——もあり、子どもたちから、教師や両親への愛情というものも、影の形に添う如く、常に存在すべきもので、そのような敬愛の情は決して有限ではない。無限に拡大していくものである。人間相互だけでなく、鳥獣や、草木の生命も尊重し、又人々の作品というようなものにまで及ぶのである。

その敬愛の情は実践的、具体的には相互奉仕という形をとって現われてくる。教師は子どもたちの志を遂げさせるために、力の限りを尽くし、子どもたちは、両親や、教師の心持をくんで動こうとし、教師も、子どもも、自分の身近にある草や、木や、鳥獣、設備や、道具などに、それぞれ所を得させ、これを十分に生かせようとする所に現われてくる。敬いの心、いたわりの心、いつくしみの心は限りなく拡がっていく。このような敬愛の情は親と子、教師と子どもの間においてまず存在し、まず強化せられ、次第に拡がっていくように思われる。言いふるし、聞きふるしたことではあるが、この敬愛の情こそは、子どもを育てしつけるのに必要な最も根本的な空気である。

次にその空気は自由でなければならぬ。先に述べた生活の中に、時間的なゆとりがあるべきだということも、これと深い関係があるようである。子どもたちが持っている本質がゆがめられずに伸びていくためには、子どもたちをめぐる生活の場の空気は、その中のすべてのものの本質をゆがませることなく伸ばすような自由な空気でなければならぬ。

自由ということは、具体的、実践的には人間の多面的な接触が可能であるということではないかと思われる。子どもにも、教師にも、両親たちにも、人間としてさまざまな面がある。そのさまざまの面が互にこだわりなく触れあえるようでなければ自由とはいえない。

例えば、子どもたちは学校に来る時に、学校に行ったならば先生や友だちに、ぜひ聞いてもらいたいと思うような事件を持っていることがある。それは自分の家に東京からお客さんが来て、珍しいおもちゃをくれたというような事件である。そのことを、朝の掃除の時に、先生に話した場合、先生が今掃除の時間だからそんなことを話してはいけないとはねつけたり、或いは軽く聞き流して受けつけなかったりしたならば、子どもはその不満をどこかで違う形でもらさなければならなくなる。なるほど掃除の時間はそのような話をしたり、聞いたりする時間ではないかも知れないが、先生は少なくとも子どもと同じような驚きや、喜びをもってそれを受け入れ、後の適当な時間に、その詳しいことを聞かせてもらいたいということを暗示し、子どもたちが、いつ、いかなる場合でも安心して自分の喜びや、驚きや、悩みや、苦しみや、心配や希望、願い等を教師にうちあけるような気分をつくり上げておかねばならない。子どもたちは決して小さな大人ではなく、全く独自な不思議な存在であるから、このような配慮はいよいよ必要となるのである。

教師とても、生きた人間である以上、学校に来てからは、ひたすらに、教育のこと、子どもたちのことのみを考えるというわけにはいかない。家族の病気のことや、本屋への借金のことも心に浮かんで来るであろうし、昨夜読んだ小説についての感動を仲間に訴えたいこともあるであろう。これらのものが教師なるが故に、学校なるが故に、仲間にうちあけられないとか、うちあけても、十分な理解が求められないとか、いうことであっては、教師の生活は偽善的なものになり、枯渇したものになるであろう。もとより、自由であるためには規律があり、お互の間に慎重な心遣いがなければならない。適当な機会を利用して、心を通わせるという心がけは各人が身につけなければならない。それは固定した規則のようなものではなく、お互に他を尊重する心から生まれたものであるべきである。人と人とが多面的な接触をするのは互の人間性を尊重し、その人間性の発展をこい願うからである。その意味において、自由な空気と、敬愛の情に満ちた空気とは表裏一体のものである。

次に、生活全体の空気は自然でなければならない。わざとらしい敬愛の表現や、わざとらしい自由さは、勿論本物でなく、効果がないのみならず、かえって有害である。心の奥底では、少しの敬愛の情も感ぜず、たゞ子どもをかわいがらなくてはならないというのでかわいがったり、本心は偏見に満ちており、狭量であるにもかゝわらず、自由でなければならないというので、自由闊達を気取った処で、それらは皆役に立たない。私たちはむしろ、気にいらない子ども、憎らしい子どもは、卒直に、憎らしいと感じ、他の人々の訴えや、要求があさましい時には、あさましいと感じ、これから遠ざかろうとすることが自然であると考える。従って、時には自然であるということと、人を敬愛するとか自由であるということとが矛盾することがありうる。けれども、人を憎むとか、人の要求をうとましく思う心は、決して冷い無関心や偏狭な排他心ではなく、むしろ真の敬愛、真の自由なる気分の変形にすぎない。憎い、うとましいと卒直に感ずる心は、憎くない、敬愛し得る、共鳴し得るという状態を求めてやまない心でもある。正しい根拠、正当な理由を求め、それをつくって、心から敬愛し、心からあらゆる苦楽を共にしようとすること、それがこゝにいう自然さである。

敬愛の情に満ちた、自由な、そして自然な空気は従来、よい家庭において最もよく実現されていると考えられて来た。家庭的な空気は人の性格を育てる上に、最も大切であるといわれてきたのはそのためである。学校を家庭化せよとか、ホームルーム制を重視せよとかいうことも、結局このような空気が必要であるということを主張しているものであろう。我々が家庭的な空気ということばをうたわないのは従来の家庭の中に含まれていた封建的、利己主義的、排他的な要素が知らず知らずの間に混入するのを嫌うからであって、その代りに、よい家庭の必ず備えるべき要素としての敬愛の情、自由さ、そして自然さをとり上げたのである。

## 自己確立としてのしつけ

次に第三の原則について述べよう。

性格を育成していく場合にはその性格の統一の中心としての自己を確立させることが最も根本である。

自己とは何であるか、自己とは如何なる部面を持つものであるか、これらのことが明らかにならなければ、自己を確立させること、即ち性格を育成する方法は十分に明らかにならない。

自己がどういうものであるかということは、昔から凡ての人を悩まし、宗教家や哲学者によってもさまざまの道を通って究明され続けて来たものである。

自己というものはやはり、何か一つのものである。だから、他のもっとはっきりしたものと比較してこれを考えるということも出来るであろう。今こゝにあるインクびんと自己と比べてみよう。このインクびんは他のすべてのものと同じように、時間的、空間的に一つの位置を占めている。すべての人の自己もやはり同じように時間的空間的に一つの位置を占めている。その人にとっては今こゝにあるものである。インクびんと違うのは、インクびんは自分の前方やゝ右よりに、やゝ低目の所にあるというのに対し、自己は前でもなく、後でもなく、右でもなく、左でもなく、むしろ他のものの位置をきめる基準、原点的位置にあるのである。しかし、とにかく、自己も他のものと同様に位置を持っていることは確かである。その位置は結局、他のものや、人などとの関係においてきめられるものである。

インクびんは多くの他のものと同じように一定の形を持っている。自己もそれと同じように何か形を持ってありはすまいか、ということが考えられる。しかし、これに対してすぐ答は出て来ない。あるともいえそうだし、ないともいえそうである。一体形というものはどうしてきまるのであろうか。

インクびんの形では複雑なので、もっと簡単な平面上の図形、例えば、紙の上にたらしたインクのしみの形を考えてみると、それはあたり一面に拡がっていこうとする力と、それをなるべく狭い範囲にとじめていこうとする力との両方が働いてその形をきめているようである。インクびんの形にしても、出来るだけ少ない材料で、大きな容量を持つような形が作られようとする傾向と、坐りのよい、こわれにくい形をとろうという力との釣合できまってきているようである。つまり、いろいろな方向に発展していこうとする力と、それを一定の方向に統制しようとする力が働いている。そしてそのような力の釣合でそのものの形がきまるのであって、形はその物の限界を示すということが出来る。

然らば、自己にはどのような限界があるか。通常我々は自己の限界は自分の身体の限界であるように思い、身体の形は即ち自分の形であるように思っている。しかし、自分の身体の一部がなくなったり、変形しても自己が変わらないと思う時もある。又、自分の友人や家族のものが、人に悪口を言われたような場合、自分が侮辱されたように感ぜられて赤面したり、立腹したりすることもある。自己というものは、限りなく拡がっていき、世界や、宇宙と憂いや喜びを共にする程拡大しようとする傾向と、自己の本質とか、本体とかいって、出来る限り集約したものになろうとする傾向との釣合によって、或いは大きな広いものともなり、或いは小さな狭いものともなる。つまり形が固定しないという処に大きな特徴がある。いわば形がないのではなく、その時々に変化する不定な形があるのである。その不定の形をきめるものは多方面に拡大していこうとする発動性と、これを集約していこうとする統制力との二つである。この発動性や統制力は自己の位置と深く関連していることはいうまでもない。このような考え方からすれば、自己には位置と発動性と統制力の三つの部面が考えられるのであって、我々はこれを手がかりにして、自己を確立し、性格を育成する方途を考えることが出来そうである。

そこで、我々はその位置、発動性、並びに統制力の各々について更に考えていく必要がある。

人間は運命的な存在であるといわれるが、殊に各人の自己はその人の持って生まれた運命によって色濃く位置づけられる。けれども、運命が如何なるものであるかは誰も知らないのであり、運命は又開拓出来るものと考えられている。大勢の兄弟の一人として生まれるとか、社会的に声望のある家の子に生まれるとか、設備の悪い学校に入学せねばならぬとかいうようなことは皆その人の自己の位置をきめる大きな要素である。けれども、母親の信頼を獲得し、兄弟の中で幅をきかせるとか、自己の努力によって社会的声望を得るとか、学校内における指導者の地位につくとかいうことも、又、その人の自己の位置を決定していくのである。位置は必ずしも狭い意味の運命や、自己の努力によるだけ

ではなく、他の人の厚意や譲歩によって得られる場合もしばしばある。

平々凡々な子ども、先生からも同級生からもその他の人からも認められていない子どもの位置は、望ましい位置、安定した位置ということは出来ない。一応はそれに満足しているように見えても、折があれば、その位置を離れ、少なくとも誰かに認められるような位置に移ろうとする。子どもが万年筆や、その他の文房具を万引して友人に与え、その関心を買おうとするような例はよくあることであるが、結局、より望ましい、従って、より安定した位置を獲得しようとすることの現われにすぎない。泣いたり、じだんだを踏んだり、乱暴をしたり、すねたり、ねたんだり、その他のあらゆる非行の原因の大半以上は同じようにして起っているといって過言ではない。私たちが自分というものを人に説明しようとすれば、まず自分の職業とか、その職業の中における地位とか、或いは誰々の妻であるとか、誰々の子どもであるとか、或いは何学校の何年度の卒業生であるとか、或いは何県の何々町の出身であるとかいうことを名乗って、相手と自分との関係を明らかにしようとする。これはつまり自己の位置を示すことによって、自分を説明しようとするものである。それ程、位置というものは自己にとって根本的な意義を有するもので、その位置に基づいていろいろな発動性や、統制力が現われてき、その発動性や統制力によって自己の位置がより望ましいものに移っていくのである。

子どもを始めて生んだ母親は今までの夫婦、もしくは夫婦とその親との間で得ていた位置とは異なった位置を得る。子どものないうちは昔ならばいつ離婚されるかわからないようなたよりない位置にいたのであるが、子どもが生まれてからはもっとどっしりした位置に坐ることになる。そして、それまではとても予想出来なかったような活溌な活動をする。時には、夫にも逆らい、その親にも異議を申し立てて、子どもを守り育てようとする。気の弱かった人が気が強く、気のまわらなかった人が非常に気がまわるようになったりする。つまり、著しく発動性が旺盛になるのである。又、子を生んだ母親は自己に対する非常に強い統制力を発揮する。家庭内のいざこざがあっても、子どものためにそれを堪え忍び、自分の買いたいものを買わないで子どものものを買い、到底眠らずにはいられない程疲れていても、なお且つ子どもや家族のもののために遅くまで起きて仕事にいそしむ。時には恥も外聞も忘れて自分の念願しているものを実現しようとする。これらのことは普通母性愛というような本能的なもののように見なされて、その本質を究明されずにいるが、結局、位置の変化に伴なう自己の確立、性格の形成と見ることが出来る。その意味において同様のことは、人が新たに政治結社に入った場合や、子どもがスポーツクラブの一員になった場合や、又逆に人が或る社会から追放されたり、失業したり、子どもが仲間の間で取り返しのつかない失敗をしてしまったりしたような場合に現われてくる。

自己の発動性というのはその人がどれ程豊かな強い活動への意欲を持っているかということである。人間は生きている限り活動をせずにはやまないものであるが、その活動への意欲は人によってかなり違うようである。何となくかげのうすい人とか、うらなりとかいわれる人がその発動性の乏しい人である。悪にも強いが、善にも強いとか、みず〱しい人とか、いつも若い人とかいうのはその発動性の豊かな人をさすのである。我々がしっかりした人間を作ろうと思えば発動性を十分に尊重しなければならない。沈香もたかず、屁もひらず式の人間や、奴隷根性の人間をつくらないとすれば、発動性をいよ〱豊かに、いよ〱強くするように工夫をしていかなければならない。

我々の周囲は絶えず変化している。しかも、或ものは秩序正しいリズムをもって、又或ものは極めて烈しい怒濤のようなスピードをもって変化している。このような変化に驚きや喜び、怒りや醜いを感ずることの出来る人は発動性が豊かであるということが出来る。感受性は発動性の一つの部面であろう。虫のすだく声に秋の深まっていくのを感じ、次々に起って来る社会的事件に時代の進む轢きをきいたり、子どもたちの行動の変化にかれらの生命の躍動を感ずる等々のことは感受性の強いことを物語るのである。このような感受性は一つにはその人自身の天分も大きな因子になっているようであるるが、周囲の人々、就中、両親や教師、親しい友人等の影響もまたそれに劣らぬ大きな因子である。子どもを連れて買物に出た母親が路傍に萌え出た若草に驚きの眼を見はる時、母親が何も子どもに教えないとしても子どももまた自然の推移についても眼を開くようになるのである。まして教師や親たちが子どもたちの感受性を豊かに、又鋭くしていこうと努力する場合はめざましい発達を期待することが出来る。感受性と並んで子どもの心の動きの豊かさ、力強さが考えられる。絵をかきたいとか、音楽を聞きたいとか、劇や物語りに心を奪われるとか、人間の各種各様の欲求の拡がりや強さが問題である。感受性とこのような内面的欲求とは互に作用し合って高められていくことが多い。そして、内面的な欲求は子どもたちの健康を向上することや、その欲求の表出や充足に対する諸種の障害を取り除いてやること、更には、その充足に対するよりよい手段や機会を与えてやることによって、これを豊かに力強くしていくことが出来る。絵をかき、絵を見て、喜ぶような一種の美的な欲求は絵をかく能力を磨いてやったり、紙や絵具を自由に供給してやること、或いは、美しい絵を見る機会をたくさん与えることや、絵の見方を教えてやることによって著しく豊かにまた力強くされ、逆の場合にはそれが枯渇していく。物を食い、物を味わうというような原始的な欲求でも、さまざまなものを楽しんで食べる機会を与えたり、その味を味わうことを教える場合には豊かな創造性のあるものとなり、

単調な食物を機械的義務的に食べさせ、味を区別することを教えなければだんだんに無味乾燥なものとなり、我々の生活に貢献することの少ないものとなってくる。

発動性を豊かにするということを考えれば、いわゆる子どものいたずらや、あれもやってみたい、これもやってみたいというような子どもの欲の深さも一概に排斥することは出来ない。腕白小僧が成功するようになったり、小さい時の遊び（趣味）がその人の将来の仕事になっていったりすることを考えれば尚更のことである。大人の尺度ではかりきれないからといって、子どもの豊富なそして旺盛な活動を抑圧するということはその尺度ではかれる位の小さな人間しか作り得なくなる。よい「しつけ」は逆説的になるけれども子どもたちに十分にいたずらをさせることでもある。

子どもたちに与えられている外的な条件及び内的な条件は、その子どもたちの旺盛な発動性をことごとく満足させることが出来ない。高い所に上って跳んだりはねたりしたいという子どもの内面的な要求があっても、校舎の大屋根で鬼ごっこをすることは、現在の施設ではこれを認めるわけにはいかぬ。瓦のこわれる心配がなく誤ってころがり落ちても怪我をすることがないような施設があれば大いにやらせたいことであるがそうはいかない。又、絵もかきたい、ピアノも習いたい、英語も覚えたい、船も作りたい、本も読みたいと子どもが切に希望しても、子どもの一日なり、一週間なりの生活の中に

これをこと〴〵く盛り込むことは、かれの体力なり、気力なりをこえている。従って発動性を豊かにし強くすることについても、そこには子ども自身としての選択や計画や統制がなければならぬ。それなしでは却って子どもは自己を喪失したり、自己を弱体化してしまう。発動性に秩序を与え、その焦点を明らかにしていくということは却って発動性を豊かにし強化する所以である。さま〴〵の可能性の中で選択を行い、その選択したものの実現に精神を集中し、実現の途上に横たわる障害を乗り越えていこうとし、その実現の歩みを反省し、整理していく力を我々は自己の統制力とよんでいる。このような統制力はいうまでもなくその人の位置に基づいているもので、責任ある位置につけばつく程、その統制力は強くならざるを得ないし、強くなればなるだけ責任ある位置を任されることになる。それと同時に統制力は発動性に比例すべきものである。貧弱な発動性を持った自己は強い統制力を必要としない。もし統制力のみが過大になればわざとらしい偽善的な自己が生まれてくる。発動性が弱く、しかも、それ以上に統制力が弱い場合には、極めて無気力な、気紛れな頼むに足りない自己が生まれてくる。発動性がかなり強いにもかかわらず統制力の強さがこれに伴なわなければ、性格の急変する、時には大いに役立つが、時には大いに害をするというような自己が現われてくる。偽善者に対して、いわば偽悪者というべき形となる。発動性が強く、然もそれ以上に統制力が強ければ、策士とか政略家といえるようなものが現われてくる。なか〴〵尻尾を出さない偽善者ということが出来る。発動性が強く、而もそれに相応する強さの統制力を持った場合には、純真な誠実な信頼に値しうる自己が現われてくる。この場合、相応する発動性や、統制力の強さは人物の大いさで言い表わされる。偉大な人物は豊かな強い発動性を持ち、それに相応する統制力を持った自己であり、忠実な善人というようなのは発動性があまり強くなく、統制力がこれに相応している自己をいうのである。そのような意味において、一面においては発動性を培うと共に、一方において統制力を高めていくことは自己の確立、性格の形成の主要な方法である。

## 学　校　行　事

生活全体を通じて「しつけ」をしていくとなると、生活のリズムが問題になることは、原則の第一において既に明らかにしたことであるが、学校生活のリズムを規定する重大な要素として、学校行事が考察されなければならない。

学校行事は学校生活のリズムを左右するだけでなく、学校全体の雰囲気に大きな影響を与え、また子どもたちの自己確立に対するさま〴〵の機会を提供する。そのような意味において、学校行事は学校におけるこどもたちの「しつけ」を考える上において一つの大きな問題であって、ごく単純に学校行事が「しつけ」の最重要の手段であると考えている人さえあるのもそのためであろう。

一口に学校行事といっても、その内容は複雑多岐であって、簡単にこれを分類することは困難である。ここではごく外面的なその行事の現われてくる週期によって分類をして考察をしてみよう。

毎日毎日繰り返される清掃とか、朝の会、終りの会など。

週毎に繰り返される全校集会、その他。

月毎に繰り返される体重測定・月末試合・誕生会など。

学期毎に行われる始業式・終業式・大掃除など。

年中行事としての遠足・運動会・学芸会・展覧会・音楽会、学校以外の社会から学校に持ち込まれるお祭・七夕・祝祭日の各種の記念行事、民間の年中行事など。

何年間に一度というような臨時の行事、例えば、開校五十周年とか、御大典とかいうものなどが挙げられる。

これらの行事はそれぞれの週期に従って、日々の生活や、週の生活、或いは月又は学期の生活、或いは年間の生活、或いは数箇年に亘る学校の歴史におけるリズムを支配する。

学校行事は本来学校生活そのものの必要から生まれ出るべきものであって、行事のための行事、「しつけ」のための行事ということは邪道である。

清掃は学校を清潔にすがすがしくするためのものであり、朝の会は一日の計画を立て、これを確認するためのものである。終りの会は一日の生活を反省し、翌日の準備をするためのものである。民間行事や何々週間の行事のようなものも、学校生活自体の必要に応じて適切に処置されるべきものである。運動会や学芸会にしても、発表すべきものが充実し、発表することが価値ある時にはじめて行われるべきものであって、その時期が来たからその行事を行うというのでは、その価値は極めて低くなっていく。

学校社会を維持し、向上していくためには、いわゆる、正課以外のさまざまな活動が必要になってくる。これらの必要を適当に基礎づけて充足していくものが学校行事である。このような見地に立って、学校行事を計画し実施すれば、学校生活の自然のリズムを著しく破るということは少ない。

学校生活を維持し、発展させる上に重要であり、しかもいわゆる、正課の中で満たすことの困難な必要は学校の構成員相互、もしくは地域社会の構成員と学校社会の構成員との間における意志感情の交流である。学校行事はこの点に大きな役割を持っていることが多い。儀式などはその典型的なものであろう。このことはひいて学校行事が学校生活の雰囲気を醸成し向上させる働きをすることになる所以である。そのような働きを持たない学校行事は、比較的価値の少ないものということが出来る。学校はもとより孤立した社会ではなく、より大きな社会の一分節をなしているわけであるから、より大きな社会の必要は学校生活の必要につながり、学校行事を動かしていく場合がある。このような場合には子どもたちは、学校社会の枠を越えてより広い社会生活の脈動を身に経験することとなる。多かれ少なかれ学校行事はそのような働きを持つべきであろう。

学校行事はいわゆる正課と違うので、新鮮な魅力を持ち、或いは子どもたちの精神を鼓舞し、或いはその精神に憩いを与え、その精神を鼓舞したり、憩いを与えたりすることによって、全体生活のリズムを或いは高め、或いは低め、そのようにして学校の生活、即ち子どもたちの生活に節を生じさせるものである。

このような意味の学校行事は如何に計画され、如何に実施せられるべきであろうか。前記の「しつけ」の原則とも照合しつゝ考えてみよう。

第一に学校行事はなるべく精選されなければならない。頻繁であるよりはまれであることの方が望ましい。

一日に二回も三回も掃除の時間を設けたりするよりは一回に集中する方がよく、毎日朝会をするよりは、一週に一、二回の朝会の方が有効である。その頻度は結局その活動の必要の度合によるのであるが、最小限に集約することがマンネリズムに陥らない秘訣である。必要の度合といっても、これを漠として考えてはならない。学校社会の本来の必要、緊急な必要に焦点を合わせねばならない。

防犯ということは社会生活の必要であり、学校生活の必要でもあるが、されはといって犯罪を犯すおそれのない子どもたちに犯罪のいむべきことを講話したり、戸締りもまだしない子どもに戸締りのポスターをかかせたりするようなことは有効でない。たま〳〵或る学級の子どもたちが警察官の活動について調べていたとすれば、そのような学級こそこれを巧みに利用してその知見を開き、又自分たちの研究を学校全体や地域社会のために活用すべきである。

よくいろ〳〵な役所からいろ〳〵な注文をされるので行事が多くなり、学業がうまく進まないとこぼすむきがあるが、それは学校自身が主体性を失っているからで、主体性のかけた協力は表面だけのもので、一向に真実の協力にはならない。行事を精選すれば、その行事に対して最も適切な時期を選び、又時間や精力を十分にかけ、その行事の意義を十分に発揮することが出来る。

第二に、行事実施の時期並にそれに当てる時間については慎重な考慮が必要である。

毎日繰り返される掃除の如きも，朝にするがよいか，昼にするがよいか，放課後にするがよいかいろいろ論議され，実施されている。

私たちの経験ではやはり朝始業前に行う方が一日のスタートを清新にし，始業の時に出席者全員が揃うので都合がよいようである。但し，清掃の終了と始業との間に，若干の余裕をおくことが必要である。状況によって，或箇所の清掃が手間取ったり，後始末をする時間が入用になるからである。所要時間は一人当たりの清掃面積によるわけであるが，あまり長ければ子どもたちに倦怠を生じ，始業後の活動に悪影響を与えるから，二十分位が限度であろう。時間の活用については清掃用具の分配状況，浄水の汲入口，汚水や塵埃の捨て場所等に工夫がなされなければならない。もし非常に時間をかけるとすれば，朝は不適当で放課後の方が適当となる。

朝の会や終りの会の時期はおのずから一定しているが，これにもあまり長い時間をかけることは禁物である。よく十五分も三十分も朝の会にさまざまのことを実施するのを見かけるが，先生の意図とは反対に子どもたちはしびれをきらしている。朝からしびれをきらせて，その日の生活がうまくいくはずはない。又終りの会が延長すれば，たとえそれがどんなに重要なことであっても子どもたちはそわそわしてくる。いずれも思い切って簡単明瞭にし，徹底を期することが必要である。

週毎に繰り返される行事はその行事の種類によって日時を決定すべきである。学校長や教師の都合も考慮しなければならないがそれは第二であるべきである。週の始めや終りはどうしても子どもたち全体の緊張が低くなるから，緊張を高めていくような行事は適当で，週の中間は子どもたちの緊張が高まっているから臨時の行事その他で生活を乱さないように配慮したいものである。

子どもたちの一箇月の生活のリズムは比較的に著しくないようである。むしろ，学期としてのリズムの方が重要である。学期としての子どもたちの生活のリズムがどういうものかはあまり詳かでない。最初から緊張が高まって，ほゞ終りまで持続していくような場合，次第に緊張が高まって，終りにやゝゆるんでいく場合，終りに近くなって緊張が高まる場合などがある。各学級の活動如何によって学級毎にその形が違い，学校全体としてはその平均のような形が現われてくる。従って簡単に予測し，行事を予定することは困難であって，むしろ，大体の時期を予定しておいて幾つかの行事を綜合し，集約して行う方がよい場合が多い。この生活のリズムは極めてデリケートであって，何でもないと思われるような行事によって以外に大きな混乱が現われてくるから，学校長なり教務係なりが，行事の配置などが機械的にならないように細心の注意を払わなければならない。この場合，特に問題になるのは休日や短縮授業である。これは行事とはいい得ないが，行事に準ずるものとして考慮に加えられなければならない。

民間の年中行事は、学校においてその実施の時期を移動することは困難であるが、その実施の程度その他を勘案することによって、学校の主体性をまもっていくことが出来る。学校としての年中行事は、勿論、学校自身によって決定されるべきものであるが、気候の変化、地域社会の諸条件、子どもたちの生活の波なども考え合わせなければならない。遠足の如きも気温、天候、地域社会の交通、保健衛生の諸条件を考慮すると共に、子どもたちの生活の節（転機）に一致するよう工夫することが望ましい。運動会や学芸会等も同じである。

私たちはそれらの点を考慮して、毎年十月末もしくは十一月始の日曜日に運動会を実施しているが、昭和二十四年度においては全国小学校教員研究集会（近畿地方之部）が十月下旬に開かれたため、これを繰り上げて十月初旬としたのであるが、九月中旬から十月にかけてどうしても子どもたちが落ち着かず、学校生活のリズムの混乱を感じた。これは第二学期初頭以来の学習が次第に発展してきて、子どもたちの活動を非常に要求しているのに、一方近づいてくる運動会への関心、及びその準備の活動がこれと対立し、一種の葛藤状態に陥ったためであると考えられる。その証拠に学習の方は暫く第二として、運動会の方に重点を置くことにした結果、子どもたちは忽ちに落ち着きを取り返し、却って学習の方もよく進歩したのである。

運動会にしても、学芸会にしてもとかく華にほだされて盛りだくさんとなり、実施時間が長くなる傾向があるが、これまた十分に警戒しなければならない。ゆっくり始めて早く終り、後始末をして反省会をする位の余裕が与えられなければならない。

その他の臨時の特別行事にしても、多くは実施の期日、活動内容等が外から規定されやすいが、予め打合せのあるもの以外は強制的な性質を帯びるものは少ないのであるから、或いは学校の行事と結合させ、或いは実施期日や、内容を変更して最小限の時間で最大の効果を発揮するよう工夫しなければならない。だらだらした行事をしたり、そのような行事に参加するよりは、単純な休日を与える方が遥かに効果的な場合さえある。

第三に行事は創造的であって、学校の文化を形成し、進んで地域の文化の向上に貢献するよう実施されなければならない。

文化といえば、非常に固苦しいが、学校の雰囲気を作り、それが周囲の社会に滲透していくことである。

何年に一度というような特別な行事は勿論、運動会や音楽会の如き学校の年中行事、学校として取り上げる民間の年中行事等はすべてこのような方針によって行われることが出来る。勿論、そのためにはそれらの行事の本来の目的、学校特に子どもたち自身に対する必要を十分に究明し、教師は勿論、子どもたちの自由な企画を生かすように工夫しなければならない。そのような検討や企画への参加がその行事を有効にし、新しい文化、望ましい雰囲気の創造の契機となるのである。

月や週毎に繰り返される行事でも同じである。毎月の体重測定の如きものでさえ、測定の時刻、測定の順序・方法、測定結果の整理活用等に創意を発揮すれば、生活文化を向上し、学校の雰囲気にしまりを与える十分なる契機となるのである。週毎に行われる全校集会も、子どもの委員会や、担当教師たちの創意によって豊かな楽しい、しかも全体の進歩に拍車をかけるものとなることが出来るのである。朝の会、終りの会とてもマンネリズムに満足しないならば、教室文化の進展にめざましい働きをする。全くマンネリズムに陥らざるを得ないような日々の清掃でさえ、そのような大きな働きをすることが出来る。

私たちの学校では、清掃は学級毎に分担をしないで特別活動（なかよし）のグループ組織を活用してやっている。即ち、三年以上の子どもが二十人内外のグループを作り、これが一定の清掃箇所を分担してグループの指導教官の指導の下に活動している。実施以来一年半を経過したが、初めはどうしてもうまくいかず、度々学級組織によるものに復帰しようとした。けれども、今日はこの方法によっても殆ど従前と同じ、もしくはそれ以上の清掃の効果を挙げることが出来ることが明らかである。しかも、上級生と下級生とは本当に仲のよい友達として助け合っていく気風ができ、また、そのグループの特色を生かして清掃のさまざまな形を現わすようになった。

例えば、美化グループの子どもたちが引受けている場所では、学校の教室が暗いのは床があまり黒くなっているからではないかと考えて、普通の掃除をしたあと床を白くするくふうを実施してみており、衛生グループの子どもたちの分担している処では、特に蝿の発生の防止及び駆除に留意するようになった。更に、学級の朝の会で誰々が怠けたとか、遅れたとか非難を受けることがないので、極めてのんびりした気分であまり人のおせっかいをやかずに掃除をするようになった。

このことは勿論、かなり長い間に互って清掃の不徹底を来たし、苦情の種であったのであるが、今となっては子どもらしい自然な面からも、心のこもった清掃活動を生み出し、又学校全体にさばさばとした自由な空気を作り出すもととなった。このようなさばさばした気分はいつとなく子どもたちの家庭にもしみこみ、父兄たちの態度、物の考え方にも自由なものを生まれさせつつあるようである。人の着物や、交際などを妙に気にしたり、話題にしたりするようなことが著しく減っているようである。封建的な文化につちかつような、民主的な文化、民主的な生活様式が創造され、拡大されつゝあるということが出来る。

第四に、行事は学級の組織、特別活動の組織、また、そのために特設された組織等を自由自在に活用することによつて、さま〴〵の子どもにさま〴〵の形で学校生活に参与する機会を与えるように実施しなければならない。

朝の会や、終りの会でも、週毎の全校集会でも、いろ〳〵なグループや、いろ〳〵な子どもに特別の役割なり、特別の活動なりを期待することが出来る。このことは、勿論、第三の行事を創造的なものにするということと、表裏をなしているけれども、特に各々の子どもに望ましい位置を与え、統制力を強化するという意味において十分に重視されなければならない。

私たちの学校では、秋の運動会は職員会で期日が決定され、子どもたちの子ども赤十字委員会でその大綱が決定され、A部、B部の体育グループのメンバーを中心として特別の体育委員会が任命され、運動会の企画・実施・反省等すべてのことを担当する。勿論、体育関係その他の教官も指導や援助を与えるが、体育委員会が主体となつて積極的に活動を進めていく。運動会の当日は体育委員会の割当に従つて六年生の全員が各種の係となつて殆ど一切の仕事を遂行する。教職員は演技の指揮、審判の

立会及び接待等のことを担当するだけである。かなり長い伝統になつているせいか、それで一糸乱れず一切進行していく。従つて、体育委員や六年の子どもたちはかれらにとつては誇らしい位置を獲得して、我々も及ばないような細心な注意や、有効な工夫をし、またさま〴〵の困難に真正面からぶつかつていつてこれを克服する。従つて、運動会の前後を契機として六年の子どもたちは、どの子もどの子も急に成長するような印象を与える。それは学校全体の雰囲気にも大きな影響を及ぼすが、特に六年の一人一人の子どもが考え深くなつていくのに拍車をかけるようである。

年に二回開かれる特別活動のB部発表会は、下手のよこ好きの音楽グループの一部の子どもにも発表の機会を与え、発表の嫌いな理科や工作グループの子どもにも自分たちの成果を発表するチャンスを与えたりする。あの子があんなことをしてくれるようになつたかと、学級担任や母親がグループ指導の先生に感謝するような事例は毎回一、二件にはとゞまらない。

数多い行事も、このような配慮のもとに行われていけば、確かに子どもにも教師にも楽しいものであり、また確実に行事の目的を果たすことが出来るのである。

行事は多く平素の指導形態とは異なつたやり方で実施されるから、子どもたちに平素とは違つた位置を与えることが出来るのであるが、それだけに子どもたちは平素の統制から解放される。従つて、

うっかりするとざわめいたり、勝手な方向に活動していって秩序のないものになることがある。勿論行事にはそれ自身の秩序があるべきであるから、教師はその秩序に従わせようとする。

卒業式のために講堂に参集して来た子どもたちはいつもとは違った配置の坐席につき、服装も異なり、珍しいお客さんの顔も見えるので何となく不断とは違った気持になり、勝手な活動をしようとする傾向がある。けれども教師の側からいえば、卒業生を送る心をこめた当日の行事にはそれ相当の秩序があるので、子どもたちをそこに導いていこうとする。この場合、指導者側の圧力を強大にしていけば、一応外見は整うものの、そこに自然の情の発露が乏しくなっていく。自然さを失わず、しかも正しい秩序を実現するためには、子どもたちは卒業式本来の意義を十分に知り、その意義を実現するための正しい仕方を教えられ、その仕方に従って、その意義を実現するために、自己を十分に統制していかなければならない。その意味において、行事は子どもたちに切実な自己統制の必要を感得させる機会となる。もし単に卒業式の秩序に従うことを強制することによって、子どもたちの自己統制力を強化することを「しつけ」と考えるならば、それは附焼刃に過ぎない。真に自分たちのすること、他人のしていること、しようとしていることを認識し、それを尊重していくということから、自己に対する統制が現われなければならない。その意味からすれば、行事は統制力を強化する機会であると共に、平素において磨かれた統制力を試す機会であるということも出来る。

私たちの学校の卒業式はただ一つの予行演習を行う行事であるから（その予行演習もただ一回に限られる）、これは教職員によって極めて慎重に計画され、卒業学年の担任教師の希望を入れて計画される。卒業生の歌う歌、卒業生を送る歌は予め歌詞を子どもたちの間から募集して選定し、これを教師が作曲して出来る限り十分練習させ、その練習の音は卒業式の一週間前位から学校の中に卒業式を予期し重視する傾向を作って、当日は一切号令を用いず、自動的に極めて短時間に、極めて緊張裡に挙式される。一年生もこの式の間をどうしたかと思う程静粛である。簡潔の中に真情をこめるということが全体としての緊張、各人の自己統制を可能ならしめる所以であろう。

## 賞と罰

「しつけ」がきびしいとか、ゆるいとかいうことは、うっかりすると罰がきびしいとか、ゆるいとかということと同じように考えられている。「しつけ」をするということは、「しおき」をするということと同じように考えられている場合も随分多い。しかし、既に述べたような正しいしつけはすぐそのまま罰ではあり得ない。罰は賞と並んで「しつけ」のほんの一つの手段にしか過ぎない。けれども、長い間「しつけ」の最も重要な、最もきゝめのある手段として賞や罰を考えてきた我々には賞罰をうまく使いたいという誘惑が強くてしかたがない。こゝに前述の「しつけ」の原則に照らして、罰や賞のことを考えるのは、その誘惑にうちかたんがためである。

子どもがお父さんの大切にしている花瓶をこわしてしまったような場合、父親は大いに怒って子どもを打ったり、どなったりすることがある。これは子どもをよくするためというよりかは、単なる仕返しであって、「しつけ」のための罰とはいわれない。けれども、子どもたちは随分この種の仕返しを「しつけ」のためと称して受けているようである。母親に対してぞんざいなことばを使ったといって折檻されることもあるが、これはみせしめ、又はおどかしのためであって、子どもたちの性格を素直に伸ばしていくためには害のある方が多い。おどかしに屈従する性格は奴隷的な性格で我々の望むべきものではない。学級の他の子どもたちにみだりに乱暴を加える子どもを暫く登校させなかったり、登校しても教室以外の場所に閉じ込めて別の作業をさせたりするようなのは、その子どもに反省を求めるというよりは、乱暴をさせないための手段であることが多い。これも「しつけ」をしていくという上からはあまり望ましいことではない。

「しつけ」の上において意義のある罰はあくまでも性格を改善していくための罰でなければならぬ。

その罰は、してはならないことをはっきりと知らせること、及びそのしてはならないことをしないように警告することがねらいであるべきである。

罰にもいろ〳〵の種類がある。

雨傘をコマの代りに廻して帰る途中、そのために傘をこわしてしまった場合、次の雨降りの日には、こわれたまゝの傘をさゝせてやるというのも一つの罰である。けれども、子どものことを考えると、これは親としてはなか〳〵忍べないことで、また傘をこわしてもぬれて来さえすればいいのじゃないかという気持を起させると困ったことになる。必需品でない子どもの持物、例えば、何かの御褒美にもらったよいおもちゃなどを自分の不始末や乱暴でこわしたような場合、それを修理したり、買い換えたりしてやらない場合には、この罰は子どもたちにしてはいけないことを知らせたり、今後そのようなことをすまいという決心を与えるのに役立つであろう。この罰は普通自然的な罰といわれている。

最も普通行われる罰は体罰である。ぶったり、お灸をすえたり、つねったり、或いは食事をさせないとか、身体を縛っておくとかいうようなものである。

体罰は直ぐその場で実行出来るので非常に便利である。又ひどくしたり、軽くしたり心のまゝであるから便利である。だから、学校では禁止されているにもかゝわらず、家庭ではかなり広く行われている。けれども、体罰は子どもたちを牛や馬と同じようにききわけのないものと考えている点、即ち人間性の尊厳を認めていない点で、これを勧めることは出来ない。

体罰を科せられた場合、子どもたちは恐怖心や反抗心を起す。その恐怖心や反抗心は暴力を持ったものに対する恐怖心や反抗心であって、自分が罰せられる時には、それを恐怖し深い反抗を覚えながら、自分より弱い者に対しては逆にその暴力を使おうとするようになる。両親たちからなぐられたり、蹴られたりしたことのない子は、弟や妹や友人に対しても暴力をふるうことはめったにない。なぐられたり、蹴られたりして育てられたものは、他の人に対して直ちになぐったり蹴ったりする。結局、その性格が冷酷になる。

体罰は直ぐその場で実施出来るという点が便利でもあり、よく行われる所以でもあるが、それは同時に短所でもある。何故ならば、そのことはしてはならないのだということを教えようというつもりよりは、親のいうことをきかないとか、教師を馬鹿にしているとか、けしからんことをしたというような怒りが先にたつことが多いからである。どうしても体罰を科さなければならないと考えた場合でも、この点をよく考慮する必要がある。

わが国では直ちに、手で頭や顔を打つが、欧米ではわざわざズボンを脱がせて尻をたたくそうである。このようにすれば、いくらか怒りが消えて、してはならないことを知らせるための罰になってくる。

体罰は広く家庭で行われているために、学校でもこれを科さないと子どもたちがいうことをきかないという意見がある。親たちの考えの古い所では、そういう意見がともすれば有力になり、親の方から悪いことをした時は、びしびしぶってやって下さいと頼み込んだりしている。けれども、体罰は法律で禁止されており、それには深い道理があるのであるから、学校では絶対にこれを科してはならない。家庭からもなるべく速やかにこれを追放すべきである。

この他に、仲間はずれにするという罰がある。

これは或る子どもが何べん戒めても繰り返して悪いことをするような場合、グループの者の相談でその子どもをグループからしめ出すことである。例えば、いっしょに野球をしているグループの子どもたちが、横暴や不正をする一人の子どもを、その仲間から除外し、いっしょに遊ばないことにするのである。

この罰は確かに悪いことをしなくなり、仲間の者がみんなそれを認めてくれるまでは続くから骨身にしみ入るものである。また、グループの者たちの持っている道徳的判断に照らして、この罰は行われるから、本人にも納得のいく罰である。また、悪いことをしないようになれば、グループにもどることができ、それ以上その罰は続かないからよい罰である。アメリカの学校や、子どもたちの仲間ではかなり広く行われているらしい。けれども、日本の社会では、この罰はなか〳〵行いにくい。情実が支配し、従ってうらみが残り、仲間はずれになった者は、グループにもどろうとしないで、別のグループをつくって敵対しようとすることが多いからである。この罰が行われるようになった時は、日本の学校も民主化された時である。

次に落第とか退学というような罰もある。

これは子どもたちの今までの生活を否定してしまったり、現在の楽しい生活を停止させてしまったりすることである。

これは非常に苛酷なものであって、子どもの従来の生活は水泡に帰してしまい、自信を喪失させる恐れが多分にある。

また悪いことをした者の名前を一般の者に知らせたり、或いはその子どもをみんなの前に立たせてあやまらせたりするような名誉を失わせる罰がある。この罰の結果は著しく持続的で、時にはその子を自暴自棄にしたり、処罰を重ねられることを別種の名誉として誇ったりするようになる。

罰の種類は以上のように中々豊富で、それがいろ〳〵組みあわさって実施されているが、それにもかゝわらず教育的に見て有効適切な罰は見つけにくい。

子どもたちが信頼し、立派だと考えている教師や両親が否認すること、もしそれが罰といい得るならば、これが最も望ましい形の罰である。それは子ども自身の良心を呼び覚まし、その良心によって悪いことを悪いと認めさせることになるからである。この場合の否認のしかたは「それはいけない。」という一語であってもよく、単なる眼の表情でもさしつかえないのである。その否認が有効であるためには、教師や両親が子どもたちに信頼され、立派な人として尊敬されていることが重要である。

立派な教師や親たちは子どもを罰しない。子どもたちの悪いことをそれは悪いといい、悪いことをした時に、それを嘆くだけで十分に子どもたちにしてはいけないことを教え、そのようなことをすまいと決心させることが出来るからである。

やむを得ざる場合、罰に訴えてでも子どもたちにどうしてもしてはいけないと教えなければならないことはどんなものであろうか。

そのしてはいけないことは、勿論外に現われた形だけでなく、その動機をも含めて考えられなければならないことはいうまでもない。他人の金を盗むということだけでなく、盗もうとすることも含めて考えられるべきである。学業成績の悪いということだけでは不十分なのであって、勉強に精を出そうとしないで学業成績が悪ければそれは問題であるが、努力しても成績があがらないというような場合には、罰してまでそれを否認することは正しくない。悪い成績をとって来たからとて、げんこつをくらわしたり、食事をとらせなかったりするような親はあまりにもたくさんいるが困ったことである。

無口であるとか、身だしなみが悪いとか、考え方が旧式であるとかいうような専ら自分自身に不利を招来するような個人の欠陥は、罰してまで反省させなければならないものとはいえない。

周囲の人々に大きな迷惑を及ぼしてくるような反社会的な行為は、特に罰してでも教えなければならない非行である。もっとも幼少の子どもにあっては、これ以外に子ども自身の身体や生命の危険を招来するような非行は、その緊急性の故に、やはり罰をもってしてでも教えなければならない非行の中に加えられる。勿論、後者は養育者の周到な警戒や管理によって防止するのが本体であるべきである。

反社会的な行為には、まず子どもたちが安定した位置を得ていない場合に生ずることがある。弟や妹が生まれたために、両親からの配慮がうすくなった場合、子どもが周囲の人々を困らせるような行為をわざとしたり、弟や妹をいじめたり、時にはそれに害を加えようとしたりすることがよくある。

父母を失ったり、或いは家出をしたりした浮浪児が、盗みその他の非行を重ねること、更にはいわゆるチンピラの仲間になって悪事を重ねることなどは、みな安定した位置を得ないための反社会的な行為である。

この種の反社会的な行為は罰によってでもその悪いことを知らせなければならないが、罰するだけではこれを除去することは出来ない。形を変えて現われてくるからである。罰するにしても、それと共に安定した位置を与えるように工夫すべきである。まして、罰したためにかれらの位置をいよいよ不安定にしてしまうようなことは大いに警戒しなければならない。しかもこのことは実に例の多いことである。

次に活動性が旺盛なための反社会的行為、通例いたずらといわれているものがある。蒂をふり廻してこわしたり、大事な機械を分解してしまったり、途方もない嘘をついたり、どぶをせきとめてしまったり、つまみ食いをしたり、酒や煙草をのんでみたりすることなど数えきれない。この場合の反社会的行為はその反社会的であるということを知らなかったり、十分に意識しなかったりすることが特徴である。従って悪いということをぜひ教えてやる必要がある。けれども一般にごく無邪気なものであるから、罰に訴えなければならぬということは比較的まれである。どうしても子どもがその誘惑に堪えかねるという場合にだけ、慎重適切な罰が認められる。この場合も、一つの形をおさえても（それは割に容易であるが）、また他の形で現われてくるから、根本的には罰するよりは発動性そのものに適当な方向を与えていかねばならない。

自己を統制する力が弱いために起ってくる反社会的な行為もある。禁止されている行為をあえてするようなものはそれである。この種の反社会的行為は悪いということがわかっていながらあえてそれをするのであるから、してはならないことをしないようにさせるという意味の罰のねらいが特に重大になってくる。つまり、その反社会的行為に対する罰を明瞭確実にすれば、その罰を避けたいという自然の傾向がその行為を犯そうとする傾向にうちかつようになる。その意味において、その反社会的行為と罰とが何時如何なる場合、また如何なる人に対しても明瞭確実に結合されているようにしなければならない。この場合の罰は教育的なというよりは司法的な色彩が強くなってくる。いわゆる、教育的な罰では間に合わない場合が多く、教育的にはむしろ他の各種の方法によって自己統制の力を強くする方が有効である。例えば教師や両親の立派な自己統制の示範の如きである。

罰をもってしてでも子どもたちに自覚させ、またそれから遠ざからしめなければならないと考えられている反社会的な行為は子どもたちの生活の中に数多く現われるが、それに対する根本方策はやはり罰ではなくて、両親や教師の立派な人格、その人格に基づく否認並びに根本的な性格育成（しつけ）の方法であって、罰はやむを得ざる場合、しかも副次的な手段にすぎない。

けがの功名ということがあるが、子どもの悪戯が大人にとって、望ましい結果をもたらすことがないでもない。大人はうれしくなって、子どもに賞を与える。これは自然の情であるかも知れないけれど、さして教育的といえるかどうか分らない。

又女の人や年寄は、大したことでもないのに子どもたちに賞を与えて自分に手なずけようとするくせがある。これも教育的には大いに警戒しなければならない。

よい行為をした人に賞を与え、それによってほかの人たちをもそのようなよい行為をするようにしよう。つまりほかの人への奨励の為の賞もある。これは学校その他でも広く行われていることであるが、賞を得たいためにそのようなことをするのは、かえってそのよい行為を不純なものにしてしまう恐れがある。だから賞のねらいは、よい行為や、望ましい成果を明らかにして、つまり努力の目標を明らかにすること、及びその目標に向かって、努力する勇気を与え、これを励ますことにあるべきである。罰の方では絶対にしてはいけないことを明らかにするのであるが、賞の方では、より望ましいことを明らかにするのである。

よい行為や望ましい成果はいくらでも高いものになっていくのであって、しまいには、周囲の人々には、その価値が分らないほどのものになってしまう。

非常にすぐれた芸術上の作品や、非常に高い道徳的な行為は、その本人以外には分らない場合さえある。けれども、教育の課程の中にある子どもたちでは、それが自分自身でも分らないことがあるから、子どもたちの信頼している権威ある人によって、教えられ、示されることが必要な場合が多いのである。

賞として最も普通のものは物品の授与である。金銭・学用品・運動具等いろ〳〵であるが、物品はそれ〴〵の用途があるので、よほど考えないと重複したり、無駄になったりする。又物品は子どもたちの物欲をそゝるから、賞品ほしさの不正等を引きおこす恐れがある。

次に社会的名誉を与える賞の場合、これは、社会の人々すべてに承認された時においてのみほんとうの価値を生ずるのであって、教師や役員等の一部の人々によって与えられると、かえって不平や嫉妬の渦を巻きおこし、賞を与えられた者自身を困惑させてしまう。小学校でも鋭敏な子どもは、そのような賞を与えられるのがいやさに、試験の成績をよくすることや、よい行いをすることを避けようとするものがある。そうなっては賞のねらいは全く果たされないことになる。

又賞には生活上の特権を与えるものがある。特別進級とか、特別の場所への立入とか、特別に旅行に参加させるとか等の例がある。これもとかくすれば、賞を与える者の気に入ろうとして、本来のねらいからはずれることが多分にある。特権の魅力が強いだけそういう傾向が甚だしい。

学校の教師がよく使う、二重丸、三重丸又はよい点等は、極めて安上りな便利な賞である。けれども余りこれにたより過ぎることは望ましい行為なり、望ましい成果なりを明らかにするというねらいに反することになる。賞もこれらの種類のものが組み合わさってさま〴〵な形をとる。けれども罰の場合と同じように、一利一害を免れない。最も教育上よい賞は、真の権威のある者、従って子どもたちから信頼されている教師や両親、その他の指導者が是認してやることである。「これはよい」という一語でもよく、讃美や喜悦の表情をもらすだけでもよいのである。物品や社会的な名誉等はその附加物にしか過ぎない。

子どもたちの努力の目標となるよい行為や、望ましい成果はどんなものであるか、それは悪いことをしないとか、当然なことをしたというのでは不十分である。社会一般の水準よりぬきんでたもの、或いはその子ども自身の現在の水準から努力によって飛躍すべきものでなければならぬ。そうなるとむやみに賞することは出来なくなる。

要するにしつけの上において賞や罰は非常に魅力的なものではあるが、できるだけ使用をさしひかえるべきである。罰するかわりに叱り、賞するかわりに賞めるという考え、更につきつめて、叱ったり賞めたりするかわりに、たしなめたり認めたりするのがよいのである。

してはならないことをはっきりと知らせ、努力の目標となるような望ましいことをはっきりと知らせることは絶対に必要なのである。罰しない、賞しない、といってそれらのことがおろそかになり、子どもたちを励まし、子どもたちに自己を統制することを勧めなかったならばそれは教育とはいえない。

私たちの学校では既に長いこと、賞や罰を行わず学期毎の通信簿も出さず、卒業式・運動会、その他の場合における賞も賞品もこと〳〵く用いていない。又ここ数年来叱ることは殆どしない。個人的にたしなめるとか、全体としてのよい行為のあった場合ほめる程度のことである。それでいて子どもたちは中々勉強するし、運動会や学芸会等、十分せいをだす。ほかの学校より特に行儀の悪いこともないし、子どもらしい自発的なよい行為やその結果としてのうれしい成果も決して少なくない。一人一人の子どもがその存在を認められ、その位置を安定し活動性を豊かにし、統制力を強化し、即時その場でたしなめられたり、ほめられたりしているからであろう。

# 第三章　しつけの進め方

## 学年別指導系統

はじめに述べたように、しつけはばら〳〵の望ましい資質を子どもたちにおしつけるということでは決して成就しない。それらの資質が統一ある性格として、実現するようにしなければならない。この為には子どもたちの性格の構造の変化即ち性格の力動的な発展が明らかにされなければならない。それは心理学の根本的な研究問題の一つであって、微力な我々によってすぐそれがとらえられると言うわけにはいかない。けれども我々が本当の教育をしようとし、正しいしつけに苦心をしていく時、たとえ不十分でもそのようなものによりどころを求めなければ進むことも退くこともできない。

殊に子どもたちの全生活を通じて、「しつけ」をしようとすれば、その全生活を通ずるところの指導方針がなければならないし、それは、子どもたちの経験の発展、理解の成立、性格の形成を根本的に規定している法則に基づいていなければならぬ。簡単なことばで言えば子どもをよく知らなければ、正しいしつけはできないのである。が、その子どもをよく知ると言うことは、子どもがなぜそうであるか、どうすればどう変わっていくかと言うことを見定めることに外ならない。我々は微力をも省みず、以下自分たちのそれについての見解を述べることにする。

従ってそれは、小学校の子どもたちについてだけに限定する。それに関連する幼児期の問題は最後の家庭における「しつけ」において少し述べることにする。何年の子どもはかく／＼であると言うことは甚だ誤解を招き易い。一人一人の子どもによって大きな違いがあるばかりでなく、同じ子どもでも、その方面によっていろ／＼な差があるからである。そこで子どもたちの在り方はこんな順序で発展していくが、ならしてみると、大体何年生位でこのようになると言うのが正しい言い表わし方であろう。けれども一々それをことわるわけにはいかないから、以下何年生の子どもはこうだとかあゝだとか言うが、それを個々の子どもに無理にあてはめないように警戒して欲しい。個々の子どもについては、それ／＼の部面でどれ位の発展段階にあるかと言うふうに綿密に考えていかなければならない。

**一年生のしつけ**　新しく入学してきた一年生は、大人で言えば、全く経験のない職場に就職した時や外国に到着した時と同じ状態にある。周囲の事情が全く不案内である為に、それまで知っていたものもわからなくなり、やりつけていた事もやれなくなると言ったふうである。その事は普通の大人

には、殆ど想像できない程である。その子どもたちに学校についての偽らない印象を聞いてみると、大きいとか、窓がたくさんあるとか、大きい子がたくさんいるというのが大部分である。だから入学後一週間位は、子どもたちは極めて神妙である。先生にも慣れ、自分の坐席や教室がわかり、友だちとも知り合いになってくると、急に活溌な活動を始めるようになる。けれども不案内の生活に対する警戒の心は意外に長く続いているものである。一年生のはじめ頃までは学校に慣れ切っているとは言えない。

しかしかれらは自分の慣れているところ、安全だと思う所では、動いたりしゃべったり、いたずらをしたり、無秩序な衝動的な行動を盛んにする。つまらないことで競争をしたり、他人をおしのけたり、手におえないような事をたくさんする。従って一年生の担任は、実際に指導する時間はごく少ないのにくた／＼に疲れてしまう。家庭においても、いろ／＼な注意をしてもすぐ忘れてしまうし、ちょっと放っておけば、次から次へと勝手な行動をして母親たちを困らせる。これは子どもたちが、新しい世界に入り、新しい活動が急に開けてきた為であって、各種の感覚器官を通じて、外界の事物に働きかけていくからである。かれらの感覚器官に訴えてくるすべてのものが、新鮮且つ強烈な印象を与えているのであって、かれらには珍しいものや不思議なものが充満しているのである。担任の先生にまつわりついて、着物にさわったり、毛をひっぱったりするのも、単に甘えると言うだけでなく、

珍しいものに触れてそれを知ろうとしているのだとも言える。電車の中などでよそのおばさんの着物に後からさわってみたりすることも同じである。周囲の人々に対しても、やはり好奇心から接しているという部面が多い。勿論前からよく知っている家人や知人は別であるが、担任以外の先生をおじさんと呼びかけてみたり、呼び捨てにしたり、友だちを手荒く取扱ったりするのもその現われである。事物や人はかれらにとっては珍しいものとか、不思議なものとか、ひきつけられるもの、気味の悪いもの、というような色合いで理解されているのが普通である。子どもたちはそれらの事物や人に働きかけることによって、次第にそれに慣れ、次いでそれが自分にとってどんな意味を持つかをだんだん理解していく。

性格として言えば、その位置は学校においては未だ安定せず、その発動性は身体的、感覚的である。自己統制の力は極めて弱い状態にある。従ってこの子どもたちを指導するに当たっては、まず心持を安定させ、広くいろいろの事物や人々に接触させると共に、多方面の活動を開いてやり、次第に目あてをもってしごとをし、目的達成の喜びを味わわせながら自己を統制させることを学ばしめるべきである。それらの関係から言って自己の見聞や、欲求を表現する活動が特に重視されなければならない。

一般に一年の子どもは無邪気な素直なものであると考えられているが、我が国の実情では、そうとは断言できない。家庭の諸条件は子供たちに虚勢をはったり、人をおしのけたり、甘えたり、すねたりするような不純なものを与えていることがむしろ多い。正しい意味における素直さを回復してやることが、一年生の場合大切である。この為にも先に述べたような方針、なかんずく自己の見聞したことや欲求を、率直に且つ正しく表現する活動を多く与え、それに必要な能力を高めていく事が大切である。

**二年生のしつけ**　学校にはいって最初の一年を経過した子どもたちはかなり安定した気持をいだいて二年生としての位置を占めはじめる。新入の一年生の世話をやいたり、二年生らしく落ち着いた勉強をしたり、何か急に上級生になったような様子を見せる。けれどもこれは二年生になった為のみせかけであることが多い。

二年の半ばころまでは一年生と大体同じような発達状態であるように思える。つまり身近な珍しい事物や人に感覚的に働きかけ、それになれていこうというような状態である。経験もまだしっかりしたまとまりを持たず少しずつ外界の事物や人が自分にとってどんな有用性があるかと言うことを知りつゝあるに過ぎない。

この傾向を促進するものとしては、表現の為の諸活動が特に大きなもので、二年の後半になって子どもたちは何か急に躍進するように見える。もう学校にもすっかりなれ、経験にも焦点が現われてくる。その焦点は人や事物の働きに注目するということにあるようである。一年の終り以来、だんだんに発展してきた自分に対する有用性によって事物や人を見るということが、この焦点を導きだしてくるらしい。この場合の事物や人の働きは、自分に対する有用性を中心としながらも、もっと広いもののようである。

家庭にある色々の品物や、町にある目立ったもの（店・電柱・ポスト）や動く乗物等の働きを絵はなしにかいたり「私は鉛筆です」といった擬人文によってそのものの役目・働きを書いたりする子どもがふえてくる。又自分自身が周囲の人たちに対して、どういう働きを持っているかを意識したり、その働きを果たそうとするような傾向もそれに関連してでてくる。

二年の子どもたちが、家でも学校でも、まめまめしくお手伝いすることはかなり著しい傾向である。一般的に言って二年生は一年とほゞ同一の経験、発展の法則に従って、経験発展の形式を持っているようであるが、前述の焦点を持ってくることが特色といえよう。従ってかれらに対する指導は、一年

生とほゞ同じで、表現活動を重んじながら、次第に社会や自然の大まかな構造の理解に導いていくべきであろう。

「しつけ」の面でいえば一年生では、仲良くするとか、その為に順番を守ることが大切であるのに対して、二年生では他の人や事物の働きを尊重すると共に、自分自身が他の人たちの役に立つように働く機会を開いてやることが大切である。この場合の役に立つこと、即ち、手伝いとか世話とか言うものは余り深い意味のものではなく、大人のまねであったりいたずらに近いようなものであることが多いから、余り責任の重いものや、余り継続的なものを要求しては無理なようである。却ってお手伝いや事物の世話等をきらいにしてしまうようなことになってはつまらない。教師や親たちと一緒に、小間使い的な、そして多方面な活動をさせながら、社会や自然の認識を深めていくようにするのが賢明である。

一年の後半から、二年の前半にかけて、子どもたちがノートの使用や、字の書き方その他がぞんざいになるという傾向がある。これは新しい生活において、発動性が旺盛になる為と、教師や両親の側の指導がやゝゆるむ為とではないかと思う。乱雑なノートその他を不快に感じさせ、又ノートや字の働きがくるってくることを悟らせて注意をしておく必要がある。さもないと中々取返しのつかない子どもになる恐れがある。

**三年生のしつけ**　子どもたちは三年になると、すっかり学校に慣れ、そして心身の活動は極めて旺盛に、知的な興味も時間的空間的に急速に拡大すると共に、その行動の範囲もにわかに広くなり、遠出をしたり、自分たちで遠足に行こうとしたりするようになる。

一、二年生のたどたどしさや自由さが大体において影をひそめ、純真明朗な極めてかわいらしい態度となる。子ども自身としても、今までのように子ども扱いされるのをだんだん好まなくなり、上級生たちに伍して学校でも校外でも一人前のような顔をしたがる。

外界に対する理解は今までのように人や事物の働きを、いわばばらばらにとらえる段階を過ぎて、それらの働き相互の関係、更にはそれを成り立たせている根拠、つまり生活の秩序というものを認識するようになる。従って、基本的な社会、家庭とか、学校とか、規模の簡単な地域社会などの構造を把握することが出来るようになる。つまり、そのような社会の秩序、その秩序に裏附けられているさまざまの事物や人の働きが一応すじみちだったものとして理解されてくる。子どもらしいやり方ではあるけれども、全体というものを理解し、それに働きかけていこうとするのである。

かれらが自治活動やその他に参加したいという熱意を示すことや、きまりをやかましくいうことなどはそこから出てくるので、係になったり、特別の役目を与えられたりした場合に、自己の責任を果たそうとして、甚だまじめに働くのもそのためである。従って、学校生活その他の秩序を身につけさせるには非常によい機会である。難点は活動の意欲が旺盛なことと、一定のきまりをあくまで固守する頑固さであろう。しかし、その難点も善用すればしつけのよい契機になるのである。

三年の子どもたちが、一人前として仲間や周囲の大人たちから取扱ってもらいたいという欲求は、例えば服装や持物などにも子どもらしいものをきらって、大きい人たちと同じようなものを欲するというようなところにも現われてくる。或いはまた、寝る時間、起きる時間、食物の種類、勉強する場所等にも現われてくる。我々はそれを拒否してはならない。事情の許す限りそれを容認し満足させてやるべきである。

男の子と女の子とが別々にグループをつくろうとする傾向も、上の傾向の一つの現われと考えられるが、これはむしろ封建的な男女差別の風習をとりいれないときまりが悪いとか、おかしいとかいう偏見の上に立っているのであり、それは助長すべきではない。こだわりのない共同生活をさせるようにしむけるべきである。

また、仲間をつくって他の仲間と対抗しようという傾向もかなり顕著に現われてくる。他の学年、他の学級の子どもと対立したり、他の村、他の部落の子どもと対立したりする。自分たちの仲間のきまりをあくまで主張して対立することが多いが、これもまた、警戒すべきものである。つまり他のグループや、他の子どもにもそれぞれの言い分（その根拠になるかれらのきまり）があるということを機会あるごとに悟らすよう努むべきである。

かれらの活動意欲が旺盛であるということは、いわゆる、いたずらの形をとっても現われてくる。動植物を手荒く扱ったり、危険なことをあえてしたり、非常に遠方に遊びに行ったりするようなことがある。勿論、かれらの傾向だからといって、他に迷惑を及ぼすいたずらや、かれら自身に危険なもたらすいたずらを放置することは出来ない。そこで、一方には出来るだけ無害ないたずらの道をひらいてやる（禁止しない）と共に、一方では積極的にかれらの発動性を有効な方向に十分伸ばしてやる工夫をすべきである。例えば運動競技、やゝ遠距離への遠足や、見学、音楽や図画工作への熱中、読の勉強その他に十分力を伸ばしてやるべきである。かれらはこだわらない活発な意欲を持っているから、芸術的な活動にも新しい飛躍をすることがよくある。

また、かれらの発動性の有効な進路として構成活動がある。何か物をつくろうとして、かれらは全く寝食を忘れる程熱中することがよく見られる。構成活動は発動性だけでなく、かれらの自己に対する統制力をも著しく強化するのである。この学年の子どもたちには特にふさわしいように思われる。

三年生は幼児の時期を脱して、少年期に移行する時であるが、はじめに述べたように、個々の子どもに発達の遅速があるので、学級全体として見れば非常に差が大きくなる。身体的にも、知能的にもまだ遅れている子どもと、飛躍をした子どもと両方が混在するので、この遅れた子どもたちに対しては特に配慮を加えないと周囲に圧倒されて、将来の発達に支障を来たすことがある。三年の子どもたちを指導する上の一つの警戒すべき点である。

**四年生のしつけ**　　三年から四年にかけては、子どもたちが著しく変化していくので、この間をどういうふうに区切り、どういうふうに解釈するかは実にむずかしい問題である。

三年生の如きも、或る意味では一、二年生以来の発達が一応の完成を示した時ともとれるし、一面には以後の発達のスタートともとれる。

しかも、その両者が共に真実であるので、四年生もまたそれに応じて、或る意味では新しい高学年へのスタートであり、或る意味では三年の連続であるように見える。しかし、いずれにせよ、四年生は六学年を通じて最も変化に富む、最も動揺する発達段階に相当することは万人の認めるところである。

四年生を高学年への新しい出発と見るのは、かれらが三年時代における安定した状態からとび出して、新たな不安定な生活に突入していく点からである。

自分たちがそれを認め、それに基づいて自分の立場を確保して来た生活のきまりを自ら破り、何か別の生活を求めていこうとするところに、その端的な現われがある。今までのものでは満足出来ない程の強い自己主張が現われて来たためともいえる。こういう関係や、周囲の人々との関係も著しく異なってくるし、事物の見方も極めて特異なものになってくる。四年生位奇抜な考え方や、物の見方をする子どもたちはいないと思われる程である。

三年生の連続と見る見方は、かれらの活動の意欲がいよ〳〵旺盛になっていく点、従ってかれらの生活の領域がずん〳〵と、空間的にも時間的にも拡大していく点などに根拠がある。

かれらの人や事物に対する理解は、三年生のように生活全体の構造と結びつけるだけでなく、それとは別の生活の構造と結びつけてみようとする点に特色がある。川に浮かぶ一隻の船も、村の人々を渡す渡し舟として理解されるだけでなく、昔の人が川の旅をした時の乗物としてとらえたり、冒険的な少年が海にこぎ出でるものとしてとらえたりするようになるのである。つまり、自分たちの今住んでいる世界や、その秩序だけでは気がすまなくなって、もっと別の世界、別のきまりを求めるようになるので、これはいうまでもなく子どもたちの意欲が旺盛になり、その意欲の方向が多面的になったためと考えられる。かれらの奇抜な考え方もそこに根拠があるので、我々から見れば途方もないが、かれらにとっては真剣なまじめなものであるのである。そのような別の世界や、別の生活のきまりを求めていくということは、ちょうどかれらの新しい世界を探究していくこと、経験を拡大していくことと一致し、相呼応するのである。即ち、時間的、空間的にかれらの経験を拡大し、それと現代のかれらの生活とを比較考究させる根拠となるのである。

自己の意欲が旺盛になると、自己の活動にも統一が現われてくるようになる。

この頃の子どもたちは、一面において強く自己を主張すると共に、他面においては他人の主張や欲求に対して、極めて強い同情を示すことがある。自己の主張が強いので、猛烈に大人や他の子どもと争うことが著しいのであるが、特に不利な状態にある友人などに対して強く同情し、これを救おうとして熱心な努力を示すことがある。がさ〳〵した四年生の空気の中で、時として極めて純真な友情が示されることがある所以である。

それと同時に、ある一定の個人が特に有利な状態におかれたり、特に不利な状態におかれたりする事に対して、極めて強い反撥を示し平等を要求することが見られる。不公平ということは、どの学年にも望ましくないことではあるが、特にこの期の子どもには禁物である。

このような特性をもった四年生をしつけていくには、特に単純卒直な態度が必要であり、公平な取扱いが必要である。勿論、大人の目から見ては当然であり、公平であることも、かれらのせまい片寄った、しかも動揺する見方からは、かれらにそうとられないことがしばしばある。けれども、教師なり、両親なりは自己の所信を貫徹させてよいのである。それは、子どもたちに、正しいものがかれらの考えのほかにもあるということを知らせることになるからである。この場合、出来るだけそのことがかれらにわかるように、立場を変えて物を考えてみるように指導することや、教師や両親が、平素から卒直・公平な態度を持していて、かれらの信頼を獲得していることが前提となる。

四年の子どもたちは、正直で勇気があり、向学心も旺盛であるが、一面、行動が粗暴になり、無暗に自己主張を試みるから、むしろ若干きびしい位の態度をもって、一方には望ましくない傾向がかれらの性癖とならないようにすると共に、他面には、かれらの考えと違うところにも、正義があり、正当な主張があることを悟らしめなくてはならぬ。かれらがいろいろな世界、時間的、空間的に拡大された各種の生活に興味を持ち、それを探究して行く傾向は、以上のような方針を具体化するよい機会として利用されるべきである。

かれらの強い自己主張、及びそれに伴なうところの成人その他の社会との対立は、かれらを駆ってかれらだけの秘密の世界を結成せしむることがある。これは、一面にはかれらの冒険的興味とも一致するので、意外に強い影響をかれらの行為に及ぼすことがある。その秘密のグループは、ある場合にはかなり多人数によって形成され、ある場合にはごく少数のもので結成される。時には、ある個人と想像上の友人だけで構成されることもある。その秘密の程度もさまざまであって、或るものは、独特の暗号や隠語を用いたりするが、或るものはそのグループの不文律程度のものなどにとどまる場合もある。但し、子ども自身が著しく動揺しているので、このグループの離合集散は、かなりはげしい。

「しつけ」の上において、このグループを利用することはあまり望ましくない。なぜならば、それは教師や両親の訓練を離れたものであるからである。

教師や両親は、むしろ学級その他を一つのそのようなかれらが得意になれるようなグループにし、自分たちだけの約束を成立させ、それによって自分を磨き、全体生活に奉仕することに誇りを感じるようにせしむべきである。

**五年生のしつけ**　四年生の大動乱を解決していくものは、いうまでもなく子ども自身の合理的な態度である。このような生活には、このような結果が当然附随するし、このような考え方やこのような行動はかく〳〵の結果を招来するということが明らかになり、自分としてとるべき生活のし方、物の考え方を確立していくことである。五年の子どもたちは、まさにこれに呼応して生活経験を時間的、空間的に著しく拡大していくだけでなく、それと同時に、因果関係をたどって、その世界を拡げていく、これは新しい一つの傾向であると同時に、四年以来の求知心に一つの焦点が現われたものと見ることもできる。かれらがようやく事物・現象の研究に本格的に打ちこむことが出来るようになり、科学的な読物に興味を示していく所以は、こゝにあると思える。我々はこの傾向を大いに助長して、かれらの研究活動を本物にし、かれらの知識を広め、正しい基本的な考え方を確立するようにしなければならない。

我々が自分たちの経験を振り返ってみても、この頃の理解（例えば物の価）が今なお我々の考え方を強く支配していることを知ることが出来よう。

子どもたちの生活態度も急速に合理的になり、けんか等は少なくなっていく。勿論そこには高学年としての自覚も作用しているであろうが本質は前記の処にあると考えられる。

つまりかれらは四年生の時代には多種多様の自己の欲求に対応させて、種々さま〴〵の世界（生活の場）を併立させ、その時々に自分の都合のよいものを主張していたのであるが、次第にその中の最も正当なものを一つ確立させ、他のものはそれに従属させていくように変わってくるのである。その意味では五年生は自己の統一を強化するのである。従って、一切の行動が主体的な統一を持つようになる。かれらが伝記等に著しい関心を示すのもその現われではないかと思う。またかれらは今までよりも、もっとはっきり自己の行為に対して（たとえそれが別の時に別の場所で行われたものであっても）責任を持つようになるのもその為である。従って五年生の「しつけ」においては、かれらの物の見方を、合理的な、かれらに納得のいくものにするのに応援してやると共に、かれらがその考えに従って生活をきずいていくように便宜を与え、自己の行為についての責任を負うていくように指導すべきである。

但一つ警戒すべきことは、子どもたちが周囲の勢いに引きずられて、十分自分に納得のいかないままに成人や周囲の人々の認めている立場を、そのまゝ正当な立場と認め、これを自分のものとしていくことである。

意識すると否とにかゝわらず、この傾向は非常に強いのであるから、子どもたちが五年生になって、急におとなしくなったということを、余り歓迎することは危険である。例えば家庭の財産のあること、父親の社会的地位が高いこと等を、子どもたちが得意に考えたり（低学年のように表面的に自慢するのでなく）、両親の勢力その他を基にした、親分子分式のグループを作ろうとしたり、又は男の子のすることと、女の子のすることと、区別してしまったりするのは、大人たちの立場をそのまゝとり入れてしまおうとする傾向の現われであろう。従って五年生の場合には、四年とは逆にむしろ寛大な急がない態度をもって、指導することが必要である。（五年生にもなって、ということばはむしろ避けたいことばである）

自己が確立していくということの中には、一種の感情生活・精神生活というものが、かなりまとまったものとして、かれらの中に生まれてくることを含んでいる。伝記や少年少女小説等を好むのも、その現われとも見られる。それと同時に、自分ならびに他人の感情を尊重し、みだりにそれをあばいたりすることを、避けようとする傾向が見られる。殊に女子においては著しい。これは勿論大いに尊重すべきものであるが、しかしそれを秘密のベールでかくしてしまうような傾向は望ましくない。これは尊重しながらも、適当な形で表現し、交流して発展さすべく注意すべきであろう。

**六年生のしつけ**　自分の合理的立場を発見することのできた子どもたちは、他人のそのような立場をも認め、更にそれを含むより大きな全体の秩序を認めるようなことができるようになる。六年生の子どもたちは、五年の時代に引続いて、その経験を時間的にも空間的にも、そして又論理的な関係においても、著しく拡大していくが、このより大きな全体の秩序、構造を理解し、その上に立って、個々の現象や構造を説明しようとするところに大きな特色がある。

社会生活の全体、国際社会、世界的な規模の諸事業（通信・交易・資源の保全、生産等について）の理解を与えることができるのもその為である。五、六年生において、知的な発達が著しいということは、人のよく知っている所であるが、一歩進めてその内容が前記のようなものであることを、よく念頭におくべきである。断片的な知識をむやみに詰めこむだけでは将来の発達に有利でない。

他面このような理解の拡大及び確立は五年以来の自己の統一をいよ／＼強化するものである。

従ってかれらは共同生活をしながらも、自分自身の創意を生かし個性を発揮することを、かなり顕著に要求するようになる。勿論五年以来、発展してきたかれらの感情生活がそれを助けていることはいうまでもない。

四年以来、自分とは異なる他人の立場のあることを認識させ、それを理解させることに努めてきたのであるが、六年生になれば、その他人の立場がよく理解され、それを受け入れ、それを発展させようとするようになる。

一年生や、二年生の希望や言い分を静かに聞いてやり、或いは自分で察知してそれを入れてやろうとしての思慮ある行為を期待することができる。

もしも六年生が、最高学年としてその勢力を悪用し、低学年、殊に五年生を圧迫し、これと争うような傾向を示すとすれば、これは封建的な意識の抜け切れない為である。

かれらの生活や外界に対する理解が進んでくることは、必ずしも望ましい結果だけを招来するとは限らない。指導を誤ると前に述べたように、その勢力を乱用して、下級生に乱暴したり、教師に対して悪意のある態度をとったり、教師自身の弱点（指導方針の食違い）や甘い教師の弱点をついたり、教師や両親の気の付かない秘密を発展させることがある（しっぽをつかませない）から、警戒しなければならない。

又数はそう多くないけれども、殊に女子においては、性的な発達が著しくなってくるものであるから、それがもとで自己を卑下したり、不安になったり、或いは逆に性的な興味を高めたりする者があるので、個々について、適切な指導を行わなければならない。

生理学の研究によれば、六年生位になると男女の知的及び身体的発達にかなり著しい差が現われてくる。女子の方が一年近く先行していくと言われる。従って学習その他において、女子がやゝリードするのは当然の傾向である。にもかゝわらず、一般に我が国の学校では、女子の方が十分活動の余地が与えられていないのは不自然な又不当なことである。女子に適する学習活動や、自治活動が与えられなければならない。

## 学校の年次計画

### わが校における実験例

今まで述べたものは、個々の子どもの当然通ると考えられる、性格形成のすじ道である。学校や社会の、雰囲気のいかんによって、その性格形成のすじ道には、さまざまの色合いがついてくる。従って、「しつけ」の進め方を考察する今一つの面として、そのような生活の雰囲気の進展のしかた、それが性格の色合いとなって、現われてくる、その現われ方が問題となる。或る学校や、或る家庭の「しつけ」が良いかどうか、進みつゝあるか否かということは、この面から見られるのが当然で、つまり学校全体の「しつけ」は、どんなふうに、年一年と進んでいくかが問題である。

まず考えなければならないことは、我々の社会生活にはまだ極めて多分に、古い封建的な雰囲気が残っているということである。個人の人格の尊厳を認めず、その平等を無視し、理性よりも、権力やその旧習を重んじ、全体の利益を誇張しながら、各個人の幸福を平気でふみにじり、法の支配が形を整えながら、実は暴力が横行するというような雰囲気が、我々を取り巻いているのである。

子どもたちは未完成である。その心性は原始的であるから、このような封建的な雰囲気は著しく影響を与える。例えばむやみに泣いたり、すねたり、あばれたりするのは一種の子どもの暴力で、順番を守らず、我先に水を飲もうとしたり、便所に行くのさえ、人をおさえて行こうとしたりするようなのは、人格の尊厳や、平等に対する無感覚である。教師や、権力者の気に入るように努めたり、やかましく他人のおせっかいをしたりするのは、子どもらしい権力支配への屈従とか、うるさい全体主義ということができる。このような例は、実に数限りないのであって、人間性の尊重について、鋭敏な感覚を持っている人ならば、ほとんど窒息してしまうぐらいである。従って、一年生であるから、そのようなものにおかされていないとか、純朴な農村だから、そのような事がないとかいうことは全くいえないのである。勿論都市のインテリー階級の子どもたちの学校でも同じことである。

極言すれば、正しいしつけはこのような古い雰囲気、封建的な生活のしかたを追い払い、人間性の尊重を基本とする新しい雰囲気、民主的な生活のしかた、生活のしかたとしての民主主義を子どもと大人の住んでいる世界に打ち建てていくことに他ならないのである。

このために、まずなすべきことは、古い生活の惰性を打破することである。その為には、新しい生活をつくっていくところの意欲をまず強化しなければならない。それは別にむずかしいものではなく、真に自分たちの欲するもの、念願するものを正直に認め、それを堂々と主張していくことに他ならない。

私たちははじめ子どもたちに、次のような励ましのことばを与えた。

(1)　よいと思うことはどんどんやりましょう。

(2)　悪いことがわかったら、途中でもやめましょう。

(3)　わからないことは、わかるまでしらべましょう。

この励ましのことばは結局、そのような生活意欲をもりたてたのである。

勿論、これに呼応して学校の生活区分、教科課程等にも、改革を加えたのであるが、この励ましのことばは子どもたちだけでなく、教師にも両親たちにも影響を及ぼし、一つの学校の雰囲気を作っていったのである。

学校の人々が自分の信ずるところに向かって、活溌な活動を開始していくにつれて、子どもたちはわがまゝかってにはならないで、次第次第に古い生活の惰性からぬけ出して、素直になってきた。この場合の素直というのは、何事によらず長上の命令や、指示に従うという意味ではなく、長上の命令や指示を心から喜んで受け入れるという心のゆとり、こだわりのなさとでもいうべきものである。このような素直さは「しつけ」の出発点である。

これを十分に理解してもらうために、私たちの学校で気がついた変化を順次に述べてみよう。

まず最初に自分の学級担任以外の先生たちにもよく挨拶をし、自発的にその手伝いをするという傾向が現われてき、次に子どもたちが自分のしごとに熱中したためか、学校の中に落ち着きが現われてき、静かな時間が三十分、一時間、二時間という風に増えてき、子どもたちの眼に、快活な輝きが一層強く感ぜられるようになった。「ポケット手をしないようにしよう。」という主事のたった一度の注文が素直に実行され、子どもたちがよくいうことをきくと、教師たちの驚きがあちらでもこちらでも起り、学校や運動場を広く自由に使って元気溌剌としているように感ぜられて来た。

この頃、既に一箇年経過したので、年頭に新しい励ましのことばを与えた。それは、

(1)　建物の中では、静かなきれいな声で話しましょう。

(2)　うちでも学校でも役に立つことをしましょう。

(3)　他人のおせっかいをやめて、自分がしっかりやりましょう。

というのであったが、この第一のことなどは即時実行されて我々を驚かせたものである。

子どもたちの詩とか、絵などの作品に気魄のこもったものが現われてきたのはその後間もなくである。そして新しい励ましのことばから約四箇月経して子どもたちのおせっかいをやくふうが急に少なくなり、さばさばとした気分が出て来た。

私たちはこれらのことをひっくるめて子どもたちが素直になったといっている。

はじめの励ましのことばを与えてからちょうど一箇年半、「たしかな教育の方法」で報告した教育形態に入ってから一箇年の収穫である。

これは要するに、子どもたちがほゞ古い生活の惰性から脱却して、本来の面目に立ち返ったためというべきであろう。新入の一年及び途中入学の子どもを除いて、そのような素直さが子どもの身につき、自分自身の意欲や念願を尊重するという雰囲気が確立したかに思われる。

しかし、振り返って考えると、まだまだ不十分な点がたくさん発見され、我々を悩ませた。

それは新しく生まれて来た欠点ではなく、前から引き続いて存在している欠点で、その第一は後始末がうまくいかないということである。いま一つは他人の迷惑をもっと考え、例えば、授業中の教室

の前を、大声で話しながら通ったり足音を立てて走ったりしないというようなことがうまく出来ないことである。しかし、とにもかくにも子どもたちが素直になったという、実は意想外の好結果は我々を励まし、まず後始末をよくさせることに眼を向けさせることにしたのである。

後始末は一面には他人に対する配慮に基づくものであるが、一面には自分自身の欲求や念願の実現、その効果の反省というものと深く結びついている。従って、子どもが自分の意欲や念願を尊重するようになった以上、次には必ず後始末はよくならなければならないはずである。

従って、素直さのほゞ実現された頃から手を変え、品を変えて、子どもたちの後始末を指導してみた。新しい励ましのことばの、第二の「うちでも学校でも役に立つことをしましょう。」というのもその含みを持っていた。けれども、後始末は依然として改善されず、時には我々自身も自分たちの方針に疑念を感じないわけにはいかなかった。

第三年目の励ましのことばは、

(1)　忘れ物をしないようにしましょう。

(2)　人の手をわずらわさないようにしましょう。

(3)　後始末をよくしましょう。

であったが、第一は急速にその反応が現われ、第二もかなり子どもたちの心がけに変化を与えたようであるが、第三の後始末は子ども自身もうまく出来ないと認めた程効果があがらなかった。

然るに、素直さがほゞ確実になってから丁度一年を経過した今年の四月下旬以来、にわかに好転の兆候が現われてきて、後始末がよくなって来たので、私たちはむしろ啞然として自分たちの予想の誤りでなかったことに驚いたのである。別に前よりもきびしく後始末を要求したわけでもなく、勿論、後始末の点をつけたりしたのではない。思い当たる原因としては「なかよし」(特別活動)を充実するために、若干の方策をたてたことと、その「なかよし」が落ち着いた充実したものとなってきたことぐらいである。勿論、一箇年間我々の思い悩んできたことが、そのような気運を作ったことはいなまれないであろう。

一つの雰囲気がいつとなく出来てきたようで、雰囲気が出来てしまえば、労せずして期待が実現されていくようである。はじめは掃除の後始末がよくなったのであるが、今では体操に出かけたあとの服装の後始末、放課後の教室の後始末、集会のあとの会場の後始末などどんどんとよくなりつゝある。勿論、また便所の下駄とか、水道の栓とか、画鋲とか、改善の状の著しくないのもあるが、次第に進歩していくのではないかと期待される。

自己の意欲や念願、それに伴なう活動やその成果を尊重する雰囲気がまず確立されつゝあるわけであるが、次には、他人の意欲や念願、活動やその成果を尊重する雰囲気が生まれてこなければならないはずである。自己の生活を尊重するものはまた他人の生活の尊重すべきことを感ずるにちがいないからである。真の自己の生活の尊ぶべきことを知らないものは、他人の生活を尊重することが出来るはずはない。

私たちは今や次第に重点を他人の生活を尊重する雰囲気の確立にうつしていこうとしている。

人のおせっかいをやめて自分がしっかりすることとか、人の手をわずらわさないとか、ということはこの方向への伏線でもある。しかし、我々の実施している教育形態をいよ〳〵推進させる以外にどんな方法があるかは私たちは知らない。

今までのように、一年後か二年後に、突如としてそのような雰囲気が現われ、それが一人一人の子どもの性格にしみこむならば、それはすばらしいことであろう。

現在少しく頼みに思っているところは、次第に子どもたちが学校でどのようなことが行われつゝあるかということに対して敏感になってきたことである。今あの先生は何をしていられるか、あの学級の子どもは何をしに出かけようとしているかということを理解しはじめていることである。もっとも端的には、それが学校の壁新聞に現われてきているが、その他にもそのような兆候をたくさん散見する。

自分自身の生活を尊重し、他人の生活をも尊重するということは決してやさしいことではない。何故ならば、両者には対立したり、衝突したりする部面があるからである。この対立を解決するためには両者を批判し、より高い立場において両者を生かすような雰囲気が現われてこなければならない。つまり自他を生かそうとする好意的な批判の精神と、自他を生かす、より高い生活様式を追求する精神とが、我々の生活の雰囲気に現われてこなければならない。批判的な精神といっても、やかましく自他の是非をあげつらうのではなく、事象の根源に立ち入って、そのことの成否・正邪・善悪を明らかに認識し、如何にすれば事態を正当な合理的なものにすることが出来るかをつきつめていくことである。ゆとりをもった態度で事態を正しく見極め、事態を改善するためにあたゝかな努力をする精神である。私たちはそれは一つのユーモアの精神ではないかと考えている。

私たちはだじゃれや、冗談や、おどけや、滑稽を直ちにユーモアそのものであるとは考えない。合理的なものと、不合理なものとの混在もしくは衝突を鋭敏に感得し、しかも、それを合理的なものの方へ導いていこうとするゆとりがユーモアではないかと考えている。

苛烈な批判も、痛烈な諷刺も、爽快なユーモアも不合理を排除する点においては同じであるが、常用し、しかも自他を健やかに育てていくものとしてはユーモアが最上であろう。

このようなユーモアの精神が生活の雰囲気に入ってくるならば、自他の生活を共に生かすような、より高い生活の形成に数十歩近いものになるといえるであろう。

自他の生活を共に生かすような、より高い生活を追求する精神は既にユーモアの精神の中に内在しているのであるが、もっと端的には望ましい生活に対する感受性として現われてくるであろう。きたならしいことばづかいとか、仰山な表情とか、ふしだらな服装とか、傍若無人の言動とかを排除し、洗煉された、しかも自由な言動態度等を発展させていくものは、この感受性に満ちている雰囲気以外にはありえないであろう。

以上は雰囲気の変化の方向であるが、それは同時に学校全体、或いは家庭全体としての「しつけ」の進め方に他ならない。全体として、そのように進んでいく中で、個々の子どもが、前に述べたような発展の法則に従って指導されていく時、そこに「しつけ」の系統がおのずから現われてくる。

以下私たちの学校における各学級担任の「しつけ」についての留意点や実施事項を列挙して、これを重ねて説明しよう。大きな線においては一致しながらも、担任の性格や学級の特質に応じて、細部

においては、必ずしも前述の所と一致しない、くい違う点、同学年の両組に違いのある点は、認めていただかねばならぬ。私たちは、常に、そして相互に、探究を続けているにすぎないので、固定したものでお互を束縛しないからである。

## 学級担任のしつけの着眼と実際

### 一年月組

○　なかよく生活する態度

さまざまな幼稚園から、また直接家庭から、ばらばらに集ってきた子どもたちを、学校生活に慣れさせ、学校の子どもらしくすることは、一年生しつけの大きな方針であるが、その中核となるものは、みんながなかよく、楽しい共同生活を、みんなの手で築きあげようと目覚めさせるところにあると思われる。

入学当初から、教室や学校の各種の共同の施設・備品の用い方に慣れさせ、なかよく行動する態度を育てて、次第に団体生活の秩序や団体生活の楽しみを感得させてきた。具体的には、人のじゃまをしたり、人のいやがることをしたり、人にめいわくをかけたり、おしのけたり、無意味な競争をした

り、告げ口をしたりする態度を戒め、常に、大勢の友だちと、なかよく、楽しく生活することを強調してきた。

更に積極的には、ひとりひとりを早く結ぶために、同じ通学コースにある子どもたちといっしょに附添って帰ってやり、友だちの家のありかを知らせて、その交友の範囲を拡げてやり、持ち寄りの絵本で学級文庫を作り、また同様に遊具の施設もした。特にひとりひとりの力を結ぶ共同の仕事を多くしていった。その大きなものとして、「私たちの教室」を建設することを単元として、楽しく、都合よく生活できるように、室のかざりつけ、整備、共有の道具の作製などのようなしごとを行った。そして、そのために互が力を出しあって協力し、手伝いあう習慣の養成に努めた。

このことは、ひとりひとりの力や立場を意識させると共に、互に敬い、他を犯さない、権利や義務への目覚めとして、次第にその強化の度を加えていきたいと思う。

○　すなおな性格

それぞれ異なった環境で、勝手にひとりの生活をしてきた子どもたちは、さまざまな生活の体臭やカラをいつしか身につけている。これらの子どもたちを、真に愛すべき純情の子にするために、常に卒直に本性を発露させることに努めてきた。かくしだてをしないこと、思うまゝの気持をひれきする

こと、ねちねちしないでさらりとすることなどがその強調点であった。そのためには、子どもたちに安定感を持たせ、更に子どもたちに対する態度をまじめにし、からかったり、おどしたり、叱ったり、むやみにおだてたりすることを戒め、常にまじめな、さばさばした態度で言動するように導くことが肝要であると感じている。これは常に親たちにも語って、そうした態度で子どもに対するように心がけてもらっている。

○　自分のものの確立

ひとりひとりを伸ばし、強くするために、自我の発動を旺盛にし、その中に、新たなもの、珍しいものに触れて経験を積み、新しいまなこを開かせるように努力してきた。それは結局、自分の目で見、判断し、考え、工夫し、きりひらく態度を育てることに連なるものである。

そのために、ひとりひとりの表現活動の機会をできるだけ多くし、めいめい自分のものを持たせ、その尊さに気付かせ、また自信を持たせたいと念願してきた。これに伴なって、人のまねをしないこと、附和雷同しないこと、ひとりでも正しいと思うことはやることなどを強調してきた。

○　やりぬく力

自分の能力を考えないで事をはじめて中途で投げだしたり、また手あたり次第気まゝに散漫な活動

をしたり、根気が続かず後始末もしないといった傾向は、すでにこの頃の子どもたちにも見られるところである。

従って、各自の能力に合う仕事を選び、たとえそれが簡単平易なものであっても、自分の全能力を挙げ、精魂こめて完成させるように努めてきた。それは一枚の絵、一つの計画、一つの作業においても、自分の思う通り、その志に従ってやりぬかせることである。それによって、完成の喜びや満足感を味わわせたい。少々入学初期の子どもたちに無理かと思えるような、虫とり・魚とり・草花とりに取材した壁画つくりや、採集した木の葉を模様化してクレヨンで描くカーテンの製作など、第一学期の「しごと」は、子どもたちのねばり強い、熱心な態度で貫かれ、指導者も、子どもたちも成功の喜びを味わうと共に、一つの自信を持たせる機会となった。

○　親たちの協力

家庭からの要求も多く、また最も関心の高い学年と思われる。親たちに対しては前記の方針をよく理解させると共に、その強い協力や参加を要望した。

ひとりのわが子だけに目を奪われず、わが子の生活する周囲を、わが子の育つ場を——学級全体を見つめて関心を持ってもらうこと、子どもたちの動きや成長を観察する態度を持つこと、親たちもいろいろ進言し示唆を述べて学級経営参加の意識を旺盛にし、その実を挙げること、学級の親たち相互もなかよしになって協力することなどは、月々の学級会に強調してきたところである。このことは、親たちの来校した際の態度の刷新をもたらし、真に教師と親が一体となって、子どもたちの幸福な成長を見守り、育成しようとする機運を醸成してきた。

一年星組

こどもたちの家庭環境を調べてみると、長男一五、長女一四、二男五、二女六、三男四、三女三、四男一、四女二、であり、父は大学卒三三、高専卒一四、中等卒一一、母は高専一一、高女卒三七、小卒二、の教養程度である。両親に養育されている者四六、母（戦争未亡人）に養育されている者四、一人子四、末子五である。保護者の職業は、銀行員一、会社員二〇、教員一一、官吏五、商業八、旅館二、医師二、無職一、であり、入学前全部附属幼稚園の保育を受けている。三年保育九、二年保育二三、一年保育一九、である。

これをまとめてみると、

一　どの子どもも中産家庭の中にあり、比較的恵まれた境遇にある。

二　両親の教養は高く、教育に関心が深く、家庭教育もある程度行きとどいているが、古い教育思想もかなり強く、新しい教育思想の普及には、若干の抵抗が予想される。

三　長男長女が半数以上を占めている。従って意志の薄弱・内気・安逸・非独立などの傾向がのこっている。

四　幼稚園生活を通じて、社会性はかなり高くなっている。全員幼稚園から来ているため、入学後交友関係に大きな変化がない。

つまり、比較的似通った家庭生活の地盤と様式の上に立ち、同様の経験範囲を持つ子どもたちである。

このような異彩にとぼしい学級の諸条件から、内にも外にも、かわいい子どもにしつけていこうと念願している。私が今、子どもたちについて考えている、かわいい子どもたちの持ち味は、

(1)　ききわけのいいこと

(2)　すなおなこと

(3)　安定していること

(4)　なかよくすること

(5)　よろこんでしごとができること

(6)　ねばり強いこと

(7)　ゆたかな心情を持つこと、である。

子どもたちは、この期の通有性として、先生の言いつけは固く守り、学校学級のきまりには、すなおに従う、特性を発揮している。これは大人ことに教師を万能視し絶対視するからである。だから教師自身の正しい生活の示範や、正しい行動や規律を具体的に教示することや、正しくききとり、ききわけるしつけをし、教師の正しい直接指導の場に慣れさせたい。

これは必然的にすなおな態度に移行する。この中には、遠慮のない自己発表の態度を含んでいる。何ごとも包み隠さず、気楽に話し、つどうような態度と意欲をみなぎらせたい。更には、子どもたちの内心の要求が、そのまま行動に実現できるような場をつくっていく必要を感ずる。

子どもは、よくけんかをし、大声をあげて騒ぎまわり、教師を独占しようとして争う。これは外向的な活動欲や競争心の横溢にもよるが、子どもたちの心身がそのおかれている場で安定していないためも多い。これを安定させるには、整列、遊びの順序、遊び道具の使用順序、その他の学習全般、生活の全体について、はっきりとした約束をさせて、自他の位置を知らせ、生活の場に順応させる。また家人の愛情や保護のかわりに、教師や友人にそれを求める心が切実で、不安である所もあるのだか

ら、教師は新たな広い愛情をもってこれを充たしてやることも必要である。身体的活動もなお不調和な不安さをもっている。大きな怪我は少ないが、生傷は絶えず、病欠もしがちである。衛生的な習慣や運動の練習にも留意したい。

教師の子どもへの愛情と理解は、やがて学級の空気を暖かいものにしていく。これを契機に、自他の不分明な状況を、自他の接触交渉の機会を多くすることによって打破し、真実の協力や親和に導いていきたい。遊び、ごっこ、協力学習、共同のしごとの場を多くとりあげ、また楽しい遊びを、助けあいの「なかよし」に高めたい。

子どもたちは、両親や教師のいろ〳〵な小さなしごとを手伝うことを非常に喜ぶ。一年生だからという同情や錯覚から、目的的な実際生活を回避することがあるが、それでは未分化的特質を持つ児童性は発展しない。未分化時代の想像性や空想性はそのまゝ伸ばしたいが、子どもの社会化のためには、子どもの現在の能力に応じて社会的実在に接触させる必要があり、そのためには、家庭や学校の実際生活における用事に参加させ、学級生活に役立つ生産的なしごとを経験させねばならない。

しごとは継続性を持ち、勤労的な性格を持ち、子どもたちには抵抗がある。この抵抗に対する緊張とその克服による成功の喜びは、子どもをねばり強い性格のものにする。これは温床育ちの嫌いのある本学級には特に必要である。

幼稚園時代から、子どもたちは、うたや絵や遊戯を好んでいる。これはかれらの本質的興味でありきわめて強力な要求であるから、花をつくったり動物の世話をしたりして、子どもたちが身のまわりのすべてのものに、愛情を寄せていく方向に、心情をふくらませたい。美しい教室環境、豊かな表現活動や創作活動の発展を工夫しなければならない。

以上は、かわいい子どもへのしつけの幾つかの要点であるが、学級でのかわいい子どもは、同時にまた家庭のかわいい子どもでなければならない。この意味で、学級と家庭との一体的しつけを念願する。ことに子どもを通して家庭の持つ封建性の排除に努めつゝ、保護者の積極的参加（参観のみならず、実質的な労仕）を奨励し、むしろ、教育資料の交換、教師と保護者の協力によって、しつけの徹底を実現しようとしている。

## 二年月組

○ 子どものものの考え方から

「まきとすみとどこがにていますか。」という発問に対して、これがことばだけで与えられる場合と、具体的に薪と炭が置かれている場合とでは、非常に大きな開きを持っている。こゝに私は子どもたちは具体的なものを通してとらえ、考え、また実際の行動を通して理解し考えることでは、抽象的に考えることよりずっと進んでいることを知る。

又秋の種まきをして、緑の芽がでてきたそらまめの霜よけの指導をする時、他の草木が葉を落して冬枯れしている現実の姿を見させ、「かわいそうだ。この寒さから救ってやろう。」という情意をあおるとその活動は非常に活溌となる。

公園掃除をするにも、溝に落ちているごみを雑魚とりといって楽しく行い、手にありあまるごみはごもくめしになっている。

こうしたものの考え方をしている子どもたちのしつけは、こうした時代を除いては他に求められない生活の場において、具体的に行動を通して、理屈でなく情意に訴えていくことが必要である。廊下を走らない指導、手の洗い方など日常生活の基本的形式は、毎回その場に即して行い、次の段階は、事前に毎回簡潔な注意を与えて、習い性となるまでの努力を要する。

次に抽象的な場における考え方においては自己中心性の漸進的解消が見られる。自己中心というのは自己と客観的世界とが分化していないことで、こゝでは自分をぬいてはものの関係が考えられない世界である。これは多分に社会的経験が十分でないところから起るのであって、社会生活をさせていくと、自己中心的な考え方では通じない障害にぶつかり、だん〳〵その考えを脱いでいくのである。

私は一年生の指導に、自己中心性を豊かに培いつゝ、それを脱皮していく指導をはかった。それは子ども自身が関心の深いものになり、そのものが自分になる段階から、子ども自身がものになって、そのものから外界を見わたす指導、例えば田舎の柿になりきって自分の窓から社会を見る、更に自分を含んだごく身近な人の動きを知る指導、例えばおうちの人のチームワークを知る、これらの学習指導を通して他人が見えてくるように計った。

○　他人が見えてくることから

一年生の時は新しい環境における人や事物の一つ〳〵に働きかけて、自分の所をそれらのものの中に得れば一応満足していた子どもたちも、二年生になると、その得た所を足場として、身近な社会に立って、あたりを見まわす。そこで他人が見えてくるのである。かれらの問題を調べると、上級生がいじめる。近所の子がいじわるをする。遊んでくれない。友だちにすききらいができる。勢力のある子が問題になる。男女の別に気がつく。父母に叱られることが苦になり、父母の身の上の心配が始まる。泣くことも少なくなるのは人に見られることをいやがるためであろう。これらはすべて他人が見えて来たものと思われる。

見えてきた他人の姿のうち、子どもたちがとらえていくものは目立った人の役割である。大きくなったら何になるということがよく家庭で子どもの口からでるそうである。人の動きに対する関心は物の機能にまで伸びていく。

そこで私は、子どもたちに見えかけてきた他人を、子どもたちの関心の焦点におき、生活経験を発展させる学習指導を通して、よりよく見させ、人や物の役割を理解させ、そして役割の理解が尊重に、役割の尊重から他人の尊重にと高めていこうと思う。それにはお百姓さん、郵便さん等の学習と、そうしたいろいろな役割で出来ている近所の生活を理解させる。こうして他人を見ることを通して、自分が見えてくるように計っていきたい。

他人が見えてくることから、学級リーダーをおくことができる。二年生になって朝や帰りの会にリーダーに司会させて、その日の生活について相談させたが、みんなリーダーという役割に権威を認め尊重している。

他人の役割に眼がつくことは、自分自身にかえってくる、又かえる指導でなければならない。学級では朝登校する順に従って、窓あけ、うさぎのせわ、小鳥のせわ、花のせわをしてくれた人を小黒板に書かせているが、それは、楽しい日課となっている。

なお、よい子調べをしている。いろんな分野で、他の子どもが学校によいことをしたことを、見つけリーダーに知らせる、すると小黒板に○と名まえが書かれるのである。忘れ物やじゃまをしたことなどは×となり、それが集計されて、グループごとに努力している。そしてよい子の多いグループがリーダーの栄誉を受ける。こうして周囲からの注文を二年生なりに受け拵っている。これをお手伝いの形式からだんだん高めて、子どもにとって楽しい約束を果たさせるように導いている。

○　自我意識が高まることから

ところが、一方一年生では従順であったのが、自分にも能力がついてくると、自我がでてくる。だから他人が見えて来ても、他人の立場を理解するのにはなかなかである。親の口をついて出るものは、自分の生活干渉を好まないとか、口ごたえが多いというのである。だから、自己の主張もさせ、見えてきた他人も認めるよう指導することが大切である。――話しあえば自分の考えよりも更によい結論が出てくることを――。家庭においてもこの考えから、昼間起った問題を夕食後などやかに話しあうことを勧めている。学校でも、争いが起って告げ口に来た時など「ちょっと辛抱して帰りの会に出しなさい。」となだめる。帰りの会で水かけ論になるとリーダーの一人が二人を廊下へ連れ出して話し合っている。たいてい結論が出てにこにこ入ってくる。こうした話し合いを通して感ずることは、先生や親がいったことは絶対に正しいとする考え方から、時と場合によっては必ずしも正しくないとする相対的な考え方へ進みつゝあることである。

二年生のしつけは子どものものの考え方に即して具体的に行い、他人が見えてくる事実と自己主張の始まる発達の矛盾を統一することが大切ではないかと考えている。

**二年星組**

一　意欲の旺盛な子どもにしたい

かつて卒業していった子どもの五年生の時の調査によると、学習能力は知能指数よりも、自発性の有無に関連していることが多い。自発性のある子どもは素質を克服して進歩していくことがわかった。これは世の実情に照らしても肯けることである。それ故、自ら活躍せずにはいられない意欲の旺盛な子どもにしたいというのが、第一の念願である。

そのために、学級で意図していることは、仕事好き、勉強好きの子どもにしたいことである。前の調査で見ると、自発性の低次な子どもは、人にほめてもらえるからとか、何か代償があるような時に自発性が発動している。中位の子どもの中にはよく出来る時とか、勉強やしごとのしかたがわかった時などというのが多い。更に高次な子どもになると、勉強や、しごとそのものがおもしろいからとなっている。幾多の過程を通って、私共は子どもをこの最後の段階に連れていかなければならない。「子どものしたことをほめてやること」「やりかたを見てよく指導してやること」などを全く個々別々によく気をつけてやり、「しごと」に幅を持たせて、五十人の子どもが、それぞれ自分の好むしごとをすることが出来るように留意している。

二　たえず深くおし進めていく子どもにしたい

しごとのおもしろさは発見・創作によって生み出されることが多い。物事を精密に観察させることにより自然界や世の中の妙味に触れさせること、子どもの創意が十分生かされるような生活をさせて、子どもに自らの創意によって生活が改善され、楽しくなっていく喜びを持たせることを願っている。

三　子どもの夢を育てたい

子どもは旺盛な活動力をもって、ぐんぐん進んでいく。その方向は、多分に、子どもの夢を実現する方向である。そこへ向かって進んでいきたいと思う。

思いきってやらせてみたいと思う。色のない布切れに、盛んにいろいろな布切れを切って、糊ではりつけ、一枚のふとんを作ろうとしている。夢を持っていても、それが実現されないような生活を繰り返していると、いつか人間は夢を持つことさえ忘れてしまう。人間の生活をより楽しく、幸せにするために、絶えず夢を持ち、それを実現しようとしていく子どもに育てたい。既成の概念にとらわれないで、子ども自身が進んでいこうとする方向をよく見つけて、その上に教育的な指導を加えたいと思っている。

四　労作をいとわない子どもにさせたい

多分に人間の生活は労作によって支えられている。ともすれば知能的な理解のみで満足れりとすることが多いが、それに流れないようにしていきたいと思っている。勤労を愛好し、自らの労作を通して物事を理解していくようにさせたいと思っている。働く生活、作る生活を重視し、時間を相当これにかけている。他の人が清掃などをしている時、ぼかんと遊んでいたり、いいかげんな気持で遊び半分に働くことを避けさせている。

五　感覚を育て、技術を身につけさせたい

感覚や技術は、全くその人間の力である。そうしてこれには長い修練の期間を必要とする。特にその期間としての小学校時代は大切であるという事を聞く。複雑にして高度な世の中に生きていくには相当な実力が必要ではなかろうか。一歩一歩ゆるがせにしないで、感覚の修練をし、高次な技術を身につけさせるよう努力している。感覚や技術が子どもを育てることが多いからということとともに、

優秀な民族に育てあげるためにどうしても必要なこととして、学級では重視している。

六　愉快に過したい

心の持ち方として一つは物事を子どもにくだいて話し、よい方に解釈するようにしている。例えば問題の子どもがいる。みんなが不愉快にされる。その時、この問題の子どもがよって生まれた経緯を、よくわかるように話して、子どもに善処方法を考えさせる。子どもはかわいそうだから云々と、よりよい生き方を見つけ出していく。「けんかをする。けんかをしていやな思いをして、痛い目をして、先生に叱られて、お家で叱られてなにがよかったか。しなければ、先生にもほめられる。お家でもほめられる。人からもよい子になったとえらく思われる。いいことばかりだ。ちょっと、辛抱してしなくてもよかったようなけんかなら、辛抱してやる人がかしこい。」というふうに話して、子どもの理解に訴え、子どもの良識によって、不愉快を感じさせるようにしている。こうした過程を通って、先生やお母さんが自分にいわれることは、一応の理由があるのだからと、素直に聞けるようにしたいと思っている。

進んでは、みんなで、共同の楽しい時間を持って、人間をさらけ出し、腹から笑いこける機会を持つこと、童話を通じて明かるい情味のあふれた人間の生き方を話して聞かすことにしている。

最後には、それ〴〵がみんな個性的に力を蓄えて、その誇りをもって、他を容れ、どんな苦境にも諧謔をもって、通りぬけていくようにしたいものだと思っている。

生活方法としては、挨拶をはっきりする、お返事をよくする、声の出し方を加減する、姿勢や行儀をよくする、並んで歩くおけいこをする、よくおかたづけをするというようなことをねらっている。さっぱりとしていて、しかも、あたゝかい情味のかよった愉快な学級にしたいと願っている。

特に、教師のあり方として、同じことでも、身ぶり手ぶりおもしろく話すことにしている。むきにならないで、おもしろく聞かれる先生の話の中に、案外子どもの胸を打つものがあるのではないか、と思って心がけている。

七　他学級の迷惑にならないようにする

子どもたち自身は今のところ、まだ〳〵他の存在を意識しないことが多いが、知らない間に大へん迷惑をかけることが多いので、学校の方針に従って、絶えず気をつけている。

八　物を大切にさせる

すぐこわれるようなものをつくらせないで、つくったものは、長くその生命をのこすよう留意している。余った資材を利用する指導も行っている。修理・修繕もよくしている。いろ〳〵な機会を通じて、経済的に行き詰っている世の中に触れさせ、事物を大切にして、家の人たちの負担を少しでも軽くするようにしている。ノートなども通し番号をいれて破らないように配慮している。

## 三年月組

日々の生活を充実させてやるために、三年にはいってから次のような計画を立て、実施することにした。

一　学級の自主的運営

子供らは四月のはじめに、学級委員・班長・リーダー・会計・衛生・美化・運動・給食・時計（生活時程）・図画・工作・音楽・うさぎ及び農園の係をきめ、すべての子供が希望によって仕事を分担し、責任を果たして、学級の運営を自主的にしようとした。うさぎの世話、学級農園の手入れ、給食の分配やあとしまつ、リーダーの仕事は班が輪番で係と連絡をとりながら実施した。教師も最大限に仕事をまかせて、計画を立てる時に指導をしたり、実施について助言を与えるだけにして、子どもらが進んで学級の仕事を果たす喜びを体得させたいと念願した。これらの係は「なかよし」とのつながりが考慮されてあるので、この方面との連絡もうまくいって極めて順調に仕事が進められている。

## 二　朝の会の喜び

小さな仕事と静かなひととき　「なかよし」の組織による朝の清掃のすんだあと、子供らは話しあって、一、二分でできる仕事を一つずつやることにした。黒板ふきをはらう子、ピアノの下をぬぐう子、小黒板の整頓をする子、学級文庫を整理する子、黒板のすみに日附を書く子、毎日温度を調べる子、窓の開閉を見る子。ちょっとした小さな心を自分たちの生活のまわりにそゝいで、朝の読書にかゝると楽しいという。些細な心くばりがくり返しくり返しなされる処に、生活の喜びを感じ、子どもらの性格に何かをプラスするであろう。学校の中が静かになっていく姿を味わいながら静かに読書の用意をするのが習慣となった。

朝の読書　この十分間は自由な静かな雰囲気にひたらせたいという願いである。学校図書や学級文庫の書物をむさぼり読み、やさしい清らかな夢を持たせたいというのである。童話の世界に魂を遊ばせ、科学の進歩に目をみはる子供のほおに朝の風が快い。

観　察　ひとりひとりの名を呼んでやる。顔色を見てやる。個人的な家庭の事情にひとこと触れてやったり、その子の学級に対して持っている仕事の進行や約束などを尋ねる。ひとりひとりの子供の名前を親しく呼んでやる楽しい時間である。

委員会の発表　委員を通して学校の行事に参加し、学級の意見をまとめて、学校運営に反映したり、学校運営に合わせながら学級の計画を立てる自由な話し合いがなされる。三年生は自分の生活している共同社会の秩序に目をひらき、それに即して自分の立場を確保しようとして、そのようなきまりを尊重し、責任を果たしていくものである。又そのような面に心を拡大していく最もよい機会であるので、朝の委員の発表を中心とする話し合いは殊に重視せねばならない。

学校の中における学級の位置、生活を秩序立てるきまりをつくること、及びそれを自分らの手で守ること、学級行事予定板を中心として、計画を立てることのよろこびなど、自由な楽しい雰囲気の中で、各個人の社会的責任や位置を自覚させ、多彩な活動の分野を見いださせたいと願っている。

とりあげてよい年中行事や誕生会の楽しい計画も同時になされていく。

## 三　帰りの会

その日のできごとを話し合い、静かにラジオを聞いたりお話をしたりする。

反省というよりは、憩いのひとときとする方がよいのではなかろうかと考えてやっている。

但し火・木の「なかよし」のある日はやゝ趣を異にして、「なかよし」の報告を中心とする帰りの会としている。

四　「なかよし」

三年になってはじめて「なかよし」に参加することは、子供らの生活に極めて重大であるので、その配属については慎重を期し、火曜日及び木曜日の「なかよし」のあとにはＡ部の活動の報告や各グループからの伝達事項、Ｂ部の研究の方法、結果の発表を「帰りの会」に行って、刺激と賞讃と励ましのことばとを与える機会にしている。

「しごと」や「けいこ」を通して、多面的な発動力を養い、成功の喜びを味わい、困難を克服しつゝ力の伸びゆく自覚を体験させることは、特に教師の持っている人間としての力に期待する処が大きい。何時だったか女の子が、「先生にあげます」といって腰さげを三つくれた。それは「かめ」と神楽の「しし」と「ひょっとこ」であった。

「かめ」は静かに待つ忍耐をあらわし、神楽の「しし」のこわい面は不正に対する気魄を示し、「ひょっとこ」のひょうきんな顔は人生のユーモアと人間性への信頼から来る楽観を表現したものと考えて、子供を育てるマスコットとしている。

ことに子供らの生活全体の雰囲気、生活の持つリズムというものは、とりわけ自分の欠陥が強く出るのが気がかりでならない。

しつけの機会と方法は極めて平凡な生活の中にある。しかも生活を充実させることは至難のわざである。

三年星組

三年生になった私の学級の子どもたちに、特に顕著な傾向として現われたものは、次のような諸点である。

一　個人個人の能力が伸長して、生活のすべての面に幼稚さがなくなってきた反面、自己主張が盛んになり、よく競争をし、そのため衝突や紛争が単純な衝動的なものでなくなってきた。

二　今までにできていた生活のしつけ――いろ〳〵な作法やことばづかいなど――が少しくずれてそのようなことをいい加減にする態度が見えはじめた。

三　学級として他学級との交渉の機会が多くなり、学級内の団結が必要になってきたのに、リーダーがいなくてまとまらない。（今までリーダー格になっていた優秀な男の子が転校していなくなった）

四　なかよしのグループ活動に加わることなどから、個人として、上級生の仲間にはいる機会が多くなり、学校社会における一人前の成員としての責任の自覚が要請されてきたのに、まだそこまで発達していない子が多い。

五　大人に従順になり、はき〳〵して手伝ってくれたり人に親切にしたりすることができるようになった反面、他人の悪いことが多く目につき、告げ口が多くなった。

このような傾向は、さま〴〵の原因から生まれているが、子供たちがまだそこまで発達していないのに、周囲の社会から制約をうけたり要求されたりして、無理するところから起ることが最も多いように思われる。しかし三年生にもなって、幼児のようなわがまゝは許されるはずもないから、そこに共同生活におけるきまり（生活秩序）ということを中心にして、生活態度の確立が要請されてくる。

さて、秩序ということが、社会生活の中においていかに大切であるかを、身にしみて理解し、自分たちが楽しく幸福に生活するために、自分たちできまりを作り、きまりに従う生活態度を作っていくためには、どうしたらよいか。私は以下述べるような諸点に留意して指導している。

一　まず、子どもたちがさま〴〵の活動をはじめる場合、低学年の時のように、教師の方から予想される秩序について予め注意を与え、すべてお膳立てをしてやるというやり方を一切やめて、すべてを子どもたちの手に任せるように努めることにした。子どもたちを、そこに起る問題に直面させ、かれらの手で解決の道を生み出していくようにした。たとえば教室の坐席をきめるにしてもかれらに任せ、自由に並ぶようにした。教師の重みがかぶさってのしつけが、今までかれらの内からの自覚を伸ばし得なかったと思ったからである。坐席をきめるに当たって、わがまゝをいう者、喧嘩したところなどを話し合いで批判させた。これでからだの弱い子に対する思いやりや、わがまゝの反省などが少しできたように思われる。

それから、問題が起った時、話し合いの機会をもって反省させる。たとえばKという男の子が足洗い場でズブぬれになった時、その目撃者や、当事者たちに、順次事実を発表させ、これについて、全員の意見を言わせる。そして、足洗い場は遊ぶ所ではない、外で運動しよう、足を洗う時ふざけないようにしようなどという約束ができた。けんかがあった時も、事実を確かめ、原因をきわめ、それについての意見を話し合う。そしてきまりに従わないと失敗や喧嘩が起ることをさとらせる。今では、子どもたちは、自然や社会には、いろ〳〵のきまりがあって、それに従わないと失敗をする、どうしてもきまりに従う合理的な生活をしなければならないという点で、いろいろな偶発する事件を判断していくようになった。けれどもかれらの旺盛な活動欲や、激した感情の発動から、実に多くの問題を起しているが、割に明かるくそれを処理していくようになったと思われる。

二　一方「しごと」の活動において、自然や社会における、さまざまの関係や、その間にある自然の法則、社会の秩序に対して、少しずつ目を開かせていくことに努力している。

三　「しごと」「けいこ」「なかよし」における個人の学習において、大いに自発学習を励まし、やりぬいた態度を「強い子」として顕彰し賞揚した。こうした孤立の状態における一人一人の活動において、創造的な活動や、やりぬいた活動が賞揚されるところから、自然に個人の力を伸ばしはじめたように思うが、そのためいっそう競争心が強くなり、やゝ排他的に思われる面も感ぜられてきたから、学級としてめいめいの力を結集する方向に指導していかねばならないと思う。

こうした意味における「弱い子」には、別に低学年の時のようないたわりと指導を、個別的に行っていることは、いうまでもない。

四　きまりを無視したり、きまりから逃避しようとする子が男の子に多いが、それはきまりがかれらの活動欲に合致せず、自分のつくったきまりでないからである。もしこれを強制していっては結局反社会的な子どもになってしまうから、どうしてもそのような子どもが、自分で自分の生活の上にきまりを設けていくように導かねばならない。この点から、そのような子供には、「今日は

何をしようと思うか」と尋ねて、の自分生活に計画や秩序を持たせるように指導している。個人の力がついてこなければ、結局は学級の社会もよくならないと思うからである。

**四年月組**

一　あたゝかい学級の雰囲気　　まず何よりも先に、一人一人を、あたゝかい思いやりに満ちた明かるい雰囲気の中で生活させることに努力している。幅の広いあたゝかい雰囲気さえあれば、「しつけ」は大体うまく行われていくように思われる。この雰囲気を醸成する根源は一にかゝって、教師の私自身にある。私はこせこせしないで、少々のことに腹も立てず、いつもにこにこしている。元来そのような性格に生まれついたのか、特に努めなくてもそうなっている。参観人や、研究教官や、専科の教官などがもらされる学級の印象のことばの中からも、私の願っている雰囲気が子どもたちの身についてきていることが認められる。

そしてごく自由な自然な生活ができるようにしている。先生の前だとか、先生が不在だからとかによって態度を変える必要がないように気をつけて、ごくすなおにふるまうことができるようにしている。学校のあらゆる場所で、あらゆる先生のところで態度の変わらない子どもたちであらせたいと念願する。

二　しからない先生　私は子どもたちに、一年の時から「しからない先生」といわれたり、「もっとこわい先生になってちょうだい。」と注文されたりしてきた。「ようし、しかるぞ。」と大声を出して笑ったこともある。数人の男の子がいたずらをして他の子どもを困らせた一、二年の時代にも、おゝめに見て、冷やかな訓戒や処罰をしたことはない。現在では、しかるという必要を感じない。注意することはあっても、決して冷い猜疑の面に流れず、明かるい笑いを忘れないようにしている。

三　競争より協力　競争心は人間につきもので、子どもにおいては、特にはっきり現われる。能力を進展させる手段としてこれを利用することがあるが、教育的には程度を考えて行わなければ、却って人間的にマイナスにすると私は思っている。排他的、利己的、冷淡な非民主的性格に陥らせがちである。私は今まで競争心をできるだけ刺激しないようにしてきた。もと〳〵競争心の強い子どもたちだから、それで程よいものであったと思う。優劣の段階を相対的に競ったり、能力の低い子が自失したりすることもなく、学級は協力的でごく穏やかである。対級試合にしても、「負けてもよい、全力をしぼり出して、正々堂々とやることが大事なことだ。」と言ってきた。「先生負けたけど、反則は一つもなかったからいいですね。」ともらしていたこともある。勝った時には「心をよく合わせたね、前より練習がよくできて実力がついた。練習の方法を考えてたえず努力することが大切なことだよ。」

と言ってやったりする。いろ〳〵な能力指導について私はできるだけ自己のレコードの更新に目を向けさせて、楽しませるようにしている。毎月百米競走のタイムをとってやるが、学級で一番おそいM児の、五月のタイムが四月のタイムより二秒もよくなったと学校の門を出るまで（おそらく夜寝るまで）くりかえして喜んでいた様子が目に浮かぶ。

このようなせいか、人の喜びを自分のまたは自分たちの喜びにするという傾向が著しく感ぜられる。二年生の頃でも「先生、Nさんが手をあげられましたよ、さしてちょうだい。」という声も出ていた。近頃跳箱に熱中しているが、はじめてその跳箱をとびこせた時など、他の者がみんな大手をたゝいて歓声をあげるし、「だれさんもとばや。」と声援を送る。

四　余裕のある落ち着いた生活　じっくりと自己を統一して行動させるために、いらだたせたり、あわたゞしい生活に追いこまないように注意している。相対的競争心をかりたてないのも一つにはこれにねらいがある。廊下を走ることにしても集合に騒ぐことにしても、ごくつまらない競争意識である場合が少なくない。また、時間的にもゆとりが必要で、時に教師自身が無理を要求するために、後始末ができなかったり、整頓を乱したりする。私自身これを警戒している。

五　後始末と整頓　私の癖は子どもにそのまゝうつる。後始末や、整頓は、私の苦手である。

終日筆をとり暮らし、部屋いっぱいになったホゴをかき分けてごろりと横にたおれて、あくる朝まで眠るといった生活をやったせいかと思う。近頃は子どもとともに上手になろうと努めている。子どもたちと相談していつも教室が気持よく整頓されているように、自分の物も、教室のいろ〳〵の物も注意していくようにしている。三年の時より、ずっと教室はきれいになってきた。まだ机の中や、あわてた時の机の上などは十分でない。しごとの時間にグループで使っている道具がある時などは、時間の終り十分ぐらい前に時間を予告して、それ〴〵後始末の心ぐみをさせて、その手順や場所を確認させるようにしている。整頓や後始末ができないのは、心が行き届かず不用意なことが主な原因だが、子どもの場合、そのやり方がわからないとか能力的に高まっていないという場合がある。「画板はここにこのように置くとよい。これはベニヤ板だ。ベニヤ板はこのようにして作ってあるから取扱いにはこのように注意がいる。」と教えてやったりする。S君など弁当包みの新聞紙を机の中に押しこむ、自分では後始末しているつもりらしい。一週間もすると机の中いっぱいになっている。他の子が、きれいにしてあげようとしてやっている時もあった。私は新聞紙のたゝみ方から実演して、――結局この新聞紙をいつまた何に使うのかを確かめ、家に持って帰るように勧めた。案外なところで、後始末に困っている子もある。

時間的余裕ややり方の外に、目に見えない影響をしているものに「しごと」があるとにらんでいる。「しごと」がすっきりして、じっくり進行し、特に結末がはっきりしていく時はこの問題がうまくいくことがわかった。一学期に畑つくりを、実に計画的に慎重に行い、収穫までこま〴〵と心を配ったが、後始末や整頓がよくなり生活の秩序もすっきりしてきたように感ずる。

六　忘れもの　　忘れものも少なくなった。四年生になって時間割をよく見る力ができたせいもあるが、私は四月から毎月帰りの会の終りに「あす忘れてならないものは」という十二文字をくり返すことを試みた。効果九十八パーセントというところである。ぐっと忘れものはなくなった。別に長々とした話はしない、この十二文字だけポツンと出してやる。近頃は時々言わないで様子を見ている。忘れものはきまった数人の者に特に多いことがわかる。これは個別的に注意して効果をあげている。

七　責任　　三年の時、放課後学校のボールを持ち出して遊んだまゝなくした事があった。ボール係の許しがないと持ち出せないのに、勝手に持ち出して後始末もしなかったのだから、全員の非難をあびた。悪意があったわけではない当人は自責の念にかられ苦しんだ。何しろ子どもたちの最も大切な運動具であっただけにひどく感じたようである。私はみんなに許すように話し、又新しいボールを買ってやった。責任を果たすこと、後始末をすること、きまりを守ることの重要さをこの時から目に見えて注意するようになった。素朴ながらそれぞれ自分の役割を持ち、自治的学級生活を送るようになった現在、責任ということに神経を使っているようである。学級日誌を輪番で書いて、翌日の昼食時に読んだり、兎の飼育は輪番でえさを持ってきて日誌を書いて読んだりしている。学級日誌を家に忘れてきたりすると、すぐにとんで帰っている。随分社会的責任について敏感になってきた。

### 四年星組

三年の終りから四年の始めにかけて三箇月ばかり学校を留守にした。帰ってまず気のついたことは、男の行動が粗暴になり女の子は消極的になり男女差が目立ってきたことと、口論や争いが多くなったということである。この原因がどこにあるのか、しばらくわからなかったが、授業を進めている中に、かれらの性格の変化や相違をだんだん発見した。男は動的なことに対し次々に新しい興味を感じて引きつけられていくのに、女は読書や裁縫のようなしっくりと落ちついた事に興味を持ちはじめているのである。それと同時に男の子は鋭く、女の子は鈍重になったという感じを持たされた。

そこで第一番に着手したのは、男女の仲をよくすることであった。それはオルガンやピアノの練習において、女の子の上手なものを男の子の先生にすることからはじめた。女の子は人に親切にしたり教えたりするのは好きであった。男の子が乱暴でなかなかいうことをきかないと訴えてくる子も稀にはあったが、全体としてはこのことは男女間の争いを少なくするのに役立った。

子どもたちの衝突は時に猛烈な組打ちにまで至ることがある。これは一、二年生の時の自己の位置を決めるための簡単な争いではなく、自己の権利や人格を侵害された所から起るので、日頃相当親しいと思われる者の間にも現われる。四年生にもなれば、力の序列はお互によく知っているのであるが、自己の順番を無視されたとか、あだ名をいったとかいうことから、自己の権利や人格の主張のために、力の弱い者が力の強い者に猛然と立ち向かっていく。これは自己確立の一段階で、例年四年生に見られる傾向で、さして心配はしなかったが、対策を講ずる必要はあった。毎日終りの会の時にかれらの訴えが出るのであるが、両者の言い分を十分発表させて、全体の者にその判断をさせることにした。子どもたちは自分がその事件の中にいる時には正しい判断を誤るが、第三者の立場に置かれた時には相当冷静に判断することができた。けれども急に争いは少なくならなかった。かえって一時的には、終りの会に自分の権利の侵害を訴えるものが激増した。

しかし一学期の終りに近づいて個人間の争いは非常に減少して、全体の学習の妨害者が時たま槍玉にあげられる程度になり、個人間の争いでも皆の意見を聞くまでもなく、片方が素直にその非を認めるようになったが、同時に「〇〇君がやったから僕もやりました。」「〇〇君がしろといったからしました。」といった言いわけや責任転嫁が見られるようになった。これに対して「○○君が泥棒したら君も泥棒するのか。」とか「○○君が死ねといったら君は死ぬのか。」といった理屈でやりこめる方法は上策でないようである。その行為がどういう結果をもたらすかを考えさせ、自己の判断で行動するように勧めている。しかし急にこの事は直るように思われない。さまざまの立場の存在を確認し、その是非を明らかに知るまでには、多くの経験が入用だからである。

子どもたちの身体的な活動はきわめて旺盛で、帰宅時間を忘れて運動や遊びに夢中になる傾向があり、その遊びたるや、高鉄棒や板塀の上でつなわたりをしたり、ターザンのまねをしたり、実に途方もないものが多い。これと同時に物を忘れたり、やりっぱなしにする傾向が強い。けれども、一方きまりや約束がよくわかり、教師などには約束の実行を迫ってくる。

かれらのきまりをきちんとさすにはかれらの興味や欲求をある程度満足させてやるのがよさそうである。男の子は体育の時間に何時もソフトボールがやりたくて仕方がない。そこで最初に体育の時間の始め五分は何、次の十分は何、終りの十五分はソフトボールというように予定を話して聞かせ、「きびきびやらぬと時間が足りないからしっかりやるように。」と約束しておくと実にきびきびとする。このようなかれらの欲求を充足させながら、生活を計画的にさせて行くのは、かれらの生活を秩序づけ

て行く上に大いに効果があるようである。

また一方では、かれらの多方的な活動心を焦点づける必要がある。その為に研究観察・読書・作詩・日常の行為、時事問題等、かれらの関心のおもむくものをとりあげて刺激を与え、それを日記に書かせることにした。これは国語読本の「うさぎ日記」を読んだ事を契機として始められた。書かれた日記は毎朝五、六人ずつ交代で発表し、お互に啓発し合うことにした。それと同時に学級日記やにわとり日記も皆の前で発表することにした。リーダーはその日の行事や皆の行動を読みあげてくれるので、専科の先生の時間の態度や放課後の整頓などあまりやかましく言わなくてもかれらで気をつけてくれるようになった。

### 五年月組

本学級の児童にとって望ましくない点は、無気力と消費性であろう。そのよって来たる処は根強い地域性や止むを得ない家庭事情にあるように考えられる。

奈良という消費的都市に育ち、生産的な面に触れる機会が乏しく、一例をあげれば、加工とは粉をパンと取換えることと考えている。忘れ物をすれば、学校の電話をかければ家から届けてくれると思っている。落し物をしても金ですぐ買える。紙は書き散らす。わがまゝに育てられて、責任を自分で背

負いこもうとしない。他の非難はよくするが自分の後始末はできない。

父のいない子が十六人もいる。気力がなくてちょっと抵抗があると忽ちくじけてしまう。手を出さないうちにあきらめてしまう子もいる。依頼心が強く、不平が多い。視野が狭くて明朗でない。

こうした沈滞しがちな空気を明朗な建設的な方向に切り換えて行くことが、私に与えられた務である。豊かさ、あたゝかさの中に、打てば響く健康な子ども、これが私の描いている姿である。

次に望ましい点を四つあげて、この角度から、無気力や消極性を打破して、自己に誠実な強い人間を追求して行こうと考えている。

一　自然性

魚つりや畑仕事や鳥や兎の世話をすることが好きな子どもはすなおである。発見の喜びを知っている。根気がよい。よくくふうする。行動的である。事物のとらえ方が大きく、自分たちの生活を見る眼を持っている。弾力性・創造性に富んで、自由な世界が開けている。

二　人間性

個性の美しさ、真実な志向性、新鮮な感覚、豊かな包容性を持った子ども。特別すぐれたものがなくても、物事をまっすぐに見る眼、心を働かせて聞く耳、人の心をひきたてる明かるいことば、いそいそと動く手足。中には芸術的なセンスを持った子どももいる。

三　合理性

自分の目や耳や手で経験することによって納得する。他の立場も正しく理解しようとする。大切な問題とささいな問題の区別ができる。核心をとらえてその解決に直進する。

たとえば、自転車のペダル一回転によってどれだけ進むかを、実測と計算が一致するまで追求する子ども。

算数の単位や位取りの誤りを直ちに発見できる子ども。

事物の比較を、単に形態・色彩・数量の如き外形的なものにとどめず、なぜそうなのかと探求して行くことによって、機能的な必然性を見出す子ども。

早く読んでも、一回だけでも、正しい認識ができる子ども。

四　共同性

有機的な行動は、共同の目標を理解しているか、愛好しているかによる。組織や運営は形式化を避けて実質的な仕事をする。気持のよい生活について子どもたちと話し合いをした。三つの条件があった。一つは落ち着くこと、二つは計画を持つこと、三つは心を一つにすることであった。人格的な信頼の糸で結ばれ、各々が見えない責任を果たして行くところに幸福な社会が生まれることを学んで行きたい。共同性は雷同性とは全く別であることも。

学級内の各係当番や活動について考えて見よう。

学級新聞の編集印刷、書き上った原紙が破れてしまった。それを一日で書き直す子ども。

学級文庫の準備・貸出・返本整理・状況報告・貸出しカード・感想記録等に新案を工夫し、ブックカバーを作ったり、そっと修繕する子ども。読んだ本の紹介や利用の向上を計る子ども。

文集発行の企画・分担・執筆から編集製本までの相談や実務・校正にも念を入れ、みんなの共同文化をうちたてる子ども。

運動遊戯は、用具の準備と後始末、レコードの進歩と団らんを計りつゝ、躍動する子ども。

誕生会のプログラム作製、出演準備・会場作り・招待、内容や観方の向上に熱中する子ども。

休みには、自由な子ども会を組織し、研究や団らんをおし進める子ども。

最後に教師の心構えとしては、どんな時でも話しかけられるように心の窓を開いている。

毎日、一人一人の名を思い浮かべてみる。

**五年星組**

一　子どもの生活のしかたや、思考・情緒などは、その過去において獲得している生活を土台として、一定の特性を持っていると考えられる。従って、過去において、ある傾斜した生活を獲得しているならば、爾後の生活の発展して行く方向は、その傾斜している方向に向かって、触手をさしのべ新しい生活を引きよせていくのである。

このことは、いわゆる自発学習や自己統制などについて、ある限界のあることを意味するように思われる。

私は、自発性・自律性・自己統制力などに依拠し、そこを「しつけ」の根幹としながらも、好ましくない経験（生活）を子どもたちがしないように、――たった一度の傾斜が、それから連鎖的に傾斜の方向に進んでいくが故に、――換言すれば、好ましい模式的な生活をするようにというねらいを定めて指導している。

それは勿論、これまでの修身的な規範を与えるということではない。好ましい生活を生活させ、好ましい生活に向かって身体の細胞までも変化させるようにしている。

二　このために実践上で大じなことは、子どもたちとできるだけ接触することであると考える。模式的な生活、好ましい生活は、教師と子どもたちの合作でなければならないから。

三　余儀ない場合には、私から離れて、子どもたちだけで、活動することがある。そのような場合には、子どもたちの動静がよくわかるように、「よい子のノート」を作っているので、係の子どもによって一切の模様を記入し、私に出してもらうことにしている。そこには、学習事項や、特定の子どもについての良否などが書かれていく。それは、やゝともすれば、傾斜しそうになっていく子どもたちの動静を多面的にとらえ、一方では子どもたちの自覚をすゝめることになる。しかし、そのノートは子どもたちにとっては、恐ろしいものにはなっていない、ありのまゝが記されているノートであるという意識が強い。

四　私は、これと別に観察記録帳に、子どもたちのさまざまな生活行動を記録して、反省や指導の手がかりとしているが、とくに「しつけ」に関係のあるところでは、私から直接に注意された子どもについては記号の記入を四年生の時から続けている。そこに、傾斜の甚だしい子どもは、一定の数字によって表わすことができるようになっている。

五　むだ口を言わないことは、四年生の頃から相当厳重に実行することを要請している。これは、浮動し勝ちな子どもたちの生活に安定性を与え、軽卒な言動を重厚な言動に高めていく重要な契機となっていると思う。むだ口が多くては、本格的な活動ができない時代になっているように感ぜられる。ただし一、二年生の頃は、気軽に人の前でも話すことができることを第一の眼目としてきたことをつけ加えておく。

六　従って、私自身も、むだ口を言わないことにしている。しゃべり過ぎると、子どもたちのむだ口が多くなる。要所要所を押さえていくことを立て前として生活指導する。口で語るよりも、身体から発散する雰囲気の方が力が大きいと考えている。しかし、このことには別段努力を要していない。

子どもに話をしてやる場合は、一つの事実を語り、事実をして雄弁に語らしめようと考えている。従って、抽象的な話はその必要の最低限度において行っている。

七　教室では、適当なユーモアを持つことにしている。四年生の頃の、沈黙を守ることを要請した時から、その代償として、とくに注意を払っている。ユーモアというほどのものではないが、論理の誤謬を含んだ寸言、かざりない小言などが、ユーモアの代償となっているといえる。

### 六年月組

一　心持の安定　　六年になると、学校社会における位置が飛躍し、個人としての自覚が高まり、交友・勉学・運動・進学などに関し、不安焦燥の感情を持つようになる。そのため一方では、性格が次第に不安定になり、明朗さを欠き、陰性になるものができるとともに、他方自己の与党を作ろうとする傾向が現われる。だから特に子どもたちの言動に細心の注意を払い、その率直な要求、正直な発言に傾聴し、その場で必ず解決する方策を立てるようにすることが、子どもたちの人格を認め、人間性に培う指導の根源である。

また子どもは、自己の家庭の状況（名誉・富・職業）を自己の価値の背景と考えようとする傾向が強くなってくるので、教師としてはその家庭状況を絶えず考察しながらも、子どもには家庭状況を自己の価値と結び付けて考えさせぬようにすべきである。そして何時如何なる時も、教師は自分の味方であるという信念を持たすように努めたい。そのために時には家庭の両親に対してさえ、子どもの庇護者となる場合がある。

二　リーダーとしての訓練　六年になると学校全体の指導者としての各種のリーダーに選出される。この場合は知能の進んだものが挙げられることが多いが、学級はその知能の進んだリーダーよりは、ボス的存在のものに引張られる傾向がある。だから教師は学級内の各種各場面のリーダーの指導に眼を開くとともに、学級の全員を各場面のリーダーとして活躍させ、その場その場でこれを援助し指導する必要がある。

子どもたちの個性がすでにかなり明確になっている上に、やゝ大人びて自己を隠蔽する傾向があるから、かれらのかくれた面を見届け、そのよい個性をのばすのにも、リーダーとして活動させることが必要である。

全員がリーダー的立場に立つことは、物を高所から関連的に考察する基をつくり、社会的な態度を養うことになるとともに、いよ〳〵個性を発揮して、各人が長短相補い、全体としてりっぱなまとまりを実現するのに役立つ。

三　自律的態度の涵養　六年生は学校内における地位の上から、すべての事に、独立的に完行する態度が必要である。グループ別学習や「なかよし」活動の場合に、他の下級生の協力の有無で自己の活動を律するのでなく、自ら率先して実践し、その態度が下級生に反映し、学校の雰囲気を醸成し、自然に全校の訓育が向上するようでなければならぬ。

また学習に際しても、六箇年の一応の結末をつけ、義務教育前期の目的を果たすことを考慮しなければならぬ。能力の低い子どもにもその程度に合う一応の理解を得させる必要がある。つまり能力的段階のつく時であるから、一歩一歩、徹底的な学習方法をとって、堅実な能力をつけ、各人に対しては、過去の成績に対する進歩の跡を明らかにし、学習に対する興味を失わしめないようにする。学校生活で学習に対する興味を失わしめることは、子どもの生活の破綻であり、自律的態度をそこなうものである。

四　経済生活の指導　　子どもの性格に家庭の経済事情、金銭使用の方法等が強く反映することは、きわめて多い。ところが今日、家庭の経済はようやく生命保持に必要な最低限を支えているにすぎないのに、子どもはインフレの影響下に育って消費生活の基調を知らない。そこで教師は学用品の購入について、教育の能率を著しく上げ得るもの、長期使用にたえるもの、四六時中利用され得るもの等に限定し、いやしくも一人の児童にも貧しさの悲哀を感じさせないよう工夫すべきである。ことに注意すべきは、学用品以外のことについての金品支出である。例えば旅行や遠足の際の間食の如きは、最低限に止め、共同購入一率給与の方法をとっている。また平素、所持品や校外生活に注意し、金銭の出納を明らかにさせ、機会を見て金銭を得ることの容易でないことも体験させようとしている。

五　同学年他学級との提携　　学級がバラバラに堅固な城壁を築いては、自由な雰囲気の理想の学校生活はできない。特に六年は最高学年として、各組同一歩調で学校経営の各部に参画すべきである。教師は常に他学級との関連を配慮し、学校内の種々の問題を共同解決に導く手順を忘れてはならぬ。また他学級に対し、意識的たると無意識的たるとを問わず、競争的態度に出ることを戒め、学習は勿論、遠足・校外学習等同一歩調で進みたい。

私の最も注意してきたことは、六年になって、同時に以上の諸点を急に要求しないよう、五年頃から今までに徐々にこの方向に指導してくることであった。一体最高学年というので、六年になると一時に要求が多くなるが、子どもはあくまで子どもであることを忘れたくない。

**六年星組**

よくても悪くても、この学年を最後に、私はこの子どもたちを、学校から送り出さなければならない。そしてかれらに関する限り私は誰に責任をなすりつけることもできない。男の子は満三年、女の子は満四年、受持ちながら、私はこれという特別の指導方針ももたず、ただ自分の身体から流れ出るもの、心の中にひそめている願いやいきどおりが、子どもたちにうつって行くことを、漠然と期待していたにすぎない。もし強いていうならば、「ことばでいうよりは、実践を」ということが、私のやり方であった。

私の子どもたちには、ずばずばした放胆さがない。わくをくい破っていく激しさがない。男の子も大体におとなしく、危っけがないが、自分のものを押し通していく「きかん気」がないのである。他の学級の子どものけんかに散見する不退転さが見られないのである。女の子は、はっきりものをいい切って、自分の欲求を充たして行こうとする態度に欠けている者がかなり多いのである。二年の時からの成長をかえりみると、自由に職員室にも入り、話しかけもするようになったが、その時の声の小ささはあまりかわらない子もかなりある。片親のない子や、継母の子が、四十四名中九人あり、こうしたひけ目が子どもを大胆にしない一つの原因であり、子どもたちの家庭の空気や生活にも何かそうさせる原因があるようであるが、私自身の性格に大半の原因があると思わざるを得ない。どうしてここを突破するかが、私の問題であり、思い悩めば悩むほど却ってうまく行かない所である。主事は、「反省の過剰だ。思い切れ。自分にも子どもにも要求を少なくせよ。」と言う。そして「とてもよい所のある子どもたちだよ。」と言う。

このずばずばした放胆さを子どもたちに実現させるには、私はもっと子どもを知らなければならない。私は子どもの家庭を知らないし、学校と家との間にひろがった子どもの世界を知らなすぎるのだ。学校の校舎をまがった途端、子どもは「霧の湖」の中に没してしまう。単に茫洋に、観念としてのある父あり母があるだけで、どうして霧の中をさまよっているか模糊としてわからないのである。もっと一人一人を鮮かに深刻に愛し叱ってみようと思う。この霧が晴れ、子どもたちの根がどこに張っているかわかるかも知れない。「なんでも正直に話のできるような自由な気持になることは人間として強い人だよ。何も家のことを何もかも、余計なことまでしゃべれということではないが、何でも言うべきことは正直に言えるような人は勇気のある美しい人だよ。」「学級費やその他の費用でもお家で困る時は、そういってくれたら一月でも二月でも遅れてもかまわない。却って先生はうれしいと思う。」というようなことも話した。子どもの誇りを傷け、酷になりはしないかとは思ったが、数名の者は、私にそれを告げてくれた。誇りを傷けるか、酷かと思う私が生ぬるかったのである。子どもと遊び、子どもと雑談する暇を持とう。

ずばずばした放胆さは、自然なり社会なりの真実を求めて、ひたむきに切り込んで行く心持と、表裏一体である。私の知らない中に、Aという子どもはボートを作って友人と共に大阪の百貨店の模型ボートの競争で二等を獲得した。他の友達の作ったボートに酷似しなければ一等になれる所で、そのボートは速力を出させるため細心の注意が払われていた。こうした打込んだ姿や独創性が、大分見えてきたが、もう少し多くの子どもに、また多くの機会に現われるようにしたい。

主事のいうように、子どもたちに上品なところ、友人を思いやる心持があることを私も認めるが、もう少し深い親切さ、友人の悪い所をそっと本人に気付かせるような親切さを持たせたい。ことばや行動の上に現われてくる粗雑さは、表面的な上品さでは補うことができない。私の心配する粗雑さは事物に対するなげやりな態度から来るものである。もう少し深い親切、ボスターカラーのふたをするだけでなく、そのふたをきちんとねじって、ボスターカラーの変質を防ごうとするような慎重さ、そこににじみ出る上品さを私は望んでいる。そしてそれは結局、時間的精神的余裕を与えることによる以外に方法がないらしい。よい読物と時間の余裕を与えることにしたい。

真実の究明と洞察、直進する放胆さ、自由な子どもらしい心の拡大は、私の果たさなければならないしごとである。

## 學級担任としてのしつけの思い出

### 一　時計と共に働くこと

私は登校すると教官室の掲示に眼をとおす。それからすぐに教室に行く。どんな日でもこれをおこたったことがない。始業のサイレンが鳴りおわる迄に教室に行くことを原則とし、この原則に背反するようなことのないように努めたのであるが、もし、どうしても遅れるであろうと思われる場合には、最初（登校直後）教室にのぞんだ場合に、その旨を板書しておいた。各時限の始業にも遅れたことがない。

私は、この私の態度を子どもたちに習わせようともした。そのためであると確信するに至ったが、

始業に遅れる者は絶無になった。その代り、授業をのばして次の時限に対して、子どもたちがあわただしく出ていくようなことのないようにも努めた。

しかし、子どもたちは、いろ〳〵の場所で授業を受けたので、時間どおりに立ちまわっていこうという生活理念のとおりにできないで困惑したこともなかったわけではないが、先生方の協力と指導のおかげで、安定した、時間的生活の向上があった。

### 二　教室を直視すること

第一時の劈頭「おはようございます。」とあいさつがすむと子どもたちは姿勢を正しくして私を直視する。子どもの一人一人の眼と私の眼とががっちりと合う。私の眼は、顔は、穏やかなものとして印象されたかどうか、そこのところは手まえみそを言わないことにするが、私は、それだけのことを意識的にやらねばならぬほど人格的に未熟なので、なごやかな眼を忘れてはいけないぞと自戒して、子どもの眼を見るようにしておった。

「よし、よし。みんな明かるい眼をしておる。よく眠ったことがわかる。今日も精一ぱいやります。やれますという気持ちが燃え立っているようだ。」と言った。子どもたちの心が安定して、もっと輝かしく眼が光るのを見た。

それから教室の整備・整頓を見直す。私も子どもも。一人立ち、二人立ちして、気付いたところを直しにかゝる。椅子からすかし見て、個の卓の上のほこりが拭きとられることもある。脚下の小さい紙屑や落ちておるごみが拾い上げられることもあった。さすがは六年生の教室だなと思われるような、きちんとした教室を、少なくともその日の勝利に持ち得ないことは、お互の修錬の至らぬことを示す証拠であると思いたい、というのが私の日常不断の身のまわりに関するしつけである。

帰りの会には、も一度、みんなで教室を見直して、できるだけ乱れを整え、あとで何人がのぞくことがあっても、疑問符を打たれないようにしようということも、朝に呼応してのしつけであった。

三　子どもと同じ調子をもって

私は、大正三年の卒業であると言えば語らずとも私の年齢がわかろう。

さて、子どもには子どもの世界があり、リズムがある。そのリズムがことばの上に動作の上に露呈される。子どもを教育するのには、このリズムと調子を合わせねばならない。特に子どもをしつける上からは、このことが非常に大切なことである。

私は、うぬぼれと言われても甘受しようと思うが、性格的にも技術的にも、子どもとよく調子が合うと思っている。もっとも年をとるにつれて、さびていく声だけはどうすることもできないだろうが、ゼスチアやことばの調子、または子どもに接する場合の気分だけは、年をとっても変わらないように努力しよう、子どもに親しまれる気分的なものに、おとろえがくるようなことのないようにしようという気でおるわけであるが、これが、子どもを望ましくしつけるのに大きな効果をもたらしたことを信じておる。

四　四角錐の頂点ということ

四角錐の模型を出す。これで算数を指導するのではない。何事によらずわれ〳〵が今やろうとすること、為そうとすること、乃至いろ〳〵の問題は、たとえて言えば、この四角錐の頂点に在ることである。

「四角錐は自分の全体である。一年生の時の自分（四角錐の大きさ）、二年生の時の自分……六年生の今の自分は同じでなく、年と共に、学年と共に成長しておる。

頂点に位するところの今の事柄、今の問題を最も適切に処理し、解決するためには、四角錐の中から必要な知識や考え方や行い方をたくさん抜き出して、それらの綜合的協力によって処理し解決することに努めねばならない。

皆さんは、たとえば、

○　ガラスはこわれやすい。持つ時には十分気をつけねばすべらせることがある。

○　机の上に色々の物が載っておる場合、それを持ち運ぼうとする二人が気を合わせないと机が傾いて上の物が落ちてしまうことがある。こんな場合は、まず、上の物をていねいにのけてやるがよい。特に一人でやる場合に、物を載せたまゝで動かすのは無暴である。

○　紙を置く場合は、飛ばないと思われる所に置くか、何か押えの物を載せて、風が吹きこんでも飛ばないようにするがよい。等々。

いろ〳〵なことを教えられたり、経験したりして今日に至っておる。よしんば、教えられることはなく、未経験のことであっても、よく考えてみれば、こうしたがよいと判断できる年頃でもある。

それなのに、日常諸般のことに失敗を多く繰り返して後悔するというのであれば、要するに、今為そうとする直前に、心を落ち着けることや、どのようにすべきかということについての考慮が足らぬからである。

もとより皆さんは六年生とはいっても、まだ子どもであるから失敗を全くなくするということはむずかしいだろう。だろうが、直前の考慮によってその失敗を少なくすること――逆に言えば、物と時間と心とを最も有意義に使っていくことは、必ずしもむずかしいことではない。

四角錐とその頂点、それを実行するについての心のゆとり。私のおしえとして銘記して貰いたい。そこに上品な動作、落ち着きのある行動が生まれて、皆さん一人一人が必ず上品な人にまで成長するであろう。」

私は、この原則からも、子どもたちの日常を見守っていた。

# 第四章　新しい学習としつけ

## 新しい教育形態

私たちの学校では、「たしかな教育の方法」において報告したような「しごと」「けいこ」「なかよし」の三つの生活区分をもつて教育形態を決定し、すでに実施している。

今その要点を簡単に述べると、「しごと」は、子どもたちが全身全霊を挙げて打ちこんでいき、そこに人間としての苦しみや喜びを味わい、人間としての生きがいを感ぜしめることをねらつている。そこでは、経験発展の法則に照合して、子どもたちの外界への認識や、性格の発展上ぜひ必要であり、又子どもたちが、衷心から要求しているような活動が展開される。そしてそれは、自然及び社会の真実の姿の究明、把捉という方向に指導される。

「けいこ」は「しごと」や「なかよし」で自然に発展させられる機会を持ち得なかつた能力で、しかも我々が、子どもたちに対する社会の期待に照らしてぜひとも与えなければならないと考える能力を、個人別に磨いていくことをねらつている。従つて、「たしかな教育の方法」に報告した各種能力指導系統表を基準として、「しごと」や「なかよし」における各人の能力の発展を勘案しつゝ、機動的に修錬すべき能力をとりあげ、各個人に十分徹底するように、教材が選定され、活動が展開されていく。ここでは、体育・ダンス・音楽・図画工作・国語・算数・家庭・衛生・理科・社会科の諸能力が必要に応じてとりあげられみがかれている。

「なかよし」は、子どもたちが自分たちの社会生活(現在は学校生活)を自分たちの手によつて、自分たちの望むようなものにする活動をさせることをねらつている。それは結局、すべての子どもたちにその位置を与え、その自己と属する社会などを明確にさせる為である。子どもたちは一・二年は学級を単位とし、三年以上はA部、B部のグループを編成して、直接間接に学校生活の建設にあたつている。

以上は私たちの学校における形態であるが、現在の小学校においては、多少の相違はあるにせよ、又重点の置き方に違いはあるにせよ、このような生活の区分がそれぞれの教育形態の中に発展され、社会科とか理科・生活科とか、中心学習とかいわれているものは、「しごと」的な性格を持つている。社会科・理科以外の各教科や、基礎学習とか、周辺学習とかいわれているものは、けいこ的な性格が顕著である。自治活動・自由研究・課外活動・特別活動・日常生活課程と称せられるものは、「なかよし」的性格のものである。我々が、「しごと」「けいこ」「なかよし」という教育形態を決定したのは、人間として強い人間を作ろうという性格形成の観点からである。他の学校生活における以上のような各種の学習を通じて、「しつけ」をしていこうとすれば、当然それらのものをしごと的けいこ的にすることを勧める以外にはない。そのような意味において、我々は以下「しごと」「けいこ」「なかよし」の「しつけ」の上にどう働くかを、やゝ詳細にながめることとしよう。

## しごと（単元学習）の本質

「しごと」における活動は、前章において述べた子どもたちの経験発展の力動的法則に基づき、社会及び自然の真実の姿に触れさせようとする。すべての単元に共通な究極目標に照らして、あらかじめ教師によって計画され、これならば子どもたちのすべてが全身全霊を打ちこんでやるであろうと思われる学習活動の流れが各学級別に予定され、それは他の教官の共同検討によって修正され、実施に移される。その導入はあまり多くのまわり道をしないで、簡単明瞭に子どもたちに指示される。子どもたちは、それに対して反応をする。もしその反応が、教師の予想と違った場合には、教師は十分慎重に爾後の作成計画を修正、ねりなおしするが、普通には子どもたちは積極的な反応を示し、自分たちの活動の目あてを決定していく。

この子どもたちが、自分自身の活動の目あてをはっきり持つということは、「しごと」指導上の最初の要点になる。それがなければ、その学習活動はかれら自身のものにならないし、その生活はかれらにとって生きがいのある生活にはならないからである。自分で目あてをはっきり持てば、その活動に内面的な責任を感ずる。他人にほめられても、認められても、自分自身が満足しない限りやめない、というような内面的な責任を生ずる。勿論子どもたちは、すべての単元に共通な究極目標や、その単元で指導者のねらっているものを、活動の目あてとするようなことは出来ない。もっと身近の、従って比較的短期間の活動の目あてであることが普通である。要はその活動の目あてが「しごと」そのものを子どもたち自身のものにすれば良いのである。活動の目あてが教師の予想とくい違う場合はかなりある。けれども我々はそれを苦にしない。子どもたちに従いつゝ「しごと」のねらいを実現すれば良いからである。

活動の目あてさえ、教師の予想とくい違うことがあるのであるから、それに基づく学習活動のごときはかなり予定と違ってくる。その時の周囲の条件、その他も有力に作用するからで、我々はその活動が子どもたちの本質的な興味から出てくる、即ち経験発展の力動的法則によって確かめられたものであれば、それを発展させていく可能性は十分であるのだから、喜んでそれをとり入れる。単なる思い付きであったり、程度が高すぎて発展の可能性の少ないものであったならば、子どもたちの熱望であってもこれをしりぞけたり、これを後まわしにさせたりする。それらの学習活動はいうまでもなくかれらの発動性を豊かにするように指導される。そして又はっきり意識された目あてに向かっての内面的な責任のある活動であるから、自己の統制力を強化する。子どもたちが、あの手、この手をくふうしながら、目あてに向かって熱中している姿には涙ぐましいものがある。我々の心を楽しませ、子どもに深い敬愛の情を起させる契機もある。

活動の目あてが達成されれば、必然的に次の活動の目あてが生まれてくる。この際に活動なりその結果なりの反省の確認が行われることはいうまでもない。何ができたか、何が足りないか、何が分ったか、何が分らないか、どうすればよかったか、どんな材料や道具が使われたか、その後始末はどうなっているかというようなことが考えられ、時にはそれが「しごと」の間の何もしないしばらくの時間、ゆとりの時間に半無意識的に行われる場合もある。この反省や確認（正しき意味の評価）は、散漫になろうとし偏っていこうとする経験の発展、性格の形成を自然な安定した方向に統整していく上に大きな働きをする。「しごと」の目あてが次々に達成されていって、しごとの計画（単元）が一応終結した時にも、又反省や確認が行われて次の「しごと」の計画に進んでいくことは同様である。

極めて特殊な場合を除いて、「しごと」は学級全員の共同の作業である。そしてその中にグループとしての分担や、個人としての分担がある。もっとも望ましい形においては、その個人の分担は、たとえどんなに些少であり程度の低いものであっても、その子独自のものであるべきである。そのような場合は勿論、そうでなくとも一人一人の子どもたちは、全体に対する自分の責任を感じ、又は感ぜさせられ、その活動の成果は又全体に対する貢献として検討され、確認され、この間において、子供たちは自分の位置を確認する。良い指導の場合においては能力の低い子や、偏した性格の子どもも、学級全員の中で望ましい安定した位置を与えられたことになる。私たちの学校に落ち着きができてきたことの最初のきっかけは、そこにあったようである。共同作業であるということは、責任の分担と共に他人の活動に対する配慮援助を招来することは当然で、その配慮や援助は機械的でなく、自然な心からのものとなるには時日を要するが、しかし「しごと」はそれを次第次第に教えて行く。私たちの学校でも、前記の雰囲気の効果と相呼応して、高学年の学級ではそのような思慮と配慮が現われてきたようである。

## けいこ（基礎学習）の本質

体育・ダンス・音楽・図画・工作等を除いては教科的に実施するのではなく機動的に選定された或る特定の能力を磨くようにしている。勿論前記の教科でもその中の特定の能力を磨くことが多いのであるが、体育や音楽には綜合的な活動が必要になってくることが多いのに過ぎない。

この特定の能力の選定は指導者に委ねられているが、大体その時の「しごと」を進めていくのにぜひ必要になってくるもの、その時の「しごと」で発展の契機を与えられると思うもの、及びその時の子どもたちの発達に適応していてその時に練磨するのが最も有効であると認められるものが選ばれる。

学級担任の場合で言えば、学級の子どもたちのその時々の偏向を是正し、学級としての特性を伸ばしていくよい機会となる。如何なる「しごと」をさせるかということと並んで、どんな能力をどのように伸ばすかということは学級経営の主軸となってくる。

綜合的な取扱いをする「けいこ」（それは主として専科によって担任されている）は別として、学級担任による「けいこ」は、大体として或る能力について、一定期間重点をおいて指導することが有効であると認めている。つまり文を書く力を二週間乃至三週間、主としてけいこをするというやり方である。勿論この間、他の測定する能力なり計算する能力を全然練磨しないというわけではないし、又文を書く力と密接に関係している話す力や、文を読む力の練磨を合わせて行わないというわけではない。唯教師も子どもも重点をはっきりしてやっていくのである。

既に述べたように「けいこ」においては、一人一人の子どもの能力を確実に磨くことが大切である。だから時には能力別のグループを作って指導することもある。しかし我々は能力別のグループ指導は便宜的、過渡的なものと考えている。能力別を徹底すれば個人別指導にならざるを得ないからである。

一人一人の子どもは自分は如何なる能力をどの程度まで磨き上げるかという目標をはっきりと意識し、自分自身の現在の力を正直に出して、教師の与える材料とその指導とに従って行くならば、自分の意識している目標に確実に到達するという自信を持つようになってくる。

我々ははじめ「けいこ」は嫌でも応でも子どもたちにさせるつもりであったが、それは大きな錯覚であって、子どもは「けいこ」を喜び、「けいこ」においても自主的、独創的態度を持して行くのが本来の姿であった。「けいこ」が嫌になるのは磨くべき能力がはっきりしなかったり、到達せよと示される目標が高過ぎたり、その子自身の現在の能力から出発することが排斥されたり、考慮されなかったりするからに過ぎない。

「けいこ」において、子どもたちの意識する目標は、客観的な基準に位置づけられている。長い文、よい文というものには自ら基準がある。三枚の文よりは四枚の文が長いのであるし、散漫な文よりは山のある文の方がよい文である。字を読む能力や、計算をする能力等に至っては、その高い低いは数字的に示すことの出来るくらい客観的になっている。だから子どもたちは「しごと」の場合のように自分たちの思うまゝに目標を高くしたり、低くしたりすることはできない。これは一面には窮屈なことであるが、一面には頼もしい。そして発展のめやすのはっきりしている気楽なことである。四枚の文が書けるようになったら、次には五枚六枚というふうに進んでいけばよいからである。気楽であるといいながら、自分たちのねらいが客観的基準の中に位置づけられ一歩一歩高められていかなければならないから、そこにごまかしのきかない真剣さもある。

「けいこ」ということばは古にかんがみるということである。その古は一つの客観的基準を表わすから、客観的基準に照合して、自分自身の能力を一歩一歩高めてこそ「けいこ」の字義に最も合っているのである。我々は自分たちながらよくも「けいこ」ということばを選んだと感心している。従って「けいこ」においては子どもたちは言わば全く独りで、無限に高い道を進んでいくという孤独の経験をしなければならない。であるから、自分自身の目標を自分で選び、自分自身の精力を集中し、自分自身の前に横たわる障害と取組み、これを乗り越え、自己の努力を反省し、自己の進歩を確認しなければならなくなる。その意味で自己の統制力は「けいこ」によって強化される。比較的能力の低い子



や注意散漫な子がけいこによって落ち着きを獲得し性格が変わっていった例を我々は幾つも知っている。又学級全体としても、「けいこ」をしっかりやると、すっきりした落ち着いた気分が出てくることをすべての学級担任が報告している。はじめ我々は「けいこ」によって子どもたちが自信を得るのであると見ていたが、むしろ自己の統制力を強化すると見る方が適当だとすることに気がついてきた。

「けいこ」は「しごと」なり「なかよし」なりで、自然に又総合的にそして飛躍的に発展させられる能力以外の能力を、各種能力指導系統表に照合して練磨していくのであるから、子どもたちの知らない世界、接触の少ない世界を切り開かせていくことになる。「しごと」や「なかよし」の中では機械を使ってする体操の真剣なそして爽快な世界を知ることが出来ないし、ダンスや音楽の世界も知ることが出来ない。又文を書いたり、鑑賞したり、数理の秩序正しい世界に驚いたりする機会は少ない。それらのことが、けいこにおいては大いになされるのであるから、子どもたちは更に新しい世界を発見し、そこにおける独創的な活動を楽しむことが出来る。

即ち「けいこ」は「しごと」とは違った意味において、子どもたちの発動性を豊かにする働きをも持っているのである。「けいこ」があることによって、学校生活は一層豊かなゆとりのあるものになる。「けいこ」は子どもたちに位置をも与える。その位置はいわば他人と関係のない位置である。チェルニ

一十四番までピアノを弾く能力が進んでいる子には、そういう位置が与えられる。それは他人との振り合いで与えられたものではなくて自分自身の才能と努力とによって与えられるものである。他の何人の子どもがそこまで進んでもその為に自分がその位置を失うということはない。その意味で安定しており、しかもそれを基礎として、次々に進んでいくことの出来る位置である。このような意味の位置をはっきり確認させると子どもの気持は安定したさっぱりしたものとなってくる。無限の昇進が約束されている位置について、他人を羨望したり、嫉視したりすることはあり得ないからである。人を相手とせず天を相手とする、というような気持なり態度なりがそこから起ってくる。

私達の学校では「しごと」と「けいこ」とを表面的に結びつけることには余りに苦心を払わないことにしている。つまり「けいこ」の学習動機の喚起を、直接その時している「しごと」の中に求めたり、「けいこ」の活動をその時の「しごと」の活動に関連させたり、「けいこ」の素材をその時の「しごと」の素材に求めたりすることは敢えてしない。

我々は「けいこ」の本質上、それがぜひ必要だとは考えないからである。もっと広い自由な立場に立って、「けいこ」すべき能力を決定し、それに最適の活動なり、素材なりを選んで、能率的に「けいこ」の目標を達成しようとしているからである。しかも既に述べたように、子どもたちの性格を形成

していくその自我を確立していくという点において、両者が堅く結合し統一されているからである。

我々は保健体育を「けいこ」の中に含ませているが、理論的に言うと、この保健体育は、「しごと」・「なかよし」・「けいこ」（狭い意味）と並んで、位置を占めてしかるべきものである。或いは「しごと」・「なかよし」・「けいこ」全体と対立するような位置を与えられるべきものかもしれない。何故なら保健は、子どもたちの肉体的な生命を維持向上させるべきものだからである。体育（積極的体育の意味）は子どもたちの肉体的生命、原始的な生命力を強化するものだからである。このような原始的な生命力の上に、より高い生命の姿が現われていく。

より高いものを求める発動性や、より高いものへの統制力もそこから生まれる。原始的生命力が弱くては、自己の欲求や、念願を実現しようとする心も弱く、生きがいを求める気持も少なくなる。又各種の能力を高めていこうとする気持も弱く、それにも堪え得なくなってくる。

「健全なる精神は健全なる身体にやどる」ということは、古くさい諺（ことわざ）ではあるが、実は重要な不滅の真理を物語っている。

よい「しつけ」をしようとすれば、子どもたちが元気で床を離れ、床に入ってすぐ眠るような健康な生活をさせてやることがまず大事である。眠り足りない子や、不適当な食事を与えられている子が、落

ち着かなかったり、望ましくない行為をしたりすることは人のよく知っているところである。更に身体上の諸欠陥もまた子どもの性質を作っていく上にさまざまの悪影響を及ぼすことが多い。

積極的な体育は子どもたちの原始的な生命力を旺盛にすると共に、その中にはしごと的な全身全霊を打ち込んでするような部分、ゲーム、競技、げいこ的な部分、例えば機械を使う体操、矯正体操もあり、又なかよし的な自由な遊び等もあって、子どもたちに自然や社会に対する眼を開かせる。正しい死生観を与えたり、人間関係のあるべき姿を教えたりする。運動場において、紳士がつくられるということも重要な事実である。

我々の学校は体育的環境に非常に恵まれていない。けれども事情の許す限り、保健体育の施設を充実し、又その為の時間を多く設けているが、その「しつけ」に及ぼす効果は非常に大である。

## なかよし（特別活動）の実情

「なかよし」は青少年赤十字に加入している全学級の子どもたちによって行われるが、一、二年は学級を単位として実施し、三年以上は学級を解体して、子ども赤十字の組織によって実施されている。この組織は「なかよし」の組織とも呼ばれているが、大きくA部とB部とに分けられている。

A部は学校生活への直接奉仕、B部は文化的活動を通じての学校生活への間接奉仕を、主として狙っている。この奉仕ということばは子どもたちに対しては使っていない。奉仕という語感に不純なものが入ってしまっているからである。また直接間接ということもいわない。それは、考え方によってどちらがどちらにもなるからである。

A部には、新聞・美化・園芸・衛生・体育・図書の六グループ、B部には、文芸・音楽・図画・工作・裁縫・理科・算数・習字・ダンス・体育・演劇の十一グループがある。三年以上の子どもたちは、A部B部のいずれかに属し、その中の一グループに参加する。そして六箇月間そのグループで活動し、半年後すなわち十月の初めからは、A部のグループに属していた子はB部のグループに、B部のグループに属していた子はA部のグループに所属がえをし、また六箇月間その新しいグループで活動をする。

この同一グループへの所属期間については、一箇月半、三箇月というふうにいろいろ経験をしてみたが、現在は六箇月にしている。今までの様子では子どもたちが落ち着いて活動していくようである。グループへの所属は従来子どもたちの自由意志に委ね、ただA部B部の人員がほぼ平均するようにだけ指導を加えてきたが、今年度からは子どもたちの志望を調べ、これを教官全員の会議で慎重に検討し、グループの活潑な活動、個性（本人の知らないものを含めて）の伸長の可能なように編成を考え、子どもたちの志望とくい違うのは再考を求めたり勧誘をしたりして、ほぼその線に持って行くようにしている。こちらからも無理はいわないし、子どもたちもすなおなので、きわめて円滑に決定されている。こうすることによって各々のグループには能力及び性格の上で適当なリーダーが配置され、更にすべての子どもたちが学校全体の生活と直結する位置を与えられるのである。子どものグループへの所属は一覧表にして委員室の前に掲示されている。

「なかよし」の活動がうまくいくか否かは、主として子どもたちの間の指導者が積極的であるか、有能であるかによって左右される。子どもたちの間の指導者としては、まず最高学年としての六年生があり、委員及び委員会があり、グループの指導者がある。

そこで他の学年では一学級の中にA部とB部の子どもが約半数ずついるのであるが、六年に限って月昼両組を組としてA部とB部に分けた。九月末までは月組全員がA部、昼組全員がB部、十月からは月組全員がB部、昼組全員がA部となり、学級として学校全体のA部なりB部なりの活動を分担し指導して行くことになるので、赤十字の組織と学級の組織とが呼応し協調して行くことができる。

子ども赤十字委員会は「なかよし」活動の中枢機関であるが、六年の両組から各六名、A部を担当している組からは別に委員長一名、五年は各組男女一名宛、両組で四名の学級代表、四年三年二年は

各組一名宛の学級代表計六名、総計、委員長以下二十三名の委員から成立している。この委員は各学級毎に本人の希望や学級全員の意志（選挙）を慎重に考慮して選定し、やはり教官全員の会議で検討する。委員長と副委員長（これはB部に所属している六年の学級から出る）及び委員の関係が特に配慮される。その間に反撥関係があると、委員会の活動は円滑に行かないからである。委員は一般の子どもたちと特別に区別されることがない。いわゆる級長のような仕事は日番もしくは週番で、すべての子どもたちが順番にするし、委員は小さなバッヂのほか特別のしるしもしていない。学級なりグループなりの代表というのにとどまる。これは委員を一般の子どもたちから遊離させたり、委員のうぬぼれ、いっしょうけんめいやるような傾向を避けるのに有効である。委員会は毎朝始業前三十分から始められる。この時期は一般の子どもたちの清掃をはじめる時刻であるが、委員たちは交代で朝早く来て、委員室とその附近の清掃をすませておくのであって、委員になったから、清掃の作業を免かれるというようなことはない。子どもたちも委員は御苦労様であるというような感じを持っているようである。

委員会には教頭、六年の学級担任及び青少年赤十字の指導係（児童文化部）の教官が列席する。これは委員会の活動が学年や学校の経営と矛盾せず、むしろそれと同一線上に積極的に展開していくた

めである。委員会には「土曜なかよし」(全校集会)のプログラムの作製という恒常的な仕事があり、他校の青少年赤十字との交渉や行事の処理などがあって、議事が固定したり、なくなったりすることはない。一般の子どもたちの声もなか〳〵よく聞えてくる。我々は議事を消極的な生活規制にのみかたよらせぬように努めている。むしろ積極的な生活建設の方面のことに向かわせている。これも委員会が一般の子どもたちと乖離しない一原因である。

なかよしのグループ本来の活動は火曜と木曜の最後の時間に八十分宛実施されている。木曜は昼休み直後の八十分となっているが、火曜の午後の「けいこ」が五十分あってからの八十分より都合がよいようである。各学級から子どもたちがグループに集まってくるのに、揃いやすいのである。また一回のグループ活動の時間は六十分の時もあり、七十分の時もあったが、現在の八十分は子どもも指導の教師も落ち着いて仕事ができてよいようである。

毎朝の清掃がグループ毎に分担して行われることは前述の通りであるが、これは不知不識の間にグループの構成員を親密にさせ、グループの活動を発展させる基盤となっている。

「土曜なかよし」は一年以上の全校児童が体育館に集まって楽しい催しをする。楽しいということを目あてにさせているが、主事のあいさつ、教頭のお話、図画の教官の週間にできたよい絵の発表、詩の

発表と批評、歌の練習などがその中にとり入れられるのが常である。時には体育的行事が行われたり、加味されたりすることもある。土曜日は学級担任の教官の自宅研修日になっているので、この日は担任外の教師のみで指導をする。学級担任がいないので、子どもたちの心はやゝ安定しないようであるが、全体としての「しつけ」の進展とともに、この九十分の全校集会の秩序は一歩一歩確立されつゝあるし、更に改善されることを期待している。一種の試金石という意味において、我々は注視している。「なかよし」はいうまでもなく、子どもたちの一人一人に、学校生活全体における位置を与える。

グループの一員となるということは、子どもたちの大きな喜びでもあり、誇りでもあるようである。自分も、何事かみんなのためになることを成し遂げることができたという誇りは、その子どもの世界を広い明かるいものにする。更に国内及び国外の子ども赤十字との通信やアルバムの交換も、子どもたちに自分自身を認めさせるのに役立つ。地域社会との交渉も子ども赤十字として行わせると、自分たちの集団の意味や、その中での自分の位置を理解させるのに役立つ。

位置の自覚に基づく全体生活への働きかけは、自由な独創的なそして豊富なものとなる。自分たちの考えで自分たちの生活を自分たちの都合のよいように建設していこうとすると、数限りない活動がひらけてくるのである。教師には思いも及ばぬような切実な要求が次々に取上げられて行く。各個人の

発動性、特にグループとしての発動性の進展は著しい。負う子に浅瀬を教えられるというのは、学校経営の場合にも大きな真実である。また特にB部において子どもたち自身の文化水準を高めて行くことも著しい。たとえば絵とか詩とか演劇とかダンスとかに次第に新しい機軸が現われて来、それが他の子どもたちに波及して行くこと、また次の同じグループの子どもたちに受けつがれて行くことなど、きわめて明瞭である。そしてそれは教師が特に力をかして一、二の特別の児童に優秀なものを実現させた場合に比して、きわめて確実な波及力を持っている。A部の各グループの活動も学校生活の水準を高め、自然に一種の生活文化とでもいうようなものを作り上げていく。たとえば新聞グループは壁新聞によって学校全体に対する各人の意識を高め、幼稚ながら純粋な政治的意識を育成している。何故ならば、自分たちの生活の動きを把握するとともに、それをどう調整し、どう発展させて行くかを自分たちのこととして取上げるようになってきたからである。

「なかよし」の実施以来子どもたちは学校生活を自分たちのものと考えるようになってきている。学校は教師を含む自分たちのものである、このような意識の下に、子どもたちの活動は、よそから見ると何か涙ぐましいほどのものがある。運動場で、B部の体育の者が体育を練習しているそばで、A部の体育の者が、コートのラインを引いたり、運動場の土盛りをしたり、運動用具の修理をしたりしているのを見ると、我々でさえ意外のような気がする。かれらの自己を統制する力も、これ位強化されることができるのである。

我々は時々語り合う「もしも子どもたちがなかよしの活動をしてくれなかったら、学校には日々、なお数人の教師や職員の頭や手を食うだけの仕事がのこるであろう」と。実際目に見えることだけでも、このようなことが言えるのであるが、更に学校全体に一つの雰囲気を作り、それを推進させて行く力を考えると、そんなことではとても言い尽くせないものがあるのである。

しかし「なかよし」だけが、しつけのための生活ではない。「なかよし」も、「しごと」・「けいこ」と並んで、同じように、正しいしつけの行われる一つの生活部面である。「なかよし」だけをしつけのためのものにしようとすれば、却ってしつけは、うまく行われないにちがいないのである。しつけのためにという狭い一方的な考えで、自治活動をやり、特別活動を実施し、子ども赤十字や、子ども会などをやって、失敗した例は枚挙にいとまがない位である。

以上において、学校における「しつけ」が、しごと・けいこ・なかよしの三種の生活でいかに行われてくるかを、述べたのであるが、名称や、その内容に、各種の変化があるにせよ、すべての学校に、これに相応する生活があるのであるから、ほゞこれと同じような方針の下に、「正しいしつけ」が実施されることができると信ずるのである。

このような、しごと・けいこ・なかよしを実施して行くためには、環境や施設や、職員の組織を整備することが望ましい。これについては「たしかな教育の方法」の中で、既に報告してあるが、その後のものを若干挙げてみよう。

まず第一に保健・体育のためのものがある。私たちの学校では、本年度運動場監理室を特設した。これは子どもたちの安全を護るためもあるが、運動場における各々の子どもの活動の間における「しつけ」を徹底して行くためのものである。せめて休み時間には休まないと教師の健康がもたないが、しかもその休み時間の子どもの姿を見るだけでも見ていなければ本当の「しつけ」はできない。この矛盾を可能な限りにおいて解消しようとする一つの試みである。保健の方では手洗い足洗いのことを一応すませて、今年度は蛔虫駆除に、子ども赤十字委員会もPTAも一つの大きな目標をおいて努力している。PTAの保健体育部会では、毎月の部会毎に一人の子どもをあげてその母親もしくは両親の列席の下に事例研究――研究及び相談の会をやっている。学校側からは担任・体育係教官・養護教諭・校医が出席し、部員たる両親（その中にも各種の専門家がいる）といっしょに、頭をひねって、その子

を強く健やかにする方法を考えている。保健のことが同時に「しつけ」であるということは、この場合には端的に理解されていく。保健体育のための施設や組織の全体に対する効率は意外に高い。

望ましい雰囲気としての、敬愛の情に充ちた、自由な、そして自然な雰囲気もまた、物的環境や施設・組織などによって、その醸成が促進されたり容易になったりする。雰囲気はもちろん精神的なものであるが、物質的な条件をとゝのえることによって、その実現の速さや度合が著しく違ってくる。私たちの学校では、校舎内の採光・色彩・整頓等を逐次改善しつゝあるが、同時に校舎外の草木池水等にも工夫を加え、また室内の諸設備にも、子どもたちの活動の自由と多様性に応える準備をしてきた。教官ホール・児童委員室・児童文化室・図書室などは、その端的な現われである。

教職員の組織は「たしかな教育の方法」に報告したものとほとんど変わりがない。総務・研究教養・児童文化・環境整理・保健給食の五部で、本年度から保健体育と学校給食の部が統合された所だけが、以前との違いである。育友会（PTA）の方は、保健体育と給食が別のまゝであるが、PTAの組織と子ども赤十字（なかよし）の組織とできるだけ呼応させている。実施以来三年になるが、幸い病気にたおれたものもなく、互助の精神はいよいよ強くなり、「心配性の教官」も、次第に闊達な気分に進んできている。

正しいしつけをしようとすれば、それは全生活を通じてのしつけであるから、二階から眼薬のような気がしたり、金をくうように思えても、全体の生活を整えるために、物的環境や施設や組織を望ましいものにすることが大切である。それが意外に急速な効果をもたらすことが多いのである。便所の戸をよくしめさすことに、うん／＼うなっているひまに、その戸をバネじかけで、自然にしまるように設備し、後始末をよくするための努力を、他の物的条件では解決のできない部面に集中していくことが、賢明であるだけでなく、人間の労力の尊重という意味からも、根本的に重要なのである。教師にも子どもにも底のないひしゃくで水を汲ませるようなことをしてはならない。それは人間の生命を尊重しないことであり、よい「しつけ」の生まれてくる根源を閉塞することになるからである。

# 第五章　家庭及び校外におけるしつけ

## 家庭でのしつけ

家庭での「しつけ」も、前に述べた「しつけ」の原則によって貫かれなくてはならないことは、学校での「しつけ」の場合と同じである。けれども家庭と学校とでは、条件の違う所があるから、その適用の実際はかなり違ってくる。こゝに改めて考察をする所以である。

家庭での「しつけ」も、家庭生活の全部面を通じて行われなければならない。寝ている子どもの枕もとを歩かないというような昔の人々の配慮は、寝ている時にさえ「しつけ」のことを考えなければよい子はできないという事実の認識から発している。坐作進退のすべてがきびしくいわれたのもそのためである。もと／＼家庭では学校のように「しつけの時間」を設けたりするような妙なことは考えつかない。それは不自然だからである。その代り、朝起きた時、三度の食事、夜寝る時、とある日などには、どうふるまうべきかがはっきりと知らせられた。これは家庭の、学校よりよい所である。けれども学校では、子どもたちを指導する方針を一定しこれを一貫させることができ易いのに、家庭ではそれが進んでいく困難である。家憲というようなものが成文化したり慣習としてなり存在したとしても、家庭の構成員の幅が広いことが邪魔をする。両親と子どもだけの家庭であればまだしもであるが、祖父母や伯父叔母が一しょに生活していると指導方針が錯綜してくる。父親と母親だけでも方針のくい違うことが多い。昔から厳父慈母といって、方針のくい違うのは当然のように考え、違う方針が相補足することを期待していた人々もある。けれども寛厳の差は同一方針の中での取扱いの差でなければならないので、方針のくい違いであってはよい「しつけ」はできない。父親がむやみにきびしく叱り、母親がその叱責を避けるために子どもに逃げ道（うそ）を教えて、かげひなたのある子どもをつくってしまう例は少なくない。現に、祖父母が昔風に口やかましかったり、逆に溺愛したりする場合には、手のつけられないようなことがある。もしも子どもの「しつけ」について両親と祖父母その他との意見が一致せず、どちらが正しいか判定できなかった場合には、むしろ思い切って両親の方の意見を立てるべきであろう。両親の方が当面の責任者でもあるし、長期にわたって指導を続けて行かなければならないからである。矛盾した方針でせめられるよりは、たとえ少し不十分でも一貫した方針で導かれる方が、誠実な性格ができるからである。

家庭での「しつけ」は、特に家風によるもの、即ち雰囲気によるものが多い。両親の薫化という語の用いられる所以である。敬愛の情に充ちた自由な自然の雰囲気は本来よい家庭の本質であるべきなのであるが、現実にはなかなかそうなっていない。日本の家庭には封建的な空気が余りにもたくさん残存しているからである。親は子を養うためのもの、子は親の老後の世話をするもの、妻は夫に仕えるものというきわめて当たり前のように思われていることでさえ、詳しく考えてみると、実は人間を人間としてよりは道具や便宜の手段と考える考え方が入り込み、不純なものを含んでいるのである。大人と子どもとで献立の違うのは理由も立つが、父親と長男だけが御馳走を食べて、母親や次男以下は別席で別の食事をするというようなことは、ただ封建的な秩序を身にしみこませるだけで、自由な空気をつくるには、大きな妨げとなる。長男なるが故に、自己の趣味や才能は断念して、父祖伝来の家業をつがなければならないという固定した考え方も、望ましくない性格の人間をつくり出す大きな要因である。また他人に笑われるからとか、父親に叱られるからとかいう理由で行儀作法を強調する中にも、望ましい雰囲気の形成を妨げるものがある。このような例は、我々の家庭生活のすみずみに入り込んでいて、枚挙にいとまがない。正しいしつけをするためには、家庭の持っている封建的な残存物に対する反省が余程鋭敏でなければならない。家庭のすべてのものが、卒直に自己の志を伸ばし得るようになり――すなおな気持になり、理性的に行動し、お互への配慮が深くなり、あたたかな批判が相互間にたえず行われ、よりよい生活様式が全員によって一歩一歩追究されていくように、全体の雰囲気が改善され向上されなければならない。

自己を確立させるために、家庭内で安定した位置を与えることは、きわめて大切である。しかもそれは学校においてよりは、はるかに容易なのである。発動性を十分に伸ばすには、普通の家庭では条件が整わない。あまりあばれられては、困難が生ずるのが常である。ことに家庭には乳幼児もおり、学童もあり、青年期の者もいることが多いから、互の活動が交錯し衝突してうまくいかないばかりでなく、大きい子と小さい子を一律に取り扱うことができないのに、子どもたちは大きい者のまねをするし、兄や姉に許されていることは自分にも許されなければならないように思い且つ要求するから、個別指導に余程の工夫をしなければならない。各人の位置に応じて自己統制を行うことを教えつゝしかも不公平の感じを持たせないように、うまくさばかねばならない。

家庭における「しつけ」は生後三週間目頃から実施しはじめないと手遅れになる。それまでは抱いたりあやしたり、泣いたら乳を飲ませたりしても、それが癖になることはないが、この頃から抱き癖、入浴をきらう癖、深夜に乳を求めて泣く癖、添寝の癖などがつきはじめる。抱き癖をつけないためには、抱く場合を一定し（たとえば授乳前とか入浴の前とかに限り）、老人やよその人にもそれをかたく守ってもらうのがよく、深夜に泣かせないためには、夜間の授乳の間隔を次第に拡げて行く工夫をし、入浴をきらわせないためには、湯の温度や身体の保持し方等を子どもの快適なようにしてやり、添寝の癖をつけないためには、湯たんぽを入れたりして独立のふとんやベッドにねかすようにするのである。手のかゝる横暴な赤ちゃんにするか、独立した、一人で気嫌よく遊んだりねていたりする赤ちゃんにするかの分かれ目である。もっとも、この機会を失したらどうにも取り返しがつかないというわけではない。はいはじめる時、すわり出した時、歩きはじめた時、大人のことばがわかりかけた時、そのような機会をとらえて矯正することができる。けれども後になればなるほどそのような悪癖の弊害は大きく、これを矯正するのに骨がおれるのである。

七箇月位に、はっきりしてくる人見知りの癖を避けるには、いろ〳〵な顔を見せておくのがよいし、十箇月頃の離乳期には少しは面倒でも偏食の傾向を生じないように努力しなくてはならない。

誕生をすぎて歩けたり片言が言えるようになる頃から、子どもは急に言うことを聞かなくなる。いけないということをいろ〳〵とやってみて、大人が本気で禁止しているかどうか、ためしてみているようにさえ思われる。障子に穴をあけてみたり、火鉢の灰をつかみ出したりするのは、ほとんどどこの子どもでもすることである。親たちが叱ると逆にかゝってきたり、いかにもくやしそうに泣き叫んだりする。一年半位から三年半位頃までのこの時期は、第一反抗期といって、子どもたちの正常な発達の一過程なのである。みだりに折檻などを加えるべきではない。旺盛な発動性を安全な方向に発揮させるとともに、悪いことは悪いとくり返し教えて行かねばならない。起床・就寝・食事・用便・洗面・入浴・被服着脱等の身体的習慣を、徐々に確立させることができる。あせらず油断せず、よい機会をとらえるようにしなくてはならない。

この第一反抗期（一年半—三年半）には、困ることをしながらも、少しずつ聞き分けもでてくるのである。ことに二年半以降にはその方面も目立ってくる。子どもたちの意志が周囲の者にはっきりと伝えられるようになり、大人の言うことがかなり理解できるようになることと、呼応して行くのである。聞き分けとともに周囲の人々に対する考え方（甘えるのがよいとか、威張らないとだめだとか、言うことを聞くべきだとか、どうしても自分のことはかまってくれないとかいう考え方）がきまってくる。これは「三つ子の魂百まで」といいならわされているように、人間の性格の基本になることが多いのである。活力のある、しかもすなおな思いやりのある子にするように苦心するのが賢明である。

三年半ぐらいから、聞き分けもはっきりしてくるし、かなり身体もしっかりしてくるので、家の内外でさま〴〵の遊びができるようになる。一人で遊びを工夫し、それにひたむきになれれば、大いに結構である。自分で自分のことを始末しながら、豊富な遊びを楽しむように配慮することが大切である。字や数を教えることをあせる必要はない。子どもたちは、いろ〳〵なものをさわったり扱ったりしながら、自然に各般の知識を自分のものにしていく。弟妹とか近所の同じ年頃の子どもと、どんな態度で交わっていくかは、よく注意する必要がある。

両親はじめ周囲の人々が、その子どもを愛しながら、これをおもちゃにしたり、甘やかしすぎたりしないで、認めうることは認めてやり、たしなめるべきことはたしなめてやれば、大して苦労しなくても、子どもは望ましい方向に成長して行くのである。たゞこの幼児が病気をすること、病弱になること、弟妹が生まれて、その幼児に手が行き届かなくなることなどは、最も大きい躓きのもととなるので十分に警戒しなければならない。

小学校にはいった子どもたちに対する家庭での「しつけ」の根本は、前述のような新しい学習における「しつけ」と協調していく所にある。

まず保健体育の面についていえば、保健の大部分の仕事は家庭が受持っているので、特に責任が大きい。栄養と休眠の大部分は、家庭が引受けており、それを中心とする生活時程・生活様式（何時に起きて、何時に用便に行き、どのように洗面し、どんなふうに食事をし……、どのようにして何時に寝るか、というような生活の習慣）も家庭によって、種々に異なってくる。またこれに伴なう各種の身体的習慣も母親の指導下にある。ところでそれらのことが、直接間接に子どもの「しつけ」に及ぼす影響はきわめて大きい。たとえば、ある母親はその子どもたちにキャラメルを与えた後には必ずその包紙を数えて受取ることにしているが、その子どもたちは学校に忘れものをしてくることがきわめて稀なくらい注意周到になり、また他人に迷惑を及ぼさないことに深く心を用いるようになっている。間食の与え方の片はしにもこのような影響が現われるのである。

保健衛生に関してとのみはいえないが、子どもたちの性的な事象に対する好奇心や欲求行動に対して注意深い観察を加え、それに対処していくことも、親でなくてはできにくい「しつけ」の仕事の一つである。かれらの好奇心や質問に対する方策は、子ども自身の解釈をたしかめて、その不当な所だけを修正して、あとは是認してやるのが、よいようである。性的な悪戯はこれを禁止するとともに、他の活動に転化することが必要である。うちの子どもにはそんなことはないと油断してはならない。一年の子どもでも各種の性的悪戯をすることはよくある。不当に罪悪視させて、いよ〳〵秘密の世界に追い込んで、性格に暗いかげを生じさせてはならないが、秘密悦楽の世界をつくらせてもいけないのである。また子どもたちの身体的の性的成熟にも注意しなければならない。そして多少の遅速があっても、臆病になったり、恐怖心をいだいたりすることのないようにすべきである。

子どもたちは、家庭ではなか〳〵勉強したがらないで、外に出て遊びたがる。これは親たちの苦情の種である。けれども実は子どもたちの身体的活動は学校だけでは十分でないことが多いのである。小学校の子どもでは一日に必要な運動の時間は四時間位とされている。往復や、体操の時間や、休み時間の運動では、まだ足りない場合が多く、それだからこそ運動がしたいのであるから、安全な場所で過度にならないように遊ばせることを忘れてはならない。過度かどうかは体重の増加状況の如何が最も明らかに教えてくれる。勿論危険なことや悪い友だちとの交わり等については十分に注意しなければならないが、学校と協力して子どもたちの身体的活動に道を拓いてやりたいものである。場合によっては父母の手伝い、家業の手伝いでも、そのような運動となるのである。大人のような手伝いはできないが、面白くやらせれば、別に報酬を与えないでも、かなり持続して熱心にやるものである。

子どもたちは、家庭生活の中でも「しごと」的な性格の生活部面を持っている。かれらの遊びの中にそのようなものが見られる。一心に竹とんぼをつくったり、余念なくままごとをしたりしている場合がそれである。勉強もしないでと一がいに叱りつけるのがわが国の家庭の通例であるが、むしろそれを「しごと」にしてやり、勉強にしてやることがよい教育であり、「しつけ」をする所以になる。その要点はその活動を通じて少しずつ新しい世界に導入し、正しい知識を得させてやることである。つまり竹とんぼでも同じものばかりつくっているのを、手でまわすのから、糸でまわすものに進ませ、高く上るもの、長くとんでいるもの等を比較させ、削り方の法則に気付かせるというようにすることが大切であり、まゝごとにも、泥と草だけでやらないで、おがくずを与えたり、道具をかしてやったりして新しい機軸を出すようにヒントを与えてやればよいのである。もちろん子どもたちのやっていることをよく見、よく理解して、手をかしてやらないと失望したり、失敗したりする。

学校での「しごと」の延長を、家庭でしている時には、十分話を聞いてやり、力をかしてやるべきである。力をかせない場合には、虚勢を張る必要は毛頭ない、せめてどうすれば研究できるかを指示し、それもできなければ感心しておいてやればよいのである。子どものやっていることが、大人の手におえないということは、本来ないはずなのであるから、よく子どもの話を聞いてやりさえすれば、何か力をかしてやることが見つけられるのである。

家庭で特別に子どもに、けいこ事をさせることがある。算盤とか、習字とか、踊りとか、ピアノとかを習わせるのがそれである。これも子どもたちに対しては、学校における「けいこ」と同じような働きをする。そして他の子どもがやっていないだけに、その子に自信を与えるという副効果もある。

この場合、そのけいこをしてくれる人の人がらは十分に考慮に入れなければならない。

子どもたちは、学校の「けいこ」を延長してきて、家庭で学習することもある。これは家の人々に最も気に入り感心される勉強である。この場合特に必要なことはその勉強の材料が、よく子どもの能力に合うものであるか、子どものその方面の力が確実に伸びて行っているかどうか、子どもが精神を集中してやっているかどうかに、注目することである。積極的に時間を活用して、どん〳〵勉強するようならば、しめたものである。お母さんを安心させたり、お八つをもらうために、だら〳〵と机にかじりついて、あれやこれやと本をひっくりかえしているのに感心していてはだめである。子どもでもなか〳〵隅におけない子もあるものである。

わが国の家庭には「なかよし」的な生活の部面はあまりない。家のことはお父さんやお母さんがやってくれるので、自分たちのすることはお父さんやお母さんのいいつけをきくこと、その手伝いをする位だと考えているのが、普通だからである。けれども進んだ家庭では、次第に子どもたちに、自分たちの家の家庭生活を問題にさせ、どうすればみんなにとって満足のいく家庭生活ができるかについて、智恵をしぼらせ、協力を求めている。「家貧にして孝子あらはる」というのは、それが自然に行われた形であるが、貧乏でなければ孝行ができないというのはうそである。家庭生活を自分たちの生活と考えれば、さまざまの問題があるのである。疲れて帰宅する父親を元気にするにはどうすればよいか、母親の繁多な仕事をどうしたら軽減できるか、というようなことは、子どもたちの問題に十分なれるのである。よい「しつけ」をしている家庭は、意識的にか無意識的にか、このような問題を子どもたちに投げかけ解決させているのである。この場合の子どもたちの活動は、単なる手伝いというより以上のものであることを忘れてはならない。結果だけから見ると、時には手伝いにならないで、邪魔になることさえあるのであるが、そこを辛抱しなければならないこともあるのである。

学校での「なかよし」活動を、家に持ち込んでくることがある。折角咲いた庭の花を学校の教室に持って行きたいというような例である。予め親の了解が得てあれば文句はないが、さきに友だちと約束してきて、親にせがむということの方が、多いのである。子どもはその約束が果たせないと仲間の中で顔がつぶれてしまう（位置を失いかける）のである。今後を戒めて、約束を果たさせてやるようにすることが必要である。もちろん貴重なるような場合には、友だちに破約を謝らしてもしかたがない。

学校の場合と同じように、全生活を通じて正しい「しつけ」をしていくためには、家庭にも最小限の施設や準備が必要である。それは家庭生活が円滑に進展していくための施設や準備であるが、両親その他の成人のために考えると同様に、子どもたちのためにも考えて整えてやるべきである。一体わが国

の家庭では子どもたちの場所とか、物とかいうものは、きわめて少ないか、全くない位の場合が、大多数である。けれども石油箱一つをやったり、部屋や廊下の隅をあけてやったり、大工道具の古いのを子どもたちのものにしてやったりすることは、できない家よりできる家の方が多いのである。大人ばかりを中心に考えて、家をきれいにして、子どもたちをあちらこちらと追い立てるのは愚の骨頂である。大人自身のいる場所さえないような貧窮な家の子のためには、公共の力で、かれらの活動できる場所をくふうしてやらなければならない。黙っていても、そのような場所を子どもたちは見つけるが、危険だったり、他人に迷惑をかける所だったりするのを免れない。物的条件をととのえることによって、子どもたちの正しいしつけが出来る部分に力を吝んではならない道理は、学校の場合と全く同一である。

始めに述べた如く、家庭でのしつけは学校と協力して行われなければならない。そのためにはＰＴＡをはじめとし、各種各様の連絡協力の方途がひらかれている。これらの方途をひらき活用することが賢明であるが、ここで一つ重要なことは、自分の子どもだけをよくしつけようと思っても案外にうまくいかないから、すべての親たちが、学校中のすべての子をよい子にしようという意図と努力とを持つことである。幼少の子どもをすべてよい子にしようとして、自他の差別なく、親切な指導ができ

るような社会になれば、なおよいわけである。このような意図や努力は、家庭と学校との「しつけ」における協力の真の基礎である。

今一つの問題は、ある家庭の「しつけ」は学校のそれよりも進歩的であり、ある家庭のそれは著しく旧式であるという、くい違いの存在することである。遅れている方は進んでいる方を著しく阻害する。いずれにせよ、優れている方は積極的に劣っている方を引上げるように努力すべきである。その努力は優れている家庭の両親が学校の活動に協力し、劣っている家庭の両親を学校の活動に参与させるという形をとるのが一番である。実際の場面で正しいやり方を会得することが、最も確実な方法だからである。

母親たちは、ともすれば、新しい教育の方法（学習の部面でも、しつけの部面でも）はわからない、むずかしいといって、あきらめてしまう傾向がある。けれども、あきらめてしまっては、結局よいものは、生まれて来ないにきまっている。PTAの機会でも、自分の都合のよい時の授業参観の場合でも、道路上での教師との立話でも、どんな機会でもこれをとらえて学校のやり方に食い入ってみる必要がある。決して魔法を使っているわけではないのであるから、少しずつ納得のいくものができてくるにちがいない。先生方はふだんめったに話してくれない両親たちの声を非常に聞きたがっていられるのであるから、子どもが悪いから先生と話しができないなどとしり込みをする必要はないのである。悪いからこそ話す必要があるのである。子どもの自慢なら先生方はそんなに聞きたくないことも多いのである。

母親や父親を学校の教育活動そのものに参加させ協力させるためには、学校側としても、大いに工夫が必要である。各種の学校行事は勿論、平素の学習指導、校外学習、成績物の処理や展覧・回覧等にも、よい機会が求められるのではなかろうか。

## 校外生活

子どもたちの生活の中には、家庭の手も、学校の手も届きにくい部分がある。これがいわゆる校外の生活である。学校への往復の途上の生活や、家に帰ってから遊びに行くいわゆる「おもて」の生活などがそれである。休暇や休日などでなければ、この生活はそんなに多くはないのであるが、子どもたちに及ぼす影響はきわめて強いのである。妙な所作を覚えてきたり、悪いことばを使うようになったり、道を通るのにがくがくしたり、家のものを持ち出したり、望ましくないことが、校外生活のために、続出してくることがしばしばある。

しかも、この「おもてに遊びに行く」ということは、子どもたちのほとんどすべてに対して、たまらない魅力を持っているのである。それは「おもて」では、子どもたちは学校や家庭の束縛から離れることができ、しかもそこには各種の冒険があるからである。冒険を恐れるような気の弱い子は「おもてに遊びに行く」のを避けるのであるが、自分の身に危険のない程度の冒険は、大人にも子どもにも大いに魅力があるのである。

この校外生活は、学校や家庭とは違った雰囲気に支配されており、教師や両親の手が十分に行き届かない所に特色がある。教師や両親の直接の拘束がないと同時に、教師や両親の直接の保護もないので、子どもたちは一種の独立した気分を味わうことができる。

こゝでは露骨な社会の姿がそのまゝに子どもに迫ってくるのであるが、却って子どもたちは家庭や学校で得られなかった位置を獲得し、さまざまの能動性を発揮することができる。もちろん子どもたちは「おもて」でも決して孤独ではなく、大人あるいは子どもの仲間を持っているのが常である。そしてそこにも、それなりの生活秩序があって、子どもたちに忍耐心を要求したり、精神の集中、約束の遂行などを迫っているのである。その意味で校外生活もまた、子どもの性格をよい方へ発展させるのに役立たないわけではない。往年の餓鬼大将がしっかりした人物になっている例はむしろ多い位である。

たゞこの校外生活は、わが国の場合、非常に原始的な或いは封建的な性格を持っている。たとえば腕力や悪口をまくし立てる力や金銭や物品などが勢力をふるっていたり、親分子分の関係が支配していたりする。しかもそれを排除することは、社会全体がすみずみまで進歩向上しない限り、望み得ないのである。このような旧勢力の支配下にある校外生活から、子どもたちが望ましくない考え方や言動のしかたを覚えてくるのは当然である。

校外の生活が教師や両親の思うように統制できないものであるとすれば、その生活を通して、望ましい性格をつくろうとすることは無理である。校外の生活というものを教師や両親の手の中に収めてしまう、つまり校外生活というものをなくなしてしまうか、家庭や学校での「しつけ」を、校外の生活において試練しこれにみがきをかけて行くかのいずれかしかないわけである。

校外生活をなくすという方法は、学校や家庭の手の及ばない、いわゆる「おもてで遊ぶ」生活をさせないという方法と、家庭や学校と同じ方針で運営される遊び場や子ども会その他の施設をつくって、それを「おもて」の代りにしてしまう方法とがある。前者には子どもたちの激しい抵抗があり、後者は教師や両親の著しい負担がある。通例の校外生活の指導というのは、この後者の方法を指すのである。

私たちは、この後者の方法を支持しないわけではない。けれどもこの方法は有限であり、いくら施設を拡充しても、子どもたちはなおかつ、別の「おもて」、本当の「おもて」を追い求めることをやめないであろう。だから、私たちは、その方法を支持するとともに、校外生活を認め、こゝで学校や家庭での「しつけ」にみがきをかけることを、方針としている。そのためには、第一に学校や家庭での「しつけ」を有効なものにするように、力を集中しなければならない。第二に子どもたちが教師を信頼して自分たちの「おもての生活」について、その苦しみとする所、楽しみとするところを語るようにし、その状況を明確にし、その問題を学校や家庭で取上げて適切な指示や協力を与えてやらなければならない。第三に、子どもたち自身が校外生活を自分の生活として取上げ、その改善に向かって、そこでの仲間の協力を要請し、実現していくようにしむけなければならない。

つまり、校外生活の状況は、家庭の側からも学校の側からも十分注目しなければならないものであるが、その特質を考えると、その指導は形式的にならぬよう、確実な効果をあげるようにしなければならない。それには生半可のことをするよりは、学校や家庭での教育に十分力を注ぎ、そこで子どもたちが身につけたものを以って、その校外生活を自分たちで建設していくようにさせるのがよいと考えるのである。私の学校で特別の校外生活指導の組織を教師の側にも子ども側にも設けていないのは、そのためである。

# 第六章　いろ〜な事例

しつけは個々の子どもに徹し、その全生活を通じて行わなければならない、ということは、言えば簡単であるが、これを行うという段になると、実に複雑なむずかしいことである。いかにして個々の子どもの実態をとらえるか、その全生活の中のしつけの契機をどのようにとらえるか、お互に苦しみ求める所である。

本章においては、我々の接した幾つかの実例を報告することによって、その問題に対する現在の我我の回答とする。勿論、我々の至らないことは、深く知っている。けれども、我々の実践の跡にも、また真実のものがあり、これが礎石となって、今後の道のきりひらかれることを、期待するからである。

最初に、しごとを中心とする四つの例を担任の手記によって報告しよう。

## 家にかえらぬ子

Y子ちゃんが入学してきたのは、去年の四月であった。一年生にしては体格の大きい、色白のかわいい女の子である。最初、私の印象に止まった事柄というのは、この子の家庭調査であった。紙一面に母親の手で綿密に、入学までの生育状況やら、家庭の教育方針が書き列ねてある。母親の一心な気持がにじみ出ているような気がして、私も大切にこの子を見守ろうと思った。Y子ちゃん自身から、私が初めて受けた印象は、なんと笑わない子どもだなということであった。他の子どもが緊張したり、笑ったりする一年生特有の、明かるい根のない動きの中にあって、この子は真正面に私を凝視しながらも、一向に表情を動かそうとしない。別に私の行動を批判したり、否定したりするような素振りでもない。たゞ黙って聞いていて、どこ吹く風といった態度である。だからこちらが誘導して何かさせようとすることになど、なか〳〵のってこない。絵も上手である。しかし皆がかきはじめてから徐ろに用意してかきはじめる。かき方もぼうっとしているのでもなし、懸命にかいているのでもなしという状態である。出来上りを見てくれともいわない。教室でのいろ〳〵な活動を通じて見る処では、何に意欲が向くのか全然わからない。たゞ外に出て運動をさせると大へん活躍する。特に体力があるので、かけっこなどは大いにがんばる。自分の入る組のことについて文句をいったりもする。

五月に入った頃から、放課後おそくまで学校に残っている日が散見されるようになった。

一応、さよならをして教室を出ておきながら、私に黙って運動場の隅で上級生の運動を見ているらしい。その中に時々教室に見えなくなった。一年生の子どもの事とて、他児童も別にY子ちゃんの存在など問題にしていないし、私も、家庭が何分一人離れて遠いので無届欠席をしているのだなあ位にすませていた。処が養護の先生や裁縫の先生が「Y子ちゃんはどうして教室へ行かないのですか」といわれる。伺うと、どうも学校へは来ていて他教室で時間のあいてる先生に甘えているらしい。それからは私もよく注意して、朝教室に見えない時にはさがしにいくようにした。処が私が迎えにいったりすると、帽子掛などにしがみついて、どうしても教室にこようとしない。わけを尋ねると「誰々さんがいじめはるから」という。「それじゃ先生が誰々さんによくいっていじめないようにさせるからいらっしゃい」というと「そんなんしてもあかん」といってます〳〵尻ごみをする。あまりはっきりしないので、一寸私がけわしい顔でもするものなら、死にもの狂いに泣き叫んで私の手をふりほどこうとする。しかたがないので放っておいて、他児の世話を一応して行ってみると、運動場で運動をしている上級生と同じように走りまわっている。キャッキャッさわぎながらはしゃぎまわって「誰々さん下手やなあ、うちそんなんくらいいくわ」とまるで長年の知己のような口振りでえらそうにしている。

五月も半ばになった頃、学級でまゝごと遊びをはじめた。ある日のこと後片づけがすんでみると、Y子ちゃんと隣に座っていた女の子の姿が見えない。他児に聞いてみると、学級の道具があるにもかかわらず、他児を誘ってまで自分の家へもう一つの道具をとりに帰ったという。家は約十分電車に乗って、そこから凡そ小一里田んぼ道を歩かねばならない。帰って来たY子ちゃんを捉えて、無断で学校を出ていってはならないこと、お友達を無賃で乗車させてはならないこと、無理をして取りに帰らなくても先生に相談すれば何とかなることなどを話した。しかし、Y子ちゃんの無断学校退出はその後も度々行われた。やれ弁当を忘れたの、やれ何を忘れたのと。

しかし後で思えば、まだその頃はよかった。

そのうちに全く病的にまでこの子は荒れてしまった。

その原因になったものは、一つは炎暑であったと思う。一つは前述のような事件が父親に知れたため、父親が一層きびしくこの子を監視したことによると思う。もう一つは新しい小学校があまりにも多彩なため、この子の目をうばい、興味をあおったのではなかろうかと思う。

十二時近くになって学校はすむ。しかし父親が早く帰るようにと思って弁当を持たしていないので、お腹はすいている。帰える道は若えるだけでも暑くてうだってしまう。つい友達の家へ寄り道する。友達の家ではかわいそうだからまあ御飯を食べてお帰りなさいという。同じ家で二日も三日も続きはしないから家を変える。友達の家からはしまいに、いくら帰れといっても帰らないと苦情が出る。

父親に知れる。父親は叱る。ますます帰りにくくなる。夜になっても帰らない。遂に遠い祖父の処へ出かける。そこへいけなくなると、親戚へいく、親戚にも事情が知れて泊めてくれなくなると、三つ位の時に一度連れていった事があるというような知人の家へ、上手に嘘をいって泊まりにいく。数日家へ帰らない日が間歇的に続くようになった。父母たちも夜となく昼となく走りまわったそうであるが、何処へいっていても必ず学校にだけは遊びに来るので、私の責任も重い。私の下宿へ、時々夜遅くやって来たり、会議などで遅くなった夜道の道端の草むらの中で笑っていたりなどするので、呼びとめる。そうすると逃げてしまう。どこまでも逃げてしまう。夜の十二時近くまで松風のすさぶ無気味な奈良公園のくら闇の中を、幾度か私もこの子を追ってさまよった。

どんなに先生にいわれても、父親に叱られても、母親に泣かれても、どこかこの子の神経は太くて平然としている。しかし、この子の心は木石ではないと思えるふしがないでもない。

第一この子は六つの年まで甘い祖父母に育てられた。処が六つの年に復員してきた父親は、いたって教育に対する抱負の強い人で、この子は他の子どもよりみどころがあるから大いに鍛えて将来は留学でもさせたいと思っている。祖父母たちがこの子本位に育ててきたのとは全く対蹠的なやり方で、この子を自然生活の中で困難に打克ち、自力で逞しくのびていく子どもにさせたいと思っている。ルソーや乃木将軍をよく引き合いに出されるという。しかしY子はなか〳〵昔の生活が忘れられない。私にでも昔の生活はどうのこうのとよく自慢する。祖父もまた現在のやり方には批判的でこの子の前で父親の悪口をいい、この子に金をやっていったりする。更に方針のくい違いは祖父母と父親間にとどまらず、父親と母親の間にも存していて、問題を尚更大きくしている。父は小さい時から苦労して自ら業を上げてきた人であるが、母親はお嬢さん育ちなので、なか〳〵父親に、気持の上でも、精力的にもついていけない。父親が帰ってくると又叱られないかと思って足がふるえると母親自身がいう。そんな調子なのでつい父親に対してY子をかばってしまう。かばうというよりは父親の目をごまかすことを教えてしまう。Y子はこの父親と母親の間にあって感情的には父を嫌って「お父さんなんか死なはったらええ」といつもいっている。しかし、父親の行届いた世話や心づかいは母以上だと思っているらしく、一面では母を馬鹿にしている。例えば母の会に母親がこない、電話をしてもこない。そうすると大へんなすね方でどうしても家へかえろうとしない。しかたがないので家へ連絡すると母親が出てきて、身体の調子が悪かったからといくら弁明しても、「お父さんやったらきてくれはんのに」とあらゆる雑言をはいて、あげくにはパンでも買わせて歩きながら食べつゝ帰るといったぐあいである。

こういう祖父母、父母間に大きくなってきたことを考えてやると、Y子ちゃんのいい分を生やさしく解釈してしまうわけにはいかない。この子にはこの子の理由があり、しかも又それがどうしても許されない苦衷を子どもながらに胸に宿している。いつかの夜も、やはり遅くなって父親に迎えに来てもらった。いよ〳〵終電のベルが、ジリ〳〵となった。Y子ちゃんは私の手を離れて父親の手に移った。その時「お父ちゃんおこらんといてや。せんせいさようなら」と悲壮な声で叫んだ。

私には、なんだかギリ〳〵一杯なY子ちゃんの気持が思い浮かべられてじっとしていられない。もし危険なことでもしでかしたらという思いにかられて、私は奈良公園をつっぱしるのであった。

Y子ちゃんの荒れ果てた行動は、夏休みに入って一旦終熄したかに思えたが、二学期がはじまるとまた再燃した。相変わらずの行跡が続く。遂に大阪に帰る私を追って来て問題が公になった。その頃は私も万策が尽きて、思わず私には方法がわかりませんといった程だった。いろ〳〵な課業をどうしたら興味を持つようになってくるだろうかと骨折り、五月下旬からは毎日三時までこの子の気にいるように学校で遊ばせつゝ、全く個人的に課業の世話をしてきた。なんでもいえる子なので話しあって、全智を働かせてもきた。乏しい体力の半分をこの子一人にかけてきた。しかし、依然としてやればやれる能力を持ちながら、この子は何事にも見向こうとしない。一体体育に対するように、徹底でなくもっとすっきりと地道に、自分の本領を発揮していけるものはなんだろう。私は全く苦痛に閉された。どうしていいのかわからなくなって情なくなった。

この子に一脈の光明が見出されるようになったのはどんな時からだったろう。

万策がつきた私と、同じ気持の母親とがその朝も、昨夜は何処ともしれぬY子ちゃんの出校を唯一の望みに、教室の前に佇んでいた。「あっ、先生、来ました」母親の声に振り返ってみると、なるほど向こうから駆けてきた。処がその胸には模造真珠が飾ってあり、頭には大きなリボンが二つもつけられている。「あれ〳〵、あんなことしたいといいますので、父親が叱ったのでどこかへいったと思ったら、ちゃんとどこかでしてもらってきて」一瞬、てらうような顔をしながらも、Y子ちゃんは黙ってガサ〳〵と教室に入っていってしまった。その日から、私はY子ちゃんが訪れた子どもの家をたずねて、Y子ちゃんが興味をもったようなものを調べ歩いた。するとアメリカの着替人形、小さな小箱、リボン・首かざり・ハンドバッグ・指輪・ボタン・ブローチ・人形というようなものが浮かび上ってきた。更に調べている中に非常に女くさい行動が多いということをかぎだした。そういえばまゝごと遊びの時、毎日大きな荷物を持ち運びしていた事も思い出される。今まではあの子の表面に現われている男のような言動や、ふて〴〵しさのみに私の目がくらんでいたが、内心はそうではなかったのだ。

私は大いに驚いた。そういう観点から今までのY子の行動をみなおしてみると、一々うなずける気がする。

たま〳〵学級のしごとがこの子には非常にうまく運ばれた。というのは、一学期の、教師が擅に主体性を持っているしごとの中では、子どもを本当に明かるく伸び〳〵させえなかったという悔が私にあったので、二学期は思いきって子どもたちにしたいことをさせて、それを出来るだけ教育的に高める方向にしごとを向けた。そこで男の子は乗り物に、女の子は着替人形やまゝごとに向かった。Y子ちゃんがこのしごとに今まで見られなかった情熱を注いだことはいうまでもない。

「せんせい、これうちでしてきました」といってはイヴニングの洋服をつくってくる。「これせんせい後でひもむすんだはるねん」といいながら新しい面を開拓していく。「せんせい、これおとうちゃん、してくれはってん」と私の登校を待ち構えて見せにくる。みかん箱でつくっている人形の家に、お父さんが糸のこで窓を開けてスリガラスをはめてくださったのだ。自分で鋏や、ねじまわしをもって、扉を作ったり、ベランダをつくったり、カーテンをはったり、炊事場を作って水道を引いたり、藁でたゝみを編んだり、椅子やテーブルを、次々と根気よく作っていった。すっかり女の子の中でも主導的な位置を占めて大いに活躍した。

しかし、「けいこ」の時間は依然として気のりがしないようで、同じ漢字を二度も三度もなぞってい

たりしていた。それでも一日に一時間半も「しごと」をした後の「けいこ」の事とて、「しごと」の

余波を受けてか、じっと教室に落ち着いていて外へ出て行ってしまうというようなことはなかった。

三学期は劇をしたが、この子にはこの子の好むことが出来るようにした。お花になって踊りたいと

いうので、そんな場面が出てくるように劇を構成した。三学期も事なくすんだ。家庭では相変わらず、

日記と毎日一句ずつの俳句を強いられているようであるが「おとうちゃん、いややのにききはんねん。

あかちゃんの小ゆびかみきったらかしらんとおもう」としみじみした口調でいっている。どうやら家

をとび出す気配もなかった。

二年生になってからは「よいお家」という単元の中で、この子たちは大きな赤ちゃんをつくって、

着物をつくったり、ベッドバッグや、靴や前掛などをつくってやっている。Ｙ子ちゃんはその他に大

きなベッドをつくった。長さ 80 cm たかさ 60 cm で両端には竹の柵がうってあって、その上にはそ

ろばんの珠が通してある。片側には六角の金台が蝶番でとめてあるという粋な寝台である。つぎたし

の材料でするために放課後も土曜日の午後も残って大へんな力作を仕上げた。

ただ七月に入ってから一年ぶりでまた二日理教室をあけ、一晩友達の家に泊まりこんでしまった。

暑くなったことも考えられるし、こじつけかもしれないが夏の生物を研究するという「しごと」に興

味が持てないからとも思える。農園や採集に行く時はいつも頭が痛いといって教室に残っていて、ダ

ンスを見ている日がないでもなかった。ただ今年は友達が迎えに行ってやると素直に帰ってきて、珍

しく国語の時間に手をあげて発表した。

今、Ｙ子ちゃんは夏休みの家庭にあって、国語や算数の学習に懸命らしい。昨日母親が見えて、朝

早くから七せんならんといってしていることである。今年の休みの計画を書かせた処、他児は、海

へ行きたい、遊びたいの中にまじえて、おてつだいとかおべんきょうとかいうことをかいてるのに、

Ｙ子ちゃんは終始、どこの海へいきたい、どこのお家へ遊びに行きたいに貫かれている。そこでＹ子

ちゃんの希望をかなえてあげるかたわらそれまでにＹ子ちゃんもすることに相談をして、Ｙ

子ちゃんにその課業を自分できめさせたのである。休みに入って五日理学校へ出てきてやっていた態

度も今までにない、心のこもったものであった。

Ｙ子ちゃんは素直になった、変わってきたということは他の先生から聞かないでもない。

まだ前途は程遠い。しかし、私はなんだかこの子がよくなっていくような気がしてならない。この

子の第一の欲望を満たしてやるようにはかりながら、その中にだんだん、いろんなものにもおもしろ

さがあることを知らしていきたいと思っている。素直に人の言動に身を晒しても決して自分がつぶれないことも徐つ〳〵しらしていきたいと思っている。

欲望をおさえるとこの子は逃避してしまう。それ程この子にはもって生まれたものか、幼時に培われたものかしらないが自我が出来てしまっている。しかし、この逞しい生命力は尊い。どうにかしてこの子がその逞しい生命の力を、このましい方向に、しかも旬高くかゝげてくれるように長くしていきたいと思っている。

## 気の弱い子

「どうしてなかまに入って、しごとをしないの。」と尋ねると、黙っているC君の隣の子が、「Cちゃんね、こゝにちょうちょかいてというのにかかないのよ。」と。そこで「一人でも遊んでいると、しごとによい智恵がでなかったり、遅くなるから、C君なかまに入りなさいね。」といっておいて、それからどうなることかと他所目にみていると、描く能力は普通であるのに、他の子に気兼ねして手がでない。ぐず〳〵しているというので、そのしごとも取られてしまう。これは季節花より四月の巻を大きな紙にグループ毎にまとめている「しごと」の時間である。「おうち」の学習でも、かれは赤ちゃんにされ、自らの立場をもち得ないでふら〳〵していた。いつかもお家の方で隣の家の擬形卵をこわしたことで騒いだそうである。かれはその卵を知らなかったし、学校から帰るまでに割れていたのであるが、気の弱さからおしつけられたのである。このCはどうしたら、自分自身の生活にうちこんでいけるようになろうか。

C君は次男として生まれ、三歳の時、かれの兄が急死して以来、非常に大事にされ、祖父母からも甘やかされて育った。その上、胃が弱く食欲が少なく、やゝ調子よく食がすゝむと胃をいため、その度ごとに絶食する。だから顔色はよくなく、胃の所で折れ曲がった姿勢をしている。

かれの気の弱さは身体の虚弱が性格にまで及んでいると思われる。小さな子どもの性格は身体に支えられていることが非常に多い。これは体が弱いため親が甘やかして、気まで弱くしたとも考えられ、小さい子どもの世界の均衡は、体力によって保たれているからでもある。体の健康と体力の増進を図ることは、かれの性格を強くする一つのねらいである。

気の弱いかれは、身近な社会生活からくる、親なり友達からの注文の一つ〳〵に応じ、だん〳〵詰め着きと自己を失いはじめたのである。あまり遅刻が多いので、迎えに行ってみた。すると、きょろきょろ店をのぞきながら、斜に歩いてやってくる。学習態度もまたそうであった。

私ははじめこうした気の弱さと落ち着きのなさは「しごと」の時間でうまく育っていくものと期待していた。ところが、その「しごと」は二年生になって一つの目あてを各児が分け持ってすることが多く、児童相互の圧力がかれの上にかゝった。すると、手が出しにくく、ついなかまからはずれていくのであった。

そこで、前々から気が優しくて、生きものの好きな子であることを知っていたし、T医家の方に若いおんどりをもらったというので、だれにもわずらわされない本人の問題にぶっつけさせることにした。「君ひとりで、おうちの鶏を飼って、鶏のことだったらC君に聞いたらわかるぐらいになろう。」という話し合いをした。にわとりの日記は毎日続けられ、愛育の中に、鶏の生活にせまるものを自分の力でとらえていくようになった。

○　なきかたもだいぶんじょうずになりました。一ばんどりは、三時ごろからなきはじめますが、ぼくのうちのとりは六時ごろからなきます。「Cちゃんがねぼうだから、とりもねぼうだ。」とおかあさんがおっしゃった。

○　にわとりはちょっとえさをやるのがおそくなると、そこらじゅうを掘りまわして、えさをさがします。きょうはおそかったのでぼくのあたまをとくびとつゝかれました。

○　ぼくがとりのところにいくと、にわとりがぼくのかおをじっとみている。こわいかおをしてじっとみている。ぼくはなにしているのかなあと思った。もうえさをくれないのかというようなかおをしています。

○　一ぴきのはえがとんできた。にわとりはたべようとしてくる〱まわりをしている。はえが上のほうまでとんでいった。にわとりは上をみて、まるいちゃいろの目をぱち〱させた。

半坪に足らない縁さきで飼っている。夜はゆかの下に入ってねる。この飼い方にきっとかれ自身の不満が起ることを待っていた。

○　いつもにわとりがくらいゆかの下にいるのがかわいそうです。ぼくがもっと大きかったら、とりごやをつくってやるのになあと思います。きっとにわとりも、あかるいおうちがほしいでしょう。

よい潮時であったから、元気づけて小屋つくりをさせた。材料だけは十分与え、作り方がまずくて大にとられても、本人が強く育ったらよいと考えた。この仕事は幾日も続いた。それこそ真剣な生活であった。そしてその生活はかれ自身の手で発展した。

○　ぼくはとりごやのやねに手をのせて、にわとりをみていると、大きな声でこけこっこうとなきました。やねの上の手がぶる〱とふるえました。にわとりの家が小さいのでやねにひゞいたのだ。

○　ぼくはおとうさんと二人で、たくさんのとりのえのかいてあるえほんをみていました。その時、ぼくは水の中にいるあひるのあしとにわとりのあしをみくらべました。にわとりのあしにはまくのようなものがついていません。ぼくはすぐ、いえにかってあるにわとりのあしをみにいきますと、やっぱりえのとおりでした。まくのようなものはおよぐとき水をかくためにあるのだと、おとうさんにおしえてやりました。　等々

この間かれの生活には張りがあった。生き〳〵していた。気が弱く、落ち着きのないC君には、だれにもわずらわされない安定した位置を与え、自らの生活をひらかせる指導が最も適切であった。私はC君の労を学級の「お百姓さんのしごと」の中に場を見出してやった。自信を持ちはじめたかれは夏休みにおじいさんの家に帰ったら、大津の浜の大絵巻をつくってくると意気込んでいる。

自信を得た子

二年生の終り頃から三年生のはじめにかけて、かなり多くの子どもたちが、よく学習をするようになり、さま〴〵の能力を伸長させることができたように思う。中でもI君は、顕著な変化を見せた一人である。

I君は、一年の時からあまり存在を認められない、いわゆる影のうすい感じの子であった。家庭は、かなり大きな商店で、五人兄弟の末子だから、幼時からずいぶん甘やかされて育ったものと思われる。I君は、いわば温室育ちで、身体もひよわく、四歳の時手術したという中耳炎が、一年生の時再発したし、運動などにも他の男の子ほど興味も持たないし、大体不器用で、不活潑である。男の子の仲間にはいってはただおど〳〵している感じで、多くは女の子の中で遊んでいた。家に帰っても近所の幼児と遊ぶだけで、二年生になってもいたって幼稚だった。話すのが下手で、みなの前ではあまり発表もせず、ノートには日記風に生活の描写をしてはいるが、二年生になってからもあまり進歩は見られなかった。そして、何事も自分で主になるということが少なく、いつも誰かの真似をしているというふうだった。しかし、一年生の中頃から非常に朗らかになって、幼稚園の時のような泣き虫ではなくなったと両親が喜んでいた。なるほど入学前の面接の時、言い淀んでとう〳〵泣き出したただ一人の子だったのだ。

このI君が、二年生の一学期終頃からずいぶん目立っいたずらをはじめるようになった。女の子をいじめたり、陰に隠れておどかしたり、戸をしめて他の子を室に入れなかったり、情めないいたずらだが、何か男の子らしい元気さが漸く芽生え、学級の中で認められない不満を、一人前に抗議してい

るという感じであった。

この変化は、Ｉ君にとって特筆すべき進歩だったのである。男の子と時にけんかをするようにもなった。おくればせながらかれも、普通の男の子らしい発達の姿を見せているわけである。「しごと」の時、友達のじゃまをことさらにしたり、廊下で大声でどなったり、おとなしく弱々しかったＩ君が、見違える程いたずらっ子になり、女の子からよく非難されることが続いた。この頃Ｉ君はノートなどにする勉強は殆んどしなくなり、両親を心配させた。しかし私は三年生の時を期していたから、あまり問題にはしなかった。遊びの中におけるかれの発動性こそ、やがてかれ自らの中にある能力を、自らの手によって伸長させはじめるにちがいないと思っていたからである。

果たしてその時期が近づいてきた。

一年の三学期のことである。かれの学習生活の中においては、今まであまりすぐれた才能を見出し得るような部面がなかったのであるが、計算能力だけは割合よいことを見出したので、「Ｉ君、きみは頭がいいから少し勉強したらきっとえらくなるよ。きみは算数が好きらしいから三学期は算数をしっかりおけいこしてごらん。」というように励ましを与え、母親にも協力してもらい、専らこの方面の「けいこ」に力点をおかせた。その結果二年生になった四月のテストには相当よい成績を示したのであった。

Ｉ君は、家庭においては何一つ不自由や不満はないが、ただ学級生活において仲間に能力を認めてもらっていない。学級の中で適当な位置を獲得していないということが、かれの一番かわいそうな点である。そこで算数の方で自信を得させようとしたわけである。二年生のはじめ、両親と懇談の機会を持ち、「一、二年の間に発達の十分でなかった子も、たいてい三年生の時に追いつくものであるから、今年一年は大切な時期だ。三年生の間に劣等感を抱くと先へ行って伸びにくい。今年は少しついてみてやるだけの御努力が願いたい。Ｉ君は何かに自信さえもてば、きっと相当よくなる素質がある。」というようにいって具体的に家庭での導き方について懇談した。特に家庭においてＩ君の理解できる程度のしごとに参加させることにしては、という点でいろ〳〵と話し合った。両親もいたく共鳴してくれたのであるが、その直後、店の品物を包装して発送するしごとを手伝った時、かれは二年生三学期のしごと「ゆうびんごっこ」と関係してなか〳〵よい経験をしたようである。これをノートを通じて知ることができたので、早速学級で公表し、自分でいいしごとを見つけたことを賞揚した。

やがて動物や植物の生活を学習する三年生のしごとがはじまると、かれは真先にこちらの示唆に反応して、家庭で大豆の発芽を調べその日記を書いてきた。これも学級の中ではよい学習として認められた。これに自信を得たかれは、何か自発的な学習を出そうとして、積極的に母親にも相談するようになり、次々とノートによる学習を増して行った。六月はじめの日曜日、ただ一人で、近所の魚屋さんに連れてもらって、朝早く魚市場の見学に出かけた。その記録もI君としては上出来であったので、学級ではよい反響を生んだ。すなわち水族館への遠足以来、魚に関する学習へ進んでいた学級の「しごと」の単元に、実によい資料を提供したわけであった。

こうして、I君はその学習態度の積極性と新しい学習分野への開拓というような点で、次第に同級生の中に才能が認められはじめた。かれの口下手なたど〳〵しい発表を、全員が傾聴している教室の風景は、まことにほゝえましい限りである。算数のけいこから自信を得たI君は、このように「しごと」の面で新しい能力を伸ばしはじめたのである。近頃図画や詩などの作品にも、かなりよいものが見出されるようになってきた。

### 地味に伸びる子

K子ちゃんは、男・女・男・女の四人兄姉の二人目で、父は教員である。

三年ごろまでは、どちらかといえば伸びのゆるやかな子であった。家の経済状況からいっても、親のしてやりたいよう、子どものして欲しいようにしてやることはできず、いわばパッとしない子であった。両親とも教育には熱心であり、謙虚な人々であるので、成績が悪いというようなことはなく、ただ伸びが十分でなく、冴えないという感じであった。

五年の三学期頃から、今までの温かさの中に、どこか明かるさが増して来、どっしりとした重みが加わってきたような印象を人々に与えている。人々の目につかない中に、着実な伸び方をしてきたのである。私自身が割切ったような指導を好まず、自然の中に、じっくりと子どもを伸ばそうとしているので、その意味では、ありがたい収穫なのである。

両親とも謙虚な人なので「K子は……」といいながらも、最近特によく手伝いをしてくれることと、よくいろ〳〵な事情をわきまえて正しい判断や、行き届いた行動をするようになったことなどを、喜んでいられる。もう少し、誰かれに頓着なしに自分の意見を主張するところがなくなればなおよいがと、欲ばったことをいっていられる。

何時どうしてこのように伸びてきたかを、私も両親もはっきりいうことができない。「しごと」「けこ」「なかよし」家庭での生活のすべての中から、K子ちゃんは養分を吸いとってじわ〳〵と成長し続けている、というべきであろう。

「しごと」をする時にも、自分のやりたいと思うこと、そしてやり通せると思うことを選んで、着実にやって行く。はなぐ〵しいことのない代わり、本すじをはずれることがない。仲間が脱線しそうになると、はっきりと急所をついてこれを是正する。本すじを究明していくので、科学的合理的な考え方がはっきりと身についてきた。これは女の子たちにはなか〵むずかしいことである。それにつれて理科的な知識や地理的な知識が確実に増大されていって、一つの自信のある態度や、級友間においての要(かなめ)のような位置を、獲得させている。

K子ちゃんの計画性と公平さは「しごと」によって大いに高められたようである。女の子にしてはすこぶる統一的で周密で、他人の平等な位置と役割について配慮を忘らないのは自分中心から割出したものでなく、一人の見えない子供の役割と喜びをも忘れないという考え深さから出ているようである。しごとの計画と共同活動と報告の配分において、K子ちゃんの正義的な民主的な実践がいよ〵鍛えられ本物になっていったように思う。

「しごと」においてK子ちゃんは広く華やかに拡がるより狭くとも深くほりさげて行くのであって、一つのしごとごとに追求や質問のきりこみが深くなって行くのを感じることができる。

海のことについての研究で、水は塩をどれだけ溶かすか、温度によって溶解度はどれだけ違うという実験で、塩度はあまり大して違わないが一般に水は温度が高いほどいろ〵なものをよく溶解するという話し合いがあって幾日かたって、北海道の冷たい海水になぜ多くの魚がすむかという問題をもち出した。

K子ちゃんは、魚が多くすむためにはその食物となるプランクトンが多く繁殖しなければならない。プランクトンが生育するためにはいろ〵の海藻がなければならない。海藻が育つためにはその養分であるちっそやりんさんが多く海水に溶けこんでいなければいけない。ところが海水は冷たければ暖いところのように空気中のちっそを溶かすことが少ないはずだという。それに北の海にそのような植物がどうして繁茂するのかということがどうしても解けないといって、私のところにやって来た。

こゝまで追求するためには知識のほかに、よほどの論理的に積み重ねていく力、追求しようとする究知心がなければならない。私は専門の書物であったが、それを与えて説明をつけ加えたのでやっと納得したようである。

疑問を持つと、このようにきりこみが深く追求の手を止めない。他人の質問に耳を傾けて一々の立場からそれを考え、それが自分たちの問題の方向にどんな意味を持ち役目を果たしているかを判断すると共に、公正な立場から自分の主張をするので、かなり受け答えして説明して行く男の子でも時には参ることがあるのである。

「けいこ」の場合にも、しっかりと本すじを追って行く。下読みとか整理・練習というようなことを、欠かすことはない。長女である為に、家事の手伝いも多く、通学距離（徒歩四十分）も大きいが、よくやってくる。両親が狭い家の中に工夫をこらして、勉強場所や机や本立を与えていられるようである。それ以外には勉強せよとはいわれないらしいが、よく暇を見つけてやるらしい。教室の「けいこ」の時にもよく本質を衝く。国語でも算数でも、考える問題の時に特色を発揮する。よく手をあげて、自分の考えを述べる。時として考え過ぎたり、考え足りなかったりして、教師の肯定が得られないこともあるが、悪びれもせず、じっと他の人の見解を聞きながら、真面目な顔をして考えている。妥協を許さない我々の「けいこ」は、K子ちゃんを育てるのに役立っているようである。一人で跳箱を練習していたりすることもある。孤独ということの味を知っているようにも見える。

「なかよし」もまた、大いにK子ちゃんを育てている。五年の終りには学級委員に選ばれ、しっかりと活動した。朝早く来てする委員室の清掃も欠かしたことが少ない。やることがある、やればできるというような考えは、この頃一層強くなっていったのであろう。六年になっては演劇グループに入って、三年以上の女の子たちの姉さんになっている。そして同級の男の子の演劇グループの委員M君を助けたり、その聡識を抑制したりしている。

五年の末からピアノの稽古に通わせてもらっているが、これも大いに自尊心や喜びを与えているようである。優等生タイプでない、平凡な地味なK子ちゃんの伸び方は私の喜びである。何時でも姉さん株にされることは辛いのであろう。よく私にも甘えに来るし、いろいろな話をする。そんな時は子どもらしい。私はK子ちゃんのおかれている位置を考え、そのような子どもらしさも大切に伸ばしてやろうと願っている。よく似た、誠実な思いやりの深い二、三の女の子と特に仲がよいが、それこそ何時となく、すべての級友から親愛され信頼される日が来るのを待っている。おそらくそれは空しい期待ではあるまい。

動物を非常にかわいがるという優しい情緒と、次第に科学的論理的になって来た態度とが、融け合わずに、K子ちゃんの中にあるように感ぜられるが、これを統一させることが私の責任である。

次に、「けいこ」を中心とする五つの例をあげよう。

## こだわらぬ子

Eは、中流家庭の二男で、幼稚園の二年保育を了えて入学してきた。兄は現在四年、成績優秀、極めて読書好きな子である。

Eの方は、兄とはかなり異なった性格であり、能力の面でも大いに差がある。かれは、常に鼻をたらしている。これはその後、鼻カタルと診断された。入学当初の文字力は、自分の姓名がかろうじて判読できる程度に書くだけであった。とてもじっと落ち着いていることができず、絶えず動き廻って、次々に頭の中が何かを追って回転しているようであった。入学二日目、ドッヂボールをかしてほしいと、しきりにせがんでいた。特に著しい傾向は、友達を顧みず、また共同生活の秩序などにこだわらず、ひとり離れて行動していることであった。遊んでいる時でも、かれひとりは友達から離れて砂遊びをしたり、鉄棒にぶらさがったり、ろくぼくの上にのぼっていたりした。友達が全部教室へはいっても、かれひとり、もどってこないことがしばしばで、当座は、どこにいるのか探すのに手がかかった。砂場でひとり何かやっていたり、すべり台ですべっていたりして、呼んでも別に意にかけないありさまであった。

絵をかくというと、勇みたって着手するが、五、六分もたつと、粗雑ななぐりがきを持ってきて、もう遊びにいってもいいかというしまつであった。一たん遊びに出ると前記のありさまで、なかなか

戻ってこないので、理由を尋ねると、便所へ行っていたとか、水を飲みにいっていたとか言いわけがましいことをいった。

この反面、かれは人の好さがあり、友達とけんかするようなことはなかった。一度、だれかにさわったら、その子が泣きだしたので、あやまったと自分で報告にきた。むしろ世話好きで人のことなど喜んでやってやるようであった。また話し好きで、いつも話したくてたまらなく、話させてくれといっては手をあげた。兄から得たのであろうか、子どもの世界の常識はなかなか豊富で、これは他の子どもに比べて著しく、時に、ウオターシュート・硬球・軟球・黒豹などということばを発して他の子どもをきょとんとさせた。

このEを導くのに、大きな方針として私の持ったものは、かれの活動性をうまく利用すること、文字を教えることに急がないで、かれの話すという意欲を大いに育て高めてやることを先にすること、そして何よりも共同生活の中にはいらせること、その他、容儀を正しくすること、忘れものをなくすること、整頓の態度を育てることなどにも気を配ることにした。

母親は、本人の善良さや、無邪気さを認めてはいるものの、何よりも文字を知らないことを苦にして、家庭で教えこもうとするが、覚える意欲のないことをこぼしていた。そしてすぐに、兄を比較に出し

た。これに対して私は、できるだけ速やかに鼻カタルを治療することを勧め、文字は学校で特別指導をするから（この学級は無差別な抽せん組で、文字力のないものが他に五名ほどあった）家庭で心配しなくてもいいと安心を与え、兄を比較に出して劣等感や卑下した気持を起させることを警戒し、兄とは異なった行き方で、かれの特質に立った育て方を考えるべきことを強調した。

入学後一箇月半ほどの頃、何かの作業をして、教室内をあとかたづけさせたことがあった。子どもたちは、クレヨンや、紙きれを拾ったり、散らばった学用品をかたづけたりしたが、ふと気がつくと、かれほか二名ほどの子どもの姿が見えなかった。他の子どもたちに帰り仕度をさせて待っていたがこの三名はなかなか戻ってこない。あまり時間がたったので教室の外へ出てみると、校舎の隅の方でかれらの声がする。呼び集めると、すぐ戻っては来たが、ぼくら、あっちの方まで紙くず拾いに行ったのだといって意気けんこうとしていた。この時から、Eには、できるだけ共同のために働くことを示唆した。その後グループの代表になって、用紙や給食の食器を取りにきてなかまに配ったり、グループの世話をやいたり、あいている教室の戸を走ってしめにいったり、かれはちょこちょこと機敏に動きまわった。

話したいといって挙手する場合、私はできるだけ多くの機会をかれに与えた。そして、短かくてもいいから、話をきめて（主題や焦点）話させるようにした。

ぼくのうちには、×××という犬がいます。白い犬で、ぼくが学校から帰ると、ぼくをなめます。

きのうにいちゃんと、吉田くんと川へ魚とりにいきました。あみがやぶれたので、吉田くんが、やぶれたところへ、さゝをいれてすくいました。

〇〇池で、鯉をすくうと、バチャバチャ、ブチャブチャとはねました。

こんな話をするようになった。たゞし、他人にもよく話させるように譲ってやることや、他人の話をよく聞くようにと、その態度を指導した。

文字の指導は、机上のヒヤシンスの花を題材に「はな」と読ませることから始めたが、かれは、それが読めるようになった時、すこぶる満足し、板書や、本の中からその字を発見して歓声を挙げ、また黒板その他に書き散らした。家庭でも、字が読めたら、絵本が読めるのかとたゞし、絵本が読めるようになりたいと訴えるようになった。この頃（六月初）から、他の数名と共に、放課後特別指導を始めた。文字の習得が、かれの世界を広め、新しい自信を得て行くのがありありと見えた。凡そ一箇月の指導で、入門書の一、二を読み、他の絵本も読めるまでになった。

また特に工作的なことになると、かれが打ちこんでいくことがわかってきたので、この面の時間におけるかれの活動を観察し示唆を与えた。画用紙に、さま〴〵な家の道具をかいて切りぬく作業においては、人一倍熱心になり、時間の最後までやり続けた。次いではたけつくり、家のごちそうつくり(模型等)の「しごと」も同様であったが、たゞクレヨンを忘れたり、ハサミ・のりなどを持ってこない時がしば〳〵あって、かれはカバンをひっくり返して途方にくれた目つきをしていた。これには困ったが、グループの友達には、そうした場合、貸してやるように導き、またかれに対しては、早くできた場合、友達にも手伝ってやることを教えた。一方家庭には持物を検査して忘れもののないようにしてやることを注意したが、かれのは、いくら与えてもすぐどこかにやってしまうのだということであった。そこで、その類のものは箱に入れて学校に置くようにさせた。(後に全員に道具入れの箱を持たせるようにした。)

現在のかれは、(七月末)もはや、ひとり勝手な行動をするようなことはなくなった。そればかりかグループの共同活動には積極的な態度を示し、その後行われた共同作業には、グループ中で最も熱心にやる者として、なかまからすいせんされた。そして、共同作業の最後のしめくゝりはかれの手によってなされた。見ていると、明らかに、かれは友達の親切がわかるようになったと同時に、友達にも親切を尽くし、なかまのために働いたり、個人の手伝をしてやったりすることを喜ぶようになってきた。

たゞ、前記の道具入れの箱を装飾させる時、当日になって、かれだけが箱(ミカン箱を無地の紙で張ってもらって用意させた)を持参せずに、しょげきっていた。私は母親に、かれの活動に支障のないよう準備に注意してほしいとかなりきびしく警告した。

文字力は書く方に進んできたが、これはかれを一層安定させるのに力があった。今まで、ほとんど絵ばかりで過されてきた粗末な日記帳に、(入学当初から持たせた)幾らか文章が記述されかけた。次の文は、七月十六日に記述されたもので、原文のまゝである。

ひるにな(つ)てから、かこちゃんと、す(ず)いたであそん(で)てたら、いぬがでてきました。いぬが、じゃれ(つ)よたから、ぼくはほーきで、び(つ)くりさしたら、またそとへでよ(つ)たから、またぼくわほーきでびっくりさしたら、はいろた(はいりよった)から、かこちゃん(ず)がもと(つ)しようて、いわはりました。ぼくは、いらん(いやだ)とゆうたら、おもしろか(つ)たと、ゆわはりました。おわり。(句読点は教師が補ってやった)

かれの話は、自由な話しぶりなので聞くものに喜ばれ、かれも自信を持っているようである。夏休みになったらどんなことがしたいかといわせたら、かれは「飛行機で東京へ行って、犬と遊びたい一といって、友達を驚かせた。後になって、飛行機云々は、その頃行われていた商店街の抽せんの賞に関係があり、また「犬」は、事実東京の叔父の家にいる犬で、かれはかつてその犬と遊んだ経験があることが判明し、かれの話が、とっぴなでたらめでないことがうなずかれた。毎朝の「お話」の時間には、殆んどいつでもかれは話題を持って手を挙げる。

一方忘れものも次第に少なくなり、またものに対するしまりもできてきた。弁当を持参するようになってから、食べ残さないこと、食べ終ったらこぼれていないか見ることを強調したが、常に、からになった弁当を私の前に持ってきて見せる。

結局、かれはまだ多少のわがまゝをやり、不作法や失敗を演ずるとしても、かれの明朗で素直な態度や、労を惜しまずに、友達へも親切を尽くすことは、友達の間にも認められて愛され、また私の心中にも、かわいらしい子どもとして成長してきた。そして、何よりも大きな収穫は、かれが共同生活を段々理解し、他人と行動し、協力することの楽しさを感得し、また自分が共同生活の中に自分の位置をはっきりと、占めてきたことであった。私は今後、かれが軌道に乗って、その長所を生かしていくことを念願し、またそれを信じている。

## あばれん坊

Kは現在三年である。

私が音楽の教師として受持ったのは、二年の時からであった。専科という立場から、学校生活でかれに接するのは週二回の音楽の時間以外はごくまれである。全校の児童と、主に音楽のけいこという面で接するのが、私の教師生活の殆んどであるため、幾百という児童の個々の観察はおのずから漠としたものになりがちなのである。一人一人の名前を記憶することすら難事であり、ことに低学年児童の場合、常に私の認識内にいる子供は少ないのが実情である。

このような事情の中にあって、Kは二年生の凡そ初め頃から、私の関心を強く捉えた恐らく最初の子どもであった。

理由は、極めて通俗的にどこの学校にも多少存在する「あばれん坊」であったからである。あばれん坊にも程度がある。しかしかれは、私がこゝ数年間に見かけたさまざまのあばれん坊の中でも強度のものであり、最も旺盛なものであった。

音楽のけいこは明かるく楽しい雰囲気の中で行われるものであり、低学年では特に活動を伴なうりズミックな指導が行われる。この音楽指導の念頭の中においてかれは益々困った存在になって行った。というのは、私がにこやかにふるまえば、皆が歌唱中といえども、しばしば突拍子な大声をはり上げて、歌う気分をこわし、リズム運動をすれば、座を立って荒れるといった始末。だから伴奏をひきながらも、何時発作するかも知れない調子はずれの動作を抑制するため、謹厳な目つきで見すえなければならなかった。常に緊張して、耳・目・指及び心を働かせなければならないこのようなクラスの指導は、たゞ一人の男児のために、他のクラスの数倍の疲労をおぼえるのである。

或る日の午後、一人の母親が、子どもにピアノの特別指導をしてもらえないかと、頼まれた。自宅は先生の家に近いから都合がよいとのこと。実はそのころも多忙であったので、一瞬ためらったが、名前を聞いて飛びつく思いで承諾した。それは問題のKであった。

次の日曜日、かれは母親に連れられてやって来た。すでに来ている女の子が一、二人おとなしくしている。さすがのかれも先生の家へくれば、だいじょうぶ行儀よくしてくれるのだろうと思っていた。ところが忽ち予想をくつがえしてしまった。大きい目をむいて物珍しげに大声で「おい、お前来ているのか」「○○も来ているのか」といった調子。それ位ならばよし、女の子の指導をしている間、押入を無断で開けっ放すのだから、家の主たるや胸中ひや〳〵。母親が恐縮して止めるが、眼中にない。ピアノの手ほどきを始めたが、首を振り〳〵ふざけ通し、他の子どもも落ち着いて勉強できない。このため学校における負担を自宅にまで持ち込む結果になってしまった。

やがて夏休み前になり、プールには水が入った。野外における活動はクラスの誰にもまけないかれのことだから、水泳は熱心である。数日にして、生来色素の多い顔は黒々と光っていた。私がプールの傍を通り過ぎる時、かれを見かけたので特別親しげに「K君大分しっかりやいたね」とお愛嬌をふりかけた。とたんに次のお返事である。「K、Kとやすやす言うな」。冷水を浴びせかけられるとはこんな時の気持であろうか。子供の口からとはいえ、一種複雑な心の動揺を覚え、教師としての客観的な気持を完全には支えにくい程のショックを受けたのは事実であった。私は黙っていた。かれも黙っていた。そして次の瞬間かれの表情は少しかたくなっているのを感じた。かしこまったような、はにかんだような。かれは疾風の如くさっと何処かへ走り去った。残された私は、彼の最後の心の動きから、「あれでいいんだ」と独り心の中でつぶやいていた。

夏休みの終り頃、かれの誕生の日、母親から招かれてかれの家をたずねた。数人のクラスメートに混って担任のW教官の姿も見えた。大変なはしゃぎ方である。食事の時、かれ一人大げさにあぐらをかき、腕を大きく動かせて大食・大飲。傍の祖父が見かねてしばしば注意していたがきき目がない。

遂に汁をひっくり返してしまった。食後別室で子どもの喜びそうな曲をたくさんひいてやった。お誕生を祝うようなピアノ曲の楽譜を、たくさんもって行ったのである。自分の家で聞ける先生のピアノという新しさを感じたか、珍しくも静かに静かに聞き入っていた。そして一曲毎にかれが立って拍手していた。その拍手毎に私はおぼろげながらかれに対する自信らしきものを加えて行った。後で担任教官が、山本有三氏の幼年時代を語り聞かせた。子どもらは人物の立志伝に耳を傾け、目を輝かしつつ聞き入っていた。私も名曲に聞き入る時の如く、美しいものへの感動を禁ずることができなかった。

誕生日を契機に私は、かれの粗暴性の根拠と伸ばし得る方向を把握したようである。かれは今時一般には見られない恵まれすぎた家庭に育ってきた。家族の人たちは末子のかれがかわいくてならないらしい。粗暴に対して注意はするが、既に高まった心を矯正するには余り弱い。思うに子どもは慈愛のみでは成長しない。時を得た、ほどよききびしさが必要なのではあるまいか。成人といえども心のどこかに、或物に対して恐れる心がなければならない。教育家は子供をあやまって指導することを恐れ、芸術家は自ら表現する価値に対して恐れ、医師はあやまって生命を絶つことを恐れ、信仰篤い人は神に背くことを恐れる。同時に、人間成長のためには、艱難汝を玉にするの古諺が、今の時代にも尚動かぬ一面の真理をもち続けていることを思う。子どもを正しく成長させるためには、愛情と共に愛するが故のきびしさ、親、教師としての権威を持たなくてはならない。

それまでのピアノの特別指導には毎回母親がつき添っていた。が私にすべてお任せ願いたいと同伴を一応断った。それは指導中母親への甘え心を断つためである。そして特別時間をかけて綿密な指導を始めた。注意の持続する間に必要な事がらをもらさず、矢つぎ早に指導した。そしてかれに倦怠の色が見えるまでやり続けることにした。指導態度が急に変わったことに、かれは気付いたことであろうが、以後こりもせずけいこ日には欠かさず出席した。それをまた大いに賞讃した。

ところが不幸なことに、学級指導において今日まで一回しか経験しない事件が突発してしまった。子どもが一人ずつ順番に壇上に出て独唱している時であった。俄かに大声で邪魔する者がいた。見ればかれも壇に出て手足を振り、わざと調子はずれの大声で叫んでいる。数回たしなめた。壇から降りない。声を強めた。かれの容貌は野獣面に変わり、逆上したらしい。私は壇から引きおろした。とたん、かれもまた私の洋服をつかみ、かみつきそうな血相を示した。すさまじく恐しい程の抵抗力に私も多少たじろいだ。けれどもこのチャンスにと決意し、抱きかかえて、皆が騒ぐ中を避けて、主導室に連行した。

主導室ではかれの心を落ち着けるため、ゆっくり、静かに訓戒した。クラスの誰しもが眉をひそめるような粗行の非を、認めさせようとした。勿論同時に、最近徐々に進歩してきたピアノを大いに賞めながら。私は正直に言ってこの時ほど、小さな子供と二人きりで、全智全能をしぼり周到に話しこんだことは未だにない。偶然にも担任教官が入ってきた。二人で説ききかせた。けれどもその場の効果は現われなかった。――「ぼくあやまるのは嫌いだ」をくり返すのみであった。

けれどもこの事件を最後として、少なくとも私の視野内では、かれはすっかり変わってしまった。事件後約一箇年間、ピアノのけいこは一回も欠席せず、次第に上達して行った。ピアノといえば、クラス全部がK君K君とすいせんする。本年四月、BKの録音に入り「春の小川」の伴奏が放送された。音楽の時間の前に、私を呼びに来るのはたいていかれである。

ピアノは現在バイエルの七九番、この辺がバイエルの関所である。根気の続かぬ者はたいてい七九・八〇あたりで挫折する。かれも目下あえいでいるが、何とか突破しようとする熱意が見えている。

かれの粗暴は悪質ではなかった。精力があり余っていたのである。非行を悔い、旺盛な活動力が、或る有益な一事に集中された今日、かれの前途には、意外の進歩が期待されるのではあるまいか。

## 甘える子

「画面いっぱいに大きく素材を描き、人物や花壇の花でも、その一部を捉えて、他の部分は画面外へはみ出しているような、力強い構成を見せる。

だが個々の物の描写は、まだ概念的な要素がかなり強い。自分の眼で捉えた現象を表現しようとする努力や態度も相当力強いが、赤い花には赤いクレヨンを、葉は緑のクレヨンを塗っておく、というような傾向は残っている。

しかし、よく見ると、何か本質的なものを捉えて行こうとする所の、対象に迫って行く心性の芽がのぞいている。それは、描かれている物の質的な変化に従って、塗り方を少しずつ変えているような点に現われている。

このような芽生えと、最初に記したような力強い大きさ等に加えて、この子供の持っているどこか他の子供と異なった取材の独自性（これがどのようなもので、どのような所から生まれているかは分明でないが、とにかく、Y子は自分の描こうとする対象やその方法について、強い自我的な執着、意慾を持ってとりかゝることを示している）によって、Y子は楽しみな（或いは問題をもった）子供であると思う」以上は、Y子が三年生の時に、その作品や製作態度について、私が書きとめた記録（原文はもっと簡潔である）である。

このY子は、現在は五年生になっている。そして、四年生の時の記録の中には、Y子が、三年生の時に私が注目させられた諸点について、やはり力強く大きな進歩を見せていることを記録している。「進歩が大きい」というような表現を用いる子供は、私の記録の中でも極めて少数である。他の子供も、ぐん〳〵進歩し、変化して行っている中で、特に眼をひくことは並々ではないわけである。

所で、一方このY子は、私にとって余りうれしい存在……というより、私の未熟な性格にとっては、そう楽しい存在ではなかった。

それは、Y子が示す一通りの言動から見ると、子供らしい素直さや素朴さを何かでそこなわれていて、何かわざとらしい、作為的な言動を見せるからであった。

熱心に、そしてかなり良い仕事をやりながら、実に度々「先生、これでよろしいか」と批評を受けに来る。そして時には「私の絵、下手でしょう」とか「もう、後は描かんとこうかしら」などと言って来る。

それを聞いていると、Y子はいつも自分の作品を賞讃されたとか、自分の仕事に対して特別に指導者の注意をひきつけておきたいと思っているように感じられるのであった。

そして、それは我儘で中途な印象を与えたり、酷い時には、注意を払われたから描いている、というような印象さえ与えかねないのであった。

つまりY子は、絵を描いたり、文を書いたり、さま〴〵な学習生活に対して、他の子供たちと同じような興味を感じているには違いないけれども、それと並行に、何か人間的な物淋しい欲求、渇き、というような心情を抱いていて、そのために、他の子供のように、活動そのものの内に、純粋に喜んでいるということが、少々損じられているのではないか、と思われるのである。

それを、私は、Y子は愛情に飢えているのではないか、と思っている。

家庭の愛情が、物心両面で少ないというのではなく、何か本人の感受性の傾向によって、与えられる物と、欲する物との食い違いが生じているのかもわからない。

このような傾向に対して、その学級の担任でない私は、とり立てて目立つことをしなかった。たゞ極めてあたり前に対して行った。

「私は下手でしょう」と心にもないことを……私の賞讃が欲しい、だが上手だと言ってくれるかどうかわからないので、それを一寸ためしてみる……というようなことばに対しては、「そう思いますか、どんな所についてそう思う?」と聞き返す。

何回も、時には数分おきに私の批評を求めるような時には（それは、もう私の必要と思う批評の終ってしまっている時期に）「さっき言ったことを、あなたの力限り見つめ、そして描きましたか」と反問する。「あなたは一時間に何回やって来ました？　他の四十数人の人があなたのようであったら先生はどうなるでしょうね」と言うこともあった。

そして、良い作品のできた時には、図画室や、前の廊下、学級教室等に黙って掲示をしておいたり、時に土曜日の子供のなかよし集まりの時に、他の子供の作品と一しょに全校児童の前で、良い点を指摘したりした。

少し冷淡な方法かな、とも思ったけれど、私はこの一年半ほど、Y子に対する私の態度は変えないで来た。

そして現在、Y子は、少なくとも図画の時間には、落ち着いて、安心した仕事の態度を示して来ているし、つい先日も、とても真実で、素朴な、非常に美しい花の絵を描いた。それは、土曜日の子ども会に、皆の前に示されて、皆の子供に新しい美しさへの眼を拡げてくれた。

何か満たされないもの、渇きを裡に持っているために、本来の素直さを損じられている子供の場合——例えば、愛情に飢えているとか、認められることを望むものを持っている子供に対した場合に、直ちに、簡単に愛情を注げばよい、というふうに結論される場合が多い。

しかし、これは、まことに複雑な関係において考えなければならない問題であると思う。家庭の愛情の欠除、学校内での友人間、或いは教師の愛情の欠除、そして、その欠除している愛情にも、様々の形が考えられると思う。例えば、母親の、すべてを許し容れてくれるような場所としての愛情や、兄弟姉妹の醸し出す明かるい仲間としてのものとか、また或る場合には、愛情というよりも知性的、指導的といった方がよいようなものの欠除の場合もあろう。

そして、その子供に、それ等のどれかが欠除している場合に、それに対して方法を考えたり、与えたりする側の立場や性格……例えば、母親が考えるのと教師が対処したりする……の違いによって方策は異なるものであろうと思う。

私は、Y子の場合、認めようとか、いたわりを深くしようとかは考えなかった。

Y子は、素直に、真剣な仕事をすれば自然に認められるものであり、よい仕事をすれば、皆が喜んでくれるものであることを次第に感得して行き、そこで、愛情を求め、認められることを、あれこれと先ばしって考えるよりも、しっかり学習することが先行する問題であることを把握したのではないかと思っている。

そこには、「自分の真実」と「人間文化の中の本もの」に対する安心と信頼や、「自分ひとり」に対する充実した生命感のようなもので支えられた安定感があるのであろう。

そして、そこにおいて、一人の、Y子という子供は、一面における欠除から来る自分の傾斜を、力強く支え得たのであると思う。

担任でなく、美術教師であるという立場で、子供に対して行った、私の一つのしつけ的場合の事実である。

## 偏屈な子ども

F児は、五年男子として、学校内はおろか、どこへ出してもはじないりっぱな体格をしていた。私が受持った時、「これは西郷さんそっくりだ。」と思ったのであるが、からだにも似合わず、上眼使いで常に私の動静をうかゞっている不思議を感じた。

その時の調べで、かれは、一流の家柄の一人息子であり、両親というのは、二人共に、実の親でなく、生活に何不自由もさせていないというが、本当は、かれは、大変な偏屈児であることが、わかった。

私はこんな子どもにぶち当った時、教室内で、とやかくいったり、学習態度をよくしようとも思わ

ない。

必ず、その日から、誰もいない放課後の体育館で、私とかれとで、転回運動をすることにしている。

体格に似合わず、前転もできず、走跳投力共に低く、かれ自身、体育は好きなかった。

どっちにしろ、一月や二月でよくなるものか、と高をくゝってかゝっている私のこと故、体育の時間なら気の急くことも、この時は笑いながら、一、二年のやるようなことを繰り返していた。四日目にかれは発熱して学校を休んだ。何も原因がない。恐らく、三日間の体操練習が、こたえたに違いないと判定して、見舞った。三日目登校したかれは、放課後帰ろうともしないで私のやっている前転を見て笑っていた。その中に「先生僕もやります。」と上衣をとって、転び出した。かれ自分から、一言でも私に発言できたのは、最初のことであった。

二週間の後、他のこどもたちが、「僕たちも、いっしょにやりたい。」と申込んできかないので、七、八人の仲間にして、毎日練習を継続した。後入りは、皆優秀組であったが、高等な技術や教えず、相変わらずの、基礎指導であった。今思っても、少々かわいそうに思うが、本人は嬉しそうに、からだを後に屈げて、手を地につけようとし、前転しては、足を持たずに立とうと努力した。

F児が運動する能力薄弱だと思っていたのは、そうでなかった。一月たってかれの技術がぐんぐん

伸び出したのである。ちょうど、この時分から、放課後体操練習を、学級全員にし、毎日、実施することとした。

F児は、転回運動においては、学級の十人内のA級に入っていた。

五人宛の班組織の十番目の班長になったかれは、それは恐ろしく熱心に、班員に前転の幇助をした。

他の班が帰った後も、班員を残そうとして、私に止めてくれるよう要請にきたこともある。

教室の後の隅で、黙って返事もせず、坐っていたかれが、この実力だとなると、他の子どもたちは、見直さざるを得ない。かれも得意である。私も示範は大抵F児にさせてみた。

一人ぼっちで登校下校していたかれは、その時分からか、二人連れ、三人連れ、五人連れ、後には、七人で、一連体操を公開した選手に入った関係で、常にその七人組の姿が見受けられた。

一月半ほど経って、家では、疲労の色がないかどうか、聞いてやると、母親という人がすぐ相談に行くからと学校に出向かれて、この頃、親のいう事に反対するし、黙って、何でもやった子が、何か言わぬと、やってくれぬ。もっとすなおに言うことを聞かせたい、とのこと。

私は、たしかこの時、母親に向かって、あなたのお家の子は、人並みの五年生になってきた証拠です、というようなことを答えた。

しかし当時、学級の半数以上の子の親達が、少し反抗的で言うことをききませんので、と訴えたことからして、F児だけのことでなく、多数の子に、私のやったことが影響したことは確かである。もし体操を練習したために、そうなったとすれば、恐らく一時的の現象に違いないと思っていた。

スポーツや遊戯が、荒くれ男や、中性的女性を作るなどは、口に出すも愚かしいことだから。私は体育の効果の、（特に性格に訴える点で）非常に大きいことを信じている。そしてそれだから、一児童のために、三箇月以上も、毎日、放課後一時間の運動を繰り返した。

高鉄棒の上に坐って、逆に反って下りる――俗に大和魂という技術も、かれは、学級の、五番目頃に完成した。体育の時間、真剣に、演技することにおいて、かれの右に出る者はいなかった。

教室学習においてもすばらしく、よくなってきた。例えば、めったになかった発表が、できるようになり、学力のテストが、良好な点を取るようになり、むっつり屋が、声を出して笑い出し、他人のグループに乗り出して、得意の絵をかいてやる等、ぐんぐんと、学級に名をなし、人の信望を得、二学期の役員選挙には、重要なメンバーの一人となった。

学業成績の総合は、学級中、優秀組ではなかったが、どの教科でも、実にまじめな学習を続けて、他教官の目にも、明らかにとまるようになった。

一学期の中頃、かれの母親は、私が帰りに立寄ってくれるように依頼してきた。夕刻訪れると、この頭子どもが、非常に、すなおになってくれたし、勉強もよくするようになった。これも全く先生のお陰だと、小さい包み物を私に呉れた。

現在も「先生、先生」と私の家を訪れる最も明かるい一人にかれはなっている。

（これは、前任校で学級担任として体育を指導した時の記録である）

## 下　品　さ

鉄を鍛え得るのは、自らが灼熱している瞬間においてのみである。

その意味では、子どもの全生活から見ると、ほんの一瞬にすぎない私と子どもとの触れあいも、ダンスという人間の生命を灼熱させずにはおかない媒体をもってするゆえに、子供の生命に触れ、子どもの生命の中核を揺り動かしていくぎりぎりの接点をもちうるのかもしれない。

しかし、多様な子供の経験生活をながめていて、ダンスによってこそ救われ、自己を確立していったと、はっきりとみなされる子供を選ぶことはむずかしい。

以下に掲げるさゝやかな記録は、自らも指導の系統を見出せず、懊悩の日を重ねていた心もとない先生のもとに、二十三年度に修了していったOという女児のプロフィルである。

二十二年四月（五年）

子供たちを楽しく遊ばせながら感覚をねっていく過程を見つけたい。今日は「あんたとこどこさ」「たんすながもちどの子がほしい」などを手がかりとして表現面に触れさせてみる。

Oは例によって、一寸みんなの眉をひそめさせる大げさなみぶりで、気狂い、きつね、ねずみ、お姫さんなどをやって、笑いをおこしている。

面白いけれど、Oさんのは品がないわとSがいっていたが、そういう有言無言の軽侮の声や視線を、この子はどう受取っているのだろう。次から次へとやっていくところは、空腹の子供に食物を与えた時のようだ。あまり好きな子でないけれど、私までなげやりにしてはいけないと、自分に戒める。最近のOは注目すべきだ。

同年五月

発達の障碍となる偏りを除きたいと思って、種々考えた末、結局七項目にわけて、大体の能力を検査してみる。

動きの反応の度合などを見てみると、判断の正確さや、把握の速度、練習効果の遅速など、種々な異なりがわかり、基礎指導のしかたに暗示を得たような気がする。

Oの表は、極端な線となって現われる。低い能力にかゝわらず、非常に好むようになってきたのは、

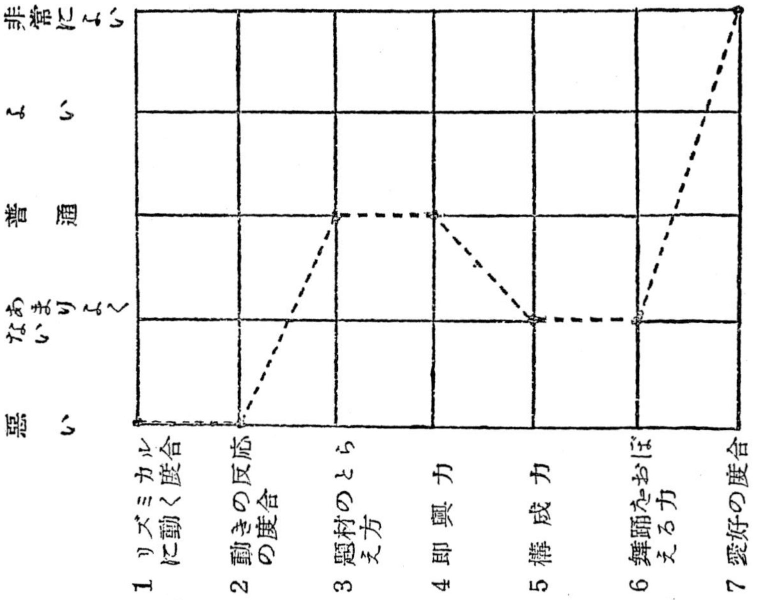
非常によい
よい
普通
あまりよくない
悪い
1 リズミカルに動く度合
2 動きの反応の度合
3 題材のとらえ方
4 即興力
5 構成力
6 舞踊をおぼえる力
7 愛好の度合

「みぶり」以来である。

Oは身体的能力に恵まれない。反応度は第一回目には不能、二回目にはできた。しかし放課後にやらせてみると、もうできない。調子のよい者の中においておくとできるというのは、練習によって上昇させうる可能性があるわけだ。この身体の不自由さをほぐしてみたら、あの子の心のひずみも円にもどすことができるのではないか。

同年七月

子供たちのとらえる表現の題材の傾向には、およその推定ができても、子供たちの身体が、どんな範囲の動きを持つのかはわかりにくい。「自分の身体はどんなに動けるか」と、一週間の期間を限って課題してみる。発表を見て今日はOに驚かされた。

Oは、他の子供の断片的な動きに対して、何かしら、一つの踊りともいえそうに一連に動く。また、大抵の子供の一定したテンポの動きに比して、悠々と追らないゆとりのある動きや、急速度の廻転などが、その一連の中に山脈のように起伏している。その上、実にやる気でやっている。聞けば、毎晩毎晩練習して創ったそうな。得たのんで、も一度やって見せてもらう。

他の子供も思わず感歎の拍手をおくる。私は何かしら、Oには負けたと思った。

同年九月

子供たちの表現をできるだけ真実なものにしたいという念願から「みぶり」をとりあげて、音楽も用いず、「ほんとうのように」やることに主力を注ぐ。形・速度・力・気持……。

Oは模倣が強い。Mたちのやった、お月見にちなんだ兎の餅つきが面白いとみると、すぐ自分もやってみる。また、何か自由にやらせると、すぐ「ねずみ」をやる。内なる眼の狭さが感じられる。

更に表現は冗長。芸術は無駄を省くことだと、変化と統一について話してみる。

その後に、Uと共同で「かにとさる」という物語的なマイムを発表したが、Oの「さる」は以前のあくどさがとれて、のびが感じられた。

同年十一月

ダンスをするようになって、どう自分が変わったか、きいてみる。

Oの言。

○　かなしい時など、からだであたりまわす。

○　おつかいにいく時、走っているつもりなのに足がスキップになる。

○　きれいな公園や木のしげった所にいくと、自然に踊り出す。

同年二月

「みぶり」を踊りの領域にまで進展させるために、伴奏つきの「みぶり」をとりあげる。他の子供にさきがけて、Oが発表する。

Oの踊りは節分にちなんだ鬼と福の神である。一人で、鬼になって踊り、退場して直ちに福にかわって出てくる。その表情の変化の面白さや、やせぎすな身体を奇妙にうねらせ、しかも調子よく軽快に動く踊りは、実に自然で、一つの雰囲気を醸成し、人々に印象をのこした。リズミカルでない身体を、巧みに調整し、克服していることに気付いて驚く。同時に無神経のようなあくどさが、いつのまにか、明かるいこだわりのなさとして、子供たちの間にうけいれられ、一目をおいている様子さえうかがわれる。

二十三年以降

二十二年――五年生時代――はOの最も飛躍し、級の中に面目を新たにした時であった。六年に進んでからは、グループを組んでも、自然に重要な役割がつき、また何かというとOさんにしてもらったら、という声を聞くようになった。しかし一方「みぶり」のために手薄になっていた基礎練習をぐんぐん進めていったために、元来リズミカルでないOなどは、努力ばかりが大きく積みかさなってかわいそうなほどであった。そのOが唯一つ救われる「みぶり」をする時も、私は容赦なく批判の鞭をおろした。Oさん、あなたらしいことができるだけではよいといえない。あなたらしい表現をぬけきることができた時にもっと上達すると。Oの表現は、いつもせか〳〵している。この一つの壁を破ればと希う心は、つい厳しい批判となる。「芸術は性格をもっているものだけが美しい」とロダンは言った。その子らしい癖と、作品の性格とを見誤ってはならないと心しながら、Oの、時としてはキラッと光を放つ面と、依然として鈍い面とが混然としている実体の把握に苦しんだ。その私の苦しみはそのまゝまたOの苦しみであったらしい。あれだけの潤達さを持ったOが「近頃は思うようにできないので楽しくない」と感想を洩らし、現実と理想との衝突の中に、自我の最高の理想を追求しようとして悩みつゝ、六年を終っていった。私は、その謝恩会の席上、Oが上気して、とつ〳〵と述べた挨拶を忘れることができない。きけば、どうしても自分がしたいと志望し、その意を汲んだ級友や先生が、Oにその任をまかせた由。そのとぎれとぎれのことばを耳にしながら、かみの日からのOの成長を思い、どの子どもの挨拶にもまさる思いでそれを受け取ったのであった。

Oが修了して一年半になる。その後Oの話がでるたびに、担任の先生はOは全くダンスによって救われた子だとおっしゃる。何の秀でた能力もなく、品位に欠けた性格は、ともすれば仲間はずれになりそうな気配で進んでいたのであるが、ダンスを転機とし導火点として、学級の中に安定した位置を持ち、気品を加えていったとおっしゃる。

Oを救ったものは何だろう、と今も時々に思う。

それは、学校の子供と先生によってつくられたOを包む雰囲気であろうし、多様を統一し、統一を崩して多様を与えるリズムの性質でもあろう。更に、その子ども特有のものを生かしうる創作活動であろうと思われる。

人間が性格を形成していく途上には、勿論それを助成するよい雰囲気が大きな力を持つ。環境は人をつくる、という通りである。しかし、外よりの働きかけ以上に、内より外への働きが考えられねばならない。よしや、悪環境にあっても、それにうちかっていくほどの強さは何から生まれるのか。それは自己の確立より外にない。内なるものを確立する――人間に一つの自信を獲得させることが、他の何ものにもまして、その人の性格形成の強力な方向舵になると私は言いたい。

## 明かるさを失わぬ子

S（女児）を受け持つようになったのは、Sが三年生の時からである。

そのころのSは、勿論問題の子どもでもなんでもなく、私にとっては、学級にはなくてはならぬ、すなおな、しかもきわめて明かるい（いつもにこ〳〵していて、どちらかといえば、おしゃべり好きで、笑い過ぎ）活気に充ちた子であった。若干むら気な点もあり、能力的に不揃いなところ（特に算数方面が不振）もあった。けれども話しあいとか、発表などの時間は、その活動性を発揮して、他児をリードする程の迫力もあった。その上、組の世話もよくするし、級友の気受けもいいし、学級の有用な存在になっていた。しかし一方では、神経質的な細やかさを見せたり、体格も中位で痩身、体質もどこか弱い感じを見せていた。けれどもそのために欠席が多いということはなく、むしろがんばりやの方で、「精勤」の概評をもらうくらいであった。

四年生になったころ、学習意欲が著しく高まってきて熱を帯びてきた。ことに積極的な自発学習の態度が伸長し、よく家庭研究や作品を持ってきて、発表したりした。この頃がSの得意の時代であり、また最良の年であったのだろう。四年生の二学期末までのSの毎日は、しあわせそのもののように見えた。

ところが四年生の三学期に入ったころ、Sの身辺に異常な空気が漂いはじめたことに気が付いた。それは病欠が多くなったことである。欠席理由としては、発熱とか風邪とかで、それも一日ばかりの欠席日数であったので心配するというほどもなく見すごしていたが、その回数が重なるに及んで、心配がつのり、家庭を訪ねた。

赴任当時の家庭訪問で受けたSの家の印象は、まず〳〵安定した家であると思っていた。父はインテリで、会社勤めをし、母は、いんぎんで、善良な人だし、兄弟姉妹に恵まれてはいるし、家庭としてはまず不足のない構成であるかに見てとれた。

しかし四年生の三学期の訪問の際は、直観的に異常な空気を感じた。父がもう半年前から病床に臥し（胸部疾患）、そのために、生活がおびやかされると母は涙して語る。Sはその隣室で淋しく寝ていたが、単なる風邪で案外元気な顔で、雑誌を読んでいた。しかし家の中は、寒々とした風景に見えた。幸いSは翌日から学校へ出るようになったが、以前に見るような活気を失っている。けれども性格的に変化をきたしたというほどでもないし、学力的に著しい低下をきたしたということも少ない。しかし学期末テストの成績には、さすがに動揺のあとが出ていた。

五年生の年はSにとっては最悪の年だった。五年生の一学期末、Sの父はついに長逝した。父の死後、Sの家庭は、運命がもたらす定形的なざんこくさが見まってきて、いよ〳〵生活苦のどん底に突き落されてしまった。母は父静養中の債務に悩まされながら、ついに出稼に出て、糊口をしのぐ身となった。夜はおそくまで賃仕事をしなければならなくなった。勿論、保護者会にも出られるはずもない。この頃から、Sの欠席が再び続くようになった。三日欠席しては、一日出席したり、五日欠席後に二日学校に出るという状態で、五年の後半が終始した。こんなに欠席が多くては原級留置を考えなければなるまいかとも思った。従って学校生活は乱脈に陥り、学業成績も急速度に沈滞した。性格の上にもいい影響があるはずがない。

あの純真な笑いが失せたこと、うそをつきはじめたこと、かげひなたができてきたこと、級友から離れ、特殊な性格児童一、二人（性格的に弱い者、孤独な者、暗い者）との交際に入ったこと、自信のない発表と発表の減退、赤面、時間中の居眠り、体操の見学（仮病を使って）、遅刻、忘れものの続出、服装の汚損などが現われてきた。その上、学級内で好ましくない事件が起るたびに、その渦中に巻きこまれる。当時金銭物品の盗難事件があったが、事実でないのに容疑者のようにうわさされたり、月々の育友会費が滞るたびに虚偽ないいわけをしたり、欠席理由も殆んど仮病でおし通したりする状態であった。

Sのこのような好ましくない性向は、家庭生活の重圧と、不運からくる衝撃が最大の原因とは思うが、具体的にSの抵抗と不満とをもたらす家庭境遇の切開には、何ら手術の手も見つからず、「S救出」の気持がこうじればこうじるほど、焦燥の奈落にひきこまれていくばかりだった。けれどもSの溺れ流されていく姿を拱手傍観することができず、また、Sの往時を知る私としては、とてもこのような状況を正視することができなかった。

具体的な救出の意見も思いつかないまゝ、家庭に参じた。まず欠席の理由の真相を聞き正してみた。そこには意外に深刻なものがあった。母の語るところでは、昼間弟のもりをさせたり、生計の苦しさのあまり、子どもを親せきに預けて分散するつもりで、その相談に親せきへ連れて行ったりしていたとのことである。その言外には、食糧事情の困窮が秘められているようでもあった。その上、母としゅうとめとの折れ合いが悪いために、家庭内には不和が絶えず、別居の話まで出ているともいう。Sが性格的に暗いかげや、孤独な、卑屈なふるまいになるのは、十分に想像もされたりしたが、そのための不安と動揺と萎縮がわざわいしていることは明白であった。私は事情はいかにせよ、子どもだけは母親から離してもらいたくないことを強調して帰校した。

Sの境遇は、単にSの家の問題として、切開するには、あまりに複雑なもの（親せき関係）がからんでいるようにも感知された。

人のおかれている境遇は、時機がくるまでは、一面どうにもならない非合理なものを含んだまゝ、その人に負い重なって、その人を動かしていることを思わないわけにいかない。Sの母自身の、お人よしで善良なよさと弱さが、却ってわざわいして、そのどうにもならないものをいよ〳〵切りくずしがたいものにしてしまっているのでもあろうが、私はその時ふと、Sのおかれている運命的な境遇をまともに切開するというような冒険をあえて試みることよりも、その境遇の中にいながら、Sにその境遇を甘受する柔かさ、慰み、楽しみ、信仰、そういった人生の、或いは生活の潤いになるものを注いでやりたい、そうして、できれば学校として、また学級としての側面的な実質的援助をさしのべたいと思ったのであった。それにそのころから、こんなことも強く考えるようになっていた。それは、子どもの性格異常が、その家庭事情に原因していることも多いが、それだけに理由づけたり、家庭指導に教育の責任を転嫁するようなことがあってはならない。その子どもが持っている個性的なよさを発見し、家庭とは異なった、学校という境遇の中で、自己を発見し、自信にまで高め上げることによって、生活への信仰を持たせたいという念願であった。

Sには、もと／＼他児には見られない独自な個性的感覚が具わっていることは以前から認めていた。またすなおさと、明かるさが思い出される。Sの持つこのかけがえのないよさと美しさ、これを私自身がSの不遇に巻きこまれて忘れていたのではないか。

Sの独自な感覚の育成と、すなおさの回復が、私の念頭に大写しされるようになった。

まず当面のしごととして、詩と絵の世界に、家庭の煩わしさから逃避させてやろうと発願した。丁度その頃、学級では、国語教材「美しいもの」をきっかけにして、詩の単元学習が行われていたが、Sには特に刺激と奨励を与えるように努めてみた。そうしてその反応を見ていたのであるが、果たして、極めて徐々に、Sのどろんとした目に、輝きが現われてきた。勿論、故意に賞揚もし、作品の評



もていねいにすることに努力した結果、他児に比して多作と思われる位に創作欲が上昇してきた。そのころから整わないながらも、異質的な感覚的表現の部分が散見されるようになってきた。Sにとっての開運の機が到来した。その頃、学校に「詩のポスト」が設けられたが、投稿奨励のかいもあって、盛んに詩を投稿しはじめた。そうして全校的に詩を発表する機会を得たことによって益々詩作の興味が湧き立った。

六年生になってもSの詩作は続いた。

Sは「わたしの詩集」をポケットに入れておかないと寂しい位にまでなってきた。往年の家庭研究の提出が詩に変わってきたが、その積極的な自発性がようやく回復したかの感が強くなってきた。

一方絵を何枚となく描いてくるようになった。水彩画はあまり見られなかったが、クレパスで描かれた画面からは、生活の暗さは感じられず、何か楽しい生き／＼としたものを感じさせた。図画の専科の先生に連絡できない時は、教室に掲示したが、時々専科の先生からも、いい感覚があるという指導を受けたりした。放課後、おそくまで居残って、詩作したり、他の学習をしたり、図画室に入り浸ったりしかけたのも、この頃からである。このようにしてSは遂に、学級での詩の第一人者になってしまった。つまり、詩を通じて再び学級の指導的な位置を回復したといってもいい。それと同時に、

何よりもうれしいことは、性格的な欠陥が、一枚一枚消されていったことである。三年生時代に見るような、多弁なほどの活気はないが、却ってもの静かな中に、愛情的なひびきを持つことばが交されるようになった。ことに「なかよし」活動では、それも図画グループの一員としてであるが、連続二回の研究活動を希望し、遂に、私もSの希望を容認せざるを得ないことになった。私の学校では、グループの交替を行うことが原則であったが、Sの場合は、異例であったのである。全くSの熱意が私や学級の友達を動かしたことになった。

六年三学期始めから、急に欠席が続いた。私は内心、鼓動が止まる思いで、Sの家に馳せつけたが、Sはその時うすぎたない井戸端で洗濯をしていた。Sはちょっと戸惑った態だったが、すぐ平素の調子をとり戻して、私のところへやってきた。そうしてにこやかに欠席のわけを話してくれた。母が病床にあり、医者迎えや看病や、弟の世話をしなければならなかったという。そのあと、休み中書いたのだといって詩集と作文を渡してくれた。私はじーんとして語るすべもなかった。

こうしてSはなまなましい運命の痕跡を胸にきざんだまま学校を巣立った。卒業後私の家へ遊びに来て、見てくれといってのこした作文帳がある。そうして卒業後も詩や作文を書きたいと思うから見てくれとくれぐれも頼んで帰った。

作文帳の中に次のような一節がある。

「星を見て」

ふと北の方に美しく輝いている星がある。北極星かと思った。けれどもそうではなかった。白く光る星だった。星は何もしらないのかうれしそうだ。それをじっと見ていると、うれしそうに見えたり、かなしそうにも見える。ああ、あの星にも苦しいことやかなしいことがあるのだ。けれども苦しさにまけないでがんばっているのだ。私はいま苦しさにまけている。あの星にまけないでがんばろう。星は私をじっと見ている。きらきらと私を元気づけるように光っている。うすぼんやりしてはっきりみえない雲までがにっこりわらっている。

ありがとう。私も元気を出します。

お星さん、この決心を見ていてください。いつか私はほほえんでいた。（後略）

Sなりの決心を読んで、私は涙ぐましく思う。何か満たされないものを、自分のありったけの力でもって満たそうとする、ぎりぎりいっぱいの、むしろ厳粛にさえ感じるほどの努力とまじめさとをもって、自己統一に命をかけている点をいとおしく思う。

Sは将来とも、この種の、またそれ以上のさまざまな人生の危機と葛藤にさいなまされることと思ろが「星を見つめる」というSの決心は、持前のすなおさと、明かるさを一層輝きの多いものに点火するだろうと思っている。

次になかよしを中心とする四つの例をあげよう。

みがかざる珠

五歳の頃の話。近所の子供が何かのはずみに怒って、いきなりK君に頭から水をかぶせたことがあった。

その時泣きもしなければ、怒りもしない、ずぶぬれのまゝ何時までも黙って立っていたという。

この話はいかにもK君の性格をよく表わしていると思う。体格はすぐれているし、頭脳はなかなか鋭い面を持ちながら、少し憂いを湛えたような瞳、真一文字に結ばれた唇からは殆んど意見の発表は聞かれなかった。

しかし友達から孤立するとか、他を顧みないのではないが、積極的に自分を学級の中に位置づけて、責任を果たすというよりは、片隅でコツ〳〵と自己の所信を貫くといった型であった。

「素朴」そのもののような逞ましさを持っている。このK君にその重い口から、ゆっくりと力強い美しい意見を学級に出させるのには、かれにより高い、より広い位置を与え、自信をもって実行する機会を与えたいと思っていた。かねてからその原因をさぐりつゝ次のような原因ではなかろうかと予想してみたのである。

一　その家は郊外の小高い山の上の住宅地帯で松林を隔てて三四軒が隣組といった環境、幼児時代は、弟と二人で自然の中を馳けめぐるという生活であった。虫を採り、花をつみ松葉を寄せて玩具を作って遊ぶという毎日であった。

家族は早寝早起を実行し、父と共にまだ明けきらぬ山のみねを散歩し、そのあとで麓までおりて、柱に結びつけてある隣組の新聞をとってきて配達するのが幼稚園以来の日課である。

二　体格は優秀ではあるが、やゝ不器用なところがあって、巧緻性を要する運動は不得手であり、この点入学以来かなり控え目な態度を持っていた。

三　大きい運動だけでなく細かい指さきの運動もあまりうまくなくて、文字などまずくて、このため算数が好きで、国語を嫌っていた。幼児時代より自然の友としての生活から、かなり豊かな感覚を持ちながら、よい表現の手段と機会を持ち得ない心的葛藤があるように思える。

四　長男であるために両親の期待のことばが、いくらか重荷となって行動を制約するきらいがないでもない。又父親が極めてもの静かな生活が好きな人で、子どもらが大声をあげたり、走り廻ったりすることに対しては、かなり厳しい要求がなされて、行動が多少固くなっている点も感ぜられる。

以上のような原因に対して、何か打つよい手はないかと母親にも相談して一年の三学期頃から機会をねらって来たが、幸いにも、三年生になった四月学級委員に選出されることになった。これを大きな契機として次のような点から、K君の性格に新しい位置を与えていった。又現在思えば確かにある程度所期の目的を達成できたように思えるのである。

一　学級委員が決定したあとで、委員のバッヂを胸につけてあげつゝ、そのバッヂをつける光栄、委員の任務について詳かに語り合った。

一学期の間私はK君がいかにもうれしそうにバッヂを見つめて来たかを知っている。

二　母親に連絡をとって、委員となったので、家庭でも激励と賞讃を与え、任務を果たすように援助してやって載きたいことを申した。前からいそ〳〵と学校に来る子ではあったが、かなり遠い電車通学の登校の道を学級一番の早さで押し通している。

「委員会に遅れるということが一番残念だ」といつも母親に話している。

三　三年生の子供には自分らの生活を省みて、素朴な秩序を見つけ出し、それを守らせることが大切であると考えて、毎朝委員を中心に朝の会に大きい期待をもってやってきた。

うまく発言できないK君は、この点で随分困惑した。「声が小さい」とか「棒読みでわからぬ」とか、「重要な点を聞きのがしてきた」とかいった点で委員会の伝達さえ十分でない朝が幾度かあった。この頃は家へ帰ってからもよく母親の前で練習したことさえあったようである。ことに自分が責任を果たさないと学級全体が運転を停止したり、五十人が迷惑する事件にしば〳〵直面したのであった。

私もまた最大限の責任を委員に委ね、その責任を果たすべきことを要求した。

人知れず準備をしたり、たゞひとり残ってあとしまつをするような時さえあった。かれがこのような行動を通じて、脱皮していく様子が私にもよくわかった。

四　「なかよしの時」とばこの五だんがとべた。とうとう五だんがとべた。三だんがとべなくて、かなしかった時のことを思い出す。ああとうとう五だんがとべるようになった。先生五だんがとべました。

夏のような白い大きい雲が西の空にながれている六月の午後です」

この感謝の詩は六月二十日に提出したものである。四月十八日から五月すえまでどうしても三段が飛べなくて、少し泣きそうな然も真剣なまなざしで一生懸命練習していたかれの姿を思い出す。然も一たび力を得たら雲を呼んだ竜のように友達を追い越して、五段をとびこすまでになった。鉄棒・倒立・水泳などかなり巧緻性を要する新しい教材に直面するごとに、かれは自分より体格の小さな平素弱そうな友がぐんぐん上達するのを淋しく見送らねばならぬようである。この淋しさ、それを克服するために辿る孤独なそして厳しい練習、そして一たび得た力が雄躍していく痛快さ、これらがかれの性格にかなり自信をつけたことは疑いのない処であろう。

究　かれの自然に対する鋭い感受性と、豊かな情操とに口火をつけるものは、詩か音楽か工作か図画であろうと思われた。土曜日の午後に図画を習いたいという希望が出て来たので、母親と相談して課外に練習させることにした。この場合特に鋭い観察の眼を養うことを期待した。かげすりまわる世界を或る落ち着きをもって静かに見ることができるようになったらしい。画の方も少し進歩が見え始め、詩の方もかなり面白いものが生まれ始めた。

「ぼくの弟」「青い山々」「田植のあと」などの素朴な然し美しい詩が見えはじめてきた。

母親に要求が多すぎたり、重すぎることのないように、心の余裕を持たせてほしいと話し合いつゝ、どのような生活の変化が現われるか家庭で記録をとって学校に届けていただくことにした。

口の重い子どももそれなりに美しいことばが口から発せられる日が近づいた。

かれが広い世界に位置を見出し、それを果たす喜びをしみじみと感じとっているらしい。

自分の足で立ち、何をすべきかを明確にし、且つ又それを果たす力を自らの中に獲得していったK君が、静かに発する一言に級友がやがて敬服し、賛成と協力とを惜しまなくなったのは勿論である。

## はっきりしない子

Nさんは四年の女児です。身長だけは組で三番位に大きいのですが、体重は二十一キログラムで組の少ない方から二番目で、やせ細った栄養不良の体をしています。足や手は全く竹を見るようで、見る目にあわれを感じさせます。勿論要注意なのです。それでいて病気をして休むということはめったにありません。出席は実に良好です。

この子の特異さは、その身体的なこともさることながら、無口で無表情で、発動力が極めて鈍く、全く捉えどころがないような性格にありました。おどおどと恐怖感に満ちているようにもとれるし、これが生まれつきでそれなりに安定しているもののようにもとれるし、何か絶えず深く考えこんで心の中でもだえながら外へ出せずにいるようにもとれるし、私は今日まで随分とこの子に頭をひねりながらきました。時には、いろ〳〵問うても立ち上って、がんとして口をつむったまゝ、どこを見ているのかわからないように目をどろ〳〵動かすこともありました。そのまゝにしておくなら一日中でも立ち続けて別に苦痛を訴えるでもなさそうに感じられるのでした。こんな時には、子どもとも思えないような何かしらこわい不気味ささえ感じました。意地っ張りなのだろうか、根は案外すなおなのであろうか、これがこの子の正常な姿なのだろうか、何かによってゆがめられているのだろうか、といろいろ考えさせられました。生来のものも確かにありそうですが何か暗い影がさしているようにも思えたのです。

ところがこの子が四年生になって、ごくほのかながら変化しはじめたことに私は異様な関心と喜びを今感じております。ごくほのかと見るのは外見的皮相な捉え方で、実は内面的には大転換を来たしているかのようにも思えます。

その変化というのは次のようなことです。

一　あれ程無口で能面のように無表情であった彼女が、たまに手をあげて答えるようになったことです。声は大きくはないが、おど〳〵した様子でなく、ごく自然な姿であることです。

二　しば〳〵笑顔を見るようになりました。でもまだ口を開いて大声で笑うことはありません。口をつむったまゝにこ〳〵するのです。

三　体操をする時など特にあわれを感じさせたものですが、近頃喜んで進んでやります。特に折れそうな体でありながら、走ることや、鉄棒などや、跳箱などをやるのに従来に見なかった気魄を感じます。がんばるというか、いどみかゝるというか、何かたくましい精神力を感ずるようになりました。

四　数日前、全くうれしいニュースを聞きました。それは、Nさんの方向から来る教官の話です。Nさんが、いつも連れ立ってくるKさんといっしょに登校しているのにぶつかったそうです。Kさんが教官の手にぶらさがったら、Nさんがすうとやってきてもう一方の手に自分の手を組んで、無口ながらにこ〳〵して学校までやって来たということです。その教官は私に「Nさんが変わったのに全く驚いた。明かるい、すなおな子になりましたねえ」ともらしてくれました。

五　今一つの驚きがあります。それは、先日「ふしぎなこと」を全児童に書かせてみた時のことです。Sという女の子が「Nさんがあんなにだまっているのがふしぎだ」と書いていました。これも異様に感じたのですが、それにも増して、Nさんが「私はだまっていても、心の中でいろ〳〵考えたり、いろ〳〵書いたりしてさびしくないのはなぜだろう」というようなことを書いて、特に○印をつけていたことです。（思いつきで書いたのでなく、近頃いつも考えているふしぎなことには○印をつけさせた）

このような性格の変化をもたらした主な契機になったものは何であったか、それを考えてみますと、どうも次のような「なかよし」での活動であったように思われます。全く「なかよし」のおかげであったのでしょう。

三年の二学期にNさんは音楽グループに入りました。十二月のB部発表会には一人ずつステージで独唱をすることになりました。私はNさんの番がきてステージに立った時、あれでうまく歌えるのかしらと心配しました。何しろ平常ほとんど声らしいものを聞いたことがなかったからです。ところが意外でした。実にすなおな自然さで歌にとけこんで大きな声で歌ったのでした。私は全身しびれてくるようで眼頭が熱くなり涙がにじみました。あの子をあのような心情にし、あのように全校の児童を前にしてステージに立たせたものは、全く音楽の力であり、音楽グループのグループ員になったおかげであったとしみ〴〵思いました。Nさんは音楽によって殻を破ってすなおな姿になり、全く新しい世界を発見し、位置を得て自信を獲得したように考えます。Nさんはこの頃から大きく変化してきたのではなかったかと思います。その変化が学級では外面的にはあまりはっきりつかまえられなかっただけではなかったかと思います。「なかよし」がなかったらこの子は救われなかったかもしれません。

現在は体操グループを選んでいます。ぜひ行きたいという希望でした。別に連れがあっていっしょに行こうと誘ったわけでもありません。彼女の風貌だけから見れば、体操を選ぶことが不適当であるとか、不思議でたまらないとか——はじめて彼女を見る人や、以前の彼女を知っている人は思われるにちがいありません。彼女は自分が最もダメだと思っていた体操に近頃思いがけない進歩が現われて、急に自信がついて（肉体的にも）きたためだと考えます。グループの体操をすませて、はちきれ姿でいそ〳〵と教室に入ってくるNさんの顔には生き〳〵した喜びと満足の色が見えます。——学級の学習に見られない程の輝かしい顔です。

彼女の無口は彼女自身が述べているように、自分で口を開く必要を痛切に感じていないためと考えられます。或る程度先天的な性格かもしれません。一年の時Nの祖母がこんなことをもらしたことがあります。

「あの子は本当に変わった子です。家でも、よそさんの子と違っていることがよくわかります。無口は家でもそうですし、交友もKさん一人ですし、たいていは家の中にじっとしています。それに、おかしな子で、お能が好きだと言います。お能に連れて行ってやると、あんなものわかりもせんだろうと思うのに、じいっとして一時間でも二時間でも見ています。よそさんの子は一年生いうたらとてもこんなことありゃしまへんのですけど、病気ですやろうか、変わってます。あれは、遺伝ですやろうか、父親もちょっと変わってますから」

ということでした。父親は高校の教師でしたが、家の方にいろ〳〵あったらしく昨年離縁になりました（養子でした）。家庭的にこのような混乱が一層この子を無口に追いこんだり、暗い性格にしていたのかもしれません。一人ですし、父親も家にいなくなった現在、一抹の淋しさも感じているかもしれませんが、何か、いざこざのないすっきりした雰囲気になり、むしろこの面でも性格を変えているにちがいないと思われます。Kさんが「ふしぎなこと」に書いていたように、たしかにまだ〳〵特異の存在であります。しかし、私は今のNさんの動向を非常に好ましいものに思っています。父もいなくなったNさんを一層励まして、より明かるく、より自信をもって、他児とも進んで交渉を持っていけるようにしてやろうとしています。

## 自主性のない子

Hさんは、自主性のない女の子であった。身長は高いが、頑健ではなく、毎年風邪や発熱で何日も休んだ。父がない上に、一人娘で、母や祖母叔母などの女手に育てられ、家の商売の関係上、出入りの人にチヤホヤされたせいもあろうが、「しごと」でも「けいこ」でも、どん〳〵つきつめていくことがなかった。気が弱くて、みんなの前でめったに話し出せなかった。交友関係は狭かったが、親切なためみんなに好かれていた。依頼心が強くて、物事に対しても自主的に働きかける機会がなく、従って考え方は身体とは対比的に幼稚であった。こうだと聞けばそうかと思い、あゝだと聞けばまたそのように考える。私はHさん自身の手で物事をするように、自分の頭で物を考えるように、母親にも勧め、学級でもその機会を得させようと心掛けていた。しかし本当の快活さは容易に出てこないでいた。ところが四年の終り頃から、何か自信が出て来、「しごと」にも、「けいこ」にも、学級生活の他の部面でも、活躍をするようになってきた。古い世界から脱け出して、新しい世界に入ってきたように見える。まだ前のにおいが少しは残っているものの、自信のある着実な行動がふえて来て、学級にも活気を与えてきた。ことにドッヂボールやソフトボールのチームでは重要なポストにすえられ、

Hさんがいなければ、そのチームの元気がでないようになった。その原因を考えてみると、工作と裁縫、ことに五年になってからの工作グループでの活動にある。以下は工作専科の指導の記録である。

五年になってのHさんの工作は、毎週五十分の工作の時間と八十分宛週二回の工作グループでの時間の両方を通じて、なし続けられたものである。

「工作を材料の面から見ると、三年の頃は、主に紙で作り、五年頃から、木材やその他のものを使うようになる。」

〃製作活動の全般から見て、低学年は、紙で、高学年は木で作るのがよいということはないし、むしろ、いろ〳〵な材料をとり入れるのがよいと思う。しかし、加工の難易から見て、紙は容易であることはわかる。また、高学年になって、木材その他の材料を使う能力がありながら、紙などのように加工の簡単なものばかりを使っているのは、おもしろくないと思う。〃

「工作を、子どもが作る題材の面から見ると、三年の頃は、絵画もそうであるように、子どもの、想とでもいうべきものが作品に、多分にもられている。それが、五六年頃になると、もの自体に対する、客観的な面、又は、機能的な面が現われてくる。」

〃粘土で、低学年の子どもが作る時は、うさぎを作ったら、その前には、うさぎのえさをも作って、食べている様子を表わす。ねこを作ったら、親ねこと子ねこをも作る。ボートを作ったら人が乗っている。それが、高学年の場合であると、寸法を正確にするとか、電車の模型を作ったとすると、実際に動くように工夫するのである。〃

低学年から、高学年に進むにつれて、自然に変わってくる面は、以上のほかにたくさんあげられるのであるが、低学年の時、製作活動に興味を持った子どもが、高学年になってもそのまゝ興味を持ち続けるかどうかは問題である。

今、Hが、木材を使いはじめた頃のことを考えてみると、

Hは、三年の頃、誰でもそうであるように紙を材料とする工作が多かった。四年の頃は、粘土と紙やその他の材料を使った。五年になって、更にいろ〳〵な材料を使った。（いろ〳〵な材料とは、木の枝、竹、布、針金、糸、その他の自然物又は簡単な加工物のことである。）

その頃、五年男子は木材を使うのが多くなってきたのであるが女子は、まだ使っているのはなかった。Hは、工作室にある、使い残りの板の切れはしを拾って、小さな本立を作った。まず、板を鋸で切るのであるから、１　寸法のはかり方は、どうすればよいか、２　板をどんなところ

におい て切ったらよいか、3 板をおさえるには、どうしたらよいか、4 どんな鋸を使ったらよいか、5 どんな姿勢で切ったらよいか、等、紙工作の時と違ったことが起ってくるのである。

また、板を鉋で削るには、1 板目の見方、2 板のさゝえ方、3 鉋の刃の出し方や持ち方、4 削る時の力の入れ方　などが問題になってくる。

次に、組立てをするには、1 釘の打ち方、2 釘の長さのえらび方、3 金づちの持ち方などが起ってくるのである。

第一回目の本立は、形がゆがんで、打ちこんだ釘が曲がったりして失敗に終った。もう一回作ろうといって、第二回目は、実際に使えるような寸法で、板も適当なものを用意して計画をたてた。第一回目のとは、見違える程、正確なものができた。

次に作りかけたのは、板に彫刻することであった。これも、第一回目は杉板三分厚さのものに、風景を簡単に写生して、それを凹形式に、のみを使って彫った。これは、あまりHが気にいるようにできなかったので、第二回目は、家から古箱の松板をもってきて、凸形式に彫ったのであるにが、半分程できた頃、のみを強く打ちこんだので、板が割れてしまった。第三回目は、五分杉板に前と同じ形式で彫って成功した。

これを、更に立体的な表現がはっきりするように、この彫刻板を粘土にうつし、それを石膏で仕上げることにした。

Hは、板を使って工作しているうちに、鋸・鉋・のみ・小刀等の刃物がよく切れなくては、作品がよくできないということがわかった。ある時、私に、のみをかして下さい、といってきた。いつもの所になかったので、他ののみを与えると、何も注意を与えなかったのに、そののみを砥石で砥いでから使った。刃物は、五分間使ったら五分間砥ぐという心がけが大切であると感心した。のみや金づちの持ち方などというよりは、工具に対する管理のしかたがよくわかってくるのはよいことであると思った。また、Hは、いつも使った工具は、所定の所に整頓するなど、工具を大切にする心がけができてきたように思うのである。

材料とそれを加工する工具とはつきものである。新しい材料に目がひらいてゆけば、新しい工具に対する目もひらけてくる。校舎内には、木材でできているものは相当多い。机・いす・床・窓わく・ちりとり、みなそうである。そういうものに対する理解が深くなってきた。例えば、学級のいすがこわれたりすると、Hは、工作室に持ってきて修理をしているようなこともあった。こわれたものについて、組立て方がわかってないと、どの部分を修理すればよいのかということがわからないのである。その組立て方がやゝわかってきたように思う。それに伴なって、ものの整頓のしかたがはっきりしてきたことなどがあげられるのである。

Hさんは手を動かして物を作ることによって自信を得たのである。はっきりと物を言うことのできなかったHさんが、今ではしっかりした意見を持って、学級の相談の時に発言したり、司会したりする姿を見て、喜んでいる。Hさんは今でもそっと教室の整頓をしてくれる。

## 勢力家

Xは祖母、母、叔母兄の五人暮らしである。父は三歳の時死亡し、家業は商業である。生来弱い体質上、幼稚園の時に肋膜を患い、ようやく全治し、家人の愛情を一身に集めていた。

かれの家庭は生計に苦しいことはないが、家業や家事のため、終日多忙をきわめ、母は祖母に対する義理もあり、家庭内での和楽や監督は行われなかった。学習も、兄がおり、本人の成績もよいので、あまり干渉されず放任されてきた。その上兄は運動好きで、社交的であったから、弟を連れて遊ぶことが常態になり、弟もそのために、独立して事を遂行する機会を与えられ、自然に独立実行の風を作った。

このようにして、かれの食べたいもの、行きたい所、遊びたいことは、思うまゝになり、家庭でもあまり注意しないので、自由な生活が続き、かれとして幸福な生活が継続した。そして大抵のことは独力実行する習慣がつき、交友の交際等で社交性をたかめ、兄の刺激も手伝って読書の習慣も養われ、常識にとみ、要領よい生活態度が構成された。こうしてかれは、事をてきぱきと早く片付ける習慣が自然にでき、宿題や学用品等忘れることが殆どない。今かれは委員会の書記をしているが雑談のような事をも、要領よくまとめる才を持っている。

かれの体格は身長・体重・胸囲とも平均より少し以下で、肉付きもよくなく、体力があるとは思えない。しかし体が軽快であり、運動愛好心から、鉄棒・跳箱・水泳等いかなる運動でも、練習すればすぐ出きるようになり、学級としても上位にある。特に競技や遊戯は、かれの最も好むところであり、かれの生活の全体であるとも言える程である。このようなわけで、同級生の運動についても、かれがリーダーになることが多かった。それはまた、かれがルールをよく知っていたこと、運動に巧みであったこと、運動用具を買ってもらい易かったことなどのためもある。

こうして遊戯や運動の中心になって級友を率いることが多くなり、級友もまた、その仲間に入れてもらいたい気持から、かれの気に反しないように心掛ける。これが、かれの学級の中での勢力者となり、重要な位置を占めるようになった経緯である。

ところが一方、運動の下手なものは、その仲間に入りがたいし、人数に制限のある運動競技では、とかく仲間はずれを余儀なくされるものがある。もと〳〵、これらのものは、何かにつけて力量が弱いので、学級としては附随的な活動しかできない。こうした一群が何かにかと不平をいだくようになる。五年の半ごろから、かれを中心とするグループと他のグループとは、均衡が破れて不平が現われてきた。そして衝突することも再三であった。

私はこれに対して再三注意をしたり、一人一人の意見を聞いたりしたが、排他的の意見ばかりであって、建設的な傾向は見られなかった。

そのころから、学級の「しごと」として各自一頁ずつ担当して、アルバム作りをしたり、各自一作品責任をもって提出して、文集の編集発行をさせたり、全員合同の簡単な劇を企画するなど、全員の協力がなくてはできない事を選んで実施し、緊密な連絡を強調するとともに、学習に対する強調角度も、義務教育前期終了をめざして、各自平等の立場で、均衡を考えて、指導した。

折あたかも、六年の新学期となったので、座席の決定に抽籤を用い、グループ学習もその席を基本に行わせるようにし、体育遊戯の場合にも全体から逸脱しようとするものを出来うる限り引き入れ、同一立場に立たせるようにして、和楽相共に味わうよう導こうと注意を払った。

かれもまた「なかよし」の委員に任命され、新聞グループのリーダーとして、新しい活動の舞台を得ると共に、委員会としては、その書記を勤め、日々全校に対する配慮を必要とするようになった。他面他の一群に属するものもそれ〴〵委員にあげられて、自己の立場を与えられるとともに、相共に協力せざるを得なくなり、次第に平静を来たしつゝある。

かれは今日、「ぼくは学校のほとんどみなから名を知られている」といって、舞台が学校に展開したことを喜びとしている。運動の面では、他の者の技能や方法の理解が進み、かれへの従属が必ずしも必用でなくなるようになってきて、勢力家としてのかれをめぐる関係で、学級の分裂する傾向は防止されつゝある。

かれのてきぱきした処理は、学校新聞に生気を入れつゝある。かれは勢力家に安住することをやめて、学校生活への最も有能な貢献者に移行しつゝある。

次に、家庭の協力によって、子どもが著しくよくなった二つの例を報告する。学校の教師の注文することを虚心坦懐に聞き取ることでさえ、きわめてむずかしいことである。まして、それを誠実に実行することは、なか〳〵できがたいことである。しかし、結局は両親との協力がうまくいかねば、しつけはうまくいかない。そして教師たちの注文は、決して無い袖を振れというようなことではないのであって、子どもについての考え方、教育についての考え方を変えてもらうことにしかすぎないのである。既出の事例でも、かなりこの点に触れてきているが、次の二つの例は、いかにして教師がその注文を、両親に伝えるか、両親はいかにしてその注文を実現していくか、というような点を明らかにするであろう。

## 他人をくさす子

Mは一人子の男子である。幼稚園時代から随一の乱暴者で通っていた。受持でもMには手を焼いていたという。小学校に入学すると、しばらくの間に級中並びに隣の組にもけんかにかけてはMに及ぶ者がいないということがわかった。

かれのけんかは同学年の間だけにとどまらず、二年生や三年生にも及び、時には四年生の者にもけんかをしかけるという状態であった。

何がかれをしてけんか好きにしたのか。最初の間は私には了解する事はできなかった。

かれの家庭は両親と祖母の四人で経済的には全く心配のない家庭であった。父は大阪で商業をしていて相当成功しており、母は家事を祖母に頼んで子供の事に専念する事ができるので、常に授業を参観に来てはいろ〳〵意見を尋ねたり、或いは学校の事にはよく手伝ってくれたりするのであった。

かれの体力は級中随一であるが知能的にも優れていて、そこには何等の原因もありそうには思われなかった。そこでかれのけんかの動機を探って見る事にした。

かれのけんかの多くは他人にケチをつける事から始まった。人の作った作品や持物にむやみにケチをつけるのである。それは相手に対する恨みやしかえしの為では全くないのである。

或る時も公園へ四、五人の子どもたちで遊びに行った時、他校の大きな生徒たちが野球をやっていた。かれらは全く路傍の少年であり、しかも年上で全く勝目はないと思われるのに悪口を言いかけて行くのである。そこにはケチをつける理由などは全くない。即ちかれの毒舌は校の内外を問わず発揮されるのであって、私の学校の上級生からも始終私に苦情が申込まれるのであった。

さてM及び母親にしばらく接しているうちにMの行動の原因が全くかれの家庭にあるように思えてきた。Mの母は時々授業を参観に来ては熱心にかれの成績について尋ねるのであった。計算は……

国語は……　図画はといった調子に。これはMの母だけのタイプではない。教育熱心と思われる母親の大部分がそうである。その共通の教育観には、自分の子どもが人よりも良い成績をとることが絶対的な条件として存するのである。この母親たちに口がすっぱくなるまで、教育の理想を説いたところで、その時は解ったような顔をしてくれても、この点だけは頑として改めてくれないのである。

Mの母の学習に対する口やかましい干渉が察せられたので何回か注意を試みたが、組への奉仕はよくしてくれ、その他のことは素直にきいてくれるのに、この事だけはなかなかきいてくれなかった。「図画は○○さんが一番上手です。○○さんよりも上手になりなさい。」「計算はTさんが一番速いからTさんよりも速くなりなさい。」といった目標の下にMの学習に対して一々口やかましい干渉が行われたようである。そして図画の展覧会が行われる時には公園に子供といっしょに写生に出かけるといった熱心さであった。

こういった干渉や他人との比較はMにとって重苦しいことであったにちがいない。そしてそれが常に他人に対する無意識的な悪口やけんかになって現われたのであろう。そして始めは嫌いではなかった勉強が遂にはいやなものになっていったのであった。そしてかれの行動は益々粗暴になり学習には飛躍が見られなくなっていったのである。

さてかれの行動はおもわしくないまゝに、四年に進み、朝の清掃は便所を受け持つ事になった。私も便所の掃除の指導を担当することになった。或る日、教室の掃除をしているとMが私の所へあわただしくかけてきた。便所の戸にたくさんかけてあるからとってくれというのであった。やれやれと思いながらも出かけてとってやったらとても嬉しそうな顔をしてのぞいていた。

その後Mの母が学校へやってきて次のようなことを報告した。かれは家でも便所掃除を始めるようになったというのである。そして先生が自分たちの便所掃除を手伝ってくれたことを感激して話したという。

かれの行動はこういった点でやゝ変化を見せながらも学習面で大きな進歩をしたようにも思われなかった。母は相変わらず参観に来るのであるがその度に勉強しないとこぼすのであった。他の子供と比較することを断って、絶対に強制や競争はさせてはいませんと答えるのであるが、心では十分わり切れないようであった。

そこで、次のような例をお話しした。

アメリカのニューヨークから汽車で二時間ばかり離れた町の五年生の組で植物の研究をすることになった。Aという少年は蔦天狼の研究を分担した。Aは翌日まで待つ事が出来なくて放課後無断で二ニューヨークまで調べに出かけた。一方母親は夕方になっても帰宅しないので方々を探した。夜の九時になっても一向に見つからないので気も狂わんばかりになり警察に電話をしようとした。その時玄関に元気のよい足音がしてAが帰ってきた。母親は足音でAが帰ったことを知ると気をとりなおし、いつもと変わらない様子で「大変おそかったね。どうしたの」とことば優しく迎えた。Aは得意になって魔天楼を研究する為にニューヨークへ行ったこと、そして大層よい研究が出来た事を満足げに語った。母は一々感銘して聞いた後、次のようにつけ加えた。「それは大層よかったね。そんなに面白いところであったらお母さんも一緒に行ってあげたのに。おそくなっておなかもすいたでしょう。実はあなたの帰りがおそいので、お母さんは大層心配しました。これからは、他処へ行く時には必ずお母さんに知らせて下さいね」と、この母の優しい同情ある訓戒はAの心を強く打った。Aはそれから母親に対する信頼を益々深め、よそへ行く時には母親に必ず告げるようになったという。

この話はMの母の心に強く響くものがあったと見えて、次のようなざんげをするのであった。

「私の主人は商人です。商人には頼りになるのは自分の力だけで、競争に負けたら没落があるのみで生きて行くことができません。私はMを小さい時から自分一人で物事ができる子、競争しても人に負けない子に育てようと思いました。寝る時も一人で、入浴する時も、勉強する時も、何時でも一人で

出来るように、そして人に負けないようにと苦心してきました。しかしそればかりを考えて強い態度で望むだけではいけなかったことが今よくわかりました。」というのであった。

私は最近ホーマーレーンの書を読み自分の子どもの育て方の失敗をしみじみ痛感していた時でもあるので、その例をも引きながら次のような問答を試みた。

「子供を育てるのは愛で、愛は理屈や観念ではなく、実際に子供の体にさわってやったり、だいて寝てやったり、世話をしてやったりすることだ。あなたはMを一人で寝るようにしつけておられるが、Mは一人で寝ることに満足していますか。」

「実は隣りの部屋に一人で寝かせていますが、一諸に寝たがって困ります。それで部屋の間の戸をあけてやると、私の顔が見えるので大層喜びます。入浴もいっしょに入ってやると大層喜びますし、勉強部屋も、一部屋与えてあるのですが、わざわざ私の裁縫している部屋に机を持ってきてする事を喜びます。」

この問答によってMの求めているものが一層はっきりしてきた。

子供が強い要求してもものが求められない時、子供は育つことが出来ない事や、小さい時に親の体に十分触れる欲求をみたすことが出来ない子は最大の不幸であることをつけ加え、ホーマーレーンの書

物をお借しして一読を進めた。レーンの書物は更に彼女の心に強く響いたと見えて、数日後次のような手紙が届いた。

「良い本をおかり致して有難うご座いました。幼年期から少年期、青年期と本当に学ぶべき処が多くご座いました。馬鹿げたターザンごっこに汗だくになったり、筋の通らない事を涙を浮べて大声にわめいたりする時でも子供には子供の主張があるわけですから、表よりぶつつからないで側面より見てやらねば…… 私も道徳的にエンマ小母さんになりたくありません。子は父親の父なり——とのことばの感じが深いでした。

こんな良い本が次々出ましたらぜひ読ませて下さい。同封のお金は買うつもりでいたのが読ませて頂いたので余分になりましたので、又良い本が出ました時、先生より買っていただいて、私だけでなく、他のお母様方へも読ませてあげていただいてはと思って、失礼ですが同封いたしました。」

Mは現在非常に素直になった。ことばづかいも以前に比べて大層よくなり、けんかも殆ど見られなくなって、友達からの苦情もあまり聞かなくなった。

今ではかれの顔の相好もやわらかくなったかに思われる。私は、いわゆる教育熱心の母親の殻を打ち破ったMの母に、無言の讃辞をおくっている。

## 気の散る子

N君は一年生の頃から特異の児童として、集団の中で生活することが困難であり、校外学習などする時は、必ず列からはみ出て歩き、歩きぶりも不安定で、汽車の踏切りに来ると、制止しても俄かに飛び出して走り出し、汽車の通るすぐ前で見ているという状態でした。学習となるともはや落ち着きなく、けんか口論が続いていきました。

このような不安定な性格は一向に改まらなかったのでした。この子が四年生の五月から急激な変化を表わしてきたことについて少し述べてみたいと思います。

この頃のことについて級生の観察記録の中から拾ってみると、

○　おせっかいをやく。気がよくつく。下駄箱のふたなど閉け忘れていると、すぐ立って閉めに行く。

○　一人ぼっちで淋しい子。とても淋しい子といわれた時、かれは手をあげた。

○　指をくわえている。いつも頭をふっている。

○　音楽グループでけんかして、かん〳〵になってその様子を話す。一番先に立って憤慨する一人である。

○　鴻の池の見学の時、いっしょに来ないでふざけて遊んでいた。

○「目に見えないもの」という質問に対してかれは、大勢の前で「心配」と答えた。

こういう状態でありました。

一日その母親に来てもらっていろいろ相談したあとで、その子の変化を注意深く見ておりましたが、字のテストが十二回まで平均四点ぐらいでしたが、十三回目から8、7、5、9、9、10、10点とそれから九回10点を連続するようになりました。その帳面を見ると、新しい意欲で、しかも行き届いた気持で貫かれているものを発見することができました。

そこでこの好ましい変化を手紙に認めて、うちでどのようにしてくださったかを問合わせました。

それによると、

○　主人とよく相談した。

○　何事によらずほめてやり、

○　毎日の入浴も私もいっしょにいたし、

○　食事の時も、私の横にすわらせて食事させております。

○　勉強をしないから一番びりです、母さんの悲しい気持わかりますかといって、涙ながらに話して聞かせた。

○　ぼく一生懸命に勉強する、とかわいそうな程真剣に私にたのみました。

それからは去勢されたかと思う程おとなしく落ち着いて、夏休み中も規則正しく生活をし、勉強を続けていきました。問題の行為が消えていきましたので、「しごと」も「けいこ」も「なかよし」もよくできるようになりました。

この子が五年生になりました。

四月以来の観察記録をたどってその状態を述べてみますと、

○　四月から七月までの間、学習中私から特に注意された回数は僅かに七回――組全体から見ても、男二二名中第八位という良好さであります。

○　算数の能力調査に現われてきた成績から見ると、四年生第三学期の三年後期から、五年生初めのテストでは、計算能力については、五年後期、事実問題との綜合能力については、五年前期という飛躍的な向上を見せています。

○　家庭学習は、一日平均五頁ということを約束していますが、四月から十六回の調査の中で、この約束を四月十三日一回怠っただけで、完全に実行できています。

○　その他、生活全体の安定さ、友達関係の協和、学習に熱心であること、作文を通して見られるところでは、善悪正邪の判断がきびしいくらい現われていることなど、好ましい傾向が見えております。

このような向上は何がもたらしたかということについて考えてみると、第一にはその家庭の親たちの愛育が根本にあると考えます。四年の五月を契機として改善された家庭愛育の方向の上にどのようなことが続けられてきているかということに興味深いものがありました。学級会で聞きとったところでは、

○　勉強は時間をきめてよくしている。

○　学校の帰りも、一定の時間には正しく帰る。

○　五年生になって大変落ち着いてきた。

○　二階の部屋をNにあてがって、誰もその部屋については干渉しないようにしている。

○　特別に配慮していることとしては、勉強せよということや叱ることを一切止めてしまったこと。

○　大人扱いにしていたことを改めた。一番上の兄であるということを忘れてしまって、甘える時には甘えさせるようにしている。

ということが述べられました。かねて育友会にも殆ど出席されなかった母親が、四、五番目に出席されたことは、その子について相当自信や喜びを持っておられることと直観しました。

学級の方の勉強で、その家庭の好状況と呼応して効果があったと思われることは、

○　あらゆる「けいこ」をその子の持てる能力に合わせ、個人の進度に合わせて指導したこと。

○　N君が特に体育について興味を持ち、跳箱やソフトボールなどについては特技を持っているが、そのような要求を満たすことに努めたこと。

○　学級「なかよし」で、かれは鳥の研究を始めたのが四月からでした。毎週月曜日、その研究発表を続けてきましたが、かれは自ら進んで鳥の研究を発表してきました。私はそれをほめ、新しい研究の方向について示唆を与えてきました。かれも、鳥の研究については学級の第一人者であるという自信を持つに至っているように思われます。

○　「しごと」についてはかれは十分に力を打ち込めたとはいえないように考えられますが、「電車で大阪の工場に通っている人」については、学級中ただ一人、「電車で通勤することはどのように楽しいことだろう」ということをもらしました。かれの生活経験は非常に狭く、奈良以外の土地についての経験が極めて少ないことは、「しごと」の進行上障害となっているように思われ

ました。そこで、かれには特に多くの有効な豊富な資料を与え、「しごと」がしやすくするようにしました。

# あとがき

親愛なる読者諸賢は、本書において若干の満足と猶幾多の不満とを感ぜられたことでありましょう。その不満の中には、私たちの到らぬためのものも、読者自身の考え方のためのものも、日本の社会の古い在り方のためのものもあると考えられます。

その不満は、各種の批判や質問の形をとってくることでありましょう。私たちにその批判や質問のことごとくを予想できるはずもありませんが、その若干を取上げて、本書の足らない所を補いたいと思います。

一　訓育という語を避けて、「しつけ」ということばを用いているが、はたして適当であろうか。

たしかに「しつけ」ということばは、広くも狭くも使われている。母親が子どもをしつけるということの中には、箸の持ち方を教えたり、障子のはり方を教えたりするような、技術の伝達まで含んでいる。このような広い意味に対して、日常の公民的生活に必要な習慣養成という意味や、もっと狭く、叱ったり折檻したりして一定の行為（たとえば、毎朝玄関を掃除すること）をさせようとする意味もある。

私たちは、その差別に頓着せず、しつけを望ましい行為をさせるためのものと考え、行為の主体であり統一者である性格の形成と考えたので、この古くから使い慣れていることばを用いた。性格の形成という中には、理解（知識）の深化、よい態度の確立、技術の伝達などが、当然含まれていると、考えている。

勿論、ことばの選択は自由であるから、私たちのいう「しつけ」を「訓育」とおきかえていただいても、一向差支えない。

二　新しい時代のしつけにおいては、子どもたちの知性の開発ということが大切だと思う。しつけの原則にその点触れていないが、それでよいだろうか。

望ましい行為は、人間性の深い理解、社会生活の真実なる認識の上に、生まれるものである。その意味で知性の開発はしつけの基礎というよりは、その本質的部分である。私たちが経験発展の力動的法則を即ち性格形成の力動的法則と考え、しつけの方針の根底というふうに考えてきたのも、その意味からである。全生活を通じてのしつけということも、そこから出ている。

ものごとについての知見を開いていくことによって、自己統制を可能ならしめることが「しつけ」である、という定義もできる。

三　しつけの方法については、微に入り細に入っているが、肝心の、何をしつけるかということが、明らかでないように思うが、どうしてそうなのか。

望ましい個々の行為を列挙するということは、誰が考えても煩に堪えない。しからばその行為の根源として、正直とか、勤勉とか、責任感とかと、同情とかいう徳目をあげたらどうかといえば、そういう徳目は互に交錯したり、自分自身の中に異なる部分を含んでいたりして、却って曖昧になる。だからむしろもっと根源に辿って、望ましい性格の構造を考えて行こうとしているので、しつけの内容が明確でないように感ぜられたのであろう。

私たちが望ましい性格の構造を、人間として強い人間ということばで表わしていることは、本書でも理解していただけるであろうし、「たしかな教育の方法」には今少し詳しく説明してある。

どういうのが、人間として強い人間なのか、社会の実際に照合して言えといわれるかも知れないが、これはむしろ各人がよく究めて行くべきではなかろうか。私たちの考えている内容が、いかなるものであるかは、本書の各所にあげてある実例によって判断していただきたい。人間として強い人間というのは抽象的なことばであるが、私たちは一人一人の子どもについて、そのおかれている事態や、その発達に即して、これをつきつめつきつめ考えて進んでいるのである。この書物の全体が、その努力にほかならないともいえるのである。

四　しつけ、訓育の指導計画表を作りたいと思うが、この書物には、そのようなものの雛形がないので残念である。どのようにして作ったらよいか。

各学年の子どもについて、その学期その月その週、或いはその日の実践上の留意点・強調点を、各種の関係（社会生活のきまり、地域社会や学校の行事、自然の推移、学習の内容等）から考えて、列挙し、計画表をつくるということなら、例も多いし、実際にも比較的容易である。戦前や戦時中に十分経験したように、このような計画表は、教師のしているしつけを反省させるのには役立つけれども、その「きまりよくする」とか「遅刻せずに登校する」ということが、一年生の或る週或る月などで、大体できるようになるというようなことは、きわめて稀である。ことばこそ違え同じことが、また二年生の時も、三年生の時も、くり返される。反省とか強調のためには役立つが、これが訓育の系統を示すものだとは、どうしても考えられない。

一人一人の子どもについての系統は学年別の指導系統がこれを示しているし、学校全体の系統としては、わが校の実践例がヒントを提供していると考えられる。後もどりしないしつけの計画表を立てるには、まだまだお互の研究が必要である。徳目の選定と配列で、事終れりという安易な考え方を避けたい。社会の複雑な動きの中で育つ子どもたちの経験の発達は簡単に割切るべきではない。本書に述べた私たちの考えでさえ、まだ安易にすぎはしないかと、恐れているのである。しつけの研究はそのまゝ教育の研究であり、その教育はまだまだ判らない多くの部面を持っているからである。本書はその意味で、むしろ出発点を示しているのである。

五　新しい時代を拓いて行く子どもたちは、友人をつくり、その友人関係をしっかりと発展させて行くような子どもでなければならないと思うが、どうか。

人間として強い人間という中には、そのようなことが当然含まれている。ことに自己を確立するということは、友人をつくり、その関係をよりよいものにして行く所以であると考える。このほかに、快感を与えるような容姿とか音声、話術、他人の尊重に発する礼儀作法、指導力というようなものも考えられるが、それらのものは、生活の全体を通じて、あらゆる機会にみがかれて行くべきである。

六　性的な欲求が、各種の行為に深い影響を与えていると思うし、現代の社会では、その刺激が甚だ強いようであるが、この点もっと究明して行くべきではないか。

小学校の子どもたちのそれに関しては、家庭におけるしつけの章で、触れているが、性教育ということは、たしかになお研究を要すると思う。たゞすべての行為を、性的な欲求に関連させて解釈しようとするのは、偏った考え方である。その意味で、親や教師の方で性的なことに余り神経質になりすぎることは、却って反動的な結果をもたらすおそれがある。

七　実際問題として子どもの行為の眼に余るものがある時、叱らなければならないと思うが、その叱り方はどうあるべきか。

本書の事例の「あばれん坊」のように、眼に余る行為を、わざとする子がある。こういう場合には、叱らなければならなくなってくる。悪いことをしたら叱られるべきものだと考えていながら、教師や両親に叱る力があるかどうかたしかめようとしている。或いは自分のわがまゝの範囲をだん〳〵と拡充しようとしている、とでもいえるような場合である。

教師や両親の否認など何とも感じないようになってしまっている場合にも、叱らなければならなくなることがある。

こんな場合、叱れば必ず効果があるとはいいにくいのであるが、教師や両親の否認の態度を明確にするために、叱るということが不可避的になってくる。

さて叱る場合に注意すべきことを考えてみよう。

第一に、その子の面目を丸つぶれにしないことである。従って大勢の前で叱るよりは、人のいない所で叱る方がよい。また他の子と比較して叱るのは拙いやり方である。自尊心に訴えながら叱るべきである。

第二に、当面の行為以外のことをあばき立てて、あれも悪い、これも悪い、あゝだからこうだ、こうだからあゝだと、その子の全生活を否定するような叱り方を避けるべきである。

第三に、反省や立直りの余裕を与えて、子ども自身の統制力の働くのを待つ必要がある。窮鼠かえって猫を咬むということもある通り、とことんまで責めつくすと、却って無茶苦茶な反撃が出てきて、反省をしなくなる。

第四は、両親や教師の態度が冷静なことである。子どもの殻を打破って、その生命の真実な姿に触れなければならないのであるから、叱るものは冷静にその切り込み口を発見するようにしなければならない。勿論、それは単なる冷静さではなく、その子の脱皮を念ずる深い愛情に裏付けられているべきである。

第五は、教師や両親の性格そのものが尊敬すべく信頼すべきものであること、即ち人間的な権威が備わっていなければならない。叱るということの究極は、この犯すべからざる権威によって非行を照

射することに外ならないからである。この権威が純粋であればある程、叱るということは必要でなくなって、単に否認し、たしなめるだけで、十分になってくるのである。

女の人ことに年寄りに多いのであるが、くど〱と叱る人があるが、これは有効でない。叱っているのやら愚痴をいっているのやら判らなくなってしまう。何を叱られているのかが、はっきりするように、明確に叱るべきである。その意味からは、即座に叱る方が、後から叱るより有効である。前のことを思い出して叱ったり、叱ったことを何時までも覚えているようでは、その行為が叱られているのか、自分の全体が非難されているのか判らなくなってしまう。

誰でも叱られた覚えはある筈だから、快く叱られた時のこと、叱られて気持の悪かった時のことを思い起して、その思い出を有効に使えば、上手に叱れるようになる。

八　しつけの中には強制的なものが多少あると思うが、どんなものは強制してもよいか。

叱る必要がないようにしつけるのがよいのと同様に、強制する必要もないようにしつけるのが、理想であるが、現実には強制的にでも禁止しなければならない行為が現われてくることがある。それは

自他の生命に危険を及ぼす行為（鉄道線路に小石を並べるが如きこと）や、他人や公共の財産に著しい損害を及ぼすことの明瞭な行為（特別の施設のない所で火いたずらをするようなこと）である。このような行為が起って来た時は、その理由が子どもらに理解できなくても、厳然たる態度で禁止すべきである。

九　標語とか綱領とか校訓というものの活用を工夫すべきではないか。

各個人に激励と反省の契機とを与えるから、標語や校訓というものは有効である。けれどもそれは常に各人の心に浮かんでくるような不断の新鮮さを持っていなければ役に立たない。そういうものが過多であったり、棚ざらしのものであったりしては、何の役にも立たないばかりでなく、却って感受性を麻痺させてしまう。恒久不変のものは簡明に、具体的のものは、子どもたちの生活の進展に即して、その急所で適切なものが与えられるようにしなければならない。

私たちの学校には、校訓というものはないが、「伸びて行く」という一種の標語のようなものがあり、学習歌に歌いこまれている。

　山のわらび、ぐんぐんのびる、
　春の日をあびて、ひとりでのびる。
　たんぼの麦の芽、ぐんぐんのびる
　雪の中を分けて、ひとりでのびる。

なお子ども赤十字の綱領と歌も、校訓のような役目をしているといえよう。

また子どもたちの発展に即して、その時々に、主事から励ましのことばを子どもたちに与えている様子は第三章にくわしい。

教室や廊下にベタベタと標語のようなものを掲げることはしていない。それにたよらず教師や子どもの胸の中に刻みつけておくことを狙っているからである。標語さえ生きたものであれば、それで十分である。

一〇　各学年のしつけの様子は察知できるが卒業生の状況はどうであろうか。

年々と卒業生の様子が変わって行くことが認められる。一番目立つのは、学級担任とのつながりが従来通りきわめてかたい上に、他の教官とのつながりが強くなってきたこと。中学に入ると急にすますような所があったのが、小学校の時の気分を持ち続けるようになってきたこと、などである。私たちは子どもたちが私たちの手許で獲得したものを、いつまでもなくなさず、自分自身で伸ばして行くように、育てたいと思っているが、少しずつ進歩していくように認めている。

一一　しつけに当たっては、子どもの一人一人をはっきりと理解することが大切であるが、行動観察、その累加記録、その方法や様式などは、どうなっているか。

子どもの観察、各種の測定が必要なことはいうまでもない。またその記録のしかたも重要な問題である。けれども現在までの所、その形式等は決めていない。その形式を急いで決定するよりも先に、子どもの性格なり行動なりの力動的な構造を、十分に、究明しようと考えているからである。同人の一人一人が工夫を凝らして、その仕事に当たっている。形式を決めている人もあるが、雑記帳式にいろいろと記入している人の方が多い。それでいて、何日どの子がどういうことをしたというようなことが、克明に思い出されるようになっている。つまりこれはと思ったことは、自由に記入しているからである。その様子は「学級担任のしつけの着眼と実際」「いろ〳〵な事例」によく現われている。観察や記録の形式は、あくまでも形式であって、それにのみ拘泥するのは、むしろ邪道である。大胆率直に子どもたちの真実をつかみ、記録する熱意の上に立ってこそ役立つのである。

一二　いろ〳〵な事例の中に、もっと多彩な世間に多い問題の子どものことがあるべきだと思う。君たちの学校には、そういう本当の問題児がいないのではないか。

問題の子どもがいないということはない。盗みをしたり家出をしたり人を脅かしたりするような子どもが皆無ではないが、私たちが事例として取上げた子どもの如き、みな問題の子どもである。いなすべての子どもが問題の子であり、またすべての子どもが正常な子どもである。このような意味で、ごく平凡な事例をわざ〳〵あげたのである。

盗みをする子というような眼で、ある子どもを見るのは、本来不当なことである。もっと大きく、性格の構造をとらえて、その改善を考えていくべきである。

一三　家庭から「もっとしっかりしつけてもらいたい」とか、「行儀がなっていない」とか、「口答えをする」とかいう、注文や苦情が多いので、困っている。そういう性急な要求も無理ではないと思うし、正しいしつけもしたいと思うが、どうしたらよいか。

まず、一人一人の子どもを同じ位或いはそれ以上にはっきりと知るということが大切である。大ていの親は、そこまで見ていてくれるならと安心するものである。

次に、正しいしつけについての理解を深めるよう親たちに働きかける。これには本書など必ず役に立つであろう。あらゆる機会に、眼から耳から正しいしつけの在り方をしみ込ませることが大切である。

次に一人一人の子どもの進歩を親たちに確認させることである。子どもたちはある時は徐々に或る時は急激に進歩する。その進歩をいっしょに喜んでもらうのである。悪い所、よくならない所ばかり着眼していると、親も教師も悲観的になり、子ども自身も絶望的になってしまう。

別の面から、留意しなければならぬことは、親や古い型の教師のしつけに対する主張の中には、封建的な生活習慣への適合がすなわちしつけだと考えているものが多い。その意味からして、その封建的な生活慣習への反撃が必要である。たとえば「行儀がなっていない」という母親に「人の話を聞く時に、何故うしろの方に陣どって、時々私語をされるのか、それでは子どもも行儀はよくなれない」と穏やかに話して、自己矛盾を発見させるという工夫が必要である。

要するに正しいしつけの実現に力を致して行けば、案外に早く障害を乗りこえることができるのである。

# 正しいしつけ

昭和二十五年十月十五日　印刷
昭和二十五年十月二十日　発行
昭和二十六年一月十五日　再版発行

定価百八十円

著作者　奈良女子大学奈良女高師附属小学校
学習研究会
代表者　重松鷹泰

発行者　東京都中央区銀座七ノ四
有光次郎

印刷者　東京都千代田区神田神保町一ノ四六
加藤新

発行所
東京都中央区銀座七ノ四
株式会社　秀英出版
電話銀座(57)六八二五

文化印刷株式會社　印刷

# 中学標準教育課程

奈良女高師附属中学校教育研究会著

東京・東洋圖書・大阪
發行

## 序

終戰後の教育改革は、実に目覚ましいものがある。その制度に於て、その内容に於て、恐らくは史上その例を見ないであろう。從つて教育関係者諸子の苦心も亦未曾有といつて過言ではないと思う。

總て、革新には行過ぎもあり、行き悩みもあり、チグハグなことが多い。教育改革も正にその通りである。施設の整備せぬのに、内容の革新を図つてさじを投げたり、カリキユラムの改造を計画して、教員の問題で頓座したり、難航に難航を続けている有様である。一大革新には、苦労もあり、悩みもあるのは当然である。況や敗戰のドン底にあつて、積極的な大改革をやることは、誠に容易ならぬ難事業である。だからといつて、徒らにさじを投げて旧とうを脱しない教育者は、現代の教壇に立つ資格は無い。理論を研究し、自校の現実に立脚して、一歩々々調和的な発展を遂げねばならない。

カリキユラム改造は、新教育論議の中でも、最も華やかなものゝ一である。カリキユラムを樹て、それに基づいて教育活動が実践されるのであるから、制度の改革の次に來るものは、カリキユラムの改造である。かくて、カリキユラムの研究、実践が行われ、中には行過ぎと、非難されるものもあり、前進に躊躇するものもある。今や幾分反省期に入つたとも考えられる。成程アメリカの進歩的な学校に於て行われている進歩的カリキユラムが、我國の施設不充分な、又教師の手の揃わない学校に於て、そのまま実践され得る筈がない。文部省のカリキユラムそのものが、既にかなり進歩的なものである。之を忠実に、実践することすら容易ではない。然し文部省としても、之をそのまゝ実施せしめようというのではないし、又完全無欠なものでもない。むしろ之を標準として、各学校の実情に即したカリキュラムを樹てることをすゝめているのである。

私共は、所謂進歩的なカリキュラムを参考として、生徒の生活に即した統一的なカリキュラムを樹て、之を実践してきたのであるが、徒らに奇を衒うことは、つゝしまねばならないし、又多くの学校に於て出来そうもない飛躍したものを樹てることも、好ましくない。それに文部省でも、絶えず各教科のカリキュラムを改訂されてきたので、私共は本年度に於ては、昨年度のものに、更に改訂を加えて、標準教育課程なるものを作成し、実施してきた。これは文部省のカリキュラムに即して樹てたもので、多くの学校に於て実施し得るものと信じている。

或は、この程度のカリキュラムでは、物足りない感じを持たれる人々もあると思うが、要するに机上の言論でなく、日々実践する教育者のプランである。教育実際家の忌憚なき御批判を仰ぎ、更に修正を加えて、一歩一歩前進したいものである。



昭和廿五年十月

奈良女高師附属中学校教育研究会
近　池　義　隆

## 目　次

第一篇　総　論 ……………… 一

第一章　中学校教育の意義 ……………… 一

第二章　中学校における教育課程の諸問題 ……………… 四

1　教育中心より生活中心へ ……………… 四
2　コアカリキュラム ……………… 六
3　総合カリキュラム ……………… 八
　単元別指導内容一覧表 ……………… 一二
4　総合カリキュラムの類型と批判 ……………… 四二

第三章　標準教育課程の全体計画 ……………… 四三

1　性　格 ……………… 四三
2　決定方式 ……………… 四五
3　運　営 ……………… 四七
4　全体計画 ……………… 四八
5　教育課程表 ……………… 五一

# 第二篇　各　論……七五

## 第一章　社会科の教育計画……七五

一、標準教育課程と社会科の立場……七五
二、社会科の目標とその内容……七九
三、單元学習の方針と計画……八六
四、学習指導の方法……九三
五、学　習　評　價……一〇〇

## 第二章　職業家庭科の教育計画……一〇三

一、職業家庭科のあり方……一〇三
二、我校の各類別配当時間案……一一〇
三、当校カリキュラム作製の経過……一一七
四、各單元の指導上の留意点……一二八
　一、男子コース　二、女子コース

## 第三章　理科の標準教育計画……一三七

一、理科の教育目標と標準教育課程……一三七
二、單元設定の要点……一三九





三、各学年に於ける單元設定の実際……一四〇
　一年生の指導細案……一五〇
　二年、三年の單元表……一五四
四、実際指導の諸問題……一六三

## 第四章　数学科の教育計画……一六〇

一、標準教育課程と数学科……一六〇
二、数学科の目標……一六一
三、年次計画一覧表……一六四
四、單　元　計　画　例……一六九
五、数学科の單元学習……一七七
六、学習指導上の教育計画……一八三

## 第五章　國語科の教育計画……一八八

一、標準教育課程と國語科……一八八
二、言語生活の課題……一八九
三、言語学習の方法……一九一
四、学　習　要　素……一九三
五、排　列　の　問　題……二〇一
六、單　元　計　画……二〇三
七、資　料　の　問　題……二一三

八、学習展開と指導の問題……二二三
九、國語科の一分野としての習字……二二四
十、習字カリキュラムの作成にあたつて……二二八

**第六章　図画工作科の教育計画**……二三一
一、図画工作科教育課程の根本目標……二三一
二、図画工作科教育課程の構成法……二三三
三、図画工作科の学習内容とその指導……二三四
四、今後の図画工作教育の動向……二三九

**第七章　音樂科の教育計画**……二四一
一、全体計画に於ける音樂科の位置……二四一
二、音樂科教育課程の構成法……二四一
三、音樂科單元の問題……二四二
四、音樂科の指導……二四四
五、本校音樂科指導の実際……二四七

**第八章　保健体育科の教育計画**……二五〇
一、体育カリキュラムの構成……二五〇
二、わが校の保健体育科の教育課程……二五三
1、全体計画における保健体育科の位置づけ……二五三
2、保健体育科の健康教育計画……二五五
3、中学校三ケ年の單元計画……二五七
4、保健体育科教育課程実施上の諸問題……二六〇
5、保健体育科学習指導の要点……二六四
6、保健体育年間計画……二六六
7、健康指導年次計画……二六七
8、保健体育科行事予定……二六八

**第九章　英語科の教育計画**……二七〇
一、英語科教育課程の構成法……二七〇
二、英語科指導法……二七三
三、英語科教育課程実施上の諸問題……二七四

# 第一篇　総論

## 第一章　中学校教育の意義

中学校教育の実践問題としてカリキュラムとガイダンスの二つの面が取りあげられ、これらの研究と実践は新教育の推進に大きな役割を果たして来たことは否定できない。最悪の條件のもとに新発足した新学制が、多くの困難を克服して漸く軌道に乗りかけた今日、われわれが戰後歩んで来た道を反省して確実な前進への方向づけをしなければならない時機が到来したと考えられる。われわれの前途には希望にみちたものがあるが、解決しなければならない多くの問題がある。それらは新教育の本質的な見地に立つて解決しなければならない問題であり、方法のみの模倣に汲々として本質的な目的を誤るべきものでない。われわれは、新しい方法に対する無理解や無批判によつてなされた模倣が、教育実践の上に多くの混乱をおこしたことを反省しなければならない。われわれは、教育の目的とその目的を達成するための具体的な目標を正しく把握して実践を計画しなければならない。

教育の目的は、教育基本法第一條によつて規定されている。

「教育は、人格の完成をめざし、平和的な國家及び社会の形成者として、眞理と正義を愛し、個人の價値をたつとび、勤労と責任を重んじ、自主的精神に充ちた心身ともに健康な國民の育成を期して行わなければならない。」

この法律は、わが國の教育が、明治以後歩んで來た國家主義的な傾向より脱却して、個人主義的な傾向を强調している。即ち、個人の完成を强調し、人格主義、平和主義に個人の本質を規定し、更に形成要素として次のような要求を規定している。

| | | |
|---|---|---|
| 眞理と正義を愛す。 | ………個人生活の要求 | |
| 個人の價値をたつとぶ。 | ………集団生活の要求 | |
| 勤労と責任を重んず。 | ………集団生活の要求 | 經濟、職業生活の要求 |
| 自主的精神に充つ。 | ………個人生活の要求 | 經濟、職業生活の要求 |
| 心身ともに健康である。 | ………個人生活の要求 | |

これらの要求は、個人生活、集団生活、經濟生活および職業生活の三側面について考えられる。要する（2）
に個人としてその能力を最大限に發展させることによつて、個人生活の充實、家庭生活および社会生活の維持發展、經濟生活および職業生活の維持發展を期し得るのである。

これらの教育目的を達成するために、学校教育は如何なる地位を占め如何なる使命を果すべきか。学校教育法に定めている法文について吟味する必要がある。

小学校……心身の發達に應じて、初等普通教育を施す。

中学校……小学校における教育の基礎の上に心身の發達に應じて、中等普通教育を施す。

高等学校…中学校における教育の基礎の上に、心身の發達に應じて高等普通教育及び專門教育を施す。

これによつて見るに、小学校から高等学校に至るまで普通教育に一貫している。そしてその程度に差を設けており、高等学校において、專門教育を併立的に取りあげている。ここに取りあげられている普通教育は如何なる性格をもつものであるかを考察して見るに、学校教育法に於ては小学校教育について次の八目標をかゝげている。

一、学校外の社会生活の經驗に基き、人間相互の關係について、正しい理解、協同、自主及び自律の精神を養うこと。

二、郷土及び國家の現状と伝統について、正しい理解に導き、進んで國際協調の精神を養うこと。

三、日常生活に必要な衣、食、住、産業について基礎的な理解と技能を養うこと。

四、日常生活に必要な國語を正しく理解し、使用する能力を養うこと。

五、日常生活に必要な数量的關係を正しく理解し、処理する能力を養うこと。

六、日常生活における自然現象を、科学的に觀察し、処理する能力を養うこと。（3）

七、健康安全な幸福な生活のために必要な慣習を養い、心身の調和的發達を図ること。

八、生活を明るく豊かにする音樂、美術、文藝等について、基礎的な理解と技能を養うこと。

これらの目標について考えられることは、日常生活に必要な理解、態度、技能を養うことを强調していることである。更に中学校教育の目標として次の三項目を規定している。

一、小学校における教育の目標をなお充分に達成して、國家及び社会の形成者として必要な素質を養うこと。

二、社会に必要な職業についての基礎的な知識と技能、勤労を重んずる態度及び個性に應じて將來の進路を選択する能力を養うこと。

三、学校内外における社会的活動を促進し、その感情を正しく導き、公正な判断力を養うこと。

中学校の教育は小学校の目標を充分に達成することが第一義的に考えられている。即ち普通教育として一貫しているのである。心身の発達の相異――成熟度、興味、能力、経験領域の発展――による生徒の要求、義務教育の完成としての社会的要求により更に高次な教育目標の設定が必要になるが、普通教育以上のものではない。國家及び社会の形成者として必要な素質、社会に必要な職業についての基礎的知識、社会的な活動の促進等を特に取りあげているが、専門教育の性格をもつものではなく、中学校時代の生徒の一般的な特性として顕著にあらわれてくる自律化、個性化に応ずるために取りあげるべき目標である。小学校教育と中学校教育は同じく普通教育であるが性格の相異は、この三項目に明らかにされている。即ち、中学校における普通教育は日常生活に必要な國民に共通不可欠な基礎教育であるとともに、将来の進路選択の能力、市民性の涵養等の性格を与えることに重要な使命を発見することができる。普通教育は現実生活と直結した教育であり、現実社会地域社会と直結した教育であり、万人必須の教育である。従来の中学校教育は、生活や社会とあまりにも遊離した知識の伝達のために行われ、一部特権者のためのものであった。このような観点から、中学校教育のあり方として、カリキュラム、ガイダンスの問題を考えなければならない。生活と社会を基盤として、生徒の要求と社会の要求が合一されたカリキュラムが計画されガイダンスが行われて、中学校教育の目標を達成することができるのである。



## 第二章　中学校における教育課程の諸傾向

### 一、教科中心より生活中心へ

教育の革新は、何を教えるかの問題より何を経驗させるかの問題の上に展開され、従来の教科中心の教育に対して多くの反省を促した。教科中心の教育は、教師や教科書が教育の主体的地位にあり、生徒は教育の客体的地位にあり、画一的であり興味・能力等を無視する傾向があった。又、論理的な知識の体系を重視して生活と遊離した教育が行われた。したがって、教科中心の教育は、新教育の目的である個人の能力の最大限の発展に副わないものであり、中学校における普通教育の目標にも副わないものであることは明らかで、日常生活に必要な能力を養う教育、青少年の欲求と必要性、社会の必要性を満足させる教育は如何にあるべきかの解決への努力が、いろいろのカリキュラムの類型を生み出したのである。カリキュラムの氾濫時代と言われる程多いカリキュラムの主流をなすことがらは、次のようである。

1、生徒の発達段階に即する現実生活の重視　……生活経驗に基づく学習と社会の要求
2、生徒の興味や要求を重視する学習領域の設定……教育内容の構成
3、生活の改善の强調
4、学習者の活動重視　＞学習活動の展開と評價

教育は、生活と社会を基盤として、生徒の要求、社会の要求が合一する位置に於て計画されなければならないことを述べたが、新しいカリキュラム研究の重要な問題点は、そこから起つている。教科書をはなれ、従来の教科観を捨てた教育は生活経驗（生活・社会）の何を取りあげるべきか、社会の要求、生徒の要求は何か、如何にして満足させるべきか、等……教育の前進をさまたげる多くの困難に遭遇したのである。中学校教育においては、小学校教育の場合よりも困難は大きかった。義務教育の完了、進路の選択という人生の重大時期に臨む中学校の生徒の教育の重要性の上から考えて当然のことがらである。したがつて、中学校におけるカリキュラムが教科中心から生活中心へ大きく発展をとげながらも、

漸進的であり、右往左往の前進を続けている状態である。各種各様のカリキュラム計画が生まれるのも当然である。その結果、教科中心のカリキュラムから生活中心の経験カリキュラムへの方向づけが、全國のどの学校においても尊重されたけれども、経験カリキュラムをカリキュラムの金科玉條としての安心感を持つことができなかつた。生徒の必要、社会の要求としての学習経験を強調すればする程、新しいカリキュラムに対する不安が感ぜられるのであつた。こうした不安の中にも、成長を続けた中学校のカリキュラムの最も代表的なコア・カリキュラムと総合カリキュラムの二つの類型について吟味を加えてみよう。

## 二、コア・カリキュラム

コア・カリキュラムはその型式、内容の性質によつて各種があつて同一型式ではない。一般に、必修課程（コア）と選択課程（エレクチヴ）をもつようなカリキュラムがコア・カリキュラムである。現行の（6）
文部省の中学校、高等学校の教科課程はそのまゝコア・カリキュラムである。しかし、ここで取りあげたコア・カリキュラムは、生活経験を中心として社会機能としての生活活動の統合の原理を求めて設定された中心課程と基礎的な知識技能を系統的に学習する周辺課程をもつカリキュラムである。中心課程は、生活経験を中心として設定されるから、教育内容は社会的、個人的な現実の生活課題の解決を中心として構成されるから、教科構造は完全に破棄され、それにかわつて社会機能を中心として選択し組織される。教科を棄てゝ、児童自身の興味を中心とする題目を以て教育しようとする合科教育（綜合教育）は教授の原理として重視され、小学校において実験的に実施された事はあるが、成功するに至らなかつた。アメリカにおけるカリキュラム改造の運動は極めて長期間にわたつて行われたものであつて、進歩

的なカリキュラムは一朝一夕に生み出されたものではない。このカリキュラムを生み出した時代と社会的要求及び成功に至るまでの多くの人々の努力を充分に理解しなければならない。この案の進歩的な性格は、新教育を求める教育界の要求に適合して多くの学校に於て研究された。そして、新しいカリキュラムの理想とする経験カリキュラムに出来るだけ近いものにしようと努力されたが、多くの批判を受けなければならなかつた。その主なものは次のようなものである。

1、成人の生活問題が強調され、生徒の現実的生活よりも社会に重みがかけられている。即ち、生徒の要求が無視され、生徒の活動を尊重するといいながら、成人の活動の模倣であることが多い。

2、新しい経験や新しい学習に連絡や統一がとれなくなり易い。適当なコアが選ばれ、これが新たに経験され、新知識とされ、新知識や新技能は習得されるけれども、連絡や統一がとれなくなる。（7）そこで、従来の教科学習はいつまでも残されることになる。

3、学習が主知主義に陥り易い。新経験、新学習をなすに当つて生徒の活動は表面的にとどまり、成人の知識や経験を機械的に聞きとつたり、書きとつたりするのに終始することになり易い。

4、系列（シークエンス）は生徒の興味を中心にするよりも教師の先入心が反映することが多い。

5、学校の設備、教員組織の現状に困難がある。コア・カリキュラムには、コア学習を担任する有能な教師群が必要である。教科担任制の中学校の教員組織の現状に於て、コアを担任する有能な教師が極めて少い。又、協力する教師群の活動組織を構成することが困難である。

われわれは、中学教育の教育課程としてコア・カリキュラムを全面的に承服し難いものがある。この案の進歩性―地域社会の要求と生徒の興味や要求と一致させて行こうとする見解―に着眼して教育計画

を考えて行かなくてはならない。

## 三、綜合カリキュラム

コア・カリキュラムのコア・コースは教科カリキュラムから眺めた場合、主として社会科を中心として二、三或はそれ以上の教材領域にわたり、綜合されたものであると考えることが出来る。勿論、それは生活経験を中心として統一された単元の形をとっていて、教科の教材の領域ではない。この点に着目して、更に実際的な計画を考えたのが綜合単元によるカリキュラムである。広義のコア・カリキュラムの一種とも考えられるが、教科を立てていく点に、この案の特色がある。わが校に於ては昭和二十四年に一応の成案を得て実施して来たのである。このカリキュラムの概観と実施による反省について述べる。このカリキュラムを計画した趣旨はつぎのようである。

第一、各教科別の単元学習であると、綜合的に一体化した生活学習が不徹底に終る。第二には、各教科の教育の全体計画の上に受け持つべき独自の分野の扱いが不充分になる。第三には、各教科で取上げる生活に重複が多く、しかも無計画に取りあげられている。第四には、各教科が別々の単元を設定して研究しはじめると生徒は調査研究の負担が大きくなり、学習の効果を減殺することになる。

さて、以上のような困難を除去して、最も効果の多い何処の学校でも実施の容易な教育計画を樹立したいと考えた。中学校教育の目的は、次の三ヶ條にまとめてその目的を達成するために五部面の学習活動を考えたのである。

| 目的 | 学習活動 |
|---|---|
| 1、よき社会人の養成。<br>2、個人の能力を最大限に伸ばす。<br>3、職業的資質を啓培する。 | 1、社会生活の学習<br>2、基礎的な学習<br>3、心情の陶冶<br>4、健康教育<br>5、職業的教育 |

これらの目的を達成するための学習活動を組織するカリキュラムの決定に際して、前述した四つの困難を除去するために、当然に一つの単元を取りあげてこれを全体的立場から研究して行くコア・カリキュラムの型式をとるのが効果的であると考えられるが、コア・カリキュラムの行き方に対して既に批判したような困難もあり、更にわれわれが念願とする何処の学校でも容易に実施できるようなものでなければならないという立場に於て承服し難いものがある。それで綜合的な単元を設定して、目標を定めて、各教科が協力してこの目標の達成をはかる立場をとった。各教科は独自のカリキュラムがあるが、これと綜合単元をにらみあわせて各教科の受け持つべき分野を決定したのである。したがって、各教科に於て綜合単

| 学年 | 綜合主題 | ねらい | 単元 | 学習期間(月) |
|---|---|---|---|---|
| 一 | 生活の基盤に関する問題 | 生活を楽しくするにはどのようなことを考えたらよいか | 1 中学生<br>2 健康<br>3 家庭<br>4 都市と田舎<br>5 レクリエーション | 四・五・六・七・八・九・一〇・一一・一二・一・二・三 |
| 二 | 文化生活の諸問題 | 生活を豊かにするにはどのようなことを考えたらよいか | 6 農牧生産<br>7 天然資源<br>8 近代工業<br>9 交通通信<br>10 災害防止<br>11 経済生活<br>12 文化 | 四・五・六・七・八・九・一〇・一一・一二・一・二・三<br>四・五・六・七・八・九・一〇・一一・一二・一・二・三 |
| 三 | 民主的生活の諸問題 | 秩序ある生活をするにはどのようなことを考えたらよいか | 13 個人と共同生活<br>14 社会組織<br>15 世界と我等 | 四・五・六・七・八・九・一〇・一一・一二・一・二・三 |

(8)

(9)

元に入り得ない部分というものがある。普通の学習に綜合單元の目標達成の一部分としての学習とそうでない学習の部面があるわけである。

綜合單元の決定は、生徒の学習能力や興味の発達と文部省の示した各教科の指導内容を考慮して、次の表のような枠組を設けたのである。

教育の全体計画として、カリキユラムとガイダンスの関係を次の表のように定めた。

教育活動
- 教科による学習カリキユラム
  - 綜合單元による学習
  - その他の学習（技能の習得、心情の陶冶等）
- 特別教育活動ガイダンス
  - ホーム・ルーム、アッセンブリー、クラブ活動
  - 生徒会による自治活動

教育の全体計画

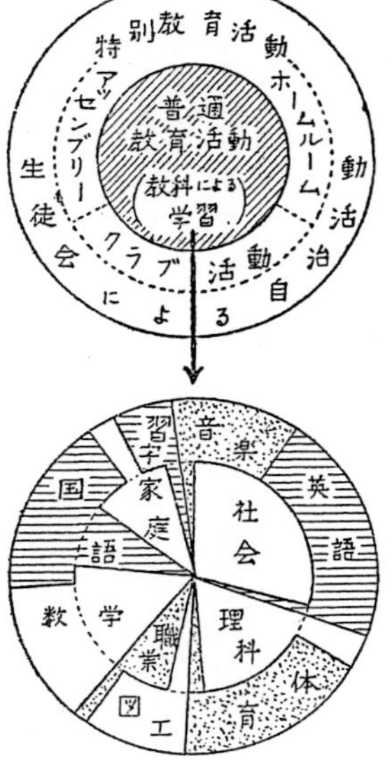


学習指導の断面
（内円—綜合單元による学習
外円—綜合單元外の学習）



このようにして成案を得たカリキユラムの内容は次のようになつている。後述する標準教育課程はこのカリキユラムを基礎として設定したものであるから両課程の内容を比較検討されることによつてわが校の企図するカリキユラムの性格を理解することが容易であると信ずる。

# 第一單元　中學生　（四・五月）

## 目標

一、中學校生活の意義を理解する
二、民主的學校生活を送ろうとする技能と態度を養う
三、學校の社會國家に對する關係を理解する
四、學習の基礎的態度を會得する
五、學校の歷史、組織、規則を理解し學校生活に慣れる

## 社會（週四）

一、學校の歷史
1. 私たちの學校
2. 學校制度の變遷
二、民主的な學校生活の建設
1. 學校の組織
2. 生徒の自治的活動
3. 學校における學習法と生活態度
三、學校と社會との關係
1. 社會から學校へ
2. 學校から社會へ

## 職業（週一共學）

一、職業科の意義
二、學習の範圍とその方法
三、學校の農場と農具室
1. 位置、面積、栽培物
2. 經營方法
3. 農具の名稱とその使用法
4. 農具室と農具の整理整頓法
四、作物栽培上の心得
1. 氣候と作物
2. 土と作物
3. 栽培上の留意点とその處理法

## 理科（週三）

一、私たちの身体
1. 心臟と血液
2. 呼吸器
肺の構造と作用
3. 空氣の組成
消化器
4. 筋肉と骨格
5. 神經と感覺
6. 私たちの身体の特徴
二、植物、昆虫の採集
隨時指導

## 家庭（週二共學）

一、學校禮法
1. 登校時の注意
2. 途上での注意
3. 登校後の禮法
二、中學生のみなり
1. 中學生らしい服裝
2. 衣類を汚損する原因
3. 手入保存の方法 ⎫
4. 附屬品の手入 ⎭ 簡單な實習
三、ホームルームの美化
1. 方法の研究
2. 用具の充實（圖畫工作科で行う）
3. 美化實習
4. 室內裝飾



## 數學（週四）

學校の模型作製
1. 平面圖
長さの測定法、平行線
垂線
2. 展開圖
見取圖、高さの測定法
相似形、展開圖
3. 模型の作製
4. 校庭、敎室の面積

## 國語（週四）

一、研究問題
中學生はどんな言語生活をしたらよいか
二、敎材選擇の目標
1. 思想內容、明かるい學校生活
2. 表現形式、日記・よびかけ
3. 文法、ことば・單語・文節・文の成分
三、表現活動
日記をつける
四、基礎練習
標準語で正確に話す

## 圖画工作（週二）

一、美しい學校
1. 美しい繪をかざる
2. 美しい裝飾品を作る
3. 美しい花や風景を描く
4. 校舍の小修理
二、私達の學用品
1. 學用品を描く
2. 學用品を作る
3. 學用品の小修理

## 音樂（週二）

一、歌唱
1. 歌曲
ハ長調
2. 基礎練習
讀譜、リズム、音程、發聲
二、理論
1. 音樂の要素
2. 樂譜について
3. ハ調長音階
三、音樂の勉强の仕方

## 体育（週三）

一、体育・衛生理論
學校における体育
餘暇の利用
校舍內外の衛生・姿勢
二、實技
器械体操、ソフトボール
シャワーボール、ダンス
徒手体操、
陸上競技

## 習字（週一）

一、中學生の書寫生活
記名、板書、圖表文字、ノート、作文等の批評
二、習字に關する經驗、希望、好嫌の調査
三、用具類の取扱いについて
四、執筆法と姿勢について
五、楷書基本運筆練習
六、大楷基本練習
七、ペン習字(手本の中から字配、結体、運筆法の話合

## 英語（週四）

一、英語の發音　練習
二、英語で簡單な挨拶の仕方
三、文字によらず、實物又は繪によつて問答の練習をなしきゝ方話し方の能力をやしなう

# 第二單元　健康　（六・七・八月）

**目標**

一、健康の意義を理解する
二、常に健康に注意して積極的に身体を鍛錬する習慣を養う
三、健康に對する食物の意義を理解する
四、病氣に關する知識を得て公衆並に個人衛生に注意する
五、精神の健康に對する意義を理解する

**社會（週四）**

一、我國の保健狀態
1. 疾病の種類と罹病率
2. 年令 性 階級 場所 職業

二、社會病の多い理由
1. 自然的條件
2. 生活水準
3. 保健思想
4. 保健施設
5. 都市の發達

三、健康國建設の方法
1. 個人衛生
2. 社會衛生
3. 保健施設
4. 都市計畫
5. 社會保障

**職業（週一共學）**

一、働く人と健康

二、健康と選職
1. 自己の身体、精神的特質
2. 職業との關係

三、職場の健康施設
1. 衛生設備
2. 健康診斷
3. 療養施設
4. 勞働基準法

四、保健衛生の職種と特質

五、夏の野菜栽培法と實習

**理科（週三）**

一、健康を増進するにはどのような注意が必要か

二、食物と健康
1. 榮養素の種類
2. 食品中の榮養素
3. 榮養素とはどんなものか
4. 榮養素の働き

三、健康と休養
1. 運動と老廢物
2. 汗と尿
3. 休養はなぜ大切か

**家庭（週二共學）**

一、何をどれだけ食べたらよいか
1. 榮養素の機能
2. 食品の榮養價
3. 食品の必要量

二、現在の自分の食事は適當であるか
（食事調査を行い檢討する）

三、よい食事とはどんな食事か

四、一日の食事計畫をする

五、適當な食べ方
1. 簡單な食事の支度
2. 食卓作法

五は次の單元でドリルで扱う



**數學（週四）**

一、健康と食物
1. 人口と食糧
   大きな數のよみ方
   概數、概算
   折れ線グラフ
2. 偏食
   割合と圓グラフ
3. 完全な食事
   分數、小數の乘除
   步合、百分率

二、私たちの計算
整理・分數・小數の四則

**國語（週四）**

一、研究問題
どうすれば健康な精神を養うことができるか

二、教材選擇の目標
1. 思想内容、健康な心
2. 表現形式、自由詩、童話
3. 文法、品詞・名詞・代名詞

三、表現活動
學級文庫をつくる

四、基礎練習
正しい文字文章のかきかた

**圖畫工作（週二）**

一、運動具を作る
1. 弟妹や自分の運動具
2. 大人の運動具

二、クロツキー
1. お友達のクロツキー
2. 運動をしている人のクロツキー

三、健康増進に關するポスター

**音樂（週二）**

一、歌唱
1. 歌曲
   既習調、イ短調
2. 基礎練習
   讀譜・リズム・音程・發聲・八長調終止形・和音合唱

二、理論
1. イ調短音階（基礎短音階）
2. 主要三和音について

三、鑑賞
ワルツ音樂

四、健全な音樂について

**体育（週三）**

一、体育・衛生理論
運動練習法
衣服・食事の衛生
疾病の予防
スポーツと衛生
身体の衛生

二、實技
器械体操
ベースボール
バレーボール
ダンス徒手体操
陸上競技

**習字（週一）**

一、習字と姿勢
机と腰掛の高さ並びに腰かけた時と坐つた時の姿勢

二、毛筆大楷基本練習
1. 氣脈
2. 變化と統一

三、鑑賞
生徒各自の作品について

四、創作
健康に關するモツトー

五、ペン習字（夏休の宿題）

**英語（週四）**

一、文字によらず實物又は繪で問答し、きゝ方、話し方の能力をやしない英語で考える習慣をつける様に努力する

二、アルファベットの讀み方と書き方の練習

三、七月のはじめより教科書に入りHave動詞、Be動詞の練習を十分にする

# 第三單元　家庭　（九・一〇月）

**目標**

一、家庭生活の社會生活に於ける意義を明らかにする
二、家庭生活の歴史的、地理的發展を知つて生活の向上に資する
三、家庭内の成員の相互關係を明らかにし各自の立場を知つて相互に協力して生活の向上に資する
四、家庭生活に於いて經濟的に豊かになる爲にどのような点に努力すべきであるかを考察する
五、家庭に於いて文化的生活を營む爲に家庭内に於ける生活を科學的な立場から考察する

**社會（週四）**

一、種々の家庭生活
親等・父系と母系・中國の家庭・歐米の家庭
二、家庭の機能と歴史的變遷
1. 經濟的機能
2. 保護的機能
3. 教育的機能
三、戰後の家庭生活
1. 新憲法と民法
2. 經濟不安
3. 家族離散、その他
四、家庭生活の改善
科學化・民主化・社會化

**職業（週一共學）**

一、家庭の職業
1. 家で働ける職種
2. 家族の職種と特質
3. ホーム、プロゼクト
二、我家の食品種別とその生産入手過程
三、宅地の利用
1. 家庭の宅地と利用状況
2. 經營法
3. ホーム、プロゼクト
四、秋の野菜栽培法と實習

**理科（週三）**

一、家庭生活を科學的にするにはどのようにすればよいか。
二、家庭に對する反省
通風・暖房・採光・間取等
三、家庭の器具
1. いろ〳〵の器具
2. こんろとかまど
熱の移動と熱による物の膨脹
3. 家庭の電氣器具
四、燃料
1. 種類と特徴
2. 物の燃焼と酸化
3. 燃料の有効な使い方
五、家庭の防火
消火と消火器

**家庭（週二共學）**

一、明朗な家庭
1. よい家族關係
2. 各自の役割・ホームプロゼクト
3. 老人の世話・弟妹の世話・家庭禮法
二、安定ある生活
1. 安定させる方法
2. 節約の方法
3. 貯蓄について
三、簡單な食事の仕度と食卓の作法
四、よい住まい方



**數學（週四）**

一、お金の使い方
1. 計画的なお金の使い方
收入・支出・出納薄
2. 買物と物の値段
物の値段（原價・定價）
割引・損益
3. 上手な買物
二、貯蓄
1. 貯蓄の必要
日銀券とインフレ
2. 貯金の利息
利息・利率・單利複利
3. 銀行・郵便局

**國語（週四）**

一、研究問題
家庭で言語生活はどう營まれているか
二、教材選擇の目標
1. 思想内容
家庭を結ぶ力
2. 表現形式
實話・ラジオドラマ
3. 文法、動詞
表現活動
三、朗讀會をする
四、基礎練習
朗讀のしかたときゝかた

**圖画工作（週二）**

一、家庭で使う双物
1. 家庭で使う双物の調査
2. 双物の手入と利用
二、家庭で使う用具
1. 家庭で使う用具の見取圖
2. 家庭用品の設計と製作
三、衣食住と色彩
1. 衣食住の色とその配合
2. 色と混合

**音樂（週二）**

一、歌唱
1. 歌曲
既習調、ト長調、ホ短調
2. 基礎練習
讀譜・リズム・音程・發聲・和音合唱。
二、理論
1. ト調長音階・ホ調短音階
2. 長音階構成法
3. 反復記号
三、鑑賞、子守歌
四、家庭生活と音樂

**体育（週三）**

一、体育・衛生理論
家庭における体育
スポーツマンシップ
二、實技
器械体操
バレーボール
スピードボール
ダンス・徒手体操
陸上競技

**習字（週一）**

一、家庭における毛筆の使用状況の調査
實用、藝術の二方面の作品について批評鑑賞
二、中楷並びに假名の基本練習
1. 中心、字の大小、各字の傾き
2. 假名の單体法
三、ペン習字
四、
1. 手本の中から
2. 葉書の書き方
創作
（自己の表札を書く）

**英語（週四）**

英米の家庭
勉强部屋
一日の生活
家族の職業
家庭での樂しいひととき
家とその庭園
家族の年令

# 第四單元　都市と田舍　（一一・一二・一月）

| 目標 |
|---|
| 一、生活の場としての自然環境を理解する<br>二、都市と田舍が我々の生活にとってどんな役目を果しているかを理解する<br>三、都市と田舍の生活樣式を理解する<br>四、都市と田舍の相互扶助の重要性を理解し實踐しようとする態度を養う<br>五、都市と田舍の生活に於いて改善すべき重要問題について考える態度を養う |

| 社會（週四） | 職業（週一共學） | 理科（週二） | 家庭（週二共學） |
|---|---|---|---|
| 一、都市と田舍の特色、自然環境<br>1. 都市の機能・田舍の機能<br>2. 生活樣式<br>3. 人口構成<br>4. 社會問題<br>二、歴史的變遷<br>三、都市と田舍の相互關係<br>四、今後の都市と田舍の在り方 | 一、都市と田舍の職業的特質<br>二、都會で働く職業<br>1. 種　別<br>2. その特質<br>三、田舍の生活と職業<br>1. 種　別<br>2. その特質<br>四、兩者の特質比較と關連性<br>五、麥の栽培法と實習 | 一、郷土の自然環境<br>二、郷土の地形<br>1. 山、川、平地とその成因<br>2. 郷土の地形の特徴<br>三、郷土の氣象<br>1. 大氣の動き<br>大氣の運動と水の状態變化<br>2. 郷土の氣象の特徴<br>3. 日本の氣象<br>四、水と生活<br>（此の項は次の單元の期間中に） | 一、前單元のつゞき<br>二、病氣の予防と手當<br>1. 病体と健康体との相違<br>2. 簡單な病氣の原因と手當<br>3. 救急法の實習<br>4. 家庭常備藥と衛生用品 |



| 數學（週四） | 國語（週四） | 圖画工作（週二） | 音樂（週二） |
|---|---|---|---|
| 一、都市と田舍の人口<br>人口統計<br>二、産業の進歩<br>1. 農地改革<br>概　算<br>歩合、百分率<br>2. 工業の進歩<br>精密測定<br>いろいろなグラフ<br>三、圖形と生活<br>1. 物の形<br>2. 形の美しさ | 一、研究問題<br>都市や田舍で言語生活はどうおくられているか<br>二、教材選擇の目標<br>1. 思想内容、自然の表情<br>2. 表現形式、散文詩・傳說<br>3. 文法、動詞<br>三、表現活動<br>壁新聞を編集する<br>四、基礎練習<br>默讀のしかた | 一、自然形体と人工形体<br>1. 都市と田舍の自然物<br>2. 都市と田舍の器物<br>3. 都市と田舍の建物 | 一、歌　唱<br>1. 歌　曲<br>既習調、へ長調。ニ短調<br>2. 基礎練習<br>讀譜・リズム・音程・<br>發聲・和音合唱<br>二、理　論<br>1. へ調長音階・ニ調短音階<br>2. 速度、發想について<br>三、鑑賞、學校音樂會<br>四、音樂會曲目とその作曲者に對する考察 |

| 体育（週三） | 習字（週一） | 英語（週四） | |
|---|---|---|---|
| 一、体育、衛生理論<br>社會体育、スポーツマンシップ<br>環境と衛生<br>看護、救急法<br>二、實　技<br>フットベースボール<br>ポートボール<br>ゴールハイ<br>器械体操<br>ダンス・徒手体操<br>陸上競技 | 一、都市や田舍で目にふれる毛筆文字の調査と書式につき（かべ新聞・揭示板・廣告・立札・碑文）<br>二、假名運綿法と調和体の練習<br>1. 一字から三字連綿へ<br>2. 漢字と假名の調和について<br>三、創　作<br>1. 週間ポスター（宿題）<br>2. 年賀状<br>四、年賀状の蒐集（冬休の宿題） | 一、英米の學校生活<br>學校の教科目<br>教室に於いて<br>學校のクラブ活動<br>二、外國の都市及び公園 | |

# 第五單元　レクリエーション　（二・三月）

**目標**

一、レクリエーションの意義を理解する
二、レクリエーションの種類を知り適當なレクリエーションをする技能と態度を養う
三、レクリエーションによつて社會性を陶冶する

**社會（週四）**

一、レクリエーションの意味
二、レクリエーションの必要性
　1. 資本主義社會の發達
　2. 戰後の世相の明朗化
三、レクリエーションの種類と方法
　1. 學校　2. 家庭　3. 社會
四、レクリエーションの普及方法
　1. 生活の合理化
　2. レクリエーションの社會化

**職業（週一共學）**

一、レクリエーションの職業とその職種並びに特質
二、職場のレクリエーション
三、販賣實習
　1. フレーム栽培、草花の販賣實習
　2. 記帳法
四、草花栽培
　1. 春播草花とその栽培法
　2. 種子の配布とホームプロゼクト

**理科（週三）**

一、水と生活（前單元よりの續き）
　1. 上水道
　　水の分析
　　飲料水
　　水壓
　2. 下水
二、水と工業
　1. 工業用水
　2. 水の電氣分解
　3. 水の成分

**家庭（週二共學）**

一、家庭のレクリエーションの種類と方法
二、招待のし方
三、遠足・旅行の準備
　辨當又はキャンプの作り方
四、家庭の年中行事
　（總合的に取扱う予定）



**數學（週四）**

私達のスポーツ
　1. スポーツ
　　概　測
　　測定と單位
　2. スポーツの記錄
　　時　間
　　速　さ

**國語（週四）**

一、研究問題
　レクリエーションとして言語はどう働いているか
二、教材選擇の目標
　1. 思想內容、笑いと涙
　2. 表現形式、脚本、少年小說
　3. 文法、形容詞
三、表現活動
　脚本を演出する
四、基礎練習
　台詞のいいかた

**圖画工作（週二）**

一、美術の鑑賞
　1. 美術鑑賞の態度
　2. 美しい繪画
　3. 美しい彫刻
　4. 美しい工藝
　5. 美術品の材料とその美しさ

**音樂（週二）**

一、歌唱
　1. 歌曲
　　既習調・ニ長調・ロ短調
　2. 基礎練習
　　讀譜・リズム・音程・發聲、和音合唱
二、理論
　1. ニ調長音階・ロ調短音階
　2. 一部分形式
三、鑑賞
　學級音樂會
四、演奏に對する批判

**体育（週三）**

一、体育、衛生理論
　スポーツと娯樂
　衣服・食事・住居の衛生
二、實技
　器械体操・バスケットボール
　フツトベースボール・サツカー
　すもう・ダンス・徒手体操・陸上競技

**習字（週一）**

一、調和体の練習
　1. 字配り、墨つぎ
　2. 散らし方（俳句の書き方）
二、俳画展出品製作と批評會

**英語（週四）**

一、クリスマス
二、四季の樂しみ
三、誕生日

# 第六單元　農牧生産　（四・五月）

## 目標

一、衣食住の基底をなす農牧生産の重要性を理解する
二、我國及び世界の農牧生産を理解する
三、人類が自然環境を如何に利用し生産増大に努力しているかの理解をする
四、世界地誌の基礎的な理解をする
五、日本の農牧業を改善していこうとする意欲を養う

### 社會（週三）

一、戦後の食糧問題
衣料問題
二、世界諸地域の農牧生産
1. 主要産物
2. 生産額
3. 自然的條件
地勢環境・氣候環境
4. 經營樣式、生活樣式
5. 開拓の歴史
三、我國農牧業の今後のあり方

### 職業（週一共學 週二男）

一、農牧業とその特質
二、日本農業の特徴とその將來
三、農牧經營
1. 經營の分類とその方式
2. 職種とその特質
四、農牧業の長所と短所
五、農地法

一、土地の利用
二、實習地分担と栽培
三、ホームプロゼクト

### 理科（週三）

一、農牧生産を増すためにどのような努力がなされているか
二、農作物の増産
1. 植物の種類
2. 植物の生活
3. 増産のための工夫
植物の繁殖
作物の品種改良
三、動物の利用
1. 動物の種類とその利用
2. 利用を増すための工夫
一年生より隨時指導してきた昆虫・植物等の採集、繼續實驗の結果を用いて指導

### 數學（週三）

地圖の作り方
1. 狭い地域の地圖
平板測量（合同相似の條件）
平面圖形と面積
相似比と面積
測定値と誤差
度數分布表
2. 世界地圖
圓と球
心射圖・正積圖
メルカトール圖
その他



### 國語（週四）

一、研究問題
詩は人生にどんな意義をもつているか
二、教材選擇の目標
1. 思想内容、土と季節
2. 表現形式、詩・短歌・俳句
3. 文法、副詞・連体詞・接續詞・感動詞
三、表現活動
短歌會俳句會をする
四、基礎練習
辞書使用に熟練する

### 体育（週三）

一、体育・衛生理論
体育史
運動練習法
傳染病予防
二、實課
器械体操・ワンアウトボール
バレーボール・フツトベースボール
ダンス・徒手体操

### 家庭（週二・女）

一、食品加工
1. 食品の腐敗防止方法の研究
2. 野菜類の貯藏法の實習
つけもの・佃煮等
3. その他の加工法の研究
二、夏の装い
ワンピースドレスの製作
1. 活動的で着用者に適するドレスの研究
2. 適當な材料のえらび方
3. ドレス製作の基礎技術

### 習字（週一）

一、行書の基本練習
1. くずし方（楷書との比較）
2. 筆順、折返し、速度
二、行書の練習（二行六字）
氣脈、墨つぎ
三、創　作（楷書と行書の書きわけ）
四、鑑　賞（生徒各自の作品について）

### 圖画工作（週二）

一、春の山野
1. 春の草花
2. 風景画の構圖
3. 建物を主とした風景
4. 樹木を主とした風景
5. 山野を主とした風景
二、農牧生産の裝飾画
1. 圖案構成法
2. 家畜の圖案
3. 農牧に取材した圖案

### 英語（週四）

一、研究問題
平易な日常會話になれる
二、練習材料
通學途上の挨拶・途案内
紹介の仕方・お買物
お茶及び食事の會話
三、表現練習
實演—會話の調子に注意
四、次の用法に習熟させる
進行形（復習）
過去形

### 音樂（週二）

一、歌唱
1. 歌曲、既習調
2. 基礎練習
讀譜リ、ズム・音程・發聲・和音合唱
二、理論
1. 前學年の復習
2. 鍵盤樂器の發達
三、鑑賞
ピアノ・チエンバロ・オルガン曲

### 日本史（週一）

原始時代の生活
一、石器時代の生活
1. どのようにして日本人はわが國土に住みはじめたか
2. 衣・食・住・生産等の日常生活のありさま。
3. 家庭・家族・社會生活
二、金屬器の渡來と農業の開始
1. 生活の進歩
2. 社會組織の進展

# 第七單元　天然資源　（六・七・八月）

## 目標

一、生産の基底をなす天然資源を理解する
二、天然資源の種類と利用方法を理解する
三、世界に於ける天然資源の分布を理解する
四、社會福祉の爲天然資源を愛護し、利用しようとする態度を養う
五、職業としての原始産業を理解する

## 社會（週三）

一、天然資源の種類
1. 鑛産資源
2. 林産資源
3. 水産資源
4. 水資源
5. 風景資源
二、世界の分布と自然的條件
三、文化水準の向上と天然資源の利用
四、我が國の天然資源と經濟再建の問題

## 職業（週一共學）（週二男）

一、地下の資源
1. 種別と職業
2. 職種とその特質
二、山野の資源
1. 種別と職業
2. 職種とその特質
三、水・海の資源
1. 種別と職業
2. 職種とその特質

一、工藝作物
二、蔬菜栽培法と實習

## 理科（週三）

一、天然資源はどのように生活を豊にしているか
二、地下の資源
1. 地下資源の生成
2. 金屬資源とその利用
3. 石炭
4. 石油
5. 其の他の地下資源
三、海の資源
1. 食塩とその利用
2. 海の生物資源

## 數學（週三）

一、天然資源の統計
指數
二、投資
1. 利息の計算
$S=a(1+nr)$,
$S=a(1+r)^n$
文字の使用
括孤の用法、指數法則
2. 投資
株・債券
現價・配當・利まわり
經濟指數



## 國語（週四）

一、研究問題
新聞はどう編集されているか
二、教材選擇の目標
1. 思想内容、世界の富
2. 表現形式、隨筆・報告文
3. 文法、助詞
三、表現活動
學級新聞を編集する
四、基礎練習
話しあいの上手なはこびかた

## 家庭（週二・女）

一、前單元のつゞき
二、夏の生活
1. 夏季の住い方
2. 夏季の衛生
3. 季節向献立と調理法

## 圖画工作（週二）

一、木材
1. 木材の用途
2. 木材の性質
3. 木材による構成
二、木製品
1. 木製品の設計
2. 木製品の製作
3. 木製品の塗裝
三、家庭及び學校の施設用具の修理

## 音樂（週二）

一、歌唱
1. 歌曲
既習調・變ロ長調・ト短調
2. 基礎練習
讀譜・リズム・音程・發聲・和音合唱
二、理論
1. 變ロ調長音階・ト調短音階。
2. 二部分形式
三、鑑賞、民謡
四、世界の民謡について

## 体育（週三）

一、体育・衛生理論
体育史
餘暇の利用・自然と身体
二、實課
器械体操
ソフトボール
バレーボール
ベースボール・ダンス・
徒手体操
陸上競技

## 習字（週一）

一、行書の練習（二行八字）
1. くずし方の理解を深める
2. 書寫に習熟させる
3. 臨書から背臨へ
二、鑑賞（支那の古法帖）
三、ペン習字（國語より）
四、創作（行書でかく）

## 英語（週四）

一、研究問題
名作物語を讀む
二、練習材料
イソップ物語・偉人傳・神話・傳説
詩―歌唱
三、表現練習
讀み方・聞き方・發音
四、次の用法に習熟させる
能動態と受動態

## 日本史（週一）

古代日本國家の成立
一、大和朝廷の統一と氏姓制度下の政治・經濟・社會
二、對外關係と文化の發展
1. 物質文明の進歩
2. 精神文明の進歩
三、高度の統一への努力
1. 文化の發展と氏姓制度の變質
2. 大化の改新
3. 改新より奈良時代の政治・經濟・社會・文化

# 第八單元　近代工業　（九・一〇月）

## 目　標

一、生活水準を規定する近代工業の重要性を理解する
二、近代工業の種類とその現況を理解する
三、近代工業の發達に對する機械の役割を理解し更に改善しようとする態度を養う
四、近代工業の社會生活に對する影響を理解し改善への意欲を養う
五、職業としての近代工業を理解する

### 社　會（週　三）

一、日本・世界の工業地帶
二、種類と生産樣式
家內工業・工場工業・輕工業・重工業など
三、工業地帶の自然的條件・社會的條件
四、近代工業の發展とその影響
1. 社會組織
2. 生活樣式
3. 社會問題
五、我國の工業と經濟再建の問題

### 職　業（週一共學）（週二男）

一、工業の意義
二、工業の分類とその特質
三、工場の實態（見學）
四、工業職種とその特質
五、工業の長所と短所

---

一、家庭用具の工作
（ファーム、メカニツクス）
二、農産加工
（ホーム、プロゼクト）

### 理　科（週　三）

一、機械は近代工業の發達にどのような役割を果しているか
二、機械と仕事
1. 道具と人類
2. 力と仕事
3. 單一機械
4. 組合せ機械
5. 機械を使うと仕事はどのようにはかどるか
三、各種の原動機
1. 蒸氣機關
2. 內燃機關
3. 水力機關
4. 電動機その他
四、機械と近代工業

### 數　學（週　三）

一、機械と力
1. まさつ
力とはかり
まさつの測定
比　例
$y=ax$とグラフ
2. て　こ
てこの實驗
反比例
$y=\frac{a}{x}$とグラフ
3. いろ〳〵な比例
二、求積法
1. 立体圖形と体積
2. 相似比と体積



### 國　語（週　四）

一、研究問題
映画はどうしてつくられるか
二、教材選擇の目標
1. 思想內容、文明への努力
2. 表現形式、シナリオ・傳記
3. 文法、助詞・助動詞
三、表現活動
シナリオをつくる
四、基礎練習
速讀と大意把握

### 家　庭（週二、女）

一、秋の裝い
ワンピースドレスの製作
（制服を主に取扱う予定）
內容は夏の裝いに同じ、毛織物の扱い方を含む

### 圖画工作（週　二）

一、機械と製圖
1. 家庭で使う機械
2. 木工に使う機械
3. 金工に使う機械
4. その他の機械
5. 機械製圖

### 音　樂（週　二）

一、歌　唱
1. 既習曲
短調・イ長調・嬰ヘ短調
2. 基礎練習
讀譜・リズム・音程・發聲・和音合唱
二、理　論
1. イ調　長音階・嬰へ調短音階
三、鑑　賞
2. 簡單な器樂形式
メヌエツト・ガボツト・マーチ等

### 體　育（週　三）

一、體育衞生理論
體育史
レクリエーションと体育
職場衞生
二、實　課
器械体操・スピードボール
ボートボール・ダンス・
徒手体操
陸上競技

### 習　字（週　一）

一、草書の基本練習
1. 三体の比較
2. 草書としてのくずし方
二、創作（三体の書き別け）
三、鑑賞（生徒の創作品について）

### 英　語（週　四）

一、研究問題
日記及び手紙文
二、練習材料
模範日記及び手紙文
外國から來た手紙
日記及び手紙の書き方
三、表現練習
簡單な日記及び手紙文をかく
四、次の用法に習熟させる
助動詞 will. shall. have. may. can. must.

### 日本史（週　一）

公家の社會と文化
一、律令政治維持の努力
二、律令政治の變質
三、莊園制度と公家
1. 攝關政治
2. 經濟と社會
3. 公家の日常生活
4. 公家と文化
四、武士のおこり
1. 地方のありさま
2. 莊園・公家と武士
3. 平氏の政治と文化

# 第九單元　交通通信　（一一・一二月）

## 目標

一、近代社會の動脈としての交通通信の重要性を理解する
二、交通通信の種類並びにその歴史的發展を理解する
三、いろいろな交通通信機關の構造と機能を理解しこれを發達せしめようとする態度を養う
四、交通通信業の社會的重要性を理解する
五、世界文化の交流と人類の提携を圖ろうとする態度を養う

### 社會（週三）

一、交通通信の現状
二、歴史的變遷
三、交通通信の發展とその影響
1. 經濟組織
2. 社會組織
3. 生活様式
4. 國際關係
四、我國の交通通信と再建

### 職業（週一共學　週二男）

一、交通運輸
1. 交通運輸業の種別とその特質
2. 職種と就職過程
3. 交通運輸業の長所と短所
二、通信
1. 通信業の種別とその特質
2. 職種と就職過程
3. 通信業の長所と短所

一、果樹の栽培
二、苗床

### 理科（週三）

一、交通々信機關はどのように生活を豊かにしているか
二、交通機關
1. 交通機關の種類
2. 汽車
3. 舟
4. 電車・航空機その他
三、通信機關
1. 通信機關の發達
2. 音と通信
3. 電話機と電信機
4. ラヂオと電氣通信
電氣通信・航空機については世界と我等の項で再び取扱う

### 數學（週三）

數と式
1. 言葉としての數
2. 正の數・負の數
負の數の概念
正の數・負の數の四則
正の項・負の項
對絶値
交換法則・結合法則
數値計算



### 國語（週四）

一、研究問題
手紙はどうかくべきか
二、教材選擇の目標
1. 思想内容、旅と人生
2. 表現形式、手紙文・紀行文
3. 文法、助動詞
三、表現活動
小冊子を編集する（手紙のかきかた）
四、基礎練習
手紙文のかきかた

### 体育（週三）

一、体育、衛生理論
体育の目標
結核の豫防
二、實課
器械体操・タッチフットボール
ゴールハイ・バスケットボール
ダンス・徒手体操・陸上競技

### 家庭（週二、女）

一、前單元のつゞき
二、衣服の手入と保存
三、冬の迎え方
1. 冬の住い方
2. 防寒用品の作製
3. 温い保健食

### 習字（週一）

一、調和体の練習
1. 變化と統一
2. 調和体についての研究
二、色紙・短冊の書式の研究
三、調和体の速寫
四、展覧會準備

### 圖画工作（週二）

一、形体と機能
1. 動物や人物の機能と形
2. 交通機關の機能と形
二、交通機關の形と色
1. 自動車
2. 電車・汽車
3. 航空機
4. 船舶

### 英語（週四）

一、研究問題
米英の風物
二、練習材料
ロンドンの氣候
クリスマスの行事・讀みもの・詩
三、表現練習
實演―クリスマス劇
朗讀―詩
暗誦―短い物語
四、次の用法に習熟させる
現在完了形

### 音樂（週二）

一、歌唱
1. 歌曲・既習調
2. 基礎練習
讀譜・リズム・音程・發聲・和音合唱
二、鑑賞
學校音樂會
三、音樂會曲目とその作曲者に對する考察

### 日本史（週一）

武家の社會と文化
一、武家の政治
1. 鎌倉幕府の盛衰
2. 建武中興・室町幕府
3. 荘園と武士
4. 戰國時代の群雄割據
二、武家の社會と經濟
1. 武家の生活
2. 農業の發達と農民の生活
3. その他の産業の發達
4. 商業・交通の發達
5. 市の起りと都市の發達

# 第一〇單元　災害防止　（一・二・三月）

**目標**

一、災害による損失の甚大なことを知つて防災の重要性を理解する
二、災害の種類と原因を理解する
三、災害に對する科學的對策を理解しこれを發達させようとする態度を養う
四、防災に對する社會の施設を知りこれに努力する態度を養う
五、人類愛をもつて被害者を救濟しようとする態度を養う

**社會（週三）**

一、災害の種類と原因
水害・颱風・雪害・地震
火山噴火・火災・交通事故
工場災害、其の他
二、世界や日本の頻度分布と損害
三、防災方法
1. 防災科學の發達と普及
2. 社會協力

**職業（選週一共學 週二男）**

一、災害防止の施設
1. 種別と特質
2. 職種と就職過程
二、肥料工業
1. 肥料の必要
2. 製造工程と職種
3. 肥料工業の長所と短所
三、就職の實態調査と統計

一、豊作と凶作

**理科（週三）**

一、自然の災害を少なくするためにどのような努力がなされているか
二、
1. 地震とその災害
2. 建築材料と強度
3. 家屋の構造と強度
4. 耐震家屋
三、颱風の災害
1. 颱風の發生とその災害
2. 颱風の予知
3. 水害の防止
四、その他の災害
1. 津浪
2. その他の災害

**數學（週三）**

一、氣象と數學
1. 氣温・氣壓・天氣圖
2. 比例・反比例
一次式
二、式の計算
等式・不等式
一次方程式
分數・小數の四則
正の數・負の數の四則
式の計算



**國語（週四）**

一、研究問題
小説はどうよむべきか
二、教材選擇の目標
1. 思想内容、生活を見つめて
2. 表現形式、小説
3. 文法、敬語
三、表現活動
講話會をする
四、基礎練習
多勢の前でおちついて話す

**家庭（週二、女）**

一、病人の看護
1. 家庭看護の要領
2. 病人食の實習
二、乳幼兒の生活

**圖画工作（週二）**

一、美術の生命
1. どんな繪画が長く殘つているか
2. どんな彫刻が長く殘つているか
3. どんな建築・工藝が長く殘つているか
4. 美術の保存

**音樂（週二）**

一、歌唱
1. 歌曲
既習調・變ホ長調・ヘ短調
2. 基礎練習
讀譜・リズム・音程・發聲・和音合唱
二、理論
1. 變ホ調長音階・ヘ調短音階
2. 音程
三、鑑賞
1. 組曲、2. 學級音樂會

**体育（週三）**

一、体育、衛生理論
体育の目標
救急法
運動障害
二、實課
器械体操・バスケツトボール
サツカー・ドツチボール
すもう・ダンス・徒手体操

**習字（週一）**

一、展覽會準備
條幅の書式
二、毛筆の葉書と手紙の書き方
三、履歴書其の他届書類の書式
四、創作（災害見舞の文）
五、鑑賞（古今の名家の書簡について）

**英語（週四）**

一、研究問題
名作物語を讀む
二、練習材料
イソツプ物語・偉人傳・神話・傳説・童話
詩―童謡詩
三、表現練習
讀み方・聞き方・話し方
四、次の用方に習熟させる
復習（一學年を通じて）

**日本史（週一）**

武家の社會と文化（續き）
三、武家の文化
1. 佛教と學問
2. 文學と藝能の發展
3. 繪畫・彫刻・建築・工藝
四、室町幕府末期の世相
五、對外關係
1. 元寇
2. 對明・對鮮貿易
3. ヨーロツパ人の渡來・キリスト教・貿易

# 第二單元　經濟生活　（四・五月）

## 目標

一、經濟機構に關する基礎的な理解をする
二、我國民の生活水準が低いことを理解し、解決の能力を得を養う
三、經濟生活を合理的に營む態度や能力を養う
四、商業や金融業の社會的重要性を理解する
五、經濟道德が民主社會建設の根柢をなすことを理解しこれを實踐しようとする態度を養う

## 社會（週四）

一、我國生活水準の現狀
1. 最低生活水準
家計・物價と賃金
エンゲル系數
2. 經濟九原則下の經濟生活
國民所得、稅金、財政、產業・金融・經濟政策
二、社會問題
三、生活水準向上の方法

## 職業（週一共學　週二男）

一、經濟生活と職業
二、經濟變動と職業
三、交易機構
1. 商業取引
2. 消費組合
四、金融業の種別とその特質
五、職種と就職過程

---

一、經濟生活と薄記
二、薄記の形式と實習
三、工業と製圖

## 理科（週四）

一、身のまわりのものはどのようにして作られているか
二、着物
1. 衣服の材料
2. 天然纖維
3. 紙と皮製品
4. 人造絹糸
5. 紡績
三、染料
1. 染料の種類
2. 染色
四、石鹼
製造、洗滌作用と使い方
五、醫藥と消毒劑

## 數學（週三）

一、備えある生活
1. 家計の經營
步合・百分率
2. 國の予算と決算
歲出入と稅
3. 安全保障
保險・年金
二、商業取引と金融機關
小切手・手形
割引・現價



## 國語（週四）

一、研究問題
わが國の古典はわれ〳〵に何を殘しているか
二、教材選擇の目標
1. 思想內容、金と人間
2. 表現形式、日本古典文學
三、3. 文法、詞（文語）
表現活動
注釋書をつくる
四、基礎練習
現代かなづかいを正しく

## 家庭（週二女）

一、家庭經濟
1. 收入と支出
2. 予算と生活
3. 上手な買物
二、家庭生活の能率
時間と勞力の上手な使い方
三、日常食の工夫
1. 春の食品と献立
2. 粉食
3. 共同炊事
四、單長着の製作
（內容は次單元の所に記入）

## 圖画工作（週二）

一、機能と美
1. 器物・器具・機械の機能(用)と美
2. 自動車・汽船などの機能と美
3. 建築の機能と美
二、動物の描寫
三、人物の描寫

## 音樂（週二）

一、歌唱
1. 歌曲、既習調
2. 基礎練習
讀譜・リズム・音程・發聲・和音合唱
二、理論
1. 前學年の復習
2. 短音階構成法
三、鑑賞
シンフォニー

## 体育（週三）

一、体育、衛生理論
体育史・國民榮養・生活と健康
二、實課
器械健操・ベースボール・バレーボール・フットボール
ダンス・徒手体操

## 英語（週四）

一、研究問題
童話・詩を樂しむ
散文と韻文との相違を學ぶ
二、練習材料
Spring, Falling Snow
その他スティヴンスンのものなど
三、表現練習
詩の暗誦・朗讀をする
詩を譯してみる
四、唱歌をやる
文法練習
現在完了

## 日本史（週一）

近世の封建社會
一、近世封建制の成立
1. 信長の統一
2. 秀吉の統一と桃山文化
3. 江戸開府
二、近世の政治と社會
1. 江戸幕府
2. 朱印船貿易
3. 切支丹宗
4. 鎖國
5. 近世社會の組織

# 第一二單元　文化　（六・七・八月）

**目標**

一、文化の種類と本質を理解する
二、文化が生活にうるおいを與えることを理解しこれを正しく發達させようとする態度を養う
三、社會の公共財としての文化の重要性を理解しこれを尊重しようとする態度を養う
四、我國の文化の特質を理解し正しい文化傳統を尊敬し維持する態度を養う
五、文化國家を建設し人類の福祉に貢献しようとする態度を養う

**社會（週四）**

一、文化の種類と社會的重要性
衣食住・藝術・宗教
學問・政治
二、我國文化の變遷と外國文化
文化の傳承と變化
三、文化をはばむ社會的條件
四、健全な文化向上の方法

**職業（週一共學　週二男）**

一、文化と職業
1. 公務員
2. 自由業
二、特質と職種並びに就職過程
三、働く人の教養
1. 職場の文化施設
2. 修養と趣味

---

一、農業簿記と珠算
二、竹材と人生
1. 利用
2. 製作

**理科（週四）**

一、星の研究は文化とどのような關係があるか
二、天文學の發達
1. ギリシヤ時代の天文學
2. 天動說から地動說へ
三、星の研究はどのようにしてなされるか
1. 宇宙と光
2. 望遠鏡の發達
四、太陽と地球
1. 地球と他の遊星
2. 太陽
3. 恒星と宇宙
五、季節と星
1. 季節と曆
2. 時間はどうしてきめるか
3. 季節による星の動き

**數學（週三）**

文化と數學
一、文明の進歩と數學
1. 數學史
2. 數量の役割
3. 圖形の役割
二、函數關係の表現
1. 函數と式
2. 座標
3. 函數とグラフ
4. 一次函數とグラフ
5. 二次函數（$y=ax^2$）とグラフ
6. その他の函數とグラフ



**國語（週四）**

一、研究問題
わが國の文化は外國文學からどんな影響を受けてきたか
二、教材選擇の目標
1. 思想内容、眞理と美
2. 表現形式、外國文學
3. 文法、詞（文語）
三、表現活動
飜譯をする
四、基礎練習
當用漢字と教育漢字

**家庭（週二女）**

前單元のつゞき
一、單長着の製作
1. 長着の形式及び構成
2. 單長着に適する布地・色・柄
3. 仕立方
（和服裁縫の基礎）
4. 和服の得失
二、服装と文化

**圖畫工作（週二）**

一、コンクリート工
1. 現代の文化的施設とコンクリート
2. コンクリート工の用具材料
3. コンクリート施工法

**音樂（週二）**

一、歌唱
1. 歌曲
既習調・ホ長調・嬰ヘ短調
2. 基礎練習
讀譜・リズム・音程・發聲・和音合唱
二、理論
1. ホ調長音階・嬰ヘ調短音階
2. 三部分形式
三、鑑賞
オラトリオとオペラ曲

**体育（週三）**

一、体育、衛生理論
体育史
体育の社會化
生活と健康
二、實課
器械体操・ベースボール
バレーボール・テニス
ダンス・徒手体操
陸上競技

**英語（週四）**

一、研究問題
傳說・物語を樂しみ、なるべく多讀して語法に慣れる
二、練習材料
ギリシヤ神話・イソップなどあるが、なるべく現代的なものを多くする
三、表現練習
實際に物語を話し、聽く
物語の註釋をつける
四、文法練習
關係代名詞

**日本史（週一）**

前單元のつゞき
三、近世の文化
1. 元祿の世相と文化
2. 近世の學問
四、封建制度の衰亡
1. 町人勢力の向上
2. 世界の動きと幕末の外交問題
3. 開港
4. 江戸幕府の滅亡
5. 封建社會の終末

# 第一三單元　個人と共同生活　（九・一〇月）

**目標**

一、社會に於ける個人の意義を自覺し社會福祉の增進に努力しようとする態度を養う
二、自已の個性を理解し人格を發展させようとする態度を養う
三、個人的、社會的、公民的資質を身につけようとする態度を養う
四、自分に適した職業を選びすぐれた職業人として社會に貢献しようとする態度を養う
五、基本的人權を重んじ他人と協調しようとする態度を養う

**社會（週四）**

一、個性と個性を規定する條件
遺傳・環境・發達・成長・性格
二、基本的人權
三、社會に貢献した偉人とその方法
四、福祉社會建設の方法
1. 共同生活への適合と協力
2. 環境の改善

**職業（週一共學 週二男）**

一、個性と職業
二、個性調査と適性檢査
三、自已内省と進學並びに適職
四、職業と倫理

一、商業薄記と珠算
二、筆墨とその製作

**理科（週四）**

一、公衆衛生に對して我々はどのように協力せねばならないか
二、共同生活と傳染病
1. 病氣の種類
2. 傳染病と病源体
3. 予防と治療
三、其の他の病氣
1. 寄生虫病の撲滅
2. 其の他の病氣
四、國民病としての結核
1. 我國の結核
2. 結核の對策
五、公衆衛生と個人の協力

**數學（週四）**

問題解決と式
一、一次方程式
二、等式の變形
單項式の四則
公式の變形
括弧の用法
三、連立一次方程式
四、式の計算
$(a+b)^2=a^2+2ab+b^2$



**國語（週四）**

一、研究問題
社會においてよい言語生活をするにはどんな心得が必要か
二、敎材選擇の目標
1. 思想内容、かおり高い人格
2. 表現形式、經典・實用文
3. 文法、辞（文語）
三、表現活動
創作をする（小説・詩集・脚本）
四、基礎練習
實用的な書式になれる

**家庭（週二女）**

一、交際
1. 相互扶助
2. 招待・訪問の心得
3. 贈答の方法
4. 招待・料理
5. 室内装飾（家庭における）
二、帯又は羽織の製作
（内容は次單元の所に記入）

**圖画工作（週二）**

一、室内装飾
1. 日本間の室内装飾
2. 洋間の室内装飾
3. 敎室その他の室内装飾
二、學校美術展覧會の施設計画
1. ホームルームの作品展示
2. 生徒會の作品展示

**音樂（週二）**

一、歌唱
1. 歌曲
既習調・變イ長調・ヘ短調
2. 基礎練習
讀譜・リズム・音程・發聲・和音合唱
二、理論
1. 變イ調長音階・ヘ調短音階
三、鑑賞
絕對音樂と標題音樂

**体育（週三）**

一、体育、衛生理論
体育の目的
スポーツマンシップ
公衆衛生
二、實課
器械体操・スピードボール
ゴールハイ・テニス
ダンス・徒手体操・陸上競技

**英語（週四）**

一、研究問題
會話、劇を學ぶ
對話の調子、身振り、作法に慣れる
二、練習材料
At the Hotel, A Visit
その他ごく簡單な劇など
三、表現練習
會話劇の實演
物語を劇にする
四、文法練習
不定法

**日本史（週一）**

明治維新
一、維新前後の世界と日本
1. 明治維新の成立
2. 國内の諸改革
3. 世界の動向
二、維新後の社會的變化
1. 社會經濟の變化
2. 西洋文化の輸入

# 第一四單元　社會組織　（一一・一二月）

**目標**

一、社會組織の現状を理解し、民主社會の建設に努力しようとする態度を養う
二、社會組織の歴史的背景を理解する
三、共同社會の生活に社會組織が必要であることを理解し社會に對して連帶の責任を負おうとする態度を養う
四、社會組織のうつりかわりによる職業の變遷を理解し、正しい職業觀を確立する
五、民主主義の原則を理解し、これを社會組織に生かして行こうとする態度を養う

**社會（週四）**

一、社會組織の歴史的變遷
二、經濟組織の現状
1. 農地改革
2. 協同組合
3. 私的獨占禁止法
4. 國家管理
三、政治組織
1. 選擧と國民投票
2. 三權分立
3. 地方自治
4. 人格と自由の保障

**職業（週一 男一 共學）**

一、社會組織の變遷と職業
1. 職種
2. 職業の社會に對する影響
3. 職業觀
二、先輩者の指導（講話）
1. 職業安定所員
2. 知名職業人
3. 學窓先輩者等
一、工業簿記と珠算
二、木金工業とその工作

**理科（週四）**

一、電氣はどのように利用されているか
二、電燈と電熱器
1. 電池と電流
2. 電流による發熱
3. 電燈
4. 電熱器
三、モーターと發電機
1. モーターの原理と應用
2. 發電機
3. 交流と直流
四、その他の利用

**數學（週三）**

一、工作と設計圖
1. 簡單な圖形と性質
2. 投影
3. 三平方の定理
4. 平方と平方根
二、圖形の美
1. 對稱形
2. 模樣
3. 回轉体



**國語（週四）**

一、研究問題
國語國字にはどんな改善すべき問題があるか
二、教材選擇の目標
1. 思想内容、正しい政治
2. 表現形式、論説、法文
3. 文法、辞（文語）
三、表現活動
辯論會をする
四、基礎練習
組織的な話しあいになれる

**家庭（週二、女）**

前單元のつゞき
帶又は羽織の製作
一、帶
1. 帶の役目と種類・材料
2. 仕立方
3. 結び方・しめ方
二、羽織
1. 羽織の役目と種類及び材料
2. 仕立方
（和服裁縫の基礎）

**圖画工作（週二）**

一、金屬製品設計・製作・修理
1. 學校の金屬製品の修理
2. 家庭の金屬製品の修理
3. 金屬製品の設計と製作

**音樂（週二）**

一、歌唱
1. 歌曲、既習調
2. 基礎練習
讀譜・リズム・音程・發聲・和音合唱
二、鑑賞
學校音樂會
三、音樂會曲目とその作曲者に對する考察

**体育（週三）**

一、体育、衞生理論
体育の目的
社會人としての健康
健康保險制度
二、實課
器械体操・タッチフット
ボール
バスケットボール・コー
ナーボール
ダンス・徒手体操
陸上競技

**英語（週四）**

一、研究問題
米英の風物を學び、その理解と關心をたかめる
二、練習材料
The Pilgrims, The Christmas Bells など
三、表現練習
米英の風物・歴史・社會などをしらべて發表する
四、文法練習
動名詞、分詞構文

**日本史（週一）**

近代日本の意味
一、立憲政治
1. 自由民權運動
2. 國會の開設
二、近代の外交
1. 明治初期の外交
2. 條約改正
3. 日清・日露戰爭
三、近代の社會と文化
1. 産業の發達
2. 資本主義の發展
3. 明治の文化

# 第一五單元　世界と我等　（一・二・三月）

## 目標

一、世界は文化的、政治的、經濟的に密接な關連のあることを理解し、その交流に貢献しようとする態度を養う
二、國際親善に對する自己の役割を理解し、國際人として正しく振舞う態度を養う
三、複雜な國際關係を科學的に把握しようとする態度と技能を養う
四、正常な國際關係を速かに再開し、これを維持する爲に努力しようとする態度を養う
五、戰爭による不幸の甚大なることを理解し、平和の爲に努力しようとする態度を養う

## 社　會（週　四）

一、世界不和の原因
二、國家の相互依存關係
　1. 國際法
　2. 經　濟
　3. 文　化
三、世界平和への努力
　1. 世界憲章
　2. 國連の組織
四、世界平和と日本の立場

## 職　業（週一共學）（週二男）

一、國際的職業と職種並びにその特質
　1. 外　交
　2. 貿　易
　3. 移　民
　4. 觀　光
二、就職決定
　1. 案　内
　2. 斡　旋
　3. 書　類

---

一、家計簿記と珠算
二、日本窯業と工作

## 理　科（週　四）

一、世界をつなぐもの
二、ラヂオと無線通信
　1. ラヂオの構造とはたらき
　2. 無線電信
　3. その他
三、航空機
　1. 現代の航空機
　2. 航空機の將來
四、原子力時代

## 數　學（週　三）

一、距離と廣さの測定
　1. 概測
　2. 平板測量
　3. その他
二、高さの測定
　1. 三角比
　2. 三平方の定理
三、精密測定
四、誤差と近似値



## 國　語（週　四）

一、研究問題
　日本語は世界にどんな位置をしめているか
二、教材選擇の目標
　1. 思想內容、人類愛
　2. 表現形式、現代文學
　3. 文法、文章法
三、表現活動
　雜誌を編集する
四、基礎練習
　速度のある書寫能力

## 家　庭（週二女）

一、コートの製作
　制服上衣・ジャケット等の製作
　（洋服給裁縫の基礎）
二、女性の自覺
　1. 理想的なよい家庭婦人
　2. 社會への女子の進出
三、婦人と世界平和

## 圖画工作（週　二）

世界文化と日本美術
　1. 日本美術は世界文化に如何なる貢献をしたか
　2. 西洋美術は如何に發達したか
　3. 東洋美術は如何に發達したか

## 音　樂（週　二）

一、歌唱
　1. 歌曲、既習調
　2. 基礎練習
　讀譜・リズム・音程・發聲・和音合唱
二、理論
　ソナタ形式
三、鑑賞
　聲樂・器樂名曲より
四、現代の音樂界

## 体　育（週　三）

一、体育、衛生理論
　体育の目的
　國際競技
　國民優生の意義
二、實課
　器械体操・バスケットボール
　サツカー・ハンドボール
　すもう・ダンス・徒手体操

## 英　語（週　四）

一、研究問題
　手紙・日記の書き方を學ぶ
二、練習材料
　A letter from camP,
　A letter of aPPlicaton,
　など
三、表現練習
　實際に手紙・日記を書く
四、文法練習
　分詞構文

## 日本史（週　一）

現代の日本
一、政治の變遷
　1. 第一次世界大戰と日本
　2. 國內の政治的事情の推移
　3. 滿洲事變より太平洋戰爭へ
二、大正・昭和の社會と文化
三、民主日本の建設
　1. ポツダム宣言の受諾
　2. 終戰直後の世相
　3 混亂より再建へ

## 四、綜合カリキユラムの類型と批判

綜合カリキユラムは、教科学習を中心としているから教科担任制を原則としている中学校においては研究され多くの類型がある。社会科、理科、職業家庭科を中心として生活学習のコースを決定し、その他の教科を協力課程として組織したコア・カリキユラムに極めて接近したカリキユラムから、各教科の單元内容の相関関係を考えた相関カリキユラムに接近したカリキユラムに至るまで極めて多種多様の類型が生み出されている。

教科中心から生活中心へのカリキユラムの在り方に対する決定的な方向づけに対して、コア・カリキユラムに対する困難が、綜合カリキユラムにおいて中学校教育のカリキユラムの在り方を一応解決したことになる。しかしこのカリキユラムに於ける綜合の問題は、單に綜合單元の設定によつてのみ解決されるべきものでなく、実際指導に当る教師の指導の綜合にある。生徒の取り組む單元は一つであるが、その学習内容によつて幾人かの教師に分かたれた指導になるのである。その場合に生徒の学習の発展に応じて、必要な指導が必要に応じてなされるような組織が可能ならば、非常に効果的に学習がなされるであろう。学習の展開がそのように理想的にできるような日々の学習活動の時間割の作成に対する研究も必要であるが、教師の数或は学校施設等に実施の困難がいつも伴なつている。綜合のために教科そのものの独自の性格を否定する結果になつては、角を矯めて牛を殺す結果になる。観念で考えられた教科は論理的知識の体系であつた。今日、教科に対してこのような考え方を持つことは許されない。生活と結びついた知識の必要、生活能力の内容を構成する知識、技能によつて意味づけられた教科の存在を否定する必要はない。過去の教科学習の弊を以て直ちに教科学習に疑問をもつことに対して、われわれは



今日反省の時期にある。國家の文教政策として、中学校以上に教科による免許状の下附其他教科による学習指導要領を示しているのであるから、新しい意味における教科観を確立する必要がある。

以上、中学校教育におけるカリキユラム研究の歩んだ二つの方向について考察を加えたのであるが、それは最も類型の多いものであり、特色のあるものを取りあげたのみである。われわれは、新しいものを求めるという意味ではなく、新教育の本質的なものを求めるという意味で、コア・カリキユラムや綜合カリキユラムの行き方を考え、実験し、評價して最も平凡な教育課程を決定した。われわれは常に最も妥当な普遍性のあるカリキユラムの作成を念願している。即ち、特別な教育組織や学級編成を要しないで、何処の学校でも容易に実施出来るような教育課程でなければならないことを念願している。カリキユラムの地域化、特殊化の問題は、その実施の面に於て学習を展開するときに考えらるべきものである。



# 第三章　標準教育課程の全体計画

## 一、性　　格

われわれが標準教育課程の成案を得るまでに終始一貫してもつていた根本的態度は既に随所で述べて来たが、それをまとめて見ると、次のようである。

1、現行中学校のカリキユラム基準の重視、学校教育法施行規則の規定と昭和二十四年五月二十八日、文部省学校教育局長の通達による中学校の教育課程と時間配当表を基礎にする。

中学校の教育課程と時間配当表（時間数は年間の最大最少を示す）

このカリキュラムは、教科を平面的に羅列してあるから、伝統的なカリキュラムのたてまえをとつている。しかし、この基準を尊重して、これを基盤として教育課程を設定したい。即ち、このカリキュラムの教科の区分をのこしてその中でできるだけの近代化をはかりたい。

| 教科 | 学年 | I | II | III |
|---|---|---|---|---|
| 必修教科 | 國語 | 140—210 | 140—210 | 140—210 |
| | 習字 | 35—70 | 35—70 | |
| | 社会 | 140—210 | 105—175 | 140—210 |
| | 日本史 | | 35—105 | 35—105 |
| | 数学 | 140—175 | 105—175 | 105—175 |
| | 理科 | 105—175 | 140—175 | 140—175 |
| | 音楽 | 70—105 | 70—105 | 70—105 |
| | 図画工作 | 70—105 | 70—105 | 70—105 |
| | 保健体育 | 105—175 | 105—175 | 105—175 |
| | 職業家庭 | 105—140 | 105—140 | 105—140 |
| | 小計 | 910—1015 | 910—1015 | 910—1015 |
| 選択教科 | 外國語 | 140—210 | 140—210 | 140—210 |
| | 職業家庭 | 105—140 | 105—140 | 105—140 |
| | その他の教科 | 35—210 | 35—210 | 35—210 |
| 特別教育活動 | | 70—175 | 70—175 | 70—175 |



2、生徒の全体的な成長発達を考え、学習の全体計画によつて、各教科の占める位置をはつきりさせたい。平面羅列的な各教科を立体的傾斜的に組織して、学習の深化と発展を考える。

3、教科の学習領域の不自然な統合をさけたい。

4、教師の指導能率を高めたい。教師の指導能力を最高に発揮させたい。中学校の教師は教科単位の免許状の所持者であり、専門教科の担任者である。したがつて、全体計画における教科の位置を明かにして教師の指導領域を決定しなければならない。

5、生徒の学習や経験に統一を与えたい。綜合単元により、主要な生活領域によつて単元を構成することは統一を与えることにとつて極めて必要なことであるが、稍もすれば成人の生活領域を対象とすることが多い。学習の深化による分化的な学習領域に発展することや、知識の収得には生徒の能力の発達段階を考慮しなければならないことを考えなければならない。教科の縦横の関連によつて統一を与えて、学習の深化を図らなければならない。

以上のような根本態度を以てわが校の綜合カリキュラムの効果を判定して標準教育課程を決定したのである。

## 二、決定方式

生徒の学習能力や興味の発達と中学校の各教科の指導内容を考慮して次のような学年の綜合主題を設定した。

中学一年　生活圏

生活の基盤としての自然環境と生活の諸問題を解決させる。生活環境として身近な家庭、学校から國土、世界まで経験領域を拡張する。家庭、学校等の身近な生活環境は、物質的精神的に自分の生活と関係の深い問題の解決を考えることは出来るが國土、世界の問題は自然的な環境と生活の結びつきの問題を考える以上に発展しない。即ち人間がどのように自然を利用して来たかを考えさせるのが目的である。

〔近代産業時代の生活に関する諸問題を解決する。産業革命は近代生活の夜明

中学二年　近代生活　けである。生産組織や生産方法の発達は如何程に生活を豊かにしたか、又その反面にどんな社会問題が起つたかを考えさせる。即ち、社会の活動力である生産の現状をとおして自己の生活を考えさせるのである。

中学三年　理想的社会　民主生活の諸問題を解決して、民主的な社会の理想的な姿と個人のあり方を考えさせる。義務教育の完了する生徒に新憲法に立脚する正しい世界観の芽ばえを与えたい。

そして、これ等の綜合主題のもとに、各教科は教科としての最も効果的であり、生活学習の趣旨にそう方針によつて独特の課程を設けるのである。生活学習の趣旨にそうということは、社会科、職業家庭科の課程との関連を充分に考慮することである。その結果、各教科の単元計画の上の重複をさけることが必要な場合もあれば、学年の発達段階の上から、学習内容の縦の関連を有効に発展的に取り扱うために重複の必要も考えることができる。例えば「交通機関の発達はどのように私たちの生活を変えただろうか」の単元に於て、その学習内容として、社会科、職業家庭科、理科、其の他の教科に於てその領域を設定された場合に、社会としては中学一年の発達段階に適当であつても、理科としては必ずしも適当であるとは考えられない。蒸気機関や電気の研究は、中学三年で取り扱うことが適当であるかも知れない。このような理由によつて単元を決定する課程の上で不自然な綜合を計画することによつて、生活学習の趣旨にそわない結果になり易い。単元の学習内容を教科独自の立場から充分に吟味して、綜合すべきか、分科すべきかはその学習内容によつて決定すべきである。したがつて、これ等の関係をまとめて見ると次のようになる。　（46）

綜合主題
- 社会科課程 ／ 職業家庭科課程 → 他教科の課程（綜合の枠に入るコース）
- 他教科の課程（社会科、職業家庭科と直接関連のないコース）

即ち、教科間に於て、共通の単元をとりあげる場合と、独自の単元をとりあげる場合があるわけである。

各教科間の相関は、生徒の実情、地域社会の実情をよく研究して、実施の問題に綿密な計画を樹立しなければならない。あらかじめ研究することも必要であるが、実施による学習の展開とともに、各教科間の連絡を考えなければならない問題が次々と起つてくる。

## 三、運　営

このようにして、教科を主体とするカリキュラムであるから、運営面に於て、その真意を活かすべく考慮を拂わなかつたならば伝統的な教科カリキュラムと何等変りないものになつてしまう。教科担任の協力こそ、一つの力となつて、指導の統合が行われ、教科指導を近代化する源泉となるのである。ホーム・ルームの担任を中心として毎週一回の担任の打合せ会を実施して、各科の学習の展開の過程を話し合い、連絡と調整を行わなければならない。　（47）

## 四、全体計画

別　表

## 五、教育課程表

別　表

## 中学一年の全体計画

| 綜合主題 | 生活圏 |
|---|---|

目標

1 健全な家庭及び社会生活をするための態度と習慣を養う
2 生活の場としての國土及び世界の自然環境を理解する
3 衣・食・住に関する基礎的な理解と技能を養う
4 生活圏適応の基礎である正しい言語能力とよい言語習慣、ならびに生活圏に即した言語技能を養う
5 自然環境や自然現象を観察し直接に知識を得る技能と態度を養う
6 家庭生活を中心とした数量的図形的考察の態度と習慣を養う
7 健康生活に対する理解を高めよい態度と習慣を養う
8 生活を中心とした芸術の理解と表現につとめるとともに美的情操とゆたかな人間性を養う

| 教科＼月 | 4 | 5 | 6 | 7 | 9 | 10 | 11 | 12 | 1 | 2 | 3 |
|---|---|---|---|---|---|---|---|---|---|---|---|
| 社会 | 学校と家庭 | | わが國土 | | | 世界 | | | 交通通信 | | |
| 職業家庭 男 | 僕の家庭 | | 僕等の学校園 | 夏の被服 | 日常の食物 | | | | 僕の生活 | | |
| 職業家庭 女 | 私の家庭 | | 夏の被服 | | 日常の食物 | | | | 私の生活 | | |
| 理科 | 季節と天気 | | 郷土の生物 | | | 地球 | | | 太陽と星 | | |
| 数学 | 中学生になって | 生活の設計 | 私たちの健康と衣食住 | 計算と私たちの生活 | | 測定と私達の生活 | 売買と私たちの生活 | | 明るい生活 | 数量と図形のはたらき | |
| 國語 | 楽しい学校生活 | | 読書のよろこび | | 記録と編集 | | みがかれた表現 | | ことばのつばさ | | |
| 図画工作 | 楽しい生活 | | | | 美しい郷土 | | 美術の鑑賞 | | | | |
| 音楽 | 第一單元 | | 第二單元 | | 第三單元 | | 第四單元 | | 第五單元 | | |
| 保健体育 | 健康と人間生活 | | 住みよい健康な社会 | | | | スポーツマンシップ | | レクリエーション | | |
| 習字 | 学校と家庭における書生活 | 楷書の基本 | 大楷 | | 中楷 | | | | 調和体 | 鑑賞 | |
| 英語 | 学校英語 | | 家庭英語 | | | | 季節 | | 年、月、日、時 | | |



## 中学二年の全体計画

| 綜合主題 | 近代生活 |
|---|---|

目標

1 近代産業の社会生活に及ぼす影響を理解する
2 社会福祉のため天然資源を愛護し利用する能力と態度を養う
3 職業の社会的意義を理解し職業選択の能力を養う
4 人体や個人及び公衆衛生についての知識・理解と健康的な習慣を養う
5 科学の原理や法則を日常生活に応用する能力を養う
6 近代生活の要素である言語の通達、機能を体得すると共に言語文化を理解し創造する基礎的技能を養う
7 数の拡張や図形の性質を研究して生活を向上させようとする態度を養う
8 近代芸術の理解とともに創造的表現力を養い美的情操と美的生活の実現につとめる

| 教科＼月 | 4 | 5 | 6 | 7 | 9 | 10 | 11 | 12 | 1 | 2 | 3 |
|---|---|---|---|---|---|---|---|---|---|---|---|
| 社会 | 近代産業 | | | | 都市と農村 | | 天然資源 | | 職業 | | |
| 職業家庭 男 | 職業と家庭生活 | | 楽しい農園 | | 快い住居 | | 記帖の生活 | | 僕等の進路 | | |
| 職業家庭 女 | 職業と家庭生活 | | 睡眠と休養 | 季節と食物 | 快い住居 | | 便利な被服 | | 家庭の看護 | | |
| 理科 | 道具と機械 | | 健康 | | 衣服と住居 | | 熱と光 | | 電気 | | |
| 数学 | 地図の作り方と測定 | | | | おかねのはたらき | | 日常生活における数と式 | | 数量と図形 | | |
| 國語 | 詩の世界 | | さまざまの文章 | | 映画と劇 | | 読書の方法 | | 話の技術 | | |
| 図画工作 | 美術の応用 | | | | 形体の美 | | 木材の利用 | | 生活と美術 | | |
| 音楽 | 第一單元 | | 第二單元 | | 第三單元 | | 第四單元 | | 第五單元 | | |
| 保健体育 | 安全生活 | | | 健康体の保持 | | | 食物 | | 健康と職業 | | |
| 習字 | 行書 | | | | 看板の書式類 | 草書 | 鑑賞 調和体 | | 創作 | 実用文 | |
| 英語 | 日常会話 | | 名作物語 | | 日記及び手紙文 | | 米英の風物 | | 名作物語 | | |
| 日本史 | 原始社会 | | 古代國家 | | 公家社会 | | | | 分権封建社会 | | |

## 中学三年の全体計画

| 総合主題 | 理想的社会 |
|---|---|
| 目標 | 1、民主主義の原則を理解し民主社会の建設に努力しようとする態度を養う<br>2、國家間の文化・政治・経済等の相互依存な関係を理解し世界平和を推進しようとする態度を養う<br>3、経済生活を合理的に営む能力を養う<br>4、科学が人類の福祉に貢献することを理解し理想的社会の建設に努力しようとする態度を養う<br>5、文化の発達に数量図形の果たす役割を理解しこれを用いて生活を向上させようとする態度を養う<br>6、理想的社会の形成要素である言語・文学の意義を理解し個人的社会的言語生活を改善し生活を豊かにしようとする態度を養う<br>7、健康な精神と身体の持主となり社会性のある円満な人格を養う<br>8、広く世界の芸術の理解・鑑賞とともに、創造的表現力をもった豊かな社会人を養う |

| 月＼教科 | 社会 | 職業家庭 男 | 職業家庭 女 | 理科 | 数学 | 國語 | 図画工作 | 音楽 | 保健体育 | 英語 | 日本史 |
|---|---|---|---|---|---|---|---|---|---|---|---|
| 4 | 民主主義 | 職業と社会 | 民主家庭の建設 | 生物の改良 | 生産と私たちの協力 | 古典入門 | 印刷美術 | 第一單元 | 正しい心の持ち方 | 童話・詩 | 集権的封建社会 |
| 5 | | | 正しい保育 | | 数式と私たちの生活 | | | | | | |
| 6 | 政治 | | | 交通機関 | | 新聞と放送 | 機能と美 | 第二單元 | 身なりの美 | 伝説・物語 | 封建制の動揺と衰亡 |
| 7 | | | よいくらしの計画 | | | | | | | | |
| 9 | 経済生活 | よいくらしの計画 | | 資源の利用 | 経済と私たちの協力 | 文学と人生 | セメントの利用 | 第三單元 | 成長発達 | 会話・劇 | 近代日本の誕生 |
| 10 | | | | | | | | | | | |
| 11 | 文化 | | | 通信機械 | 自然と私たちの協力 | ことばと社会生活 | 金属の利用 | 第四單元 | | 米英の風物 | 資本主義社会の発達 |
| 12 | | | | | | | | | 社会体育 | | |
| 1 | 世界の平和 | 僕等と社会 | 家庭と社会 | 光学器械 | 数学と私たちの生活 | 日本語 | 東西の美術 | 第五單元 | | 手紙文・日記文 | 現代の日本 |
| 2 | | | | | | | | | 國際競技 | | |
| 3 | | | | 科学と人生 | | | | | 外國体育史 | | |



## 教育課程表

〔社会科〕中学校第一学年

| 單元名 | 学習内容 |
|---|---|
| 学校と家庭 | 1、私たちの学校（学校の組織・生徒の自治活動・学習法と生活態度）<br>2、学校制度の発達<br>3、学校と社会との関係（家庭との関係も含む）<br>4、家庭の機能と歴史的変遷<br>5、家庭生活の現状と改善（日本の現状外國の現状も考える） |
| わが國土 | 1、郷土の自然と生活<br>2、わが國の自然環境の特色（自然・災害を含める）<br>3、各地域の自然と生活の特色　（西南日本・中央日本・東北日本） |
| 世界 | 1、世界の自然環境<br>2、各地域の自然と生活の特色<br>アジア・オーストラリア・北アメリカ・南アメリカ・ヨーロッパ・アフリカ |
| 交通・通信 | 1、世界の交通・通信　貿易の現状<br>2、交通通信機関の発達（陸・海・空）<br>3、生活圏の拡大　（新大陸の発見・東洋と西洋のむすびつき） |

中学校第二学年

| 單元名 | 学習内容 |
| --- | --- |
| 近代産業 | 1、近代産業地域の現状<br>2、近代産業の自然的社会的條件<br>3、近代産業の発展とその影響（社会組織・生活様式・社会問題・國際関係）<br>4、わが國の産業再建の問題 |
| 都市と農村 | 1、都市生活と農村生活の現状（生活様式・人口構成・機能と相互依存）<br>2、都市農村の歴史的発達<br>3、生活の改善 |
| 天然資源 | 1、天然資源の種類（鉱産資源・林産資源・水産資源・水資源・風景資源）<br>2、世界の分布と自然條件<br>3、文化水準の向上と天然資源利用<br>4、わが國の天然資源と経済再建の問題 |
| 職業 | 1、職業の社会的意義<br>2、職業の歴史的変遷<br>3、職業選択の條件 |



中学校第三学年

| 單元名 | 学習内容 |
| --- | --- |
| 民主主義 | 1、民主主義の意義<br>2、西洋における民主主義の発達<br>3、わが國における民主主義の発達<br>4、民主的生活の促進 |
| 政治 | 1、我々の生活と改善<br>2、地方の政治<br>3、國の政治<br>4、政治への参加 |
| 経済生活 | 1、わが國生活水準の現状<br>2、生産・流通・消費の関係<br>3、消費生活の合理化 |
| 文化 | 1、文化の社会的重要性（学問・芸術・宗教）<br>2、文化の発達と伝播<br>3、文化向上の方法 |
| 世界の平和 | 1、世界不和の原因<br>2、國家の相互依存関係國際法・経済・文化<br>3、世界平和への努力、世界憲章・國際連合<br>4、世界平和と日本の立場 |

〔職業家庭科〕（男子コース）

| 学年 | 単元 | 内容 |
|---|---|---|
| 中学校第一学年 | 僕の家庭 | 1、家庭生活と職業<br>2、家族の職業<br>3、僕の仕事<br>4、家庭園の活用 |
| | 僕等の学校園 | 1、学校園の施設と経営<br>2、経営計画<br>3、栽培・管理<br>4、収穫・貯蔵 |
| | 夏の被服 | 1、よい身なり<br>2、ミシンの扱い |
| | 日常の食物 | 1、栄養と食品<br>2、献立<br>3、家畜の世話<br>4、基本調理（その一） |
| | 僕の生活 | 1、僕の記帳生活<br>2、珠算の活用<br>3、幼い家族の世話<br>4、お使い |
| 中学校第二学年 | 職業と家庭生活 | 1、生活と職業<br>2、各種の職業と特質<br>3、郷土と職業<br>4、いろいろの工芸 |
| | 楽しい農園 | 1、近代的な農業経営<br>2、蔬菜園の経営管理<br>3、家畜の飼育（その二） |
| | 快い住居 | 1、庭と住居<br>2、器具機械の操作と修理 |
| | 記帳の生活 | 1、近代生活と記帳<br>2、いろいろな記帳<br>3、記帳と珠算<br>4、設計と製図 |
| | 僕等の進路 | 1、僕等の性能<br>2、職業と適性<br>3、進路の選択 |
| 中学校第三学年 | 職業と社会 | 1、職業の変遷<br>2、労働運動の保護<br>3、いろいろの計算と記帳<br>4、進路の決定<br>5、働く人の教養と心理<br>6、工業のうつりかわり |
| | よいくらしの計画 | 1、日常生活と書式<br>2、職業と衛生<br>3、日常食品の加工<br>4、機械器具と生活 |
| | 僕等と社会 | 1、就職・進学の準備<br>2、住居と店舗の設計装飾 |

（54）

〔職業家庭科〕 中学校第一学年 （女子コース）

| 単元名 | 学習内容 |
|---|---|
| 私の家庭 | 1、民主的家庭生活のあり方<br>2、お客の扱い<br>3、家庭生活と職業<br>4、春から夏への家庭菜園 |
| 夏の被服 | 1、よい身なり（手入を含む）<br>2、ミシンの扱い<br>3、夏の被服の製作（制服ブラウス、又はワンピースドレス） |
| 日常の食物 | 1、栄養と食品<br>2、基本調理（調理用具の取扱い方を含む）<br>3、食事作法<br>4、秋から冬への家庭菜園の経営 |
| 私の生活 | 1、幼い家族の世話<br>2、編もの（くつ下・手ぶくろ等）<br>3、おこづかい<br>4、お使い |

（55）

## 中学校第二学年

| 單元名 | 学習内容 |
|---|---|
| 職業と家庭生活 | 1、女子の職場<br>2、個性と進路 |
| 睡眠と休養 | 1、働く人と健康<br>2、寝室と寝具<br>3、レクリエイション |
| 季節と食物 | 1、献立と調理<br>2、春の食物<br>3、夏の食物<br>4、秋の食物<br>5、冬の食物<br>6、樂しい農園 |
| 快いすまい | 1、衛生的な住い方<br>2、室内装備<br>3、美しい庭園 |
| 便利な被服 | 1、秋冬の装い<br>2、秋冬にふさわしい被服の製作（ツーピース・ドレス）<br>3、編物（スエーター等）<br>4、仕事着の工夫 |
| 家庭の看護 | 1、あたゝかい看護<br>2、日常おこり易い病気の予防と手当<br>3、伝染病とその予防と手当<br>4、家庭常備薬<br>5、病人食の工夫 |



## 中学校第三学年

| 單元名 | | 学習内容 |
|---|---|---|
| 民主家庭の建設 | | 1、よい家族関係<br>2、家庭の和樂 |
| 正しい保育 | | 1、家庭と保育<br>2、乳幼児の世話<br>3、乳幼児の衛生 |
| よい暮しの計画 | a 安定ある生活 | 1、家庭経済のあり方<br>2、家庭経済の意義 |
| | b これからの衣生活 | 1、一年間の被服生活の計画<br>2、着物の製作<br>3、着物の手入と保存<br>4、文化と服装 |
| | c 食生活の改善 | 1、正しい食生活<br>2、一年間の食物経営<br>3、共同炊事 |
| | d 理想の住居 | 1、住居と能率<br>2、安全な住居 |
| 家庭と社会 | | 1、おつきあい<br>2、選職、進学と個性<br>3、女性の自覚 |

〔理科〕

| 学年 | 単元 | 内容 |
|---|---|---|
| 中学校第一学年 | 季節と天気 | 1、気温の変化 2、大気 3、風と雨 4、日本の気候 |
| | 郷土の生物 | 1、身近の生物 2、環境と生物 3、生物の種類 |
| | 地球 | 1、地球の表面 2、水のはたらき 3、地球の内部 4、火山と地震 5、地球の歴史 |
| | 太陽と星 | 1、星の運行 2、太陽と季節 3、いろいろな星 |
| 中学校第二学年 | 道具と機械 | 1、力と運動 2、單一機械 3、機械の利用 |
| | 健康 | 1、人体の構造 2、健康と食物栄養素・消化 |
| | 衣料と住居 | 1、衣服の材料 2、せんいの加工 3、家屋の材料 4、材料と強度 |
| | 熱と光 | 1、燃料 2、熱の利用 3、照明 |
| | 電気 | 1、電流による発熱 2、電流と磁石 |
| 中学校第三学年 | 生物の改良 | 1、繁殖 2、遺伝 3、品種改良 |
| | 交通機関 | 1、汽車と電車 2、自動車 3、船 4、飛行機 |
| | 資源の利用 | 1、資源の種類 2、資源の開発 3、資源の利用 |
| | 通信機械 | 1、音 2、電信と電話 3、ラジオ |
| | 光学機械 | 1、眼と顕微鏡 2、望遠鏡 3、写眞と映画 |
| | 科学と人生 | 1、科学の発達 2、科学の応用 |



〔数学科〕 中学校第一学年

| 單元名 | 学習内容 |
|---|---|
| 中学生になつて | 1、私たちの中学校 2、社会の窓 |
| 生活の設計 | 1、日課表（時間の計算） 2、予算生活 |
| 私たちの健康と衣食住 | 1、健康とたべもの 2、すまいときもの |
| 計算と私たちの生活 | 1、整数とその計算 2、分数小数とその計算 |
| 測定と私たちの生活 | 1、測定と社会生活 2、いろいろな測定 |
| 賣買と私たちの生活 | 1、商店と私たちの生活 2、買ものと私たちの生活 |
| 明るい生活 | 1、私たちの周囲の整頓 2、美と私たちの生活 |
| 数量と図形のはたらき | 1、数量のはたらき 2、図形のはたらき |

中学校第二学年

| 單元名 | 学習内容 |
|---|---|
| 地図の作り方と測定 | 1、広い地域の地図<br>2、狭い地域の地図 |
| 私たちの測定 | 1、測定と誤差<br>2、縮図と面積<br>3、体　積 |
| おかねのはたらき | 1、おかねのはたらき<br>2、生産と家計 |
| 日常生活における数と式 | 1、数量と生活<br>2、式と生活 |
| 数量と図形 | 1、図形と生活<br>2、グラフと言葉<br>3、数と式 |



中学校第三学年

| 單元名 | 学習内容 |
|---|---|
| 生産と私たちの協力 | 1、農業の進歩<br>2、大量生産と分業<br>3、物資の生産と流通 |
| 数式と私たちの生活 | 1、公　式<br>2、グラフ<br>3、方程式 |
| 経済と私たちの協力 | 1、生産と銀行のはたらき<br>2、税と社会生活<br>3、保険と社会生活 |
| 自然と私たちの協力 | 1、自然と私たちの協力<br>2、実験と法則<br>3、測　量 |
| 数学と私たちの協力 | 1、数量と私たちの生活<br>2、図形と私たちの生活<br>3、数表の利用<br>4、数学の進歩 |

〔國語科〕

| 学年 | 単元 | 内容 |
| --- | --- | --- |
| 中学校第一学年 | 楽しい学校生活 | 1、中学生になつて<br>2、学園祭 |
| | 読書の喜び | 1、わが校の図書館<br>2、読書ノート |
| | 記録と編集 | 1、日記と記録<br>2、私の文集 |
| | みがかれた表現 | 1、話しことばの改善<br>2、よい文字 |
| | ことばのつばさ | 1、ラジオのたのしみ<br>2、たより |
| 中学校第二学年 | 詩の世界 | 1、詩の鑑賞<br>2、研究集会 |
| | さまざまの文章 | 1、読みの改善<br>2、クラス雑誌 |
| | 映画と劇 | 1、シナリオの研究<br>2、脚色と演出 |
| | 読書の方法 | 1、どんな本を読めばよいか<br>2、読書会 |
| | 話の技術 | 1、講話と座談会<br>2、日常語の反省 |
| 中学校第三学年 | 古典入門 | 1、日本の古典<br>2、世界文学 |
| | 新聞と放送 | 1、新聞の編集<br>2、学校放送 |
| | 文学と人生 | 1、現代の文学<br>2、創作の方法 |
| | ことばと社会生活 | 1、討議と討論<br>2、書式のいろいろ |
| | 日本語 | 1、國語の特質<br>2、國語をよくするにはどうすればよいか |



〔図画工作科〕

| 学年 | 単元 | 内容 |
| --- | --- | --- |
| 中学校第一学年 | 楽しい生活 | 1、美しい学校<br>2、たのしい家庭のための工作<br>3、衣食住と色彩 |
| | 美しい郷土 | 1、郷土の自然<br>2、奈良の美術<br>3、郷土の工芸 |
| | 美術の鑑賞 | 1、世界の美術<br>2、美術と生活 |
| | 機能と美 | 1、形体と機能<br>2、交通機関の形と色 |
| 中学校第二学年 | 美術の応用 | 1、自然形体と人工形体<br>2、室内装飾<br>3、商業美術 |
| | 形体の美 | 1、都市と田舎の自然<br>2、都市と田舎の工芸<br>3、都市と田舎の建築 |
| | 木材の利用 | 1、樹木の種類<br>2、木材<br>3、木材の利用と木製品の修理 |
| | 生活と美術 | 1、各種の製図<br>2、機械製図<br>3、近代生活と美術 |
| 中学校第三学年 | 印刷美術 | 1、版画の発達<br>2、西洋の版画<br>3、日本の版画 |
| | 機能の美 | 1、器具機械の機能と美<br>2、乗物と機能と美<br>3、建築の機能と美 |
| | セメントの利用 | 1、現代の文化的施設とセメント<br>2、セメント工の用具・材料<br>3、セメント施工法 |
| | 金属の利用 | 1、金属の加工<br>2、金属製品の設計製作と修理 |
| | 東西の美術 | 1、日本美術は世界文化に如何なる貢献をしたか<br>2、東洋美術は如何に発達したか<br>3、西洋美術は如何に発達したか |

〔音楽科〕

中学校第一学年

| 單元名 | 学習内容 |
|---|---|
| 第一單元 | 1、歌唱 イ、基礎練習 読譜・リズム・音程・発声 ロ、歌曲 ハ長調<br>2、理論 イ、音楽の要素 ロ、楽譜について ハ、ハ長調音階 ニ、反復記号<br>3、音楽の勉強の仕方 |
| 第二單元 | 1、歌唱 イ、基礎練習 読譜・リズム・音程・発声・ハ長調終止形和音合唱 ロ、歌曲 ハ長調・イ短調<br>2、理論 イ、イ調短音階 ロ、主要三和音<br>3、鑑賞 モーツアルトの小曲（トルコマーチ・子守歌等） |
| 第三單元 | 1、歌唱 イ、前項に同じ ロ、歌曲 既習調・ト長調・ホ短調<br>2、理論 イ、ト長調・ホ短調の音階 ロ、長音階構成法 ハ、速度発想記号 ニ、ト長調和音<br>3、鑑賞 管楽器の種類と音色 |
| 第四單元 | 1、歌唱 イ、前項に同じ ロ、歌唱 既習調・ヘ長調<br>2、理論 イ、ヘ長調音階 ヘ長調和音 ロ、移調 ハ、三度・六度の音程<br>3、鑑賞 学校音楽会<br>4、研究問題 音楽会曲目とその作曲者に対する考察 |
| 第五單元 | 1、歌唱 イ、前項に同じ ロ、歌曲・既習調<br>2、理論 イ、ト長調和音 ロ、非和声音<br>3、鑑賞 イ、絃楽器について ロ、シューベルトの作品 ハ、学級音楽会 |



中学校第二学年

| 單元名 | 学習内容 |
|---|---|
| 第一單元 | 1、歌唱 イ、基礎練習 読譜・リズム・音程・発声・ヘ長調終止形和音合唱 ロ、歌曲 既習調<br>2、理論 イ、前学年の復習 ロ、鍵盤楽器<br>3、鑑賞 ピアノ・オルガン・チエンバロ曲 |
| 第二單元 | 1、歌唱 イ、前項に同じ ロ、歌曲 既習調<br>2、理論 二部形式<br>3、鑑賞 世界の民謡 |
| 第三單元 | 1、歌唱 イ、前項に同じ ロ、同上<br>2、理論 短音階とその種類<br>3、鑑賞 演奏の形式 |
| 第四單元 | 1、歌唱 イ、前項に同じ ロ、同上<br>2、理論 変奏曲について<br>3、鑑賞 イ、変奏曲 ロ、学校音楽会<br>4、研究問題 音楽会曲目とその作曲者に対する考察 |
| 第五單元 | 1、歌唱 イ、前項に同じ ロ、歌曲 既習調・ニ長調<br>2、理論 和音の転回<br>3、鑑賞 イ、学級音楽会 ロ、組曲 |

## 中学校第三学年

| 單元名 | 学習内容 |
| --- | --- |
| 第一單元 | 1、歌唱　イ、基礎練習　読譜・リズム・音程・発声・終止形和音合唱　ロ、歌曲　既習調<br>2、理論　イ、前学年の復習　ロ、二度の和音<br>3、鑑賞　ロマン時代から現代までの器楽曲（教科書による） |
| 第二單元 | 1、歌唱　イ、前項に同じ　ロ、歌曲　既習調・変ロ長調<br>2、理論　イ、異つた形の二部形式　ロ、日本音階<br>3、鑑賞　オラトリオとオペラ |
| 第三單元 | 1、歌唱　イ、前項に同じ　ロ、歌曲　既習調・変ホ長調<br>2、理論　イ、属七の和音　ロ、非和音<br>3、鑑賞　シンフォニー（第六交響曲） |
| 第四單元 | 1、歌唱　イ、前項に同じ　ロ、歌曲　既習調・イ長調<br>2、理論　イ、和音とメロディ　ロ、短調の和音<br>3、鑑賞　学校音楽会<br>4、研究問題　音楽会曲目とその作曲者に対する考察 |
| 第五單元 | 1、歌唱　イ、前項に同じ　ロ、前項に同じ<br>2、理論　イ、短調のメロディ　ロ、三部形式　ハ、低音部記号　ニ、簡單な伴奏のつけ方<br>3、鑑賞　声楽・器楽・名曲より<br>4、研究問題　現代の音楽界 |



## 〔保健体育科〕　中学校第一学年

| 單元名 | 学習内容 |
| --- | --- |
| 健康は人間生活になぜ必要か | 1、健康の意義<br>2、健康体とは<br>3、健康生活はなぜ必要か<br>4、健康に影響を与えるものは何か<br>5、國民の健康状態<br>6、健康体を保持・増進するにはどうすればよいか<br>7、我々の健康状態を調査するにはどのようにするか<br>8、家庭について知る（家庭体育に関連をもたす） |
| 住みよい健康な社会にするにはどうすればよいか（夏休み中の健康生活のプラン作成） | 1、社会生活が不健康になる原因<br>2、生活環境の衛生状態<br>3、伝染病の予防<br>4、保健所はどんな仕事をするところか<br>5、公衆衛生道徳とはどんなことか、それを守るにはどうすればよいか<br>6、われわれの住居を、町を衛生的に改善するにはどんな点を改善すればよいか |
| スポーツマンシップ | 1、スポーツマンシップの意義<br>2、フェアープレーについて<br>3、スポーツを行う態度<br>4、スポーツマンシップはどのようにして養うか<br>5、アマチュアとプロフェッショナル<br>6、スポーツの観衆の態度 |
| レクリエーション | 1、新体育の性格<br>2、余暇の利用<br>3、わが國の余暇利用の現状と諸外國の現状<br>4、共同社会（地域社会）の活動状況とその方策、効果 |
| 日本体育史（明治以前の体育概要） | 別に学習期間をおかないで、一年間を通じて適宜学習するようにする。 |

中学校第三学年

| 単元名 | 学習内容 |
|---|---|
| 正しい心のもち方はどうすればよいか | 1、神経系統の分類作用<br>2、神経系統の構造と作用<br>3、精神衛生の重要性<br>4、精神を健康に保つ方法<br>5、精神病とその予防 |
| 身なりを美しく保つにはどうすればよいか | 1、身体の美しいことの必要<br>2、皮ふの構造機能について<br>3、身体の不潔と病気の関係<br>4、どんな衣服が健康生活上よいか<br>5、みなりと姿勢の関係はどのようであるか |
| 成長発達はどのようにして行われるか | 1、成長・発達の過程<br>2、青年期における心身の発育<br>3、男女の正しい交際<br>4、よい子孫を残すにはどうすればよいか |
| 社会体育 | 1、社会体育の意義<br>2、社会体育の目的<br>3、社会体育の方法<br>4、レクリエーション運動について |
| 國際競技 | 1、オリンピック大会（古代・近代）<br>2、デ杯大会 |
| 外國体育史 | 近世体育の概要 |

（69）

中学校第二学年

| 単元名 | 学習内容 |
|---|---|
| 我々が安全生活をするにはどうすればよいか | 1、健康生活上事故はどんな関係があるか<br>2、家庭生活ではどんな事故がおこるか<br>3、学校生活ではどんな事故がおこるか（運動・競技上の事故と防止）<br>4、職業上の事故と防止<br>5、救急処置の方法 |
| 我々の健康はどのようにして保たれているか | 1、細胞と人体の組織<br>2、筋肉とその衛生<br>3、骨髄とその衛生<br>4、呼吸器とその衛生<br>5、循環器とその衛生<br>6、内分泌とその衛生<br>7、血液とその衛生<br>8、運動障害法 |
| 我々は何をどのように食べればよいか | 1、食物はどんな役目をするか<br>2、身長の成長発達に必要な食物の要素は何か<br>3、食物はどのようにとればよいか（食物の選択と調理）<br>4、食生活の合理化<br>5、食物と病気<br>6、食物と衛生<br>7、食物の消化吸収 |
| 健康にあった職業をえらぶにはどうすればよいか | 1、職業の種類と健康<br>2、職業から起る病気とその予防<br>3、職業から起る災害とその予防<br>4、職業の能率と健康<br>5、働く人に休養・レクリエーションの必要<br>6、働く人に健康のための法律と役所<br>7、身体欠陥者に適応した職業はないか<br>8、職場におけるレクリエーションの必要 |
| 日本体育史 | （明治以後の体育概要・学校体育の発達） |

（68）

〔習字科〕

| 中学校第一学年 | |
| --- | --- |
| 学校と家庭における書生活<br>楷書基本練習 | 1、習字に関する経験・希望・好悪等の調査<br>2、家庭に於ける毛筆の使用状況の調査<br>3、中学生の書写生活<br>1、楷書の基本練習 イ、用具類の取扱 ロ、執筆法と姿勢 ハ、基本の筆使 |
| 大楷 | 1、大楷練習 イ、字配・結体 筆使 ロ、気脈 変化と統一<br>2、鑑賞 生徒各自の作品について<br>3、創作 大楷 文句任意 |
| 中楷 | 1、中楷基本練習、中心・字の大きさ 各字の傾き<br>2、仮名の單体と連綿法<br>3、創作 イ、週間ポスター ロ、展覧会作品 ハ、年賀状<br>4、年賀状の蒐集（芸術的のもの） |
| 調和体 | 1、調和体の練習 イ、漢字（行書）と仮名の調和について ロ、字配り ハ、墨つぎ<br>2、創作 葉書の書き方<br>3、鑑賞 古法帖について |

| 中学校第二学年 | |
| --- | --- |
| 行書 | 1、基本 イ、くずし方（楷書との比較） ロ、筆順、転折、速度<br>2、練習 イ、気脈、墨つぎ ロ、臨書から背臨へ<br>3、鑑賞（支那古法帖について）<br>4、ペン習字とノート検閲<br>5、創作（行書で文句任意） |
| 看板類の書式<br>草書 | 1、街や田舎で目にふれる毛筆文字の調査と書式（壁新聞、掲示板、広告、立札、碑文）<br>1、草書の基本練習 イ、三体の比較 ロ、くずし方<br>2、創作 イ、三体の書き分け ロ、展覧会作品<br>3、鑑賞（展覧会作品について） |
| 調和体 | 1、変化と統一<br>2、調和体についての研究<br>3、速書練習（調和体）<br>4、葉書の書き方、暮の文、年賀状 |
| 創作 | 1、商用、就職に関する手紙文の書き方<br>2、履歴書、届書、領収書類の書式<br>3、書の話「書は人なり」を中心として |

（70）

〔英語科〕 中学校第一学年

| 單元名 | 学習内容 |
| --- | --- |
| 学校英語 | 1、教室英語<br>2、学校内諸施設に関する英語<br>3、運動<br>4、登校途上の英語 |
| 家庭英語 | 1、家庭内諸施設に関する英語<br>2、家畜<br>3、起床から就寝まで<br>4、安否に関する質問応答 |
| | 四、五、六、七月の学習内容の書き方読み方 |
| 季節 | 1、天候に関する質問応答<br>2、太陽と月と星<br>3、冬の運動<br>4、クリスマス<br>5、國旗 |
| 年・月・日・時 | 1、数<br>2、時間<br>3、曜日と月日<br>4、年令<br>5、四季と月 |

（71）

## 中学校第二学年

| 單元名 | 学習内容 |
|---|---|
| 平易な日常会話になれる | 通学途上の挨拶<br>途案內・紹介の仕方<br>お買物・お茶及び食事の会話 |
| 名作物語を読む | イソップ物語<br>偉人伝・神話・伝説<br>詩――唱歌 |
| 日記及び手紙文 | 模範日記及び手紙文<br>外國から來た手紙<br>日記及び手紙の書き方 |
| 米英の風物 | ロンドンの気候<br>クリスマスの行事<br>読み物等 |
| 名作物語を読む | イソップ物語<br>偉人伝・神話・伝説・童話・童謡詩等 |

( 72 )

## 中学校第三学年

| 單元名 | 学習内容 |
|---|---|
| 童謡・詩 | 1、研究問題　童謡・詩を楽しむ、散文と韻文との相違を学ぶ<br>2、練習材料　Spring, Falling Snow その他スティブンソンのものなど<br>3、表現練習　詩の暗誦・朗読をする、詩を訳してみる、唱歌をする<br>4、文法練習　現在完了 |
| 伝説・物語 | 1、研究問題　伝説・物語を楽しみなるべく多読して語法になれる<br>2、練習材料　ギリシヤ神話、イソップなどあるが、なるべく現代的なものを多くする<br>3、表現練習　実際に物語を話し、きく。物語りの註釈をつける<br>4、文法練習　関係代名詞 |
| 会話・劇 | 1、研究問題　会話劇を学ぶ、対話の調子・身ぶり作法になれる<br>2、練習材料　At the Hotel, A Visit その他ごく簡單な劇など<br>3、表現練習　会話・劇の実演、物語を劇にする<br>4、文法練習　不定法 |
| 米英の風物 | 1、研究問題　米英の風物を学び、その理解と関心をたかめる<br>2、練習材料　The Pilgrims, The Christmas Bells など<br>3、表現練習　米英の風物・歴史・社会などしらべて発表する<br>4、文法練習　動名詞、分詞構文 |
| 手紙文・日記文 | 1、研究問題　手紙・日記の書き方を学ぶ<br>2、練習材料　A letter from Camp. A letter of application など<br>3、表現練習　実際に手紙・日記を書く<br>4、文法練習　分詞構文 |

( 73 )

〔日本史〕

| 中学校第二学年 | |
|---|---|
| 原始社会 | 1、文明のあけぼの イ、人類のはじまり ロ、文明の進展<br>2、日本の石器時代 イ、日本人のはじまり ロ、縄文式文化時代の社会 ハ、彌生式文化時代の社会<br>3、生活の進歩 イ、金属器の渡來と稲作のはじまり ロ、社会 |
| 古代國家 | 1、大和朝廷の統一と氏姓制度<br>2、文化の充実 イ、対外関係 ロ、文化の進歩<br>3、統一國家 イ、大陸の狀勢 ロ、社会の変化 ハ、大化の改新 ニ、統一國家の完成 ホ、人民の生活 |
| 公家社会 | 1、荘園と公家 イ、攝関政治 ロ、公家の生活 ハ、公家の文化<br>2、律令制度化の人民の生活<br>3、武士のおこり イ、農民の生活 ロ、公家と武士 ハ、平民の政治と文化 |
| 分権的封建社会 | 1、武家の政治 イ、荘園と武士 ロ、武家勢力の消長<br>2、武家政治下の社会 イ、産業経済の発達 ロ、農民の動き ハ、都市のおこり<br>3、武家の文化<br>4、世界の動きと日本 |

| 中学校第三学年 | |
|---|---|
| 集権的封建社会 | 1、封建制の再編成 イ、信長の統一 ロ、秀吉と桃山文化 ハ、江戸開府<br>2、近世の政治と社会 イ、江戸幕府の統治組織 ロ、朱印船 ハ、鎖國 ニ、封建的社会組織の完成 |
| 封建制の動揺と衰亡 | 1、近世文化 イ、元禄の世相と文化 ロ、近代学問の勃興<br>2、封建制の動揺 イ、町人勢力の抬頭 ロ、農村の変質 ハ、幕府の対外関係 ニ、開港<br>3、封建社会の終末 |
| 近代日本の誕生 | 1、明治維新 イ、明治維新の成立 ロ、日本をめぐる世界の動向<br>2、近代日本の建設 イ、西洋文明の輸入 ロ、社会経済の変化 |
| 資本主義社会の発達 | 1、立憲政治 イ、自由民権運動 ロ、國会開設<br>2、近代の外交 イ、明治初期の外交 ロ、條約改正 ハ、日清、日露戰争<br>3、近代社会 イ、近代産業の発達 ロ、資本主義の発達 ハ、明治文化 |
| 現在の日本 | 1、イ、第一次大戰と日本 ロ、國内政治事情 ハ、満州事変より太平洋戰争へ<br>2、大正、昭和の社会と文化<br>3、新日本の建設 イ、終戰事情 ロ、終戰直後の世相 ハ、日本再建への道 |



# 第二篇　各　論

## 第一章　社会科の教育計画

### 一、標準教育課程と社会科の立場

我々がここに標準教育課程を作成し、中学校教育の全課程を統一づけて考えていこうとするゆえんは言うまでもなく、生徒の生活経験を重視し、これを綜合的に発展させようというのが重要なねらいの一つである。

そのためには、伝統的な教科がそれぞれ独立し、他を排して自己の領域を主張しあうような仕方で指導がなされてはならない。教科を別々に習得した生徒は、そこで得られた知識や技能・態度を、社会に出た場合じゆうぶんに使つて活動することができるであろうか。社会における実際活動は、これらの知識技能をいつも綜合的に働かせなければならぬのであり、生徒が別々に習得したものが綜合的に使われるためには、綜合的に使う仕方というか、その力をも得させるのでなくてはならない。そこでこの立場からは、今までの伝統的な教科組織を一応御破算にして、生活領域の分析や社会機能の分析などから新しい教科組織を組み立てゝ行こうとする。教科組織は教材の伝達ということではなくて、生徒の生活経験を組織することであると考えられ、教科が今までのように小さく分析されず、かなり広い領域にまとめられる。若し理想的に運営されることが可能であるならば教科を排して、組織された生活経験を生徒に体験させることが学校教育の任務であると考えられるであろう。そうでなくとも思い切って各教科の分立を排した綜合的なカリキュラムが立てられなければならない。

しかし、他面に於ては、生徒の生活経験が深められるためには、教科がそれぞれ分担しているような要素的な経験が深められなければ十分に生活経験の綜合的な発展は困難であるという面もある。文化のまだ十分に発達していない社会にあっては、直接具体的な生活問題に当面して、この解決に当り試行錯誤をくりかえして知識や技能をいつも身につけていくということはできるが、文化が発達し、社会的遺産が多くなるに従い、また社会機構が複雑になるにしたがって、そういう具体的な仕方で教育することができがたくなった。かくて、人間生活の中からおよそ共通した性格をもった経験をその要素に分析して、それを短期間に能率的に身につける仕方が工夫されるようになった。これが今日の教育の上にもたらされた教科の意義であるとするならば、要素的経験を深め、これを能率的に学習させるためには、教科の分化への方向は文化の発達した段階に於ては必然的なものでなければならない。

以上のようにみてくるならば、今日カリキュラムが要求している全く相反する方向、すなわち、教科を出来るだけ綜合的に取扱おうとする方向と、教科はできるだけ分化して扱う方が能率的であるとする方向とが、同時に満足されるようなカリキュラムの全体構造が考えられねばならない。このことは理論的に解決されることは中々困難であって、我々の実践を通して解決への道をたどらねばならぬと思われるが、カリキュラム構造の中にこの両面を持つような構造、いいかえれば二重構造をもつことは考えられることである。人間の心理的過程からいってかなり発達した段階にありながらなお、別々に学習されたものを自分の力で綜合的に使用していくことが十分に出来ないであろう中学校生徒を対象とする中学



校のカリキュラムがかかる二重構造を持つということはこれまた必然的な事柄でなければならない。

このようなカリキュラムの二重構造が、いわゆる中心学習と周辺学習とか、コア学習と基礎学習とかに区別される。然し、綜合と分化という教科に関する二つの反対の要求が、こうした形式的な区別、たゞ単に名前のみでこの二つに分けたと思われるような皮相な区別によって解決されるものとは思われない。実際上からは殊に中学校や高等学校の場合には種々の問題が横たわっている。中心学習・コア学習の部面を完全に運営していくことのできる教師を見出すことが困難であるという事情があり、経験の領域が非常に小学校の時よりも深められている中学校においては、一人の教師が綜合的に扱うことがむつかしいし、それでは要素的な経験が浅いものになってしまうおそれがある。また周辺学習の部分といえども内容の系統づけが必要であることから、必ずしも中心の基礎として、中心学習との関連において取扱われ得るとは限らないし、かといって全然生活から遊離した学問的な見地からみた系統づけにしたがって学習を進めていくことは許されない。常にそこで生活力を高めることが要求される。それ故、中学校において早急にいま教科を合廃して新しく教科組織を組み直していくことには問題がある。がしかし従来の如く各教科がそれぞれに強く根をはっている伝統的な縄張り観念は捨てなければならない。お互の教科がそれぞれの占める位置や、他との関連を考えて、アカデミックになり易い弊害を除かねばならない。以上のような事柄を考えて、本校における昨年度の「綜合カリキュラム」の構成に当っては、綜合単元を設け、これに各教科が如何に密接するかにしたがって各教科がそれぞれ多少とも二重構造をもつようにして上述の要求の充足や矛盾をなくするようにつとめてきたのである（詳しくは本校昨年度のカリキュラムを参照されたい）。こうして組上げてみた「綜合カリキュラム」を吟味してみると、綜合

単元決定の基礎を、(一)生活の基盤的問題、(二)文化生活の諸問題、(三)民主的生活の諸問題ということに置いたことから自然に社会科学習は挙げてその全部が綜合単元による学習の中に包括されることゝなり、社会科が単元の導入、終結の段階において中心的な立場に立たざるを得なかつた。どの教科を中心としてカリキュラムを組立てるのでもなく、すべての教科が困難な立場に立つことを前提としてはじめられたカリキュラムの構成が、実際運営上から単元のとりあげ方や展開において社会科が中心的地位に立つようになつたのはなぜであろうか。それは社会科が持つている本来の性格がカリキュラム改造の動機となつている綜合への要求、あるいは教育の生活化への方向と一致するためであるのではなかろうか。

社会科の持つ本来の性格を探るためには、社会科発生の基盤となるものをみる必要があるであろうがここではそれを省みている暇がない。たゞ二三の点を概括的に示すにとどめたい。

(78)

第一に、社会科は学問から生活へという、教育の生活化の基盤から発生した。多くの知識や事実の認識をばら〳〵に所有していても、何等当面する生活問題を解決することができないようでは知識として無意味である。そこで教育の内容を直接役立つものにするという、教育の実用化の観点から、青少年の直面する重要な生活の問題をとりあげ、それによつて問題解決の能力を得させようとする。

また、社会科は学習を生徒の生活に即せしめ、その必要感や関心や目的意識をもととして、自発活動を営ませることによつて展開していこうとする児童中心の見地に立つている。

第二に、敗戦を契機として目ざましめられた、人間観・社会観が、ただ単に知識を知識として知つている青白い知識人としてではなく、自ら計画し、全責任をもつて学習するという実践的な社会科の学習活動によつて、実践的人間として、自らの内に形成されていかねばならない。社会科の学習活動はそうした重要な任務を持つている。

こうした基盤に立つて社会科の発生が我国にあつても必然的なものであつたのであるが、更に社会科発生のこの基盤と同じ基盤に立つて、カリキュラム全体が考え直されるようになり、カリキュラム改造の試みは、社会科を軸として展開するに至つたのである。

このようにカリキュラム改造の試みの出発点と社会科発生の基盤とが同一の所にあるとするならば、カリキュラム上における社会科の地位はむしろ他教科と同様なものではなくして、かなり異つた性格をもつものである。そしてカリキュラムの改造を社会科を軸として展開し、社会科の単元に可能な限りにおいて他教科が統合されていく。これがカリキュラム構造の平凡ではあるが、しかし何処でも実行され得る堅実な方向ではなかろうか。昨年度の綜合カリキュラムと比較して、本年度のそれは全体構造から見れば一見退歩の如く見られながら、その批判の上に立つた前進への方向であり、そして、社会科はこゝでは、その中核的存在をより一層明確にしてきたと見ることができるであろう。

(79)

## 二、社会科の目標とその内容

社会科の目的は、社会科設置の事情から社会科の持つ性格をみることによつてほぼ明確にすることができる。すなわち社会科がわが國の内に残存している非民主的な、不合理な封建的色彩を拂拭して、新しい人間観・社会観の上に立ち、よりよい社会を建設していこうとする態度や能力やそれに必要な知識と理解を養わせることにあるのであろう。

目的の達成に役立つような社会科の内容を規定する基準として、もつと具体的な目標が立てられなければならないし、そこにはいろいろな立場があり得るであろう。しかしいかなる目標を立てるにしてもおよそ次の事項が具体化されたものでなければならない。

1. 知識の獲得と理解の発展
2. 望ましい興味の発展
3. 推理的能力や批判的判断力の発展
4. 態度や習慣の形成
5. 望ましい行動型の訓練

こうした各項目について、社会科として必要と思われるものを取り出してみれば、それが社会科の目標となるわけである。が更に、目標の領域とでも考えられるものを社会科の観点からあげてみるならば



1. 個人対個人の関係
2. 集団と集団、あるいは集団の中における個人との関係
3. それらの集団の内に働いている社会的機能
4. 集団が今日までに生んできた文化的遺産
5. さらに、こうした人間生活とそれをめぐる自然環境との関係

の五つの領域が考えられる。このような五つの方向において、さきの五項目の望ましい発展を考えるならば社会科の目標はおよそ盡し得るのではないかと思う。その具体的なものは、文部省の一般目標十六項目なり、他の人々の考察があるのでここでは細説することを避ける。

社会科の内容はここにあげた五つの領域から決定され、組織されてくる。しかしこれら五つの領域は現実社会においては互に独立する領域ではないので、単元をこゝから取りあげる場合も、この一つの領域に対応して一つの単元を決定するというような方法を取ることは、社会生活を具体的に把握せず、かえつて社会生活の具体性をバラバラに寸断することになる。また、社会科の教育課程内容を決定するには、ふつう社会機能を分析してこれを範囲として、生徒の能力の発達程度を考えて学年別の排列を決定する方法をとつている。しかし、社会機能の分析という点のみから内容を決定することは、現実の人間関係を生のままの生動するものとしてとらえることができない。内容決定に際してもらすことのない周到さを持つことはできるが、他面その内容を如何なる点にまで徹底させ、深めたらよいかという考察（それも一つの内容の範囲である）に缺ける。内容を深さの点で掘りさげるのを決定するのは、先にあげられた五つの領域を配慮した目標によつてなされる。



また排列の決定にしても、単に生徒の能力の発達程度のみを考慮に入れて、学習内容を易から難へ、狭から広へ排列し、生徒の発達能力に適合させるのみであつてはまだ缺ける所がある。というのは、排列は生徒の社会事象を眺める考察の方向においてとらえるのでなくてはならない。それは学年における興味の中心ということになるかも知れないが、それは単に個人の心理の発達的段階の考察から生ずるのではなくそれぞれの学校における各学年の生徒がこの発達に基いていかなる関心の方向の特性をもつているかということになる。それは分析的な方法でとらえられるのではなくて生きた現象として綜合的・具体的に把握されるのでなくてはならない。

以上のように述べてきたとしても、社会機能の分析が必要でないというのではなく、むしろこれは、

一応組みあげられた教育課程の全体を精査してみる場合に有効に使われるであろうし、生徒の能力の発達程度の考察は、さらに学習指導を有効ならしめる為にも大切な事柄であろう。これらのことは中々むつかしい問題であるが、われわれはお互いに到達した成果をだんだん集積していかねばならない。

次に現行の一般社会科の単元と改訂予定の単元、さらに当校における単元題目を比較した表を掲げ、これに対して若干の考察を加えてみよう。

次の表にしたがって、文部省案の比較検討から考えてみたい。まず現行の主題、第一学年「日本におけるわれわれの生活」、第二学年「社会生活に対する産業の影響」、第三学年「共同生活の社会的條件」と、改訂の主題、第一学年「われわれの生活圏」、第二学年「近代産業時代の生活」、第三学年「民主主義の発展」とを比較してみると、外見あまり大した変化でないように見られながら、態度としてかなりはっきりした変化が現われているように思われる。現行のものには、一面には、第一学年において「日本」、第二学年においては「世界」的視点においての把握を目ざし、生活圏の地域的拡大を考えながら、他面においては、第一学年「生活」、第二学年「産業」と事象考察の角度の相異を考えるという視点の交錯が見られる。しかるに地域的には既に小学校において「世界」にまで拡大された視点を再び中学校において、それと同一範疇に属する排列を考えることは、既に不要なものの如くであった。この点を改訂単元ははっきり割り切っており、学年に応じた排列は、生徒の発達に応じた社会事象の取り上げ方の角度の相異ということに統一づけられている。そうした操作のため学習内容は、現行のものが二学年に量的に多く、一学年が比較的に少なかったのに対して、改訂のものは一学年が非常に重く、二学年が軽くなっているというきらいはあろう。

（82）

| | 現行単元 | 改訂単元 | 本校単元 昨年度実施単元 | 本校単元 改訂単元 |
|---|---|---|---|---|
| 第一学年 | 1. 日本列島はわれわれにどんな生活の舞台を与えているか。<br>2. われわれの家庭生活はどのように営まれているのであろうか。<br>3. 学校は社会生活に対して、どんな意味をもっているのであろうか。<br>4. わが国のいなかの生産生活はどのように営まれているであろうか。<br>5. わが国の都市はどのように発達してきたか、また現在の都市生活にどんな問題があるか。<br>6. われわれの余暇をうまく利用するにはどうしたらよいであろうか。 | 1. 学校や家庭の生活を明かるくするにはどうすればよいか。<br>2. わが国土は、われわれにどんな生活の舞台を与えているか。<br>3. 世界の人々の衣食住の様式は、それぞれの土地の自然と、どのように結びついているか。<br>4. 世界の諸地域は、どのように結びついて来たか。 | 1. 中学生<br>2. 健康<br>3. 家庭<br>4. 都市と田舎<br>5. レクリエーション | 1. 学校と家庭<br>2. わが國土<br>3. 世界<br>4. 交通・通信 |
| 第二学年 | 1. 世界の農牧生活はどのように行われているか。<br>2. 天然資源をもっと有効に利用するにはどうすればよいか。<br>3. 近代工業はどのように発達し社会の状態や活動にどんな影響を与えたか。<br>4. 交通機関の発達はわれわれをどのように結びつけてきたか。<br>5. 自然の災害をできるだけ軽減するにはどうすればよいか。<br>6. 社会や政府は生命財産の保護についてどういうことをしているか。 | 1. 近代産業はどのように発達し、われわれの日常生活にどんな変化を与えたか。<br>2. 村や町の生活は昔に比べてどのように違っているか。<br>3. 天然資源をいっそう有効に利用するにはどんなことに心がけたらよいか。<br>4. 職業はわれわれの生活にどんな意味をもっているか。 | 1. 農牧生産<br>2. 天然資源<br>3. 近代工業<br>4. 交通・通信<br>5. 災害防止 | 1. 近代産業<br>2. 都市と農村<br>3. 天然資源<br>4. 職業 |

（83）

| 第三学年 |
|---|
| 1. われわれは過去の文化遺産をどのように受けついでいるであろうか<br>2. (イ)われわれの芸術的欲望を満足させるために、社会はどんな機会を与えているか。<br>(ロ)宗教は社会生活に対してどういう機会を与えてきたか。<br>3. われわれの政治はどのように行われているであろうか。<br>4. 職業の選択に際し、また職業生活の能率をあげるためにどんな努力をしなくてはならないか。<br>5. 消費者の物資の選択に際して、社会の力はどういう影響を与えているであろうか。<br>9. 個人は共同生活によく適合していくにはどうしたらよいであろうか |
| .1 民主主義はどのように発展してきたか。<br>2. われわれの政治はどのように行われているか。<br>3. 経済生活を改善するにはどのように協力したらよいか。<br>4. われわれは文化遺産をどのように受けついでいるか。<br>5. われわれはどのようにして世界の平和を守るか。 |
| 1. 経済生活<br>2. 文化<br>3. 個人と共同生活<br>4. 社会組織<br>5. 世界と我等 |
| 1. 民主主義<br>2. 政治<br>3. 経済生活<br>4. 文化<br>5. 世界の平和 |

( 84 )

次に、現行の單元の排列の仕方が羅列的のきらいがあるのに対して、学年毎のまとまつた排列の方法をとつていることである。一つの單元が單元としてのまとまりを持ち、導入から終結に円環を描きながら、それがまた学年としてのまとまりとして、導入から終結に至る一つの円環を形成している所にその特色を見ることができる。すなわち学年の主題はそのまま、学年一つの大きな單元の如く見ることができる。学年の最初の單元は導入單元のような色彩をもち、最後の單元はしめくゝりのような色彩をもつている。排列の仕方が大人の考えた論理的な排列になつてしまつてはむろんいけないであろうが、一つの單元の終結が次の單元への導入となり、次々に円環を描きつつ経験の領域が上昇若しくは拡大していくことは望ましいことであろう。一つの單元の展開の場合にしても、むしろこうしたまとまりがなく、羅列的に並べたてたような所に今までの社会科指導の缺陥があるのではなかろうか。

当校の單元の排列は、殊更に新奇なものではない。社会科の單元としては文部省案そのままであると言つてよい。このことは当校のカリキュラム全体が当初からむしろねらいとし、特色としている所なのである。しかし文部省案によるとはいえ、それをいかに解釈し、発展させていくかという取り扱いの上で、それぞれの独自の色彩が生じてくるものと思われる。例えばわれわれが改訂の文部省案を「円環をえがきつつ、らせん的に上昇若しくは拡大していく」排列の仕方であるといつても、それはわれわれの解釈であつて、文部省案はこれを企図しなかつたのかも知れないし、むしろ全く逆のことを考えていたという場合もあり得るわけである。そういう点で私達の取扱い方は、後の單元展開の所で扱うつもりであるが、全体の見通しについては、「総論」に挿入されている社会科の單元内容の一つ一つを検討してもらえば分つていただけることと思う。

( 85 )

## 三、単元学習の方針と計画

一口に単元といつても種種の類型があつてとかくすると誤られやすいがそこに何らか一致した性格があるであろう。単元というのは学習の一つのまとまりであり、「統一を持つたものとして学習されること」を意味している。統一を持つたものというのは社会科の場合、それが一つの社会的な意味を荷つたものとして考えられるということであり、単なる他の事項の一環としてのみ意味があるというようなものは単元として統一性をもつたものとは言われないであろう。しかし、統一性といつても生徒の発達に応じて巾と深さの相異があり、おのずから単元の取りあげ方も異つたものとなるであろう。従つて小学校低学年の単元の取り上げ方と中学校のそれとはおのずから異るものがなければならない。

(86)

低学年における単元は日常生活の中で学習される、偶然的・無意識的な原始的段階（親が自分の子供に、親の職業を学ばせたような）より一歩を進めて、明瞭な意識的企図に基いて計画された生活を子供たちに提供し、子供たちがここで持続的にお互に共同して目的々活動を行わせようとするような仕方で単元が取りあげられる。これに対して中学校や高等学校の一般社会科における単元の取り上げ方は、生活から遊離するのではないが、生活がそのまゝ学習単元として取りあげられるのではなくて、生活から一応しりぞき、それを反省するような仕方で単元が構成される。ここでは「生活の中にくり返し出現する恒常的な問題を、直接の生活活動から一応離れて、知的に深く反省し、その正しい解決法を明らかにすることを目的として営まれる知的活動の統一体」として単元がとりあげられる。この相異を無視して生活単元による学習のみが単元学習の本来のあり方であると考えるのは、中学校・高等学校の生徒のような年長者の場合不十分である。

中学校の一般社会科における単元は教師の取扱い方にもよるであろうが、教材単元若しくは問題単元であり、小学校の作業単元は生活単元若しくは経験単元の範疇に入るものと考えられる。中学校の単元をこのような意味で教材単元若しくは問題単元として一応規定するとこの単元学習においては一体どのような特質をもつているであろうか、

第一、単元学習においては、教師と生徒との共同によつて学習の目標が計画が立てられるのであつて決して教師によつて独断的に計画が立てられ、生徒がその計画通り学習を進めていくというようなものではない。

第二、教科書と教師の講義から受けとられた知識の暗記ではなくて、生徒の自発性を重んじた多様な学習形態がとられる。

(87)

第三、教師が生徒に課するというような形で学習が行われ、したがつてそこでは生徒が何の為に学習するかその意味を発見することができないようなおしつけの学習ではなくて、生徒は自らの要求から、自らの問題として把握し、これを解決していこうとする所に学習活動が展開していく。

其他まだ細かい特質と考えられるものはあるであろうが、ここにあげた特質から、単元学習がとかくすると生徒のもつ関心や欲求に左右されてしまうおそれがある。しかし生徒と教師との共同によつて学習計画が立てられるとはいつても、教師の予備的な計画が不必要なわけではなく、むしろ実際に現われる学習活動が一方的に教師の計画によつて進められるのでない為に非常に複雑となるため余計に教師の予備的な計画は必要となる。ところが各々の教師が単元計画を根底から計画することは一人一人の力で

は中々出來難い所である。そこで計画の手がかりとなる資料單元が必要になつてくる。ふつう高等学校・中学校の社会科学習指導要領の單元はこの資料單元とよく似た所があるとされている。しかし、学校や一つの地方でこれにもとずいて更に詳細な資料單元を作成することは有効なことではあるが中々労力的に出來難い場合も多い。そこで教師の学習計画の基礎となるものは文部省の指導要項とそれに基いて立てられた学校計画の両者を参照することによつて計画表が立てられたらよいと思う。

次に学習指導計画の一例をあげてみるが紙面の都合から簡單なものにとどめたが、最低限に必要と思われる項目をこれによつてみていたゞければよいと思う。

## 社会科学習指導計画の一例 (中学三年)

1. 單元題目　経済生活改善への協力（九月上旬〜十月下旬　毎週四時間　計約三十二時間）

2. 單元の趣旨　國民の苦しい経済生活の現状を直視し、單に個人経済の改善のみならず、家庭の経済や社会の改善に対してどのように協力することが出來るか、ということを考察させる。

3. 目　標

理解　(1)生産・流通・消費の相互関係の基礎的な理解
(2)國民の生活水準の現状について
(3)自己が経済生活においてどんな地位を占めているかについて
(4)経済上における民主主義の原則

態度　(5)消費の合理化をはかり、物資を愛護しようとする態度や習慣
(9)個人的・社会的・経済問題についての深い関心
(7)経済生活をよりよく向上せしめようとする意欲

能力　(8)新聞の経済記事などを理解することのできる能力
(9)経済統計や図表などを解釈したり、これを利用する技能
(10)経済生活をよりよく晦むことのできる能力



4. 学習指導課程

a. 予備過程（五時間）
導入
題目・目標の設定
学習計畫の樹立

b. 展開（学習活動としめくくりの活動）

| 題目 | おもな学習活動 | 評價の觀点 | 時間配当 |
|---|---|---|---|
| 一、経済生活の現状 | | | |
| 1. 物資の入手 | 1. 生産から消費にいたる物資の入手経路を調べて話合う<br>2. 通貨の役割やその発達<br>3. 小切手や手形などの使用 | 正しく有効な資料を集めてくる能力があるか。 | 10 |
| 2. 物價と賃金 | 4. 物の價格に含まれている費用<br>5. 需要供給と價格との関係<br>6. 生産技術の変化と價格<br>7. 物價と賃金から見た経済生活の現状<br>8. 種々の價格とその決め方 | 経済上の原則を正確に理解し、それを現状にあてはめて解釈する能力があるか。 | |
| 3. 家計の内訳 | 9. 自分の家や、其他家計の内訳の統計から見た経済生活<br>10 生活水準の変化 | 家庭の経済生活に対して積極的に参加し、協力しようとする意欲を示すか。 | |

| | | | | |
|---|---|---|---|---|
| 4. 物資の生産 | 1211 | 生産のための企業形態やその規模<br>再生産の過程 | 物資の生産について中学生の立場からどのように協力しようとするか。 | |
| 二、経済政策と國民の経済生活 | 1413 | 経済生活に対する政府や政党の改策<br>経済政策とそれが個人や家庭の経済生活に及ぼす影響 | 経済記事を理解することができるか | 8 |
| 三、経済生活向上の方法 | 1716 15 | 生産・流通・消費の間の関係とその調整<br>貯蓄の意義<br>消費の合理化と協力 | 学習結果をうまくまとめることができるか。 | 5 |

5. 反省と効果の判定（三時間）

教師と生徒と共同して單元計画を立てる場合、とかくすると学習活動の平面的なら列となり、前後の関連のないいくつかの学習活動を順序不同にぼつぼつととりあげているような学習活動になつてしまうことがある。單元学習の名に價するものたらしめるためには、單元を意味ある一連の系列に統一づける要があり、更に生徒自らの欲求や関心から発生した問題意識を発展させるよう組織づけねばならない。

中学校における問題解決の課程、問題單元の学習においては、「どうしてか」「どのようにして」「何のために」等々の問題意識が出発点になり、その問題解決のための計画をし、計画に基いて解決に必要な知識を蒐集し、結論に到達するものでなければならない。同じ問題の形で單元が提出されたにしても、その問題性が生徒にとつて非常に切実に感ぜられる場合もあるだろうし、又そんなに切実に感ぜられない場合もある。それは問題の内容と生徒の興味との関連が密接であるかどうかにもよるが、問題の導入の仕方にもよる場合が多いであろう。



例えば先にあげた計画表の経済生活の單元について文部省は、「中学校一般社会科單元の要綱について」の中で次のように示している。

單元I「経済生活を改善するには、どのように協力したらよいか」

目　標

一、日常の経済生活を計画的に営むことが、どんなにたいせつであるかの理解
二、生産・流通・消費についての基礎的知識とこれらの相互関係の理解
三、経済生活の歴史的発展をとおして、現在の経済生活の理解
四、現代の経済生活における自分の地位の理解
五、民主主義の原則は経済生活にもあてはまることの理解
六、個人的・社会的・経済的問題に対する関心
七、物資を受渡し、むだな消費をつつしむ態度・習慣
八、よりよい経済生活を営もうとする意欲と能力
九、経済統計・図表などを解釈したり、これを利用する技能

内　容

一、われわれは日常品物をどのように手に入れているか。
（1）われわれは必要なものをすべて自分で生産しているか（現代の社会ではある種の品物の生産者は他のたくさんの種類の品物の消費者である）

(2) われわれは日常、品物を手に入れる時に、どういう店を利用するか、また生産された品物がわれわれの手もとにはいるまでには、どのような経路をとるか。
(3) 通貨はわれわれの経済生活をどんなに便利にしているか、通貨はどのように発達してきたか。
(4) 小切手や手形などはどのように使われているか。

二、物の価格はどのようにして決まるか。
(1) 小売店の品物の価格には、どのような費用が含まれているか。
(2) 生産技術の変化は物の価格にどのような影響を与えてきたか。
(3) 需要や供給の増減によつて、価格はどのように変化するか。
(4) 公定価格はどういう場合に決められるか。
(5) 安くて、よい品物を買うにはどうしたらよいか。



三、物の生産はどのようにして行われるか。
(1) 生産のための企業には、どんな形態や規模のものがあるか、そして企業はどのようにして発達してきたか。
(2) 生産は直接に消費するだけのために行われるものか。
(3) 生産にはどんな基本的要素が必要か、またそれぞれどんな役割を果しているか。
(4) われわれは生徒として生産にどのように参加できるか。

四、生産・流通・消費の間にはどんな関係があるか。
(1) 家庭の収入の大小と消費量との間には、どんな関係があるか。
(2) 消費量の大小は、生産にどのような影響を与えるか。
(3) 商業は生産と消費の増大によつてどのように発達してきたか。
(4) 現代の社会では商業はわれわれの経済生活に対してどのような役割を果しているか。
(5) 貯蓄はわれわれの経済生活にとつてどんな意味をもつているか。

五、われわれの経済生活の改善に対して、現代の政府や各政党は、どのような政策を立てているか。

この文部省の要綱の内容を学習単元として構成する場合、経済生活の生産・流通・消費の各方面を羅列し、そこに多くの理解事項や学習内容を盛り込んで、丁度経済学入門や経済学概論のような学習をさせるのではなく、単元にはつきりした角度をもたせることが、平盤な退屈な学習になることをさけるのにたいせつな事柄である。これはほんの一つの例にすぎないのだが、例えばここで計画されたように、我國の経済生活の水準の低さに着眼させ、それの現状を把握するのに物價と賃金、エンゲル系数、生産指数などからみることができることを理解し、そこから経済上の基礎的知識を得、さらに政府の政策が日常の経済生活に非常に影響するものであることを考え、最後生活の向上を計るにはどうしたらよいかという問題を消費の合理化などに結びつけて学習する。ここには一つの明確な角度というものがある。そしてこの角度から「要綱」に示されているような材料を取りあげていくことによつて、単元が平面的な退屈さからまぬがれて、動的・立体的なものとすることができるであろう。

これは教師が学習を展開していく指導の面からの角度とでもいうべきものであるが、さらに生徒の面からする角度があつてよいと思う。例えばここでは生産・流通・消費についての基礎的知識とこれらの相互関係の理解ということが、目標の一つではあるが、生徒の経済に関する初歩的な段階としては、身近な消費生活を中心とし、これを角度として生産や流通を関連づける仕方がとられるがよいであろう。

## 四、学習指導の方法

新しい学習活動の特質は生徒の自発性の尊重ということにあるが、外形的には学習活動の多様性ということにあると思われる。社会科の学習活動においては殊に多様であり、単元の性格、内容をはじめ、単元展開の段階の変化に応じていろいろの学習形態がとられる。中学校の指導要領の序論には約五十ぐらいの学習活動があげられている。それがまとめられて、目による活動、耳による活動……となっている。ここであげてあるものは主として、その時における生徒の活動から分けられたものであるが、学習形態としてはこの外に、学級内の学習の組織がどのようになっているかにしたがって分類することもできれば、何を目的とした学習であるかにしたがって学習形態を分類することもできる。

ここではその一々について述べる余裕をもたないから、唯ふつう問題法といわれる学習活動について考えてみたいと思う。

社会科が教育の生活化という基盤から発生し、生活力を得させることを主眼としており、それがまた新しい教育がねらいとしていることであるということは先にのべた所である。ここにいう生活力とは何か。それは人々が生活の途上に出現してくる困難な問題と取り組み、これを解決していくことに外ならない。それ故これは問題解決の力であるということができる。我々の生活は問題の連続であり、この問題に当面していく過程が人生であるとされる。こういう場合の問題とは人間の現実と目標あるいは欲求



とのギャップに横たわるものであるといえる。これが問題とは困難ということであるとも言われるゆえんである。

社会科の学習指導として問題法といわれるものは学習がこうした問題を媒介として行われるものである。もちろん生活単元といわれるものも何等かの意味で問題解決であるといえるが、中学校で問題単元として扱われる学習はそれとは異り、生活活動から一応はなれて知的に反省された所にまとめられた統一体として取り上げられたものである。また、ここで取上げられる問題は大人の生活の途上に現われるものを取上げその生活への準備として学習されるようなものではなくして、子供の生活活動の内におけるそしてその範囲において了承することのできる性質の問題である。生活単元の学習は単元学習の過程において次々に出会われるという種類の問題であるが、問題単元の場合の問題は、一つの問題を中心にして単元が作られるような形をとる。

問題解決の方法においても、低い段階では直接その問題を試行錯誤的に既有の経験のみを基礎として解釈しようとするが、これに対して中学校における活動は、必ずしも直接行動に訴えず、問題の解決法の見透しをつけ、過去の経験を整理し、新しい資料を獲得して、組織的な解決を企てようとするいわゆる反省的な思考があらわれてくる。中学校における問題学習はこのように反省的思考に訴えて解決していくいわゆる科学的方法である。

ところでこうした反省的思考によって学習される問題解決の過程はどのようなものであり、いろいろの学習形態がこの過程の途上においてどのように用いられることが有効であるかの若干の考察を試み、私見をのべてみたい。

反省的思惟の方法は帰納的方法と演繹的方法との二つに大別され、それぞれにしたがつて思考過程の相異がある。

帰納的方法による問題学習の段階

(1)問題の明確な認識——問題の性質を正しく理解し、いかなる解決が要求されているかを見定める

(2)資料の探究——問題の解決に必要な意味のある資料をあらゆる可能な方法によつて蒐集する。

(3)蒐集された意味ある資料の捨象・比較・抽象——蒐集された資料の中から不適当なものを捨て、適当なものを選出する。

(4)概括——選出された資料を組織し、必要な結論あるいは推論を引出す。

演繹的方法による問題学習の段階

(1)問題の明確な認識——帰納的方法の(1)と同じ。

(2)問題解決の試案の探究——事実を説明するに足る諸法則を探究する。

(3)問題の蓋然的あるいは可能的解決と見られる試案の形式化——問題が無制限の推測を許す場合にはもつともらしい試案を探究し、それを形式化する。

(4)検証——試案の設定の際に入つてくる要素を慎重に吟味し、その試案の妥当性をもつことを実地に証明する。

しかし、普通の思考過程はこの両者の方法の混合された活動である。そこで問題解決の過程として考えられる典型的段階を一応次のように考えることができると思う。そしてその思考過程がそのまゝ学習活動（個人学習であれ、また共同学習であれ）の段階である。

(96)

| 問題解決の思考過程 | 社会科の学習過程 | 問題解決の能力 |
|---|---|---|
| (1)問題に直面すること。 | (1)単元導入 | (1)問題を発見する能力 |
| (2)問題を明確に把握する。 | (2)題目決定、目標の設定など。 | (2)問題の性質を認識する能力 |
| (3)問題解決の計画を立てる。 | (3)学習計画の樹立。 | (3)問題を分析する能力 |
| (4)計画に基いて問題解決に必要な資料となる知識を集める。 | (4)学習分担をきめ、研究にとりかかる。資料の蒐集。 | (4)資料を蒐集する能力、資料を批判する能力 |
| (5)集められた知識をもちより一応の解決をはかる。 | (5)研究の結果を発表し、これについて討議推究する。 | (5)資料を組織する能力、仮説を立てる能力、仮説を吟味する能力、勇敢に結論を下す能力、誤つた結論を放棄する能力 |
| (6)(5)の解決を検討して、更に確実な解決に到達する。 | (6)しめくくりの活動・評價。 | (6)結論を検証する能力、結論を応用する能力 |

右の如く、正しい反省的思考の過程がそのまゝ社会科の單元学習における過程であり、この問題解決の課程を通じて問題を正しく解決する能力を育成しようとするのが問題法の学習のねらいとするところである。

第一の段階は問題に直面するところであるが、いかなる問題が重要であるか。重要な問題に対して十分な関心をよび起すことが大切である。それ故学習過程としては視聴覚的方法を十分使つてこれに気づかせるようにすることが大切であると思う。もちろん、生徒自ら発した問題であることが大切ではあるが、あまりその形式にこだわりすぎるのはよくないと思う。誤まられてはならないが、極端にいえば、たとえ導入の際、教師が問題を提示したのであつても、それが生徒の関心の中心となり、十分興味を起す問題であるとしたら、それは成功であるといわねばならない。要は生徒の口から出たか、教師が話したか、という形式的な問題ではなくて、問題に直面することができたかどうかという関心と興味の問題

(97)

でなくてはならない。そうした観点から先ず学習環境をととのえることが大切であろう。

第二の段階は問題を明確に把握することである。生徒が問題に直面し、興味を起すことができたとしても、なおそれは漠然とした把握しかなされていない。如何なる角度からこの問題を把握し、如何なる深さにおいてこれを解決するかということが予め考えられなければならない。その角度の問題が題目の決定であり、深さの問題が目標の設定である。ここでの学習形態は視聴覚的方法よりも、問答学習、討議学習というような形で行われる。お互いの話し合いや教師の助言によつて問題を追究したり、分析したり、問題の所在をつきとめようとする。

第三の段階は問題を解決するために大切な順序方法を決定するのであるが、計画を立てるためには問題解決の結果があらかじめ予想されていなければならない。それ故、この段階における計画の樹立は、問題が次々に明確になつてくるにしたがつてだん〳〵変更されてくることがある。こうして問題が分析され幾多の問題にわけられると、グループで分担するような仕事も行われる。今までの三つの段階は主として共同学習の形で行われる。

第四の段階は学習形態としてはもつとも多様な方法が用いられる。殆んどあらゆる活動がこの段階の学習活動に行われる。そして学習形態が多種多様でありそれが問題の性質にぴつたり合つていればいる程学習は有効となり、興味あるものとなるであろう。教師にとつてはこの段階における指導の方法が最も研究を要するものである。その詳細についてここで述べることはできないが、教科書や参考書・新聞などを読む活動、面接にでかけたり、専門家を招へいしたりして聞く活動、年鑑・統計書其の他で調べる活動、図書館・博物館、其の他へ出掛けて行き、見学したり、観察したり、聴取したり、統計したり

(98)

する活動などが行われる。

第五の段階は集められた資料をもちよつて一応の解決に到達する段階である。ここではその資料をどのように整理し学級の全員に提供するかということが大切な仕事となる。学習形態としては主として研究報告の形で行われる。社会科の学習形態としてはこの報告学習が主たる活動の如く考えられるがむしろその活動の主たる部分は第四の段階である。また、報告学習の形態において、学習内容が十分咀しやくされずに教師の講義法の代用の如く行われている場合の多いことはわれわれの警戒しなければならぬところである。

第六の段階は、今までの過程によつて得られた結論を検証する段階である。理論的に追及して得られた結論が果して実地において妥当するかどうかが再びここで検証される。

右の如く問題解決の段階を分析してみるとその中にあらゆる学習活動の形態が含まれるのであるが、問題解決の過程といつても、常にこの六つの段階を経るわけではなく省略されることもある。しかしいずれにせよ、学習活動が平面的・羅列的に行われるのではなく、それが問題の解決という角度を持ち目標が明確にされることによつて、その中において所を占めてはじめて有効に用いられるものであろう。またここでは問題解決の過程のみをみてきたのであるが、中学校における社会科の学習はすべてが問題法であるのではなく、形成活動も大いに用いる必要があるが、たゞ小学校の低学年時のそれは生活（形成作用）が表であり、その途上にあらわれる問題が一つづつ解決されていくのであるが、中学校におけるそれは、問題の解決の途上において、解決を有効ならしめる如く、形成活動が用いられるのである。そこにいずれを主とし、いずれを従とするかの相異が見られる。

(99)

中学校の社会科はその性格が優れた知的活動であって、反省的思考の過程と社会科学習指導の過程とを相即せしめることにより、その科学的方法を企図してきた。社会科はもとより、学問的体系をそのままに学習するのではなく、生活による学習であることはいうまでもないが、だからといって社会科の学習が意識的な皮相なものであってよいとはいわれない。そこには近代科学、とくに社会科学の成果を尊重しなければならない。社会科の学習が生活することによって学ぶ建前をとりつゝ、さらに科学的方法を企図していくことは、社会科の学習によって生活の科学化という現代的な要求が十分に達成されるといってよい。

## 五、學習評價

(100)

学習評價が今までの採点や標語と教育的價値を全然異にするものであるということが强調され、評價の重要さが考えられたのであるが、それと時を同じくして評價の方法の改善として今までの主観的な採点や標語の決定に対して、客観テストの方式を用いることが强調された。その爲であるか、客観テストのみが新しい学習評價の方法であると考え、依然として旧来の如き知識をもととした評價によって、生徒の全成績を評價づけているといった誤りがわれわれの周囲に存在しないとはいえない。

客観テストによる成績評價の方式には自らそこに限界のあることを知らねばならない。

(1)、評價の内容が態度や技能にわたることが、比較的不可能であり、たとえその評價をし得る問題を選定したとしても、生徒の現実生活の内でそれが実践されているか否かは分らぬことであり、かえってそれをすることにより「口耳三寸の学」を奨励するような結果になりやすい。

(2)、教師の主観の介入しないことはこの方式のもっとも長所と考えられる所ではあるが、その反面浅薄な知識の有無の評價になってしまうおそれがあり、旧来のそれよりもかえって一層、断片的な知識のみを検することに堕してしまう。高等学校における入試問題、大学における入試問題などを見るとそうした弊がないとは断言出来ない。

(3)たとえ異った生徒に同じ結果が出たとしても、その生徒に理解の深浅があることについては評價出来ない。一方の生徒は非常に深く理解した結果そこに到達し、他方の生徒はほとんど偶然の結果そこに到達したという場合があり得る。

こうした限界を客観テストは持っているが故に、この一方的方法のみで評價の全面をおおってしまうことはできないのであって、学習指導方法の多様性が新教育の特徴であったように、ここでもまた評價方法の多様性が新教育の特徴でなくてはならない。

(101)

まず学習評價には、単元学習そのものの効果の判定があり、学業の成績(もちろん態度や技能など行動の面まで含めた)の個人的な判定がある。この両者は表裏一体をなすものであって、個人的な判定の結果をかえりみて、単元学習そのものの効果を知ることができるし、学習活動の展開に即して力動的に単元学習の効果を判定していく途上、個人的な成績も判定される。

また評價の主体も、教師が行うものもあれば、生徒が相互に行うものもあり、自分自身を評價することもあり、時には父兄なり、学校近隣の人に評價してもらう場合もある。

一般的な評價の方法としては次のような場合を考えることができると思う。

(1)、観察目標をきめて教師は計画的に観察を行い、学習目標を正確に把握し、これをどこまで実現することができたかを観察する。観察の時期は主として学習活動の時間であるが、その他遊びの時間などにもこれをなすことができるであろう。

（2）、一定の尺度をきめて、生徒自身にも反省を行わせ、自覚的な判定とする。

（3）、学習内容についてはテストの方式を用いるが、また調査研究したレポート・図表などによつて判定する。

（4）、その場合、教師が判定するのみならず、生徒相互に、あるいは時には父兄保護者にも判定してもらう。

またこの他に判定の機会や方法はいくらもあるであろうが、要するに評價は生徒の段階を定めるものではなく、生徒一人一人が如何に成長することができたか、その成長の記録でなければならない。それによつてわれわれ教師の側としては、生活のガイダンスの方法の改善、カリキュラムの改造等に資することができる筈である。



以上のべてきたところは、本校の標準教育課程に即して社会科の独自の立場からその指導の方法に亘つたのであるが、この他に日本史の教育課程についてもこれとは別に考える必要があるであろうし、また、一般社会科の問題にしても、もつと身近かな問題、例えば「社会科における教科書の取扱い方をどういう風に考え、実施しているか」とか「社会科と道徳教育の問題をどのように考え実施しているか」とか「教育課程の中に地域社会との関係をどのように生かしているか」とかいう問題で大切な事柄がある。ここではそうした問題の一つ一つについて我々の態度をのべていく暇がないので一切を割愛してしまつた。またいつかの機会を待つことにしたい。

# 第二章　職業家庭科の教育計画

## 一、職業家庭科のあり方

昭和二十二年三月三十一日法律第二十五号の公布の第一條で「教育は人格の完成をめざし、平和的な國家及び社会の形成者として、眞理と正義を愛し、個人の價値を尊び、勤労と責任を重んじ、自主的精神にみちた心身ともに健康な國民の育成を期して行われなければならない。」と明示され勤労教育の重要性を力説された。即ち

一、國民はまず働くことにおいて生活し

二、それが國民のために役立ち

三、更に封建的なからを破つて民主的勤労文化をうちたてる



ことであつて敗戰國日本を救うの道は働くことを生活の第一條件とし、経済再建・文化國家建設等を要請されたものであつて、新制中学校に新教科として職業科の登場を見たのは当然の趨勢であるといえる。

それで職業家庭科教育の第一要件は働く気持ちの養成であると言いうる。働くことのためには、ことによい結果を得るためにはある程度の技術教育も必要であるが、従来の実業科のような技術の専門家を（中学校に於ては）養成するのではないということを充分意識せなければならない。新制度の職業家庭科は働く精神をもたせるための目的で技術を修得させることで、それを応用して作業させ、それを通し

て具体的な人間生活をみつめ、個性を自覚し、伸展し、指導するための方便であると思う。であるからその作業内容は各教科・各教材と結びつけられ相互関連して取扱われねばならないことは言をまたないことと思う。

次に職業家庭科のもう一つの要件は、将来の職業に直接役に立つものを教えようとするものではないということである。職業選択をやらせる段階にある生徒であるから作業の実際内容は農業的、工業的、商業的と種々のものをトライ・アウトさせなければならないことになるであろう。そうしてそれらは、ばらばらに切り離された形でトライ・アウトさされるものではなく、各単元に統合されたすがたとなつて構成され、指導されて行くべきであり、唯一つの作業に生徒を向わせてはならないことになる。最初は誰でもが出来るような一般的な内容の教育を行い、それから生徒のもつている適性に応じて将来の職業が得られるように、つまり適職が得られるように、いろいろの経験を得させるよう取扱つて行かなければならない。ある一つの作業をやらせるとしても、その作業と他の作業との関連を研究させることが大切であつて、新しく設定された四類十二項が可能の範囲に於て一単元の一作業に有機的なすがたとなつて統合されるよう計画し、立案し、指導されなければならない。例えば第一類の農業的トライ・アウトをやらせても商工・紡績・貿易等の関連を学習させ、農業経営を具体的にやることによつて他の関連する職業と接触するよう常にその取扱いに留意すべきである。

具体的な人間生活はすべての職業や家庭生活に関係をもつから学校の所在地をバックとして、その全体との関連に於て職業家庭の連絡発展がどうなつているかを理解させるよう心掛けるべきで、その理解を得させるためには現実にある一定の職業経験を基礎として他の職業との関連を理解させることが大切

(104)

であつて、他の職業の経験までは出来なくてもそれを理解させるようにありたい。

三年間を通じて日本國民のたずさわる主な職業や家事について大体の理解が得られ、更に生徒が職業選択の準備のかてにする健康とか、技術とか、自分の能力とか、資質の比較も出来るようになり、青年前期に於て自己の力を主にして進むことの出来る方向について多少の見当をつけることが出来、その見当と、親やその他の相談者の意見などが合致して、中学校卒業後の進学や職業選択の準備が出来上るようにならなければならない。

こうした趣旨からすると、従来の実業科や家庭科を取扱うように専門の技術をやらせると専門家への養成にはよいが中学校の職業、家庭科の設置の目的とは相反する。したがつて生徒が将来農民、商人、俸給生活者、官吏などになるのであるというように学校で運命づけられてはならない。多少でも判断力や批判力のととのう年令に達したとき各人が自己の進むべき方向を決定するようにさせることがこの科の学習要件だと思う。つまり職業、家庭科の担任は従来の指導観念を一変して新制度の趣旨を体し、一般國民が従事している、あらゆる職業に理解をもたせるよう取扱つて行くべきである。

この趣旨を更に徹底強化するため昭和二十四年五月二十八日発学二六一号で「新制中学校に於ける教科並びに配当時間改正について」という件名で文部省学校教育局長から各府縣に通知されたことになり、職業科と家庭科が仲よく肩を並べて、両科併せて年間一〇五～一四〇時間が必修として配当されたことになり、しかも職業科、家庭科などの内訳を示さずに單に職業・家庭科として示されている。この点は旧課程に比べて大いなる進歩をなしたといわねばならない。

この通知の中には職業科及び家庭科について次のように定めてある。

(105)

1、必修教科としての職業科は特定の職業についての専門的な知識や技能の教育をするものではなく、全生徒に社会に必要な各種の職業についての基礎的な知識・技能の啓発を主眼とする。

2、職業科は職業指導と相まつて生徒個々の興味・適性・能力の発達を促し、生徒が將來の進路を適切に選択する能力を啓発すると共に、生徒の必要と社会の要請にこたえ得るよう計画すること。中学校をもつて正規の教育を終ろうとする生徒には職業を得るに有用な知識技能を与えるがよい。

このように職業科の新しい見方を示してあつて、始めから農業、工業、商業、水産、家庭のいずれかを選び、旧制度の実業科的教育をするものではないことを明かにしている。

更に「職業科及家庭科は男生徒及女生徒ともその一方のみを学習すべきではなく、男女いずれの生徒にも適切と思う單元について両者に学習せしむべきである。」と規定してある。ことに注目すべきは家庭科における実習は職業科における啓発的経驗としてみなされることである。そうして職業科における啓発的経驗（トライ・アウト・コース）及家庭科における実習として次の分野を例示している。

イ、栽培　ロ、飼育　ハ、漁　ニ、食品加工　ホ、事務　ヘ、製図　ト、機械操作　チ、手技工作　リ、調理　ヌ保健衞生　ル、その他

なお、これらの学習に際しては三年間に少くとも三分野以上の啓発的経驗を実施し、その一分野について一年以上に亘ることは望ましくない。但家庭科は一年以上に亘つて差支えない。これらの学習には他教科との関連を重視することを述べている。



次は昭和二十四年十月には前述五月公布の文部省案の指示を体して、全國数地域ブロックを編成、ワーク・ショップが開催され、職業、家庭科に関して、その單元の設立、時間の配当には次のような申合せが行われた。

中学校の職業・家庭科の性格

1、総ての人の幸福を計り、その生活を充実発展させるために、実生活に役立つ仕事と家庭生活・職業生活の理解を一体として学習する教材である。

2、実生活に役立つ仕事は栽培・飼育・漁・食品加工・手技工作・機械操作・製図・文書事務・経営記帳・計算・調理・衞生・保育の十二項目に分ける。

3、家庭生活の理解とは家族関係・衣食住・衞生保育・経理及び家庭と社会との関係などについての理解をいう。

4、職業生活の理解とは職業に関する社会的・経済的の理解をいう。

5、職業・家庭科の学習内容の選び方は地域社会の必要、学校、生徒の事情によつてちがう。

6、職業と家庭の関係を図示すると（第一図）のようになる。

類別、時間配当並に実施上の留意

第一類——1、栽培・飼育　2、食品加工　3、漁
第二類——4、手技工作　5、機械操作　6、製図
第三類——7事務
第四類——8調理　9、衞生・保育

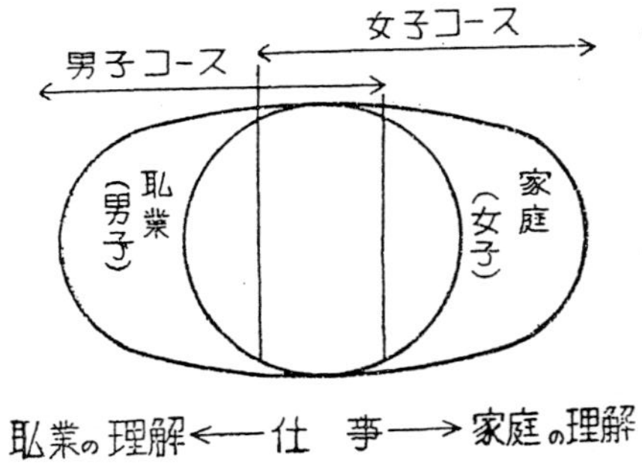


（第一図）

右の如く四類九項目に分れる。更に時間の定め方及び各類よりの項目のとり方を各学年別に表示すると（第一表・第二表）の如くなり、その選択と配当に留意するよう指示されている。

以上の如く職業・家庭科のあり方と新しく制定されたこの科の実施方法の大要は日を逐つて軌道にのつて來たことになるが、更に同年末の十二月九日文部省よりの通達には一層詳細に亘るこの科の仕事表を四類十二項目に分類、配当された仕事表が明示され職業・家庭科の単元設定や時間配当に最もよい参考を文部省案として提出され、この科の取扱いが明確化された。それは「新しい職業・家庭科のあり方……（文部省案）」で、その主なる項目は、次の四項目である。

〔第 一 表〕

| 学年<br>時 | 7 | 8 | 9 |
|---|---|---|---|
| 105<br>〜<br>140 | 九項目 | $\frac{1}{4}$ 理解 | $\frac{1}{4}$ 理解 |
| | 四つの類から六項目以上をえらぶ | $\frac{3}{4}$ 二つの類から三項目以上をえらぶ | $\frac{3}{4}$ 四つの類のわくをはずして三項目以上えらぶ |

〔第 二 表〕

（第一表をもとにして項目のとり方の一例）

| 類別＼学年 | 項目 | 7 | 8 | 9 |
|---|---|---|---|---|
| 第一類 | 栽培飼育 | ○ | | |
| | 食品加工 | ○ | | |
| | 漁 | | | |
| 第二類 | 手技工作 | ○ | ○ | |
| | 機械操作 | | | ○ |
| | 製図 | | | |
| 第三類 | 事務 | ○ | | ○ |
| 第四類 | 調理 | ○ | ○ | ○ |
| | 衛生保育 | ○ | ○ | |



1、職業・家庭科の性格

2、同 目標

3、同 教育内容 内容を省略す。

4、同教育計画の基準

その中、第四項の教育計画の基準となる中学校地域学校別、職業家庭科の各類別と時間配当表を左に掲げると、

男子コース

| 学年 | 類別＼地域別 | 農村 | 工業地域 | 商業地域 | 漁村地域 |
|---|---|---|---|---|---|
| 第一学年 | 第一類 | 60 | 20 | 25 | 50 |
| | 第二類 | 35 | 60 | 40 | 30 |
| | 第三類 | 20 | 40 | 50 | 30 |
| | 第四類 | 25 | 20 | 25 | 30 |
| 第二学年 | 第一類 | 80 (70) | 10 | 0 | 60 |
| | 第二類 | 25 | 70 | 35 | 35 |
| | 第三類 | 0 (10) | 25 | 70 | 0 |
| | 第四類 | 0 | 0 | 0 | 10 |
| | 職業家庭の知識理解 | 35 | 35 | 35 | 35 |
| 第三学年 | 第一類 | 40 | 0 | 0 | 35 |
| | 第二類 | 35 | 75 | 25 | 40 |
| | 第三類 | 30 | 30 | 80 | 25 |
| | 第四類 | 0 | 0 | 0 | 5 |
| | 職業家庭の知識理解 | 35 | 35 | 35 | 35 |

女子コース

| 学年 | 類別＼地域別 | 農村 | 商工業地域 | 給料生活者地域 |
|---|---|---|---|---|
| 第一学年 | 第一類 | 30 | 20 | 20 |
| | 第二類 | 40 | 55 | 55 |
| | 第三類 | 20 | 25 | 25 |
| | 第四類 | 50 | 40 | 40 |
| 第二学年 | 第一類 | 15 | 0 | 10 |
| | 第二類 | 60 | 65 | 60 |
| | 第三類 | 0 | 20 | 0 |
| | 第四類 | 30 | 30 | 30 |
| | 職業家庭の知識理解 | 35 | 35 | 35 |
| 第三学年 | 第一類 | 0 | 0 | 0 |
| | 第二類 | 60 | 55 | 55 |
| | 第三類 | 10 | 15 | 15 |
| | 第四類 | 35 | 35 | 35 |
| | 職業家庭の知識理解 | 35 | 35 | 35 |

## 二、我校の各類別配当時間案

前述の通り文部省案の大要を転録したが、この案を目標に我校は我校独自の実状に立つて、職業・家庭科各類別配当時間案を立案し、新構想による單元構成へのスタートを切つたのである。

我校の生徒通学地域は職業的に分類してみると、給料・商・工・農・その他の順になり、中でも給料生活者が大部分を占める状態である。

右の実状を考慮し、更に生徒、父兄の希望、学校の実状と照合して（第三表）作成したのが、次に示す表である。

| 仕事 | 類別 | 学年 | 時間 男 | 時間 女 |
|---|---|---|---|---|
| 栽培<br>飼育<br>漁<br>農産加工 | 1 類 | 1 年 | 26 | 17 |
| | | 2 年 | 22 | 6 |
| | | 3 年 | 10 | 5 |
| 手技工作<br>機械操作<br>製図 | 2 類 | 1 年 | 34 | 44 |
| | | 2 年 | 32 | 35 |
| | | 3 年 | 34 | 40 |
| 文書事務<br>経営記張<br>計算 | 3 類 | 1 年 | 27 | 17 |
| | | 2 年 | 24 | 5 |
| | | 3 年 | 35 | 9 |
| 衛生<br>保育 | 4 類 | 1 年 | 18 | 27 |
| | | 2 年 | 0 | 32 |
| | | 3 年 | 0 | 24 |
| 職業指導 | | 1 年 | 0 | 0 |
| | | 2 年 | 27 | 27 |
| | | 3 年 | 26 | 27 |



### 職業家庭科單元表　第一学年　男子コース

| 類 | 大項目 | 中項目 | 小項目 | 指導要項 | 時間 |
|---|---|---|---|---|---|
| 第1類 | 栽培 | 農耕 | むぎ | 大麦，小麦 | 26時 |
| | | | まめ | 大豆，小豆，そらまめ，いんげん，落花生 | |
| | | | いも | さつまいも，じやがいも | |
| | | 園芸 | 野菜 | トマト，なす，かぼちや，たまねぎ，白菜大根，ほうれん草 | |
| | | | 花 | 草花，花木，庭木 | |
| | 飼育 | 養畜 | 家禽 | にわとり | |
| 第2類 | 手技工作 | 手技工作 | 木工 | 掃除用ほうき，はたき，ちりとりの製作及修理 | 34時 |
| | | | 竹工，金工皮細工 | 台所用具の修理及びとりつけ，玩具の製作運動用具，くつの修理 | |
| | | 裁縫，ししゆう | つくろい | 布類，あみもの類，ボタンつけ等 | |
| | | 洗たく | 濕式洗濯 | まる洗い，部分洗い | |
| | | | しみぬき | インク，油，ペンキ，汗，どろ，血，すみえのぐ，しよう油，果汁，茶等 | |
| | | | 手入れ | ブラシかけ，敷のし，アイロンかけ，下駄靴，傘などの手入 | |
| | 機械操作 | 操作 | 裁縫機械 | 裁縫用ミシン（足ぶみ，電気ミシン） | |
| | | 分解修理 | 日常生活の器具 | 裁縫ミシン | |
| | | | 電熱器具 | アイロン，電熱器 | |
| 第3類 | 計算 | 珠算 | 珠算 | 加減乘除法 | 27時 |
| | | | 暗算 | 歩合算，利息算，貨幣算，賣買計算，度量衡算 | |
| | 経営記帳 | 記帳 | 日常取引記帳簿 | 小使帳，家計簿，その他の簿記帳の形式 | |
| | | 経営管理 | 生産管理 | 仕事の計画，作付計画，施肥計画，道具の管理<br>原料，材料の準備 | |
| | | | 家庭管理 | 時間の配分，労力の配分，その他 | |
| | | 応接 | 電話応待 | 電話の扱い方，お客の扱い方，お使い | |
| 第4類 | 調理 | 調理 | 主食 | 飯，パン類，いも | 18時 |
| | | | 副食 | 汁物（すまし，みそしる）ひたしもの，煮物焼物 | |
| | 衛生，保育 | 保育 | 乳幼児の世話 | （栄養と食品，調理と消化，献立，燃料，調理器具食事心得など加う）<br>子もり，遊ばせ方 | |
| V. G. | 家庭生活，職業生活に関する社会的，経済的な知識理解 | 1. 家庭生活のあり方<br>2. 家庭生活と職業<br>3. 郷土産業と職業<br>4. わが國の重要産業の相互関係及び職業の現況と動向 | | | |

第二学年　男子コース

| 類 | 大項目 | 中項目 | 小項目 | 指導要項 | 時間 |
|---|---|---|---|---|---|
| 第1類 | 栽培 | 農耕 | むぎ | 大麦，小麦 | 22時 |
| | | | いも | じやがいも，さつまいも | |
| | | | まめ | 大豆，小豆，そらまめ，いんげん，落花生 | |
| | | 園芸 | 野菜 | トマト，なす，花椰菜，甘らん，白菜 人参，ねぎ | |
| | | 飼育 | 養畜 | 兎，みつばち | |
| 第2類 | 手技工作 | 手技工作 | 竹工 | 花筒，えもんかけ，うちわ，ふきんかけ | 32時 |
| | | | 木工 | ほうちようかけ，おもちや，建築模型 | |
| | 機械操作 | 操作 | 工作機械 | きかいのこ | |
| | | 分解修理 | 日常器具機械 | バリカン，自転車，ポンプ，ハンド・ドリル | |
| | | | | 電気ドリル | |
| | 製図 | 製図 | 製図 | スケツチ，製図，写図 | |
| 第3類 | 経営記帳 | 経営管理 | 生産管理 | 仕事計画，作付計画，施肥計画 | 24時 |
| | | | 家庭管理 | 道具の管理，原料材料の準備 時間労力の配分 | |
| | | | 仕入 | 仕入方法と代金支拂 | |
| | | | 販賣 | 販路の調査，広告宣伝 | |
| | | | 保管 | 物品保管と輸送 | |
| | | | 金融 | 預金，貸付，為替，手形等 | |
| | 計算 | 珠算 | 珠算 | 加法，減法，乗法，除法 | |
| 第4類 | | | | | |
| V. G. | 家庭生活，職業生活に関する社会的，経済的な知識理解 | 1. 郷土の生産と職業<br>2. 衣食住の経理<br>3. 我が國の重要産業の相互関係及び職業の現況と動向<br>4. 職業と國民経済<br>5. 作業の能率と安全<br>6. 個性と適職 | | | 27時 |



第三学年　男子コース

| 類 | 大項目 | 中項目 | 小項目 | 指導要項 | 時間 |
|---|---|---|---|---|---|
| 第1類 | 食品加工 | 貯蔵 | 生物 | いろいろななまもの | 10時間 |
| | | | 乾物 | 乾燥野菜，乾燥果実，その他 | |
| | | 加工 | こく類，いも類 | でんぷん | |
| | | | 大豆 | 納豆，製油，豆腐等 | |
| | | 醸造 | 甘味，調味品 | 甘酒，飴，醤油，味噌等 | |
| 第2類 | 手技工作 | 手技工作 | 木工 | 電気スタンド，額縁，本箱 | 34時間 |
| | | | 金工 | 金あみ，火おこし，火ばし，鋲釘修理 半田づけ | |
| | 機械操作 | 組立 | 照明器具 | 電気スタンド，電燈 | |
| | | 操作 分解修理 | 工作機械 | プレーナー，ボール盤，旋盤 | |
| | 製図 | 設計 | 建物設計 | 和風建築，洋風建築 | |
| | | | 室内装飾 | 室内調度とその配置 | |
| | | | 店舗装飾 | 陳列窓，照明，商品の配置 | |
| 第3類 | 文書事務 | 書類作成 | 通信文 | 案内，照会文，広告文，電報文 | 35時間 |
| | | | | 履歴書 | |
| | | | | 注文書，見積り書，送り状，請求書 | |
| | | | 取引関係 | 領收書，小切手，手形 | |
| | | | 書類 | 借用証書，契約証書等 | |
| | | 印刷 | とうしや | 謄写印刷 | |
| | 経営記帳 | 記帳 | 伝票 | 入金・出金伝票，振替伝票，仕入伝票 | |
| | | | | 賣上伝票，その他 | |
| 第4類 | | | | | |
| V. G. | 家庭生活，職業生活に関する社会的経済的な知識理解 | 1. わが國の重要産業の相互関係および職業の現況と動向<br>2. 職業と國民経済<br>3. 家庭経済<br>4. 休養と衛生<br>5. 雇傭と職業の安定<br>6. 個性と適職<br>7. 選職と進学<br>8. 生活改善 | | | 26時間 |

## 第一学年　　女子コース

| 類 | 大項目 | 中項目 | 小項目 | 指導要項 | 時間 |
|---|---|---|---|---|---|
| 第1類 | 栽培 | 農耕 | まめ | 大豆，あずき | 17時間 |
| | | | いも | じやがいも，さつまいも | |
| | | 園芸 | 野菜 | トマト，なす，大根，かぼちや，人参，ほうれん草，玉ねぎ，かんらん等 | |
| | | | 花 | 草花 | |
| 第2類 | 手技工作 | 手技工作 | 木工 | 掃除用はたきの製作，ほうき，ちりとり等の修理 | 44時間 |
| | | 裁縫，ししゆう | つくろい | 使い易くするための用具の修理及とりつけ玩具の製作，布類，あみもの，ボタンつけ等 | |
| | | | 裁縫 | 制服ブラウス又はワンピース | |
| | | 洗濯 | 濕式洗濯 | まる洗い，部分洗い | |
| | | | しみぬき | えりあか | |
| | | | 手入れ | ブラシかけ，しきのし，アイロンかけ，附屬品の手入 | |
| | | 紡織色染 | あみもの | 毛糸あみ（ソツクス，手袋など手あみ） | |
| | 機械操作 | 操作 | 裁縫機械 | 裁縫ミシン（足ぶみ，電気） | |
| | | 分解修理 | 日常生活の器具 | 裁縫ミシン，アイロン | |
| | 製図 | 製図 | 製図 | 裁縫用型紙製図 | |
| 第3類 | 文書事務 | 書類作成 | 通信文 | 案内，紹介，注文，請求，領收書 | 17時間 |
| | | 印刷 | とうしや | とうしや印刷 | |
| | 経営記帳 | 記帳 | 日常取引 | 小遣帳 | |
| | | 経営管理 | 生産管理 | 仕事の計画，作付・施肥計画，道具管理 | |
| | | | 家庭管理 | 時間の配分，労力の配分 | |
| | | | 金融 | 貯金 | |
| | 計算 | 珠算 | 珠算 | 四則，歩合算，利息算，貨幣算等 | |
| | | 応接 | 電話 | 電話のうけ方，かけ方 | |
| | | | 応待 | 取りつぎ，お客の扱い，お使い | |
| 第4類 | 調理 | 調理 | 主食 | 飯，ぱん類 | 27時間 |
| | | | 副食 | 汁（すまし，みそ汁）浸し物，煮物，やき物 | |
| | | | 菓子 | 茶巾しぼり（いも），きんとん | |
| | 衛生保育 | 保育 | 乳幼児の世話 | 栄養と食物，調理器具の扱い方，食事心得など，遊ばせ方，負い方，抱き方など，ねかせ方 | |
| V.G. | 家庭生活，職業生活に關する社会的，経済的な知識，理解 | 1. 家庭生活のあり方<br>2. 家庭生活と職業<br>3. 郷土の産業と職業<br>4. わが國の重要産業の相互関係及び職業の現況と動向<br>5. 家庭と保育 | | | |



## 第二学年　　女子コース

| 類 | 大項目 | 中項目 | 小項目 | 指導要項 | 時間 |
|---|---|---|---|---|---|
| 第1類 | 栽培 | 園芸 | 花 | 草花，草木等 | 6時間 |
| 第2類 | 手技工作 | 裁縫，ししゆう | 裁縫 | スカート又はジヤケツトコート（制服） | 35時間 |
| | | | | 仕事着（エプロン，スモツク，ズボン等何れか） | |
| | | | ししゆう | フランス刺繍（かばん又は花びんしき） | |
| | | 紡織色染 | 染色 | 浸し染（無地染め，絞り染め，板じめ等） | |
| | | | あみもの | 毛糸あみ（スエーターチヨツキ等） | |
| | | 洗濯 | しみぬき | インク，ペンキ，油，あせ，血液，どろ，すみ，えのぐ，しようゆ，果汁，茶等など | |
| | | | 手入れ保存 | 虫干し，衣類のしまい方，家具の手入 | |
| | 機料操作 | 操作 | 日常生活の器具 | 裁縫ミシンの扱い | |
| | 製図 | 製図 | 製図 | 裁縫用型紙製図 | |
| 第3類 | 文書事務 | 書類作成 | 取引関係書類 | 小切手，約束手形，爲替等 | 5時間 |
| | 経営記帳 | 記帳 | 伝票 | 入金出金，振替伝票等 | |
| 第4類 | 調理 | 調理 | 主食 | 飯（塩飯，色飯を含む）めん類 | 32時間 |
| | | | 副食 | 和え物，すのもの，いためもの，むしもの汁，煮物，やきもの | |
| | | | 菓子類 | ゼリー，ようかん等 | |
| | | | | 正しい食生活，献立，食物経理について | |
| | 衛生保育 | 保健衛生 | 家内の害虫及媒介 | か，はえ，ねずみ，のみ，しらみ，家だに等 | |
| | | | 寄生虫の駆除 | 検査，服薬 | |
| | | | 家庭看護 | 傷の手当，止血，消毒繃帯法<br>体温，脈搏，呼吸の計り方，薬の扱い方<br>あん法，濕布，吸入，灌腸，あんま<br>病衣，病人食，病室など | |
| V.G. | 家庭生活，職業生活に關する社会的，経済的な知識，理解 | 1. 郷土の産業と職業<br>2. 衣食住の経理<br>3. 休養と衛生<br>4. 職業と國民経済<br>5. 作業の能率と安全<br>6. 個性と適職<br>7. わが國の重要産業の相互関係および職業の現況と動向 | | | 27時間 |

第三学年　　女子コース

| 類 | 大項目 | 中項目 | 小項目 | 指導要項 | 時間 |
|---|---|---|---|---|---|
| 第1類 | 食品加工 | 貯藏 | 生もの | いろいろな野菜 | 5時間 |
| | | | 乾物 | 乾燥野菜，果実 | |
| | | | 漬物 | 塩づけ，ぬか漬，みそ漬，かす漬，さとう漬，その他 | |
| | | | びんづめ | 野菜，果物 | |
| | | 加工 | こく類，いも類 | 製粉，澱粉 | |
| | | | 大豆 | とうふ，なつとう | |
| | | | 油 | なたね，大豆油，ごま油，魚油<br>（その他加工のいろいろな場合を話しあう）<br>牛乳，魚などの加工も話し合つてみる | |
| | | 醸造 | 甘味料<br>調味料 | 甘酒，水あめ，みそ，しよう油の事も話し合う | |
| 第2類 | 手技工作 | 裁縫，ししゆう | 裁縫 | 單衣長着(男，女ものいずれか)<br>帯は理解程度，下着の工夫 | 40時間 |
| | | | ししゆう | ドロンウオーク，カツトウオーク，キルティングなど | |
| | | 洗たく | 濕式洗たく | 解き洗い | |
| | | | 仕上げ | 板張り，伸子ばり，仕上げ | |
| 第3類 | 経営記帳 | 記帳 | 日常取引 | 家計簿 | 9時間 |
| | | 経営管理 | 仕入れ | 需要の調査，仕入先の調査，注文，代金の支拂 | |
| | | | 金融 | 金融機関，消費組合 | |
| | | 応接 | 応待 | 取次ぎ紹介，お客の扱い，お茶のすゝめ方 | |
| | | | 給仕 | 食卓給仕，一般応接の心得，訪問のし方と諸注意 | |
| | 文書事務 | 書類作成 | 通信文 | 履歴書，電報文 | |
| | | 印刷 | とうしや | とうしや印刷 | |
| 第4類 | 調理 | 調理 | 主食 | 飯，パン，いも類 | 24時間 |
| | | | 副食 | 汁，煮物，燒物，むしもの，すのもの，和え物，浸し物，いためもの，揚物， | |
| | | | かし類 | だんご，まんじゆう，どうなつ，ホツトケーキなど | |
| | | | のみもの | 茶類(以上特別調理として実習する) | |
| | 衛生保育 | 解体 | | 魚 | |
| | | 保健衛生 | 家庭看護 | 伝染病とその予防 | |
| | | 保育 | 乳幼児の世話 | 乳幼児の食物とあたえ方，着物と着せ方，よいしつけ | |
| V. G. | 家庭生活，職業生活に関する社会的，経済的な知識理解 | 1. 家庭生活のあり方<br>2. 家庭経済<br>3. 家庭と保育<br>4. 生活改善<br>5. 職業と國民経済<br>6. わが國の重要産業の相互関係及び現況と動向<br>7. 個性と適職<br>8. 選職と進学 | | | 27時間 |



## 三、当校のカリキユラム作成の経過

新しい職業・家庭科の性格や目標が示され、今迄の取扱いにおいて、一方的な学習になり勝ちであつた弊害からのがれるために、教育内容も次の様に示された。（1）仕事（2）技能（3）技能に関する知識理解（4）家庭生活職業生活についての社会的・経済的な知識理解

更に教育計画の基準として、全体と各学年の扱い方まで定められ、その範例も男女別、地域別課程として数種あげられているが、これらの例は骨組としてのものであつて、指導の順序や単元を意味するものではないから、それぞれの項目を適当に分けたり、くみ合せたりして望ましい単元を構成して指導せねばならない。

当校における速関カリキユラムも、職業家庭科として指導の方向を誤らない様に、まず基礎となる指導要項を設定した。（別表）之は文部省から示されたものに基き、更に今迄の職業科、家庭科の指導経験、生徒の能力や希望、郷土の状態、当校の時間配当（示された最低線のもので週三時間）指導者の実態、学校の設備、性別によるコース等を考えて三年間の計画を立てゝ骨組としたのである。次の段階として学年の目標が定まり、社会科、理科の既に決められた文部省の単元とを比較しながら、教科として立てた骨組を一応解体する形として、単元の草案を作つた。しかし、この場合さきに作つた指導要項は学年はほぐされたが、形を変えて盛り直されたのであつて、単元の内容が一方的になる恐れがなく好都合であつた。更に職業家庭科（他教科においてはそれぞれに作られた単元）の単元を他教科と排列比較しながら取扱いの順序排列を幾度か変更し、次に掲げる指導内容を決定した。之に依ると、出來るだけ

男女の間に共通の問題がとり上げられ、しかも個性的な指導を男女のコースの間に考慮したことを認めていたゞけることであろう。

## 職業・家庭科指導内容

主題　生活圏　第一学年　男子コース

### （単元）僕の家庭

- （小単元）家庭生活と職業
  - 1、家庭の意義について　2、家庭生活をする爲の條件（A精神的　B経済的）
  - 3、家庭経済はどうして支えるか　4、わが家の職業とその長短について
  - 5、職業を通しての収入と生活への支出
- 家族の職業
  - 1、外勤の職業について　2、家庭内の職業について
  - 3、収入のともなう職業とともなわぬ職業　4、家族の仕事内容
  - 5、仕事の分担……それぞれのあり方
- 僕の仕事
  - 1、家族の一員としての自覚　2、家族の協力と自己の分担……僕の出來る仕事
  - 3、掃除と整頓……方法と実習　4、用器具設備と製作並びに修理
- 家庭園の活用
  - 1、僕の宅地全体の平面図（百分の一縮図）　2、空地の利用状況の研究と図示
  - 3、家庭の空地の活用法について　4、作物の作付計画と図表作成
  - 5、ホームプロゼクト……栽培又は飼育

### 僕等の学校園

- 学校園の施設と経営
  - 1、学校園の位置と面積について　2、経営の実態観察と作付現況の平面図作製
  - 3、農具の名称とそれぞれの使用法　4、農具室と農具の整備整頓手入について
- 経営統計
  - 1、郷土に適する作物栽培一覧表作製　2、作付順序の研究と輪作表の作成
  - 3、作物の作付計画と五ケ年計画表作成
- 栽培管理
  - 1、栽培作物の特性　2、栽培と手入法並びに実習
  - a、種子の購入、消毒、浸種、播種、覆土　b、中耕、除草、土寄、施肥、間引
  - 病虫等

（118）

### 夏の被服

- 収穫と貯蔵
  - 1、各作物の収穫適期について　2、収穫方法とその実習
  - 3、収穫物の処理と貯蔵法
- よい身なり
  - 1、中学生らしい身なり　2、日常被服の手入れ（附属品を含む）
  - 3、つくろい、ぼたん附など　4、簡單な洗たく
  - 5、アイロンの使い方と修理
- ミシンの扱い
  - 1、機械の構造、ミシンの歴史と構造　2、操作……使用法と実習
  - 3、分解手入れ及び修理

### 日常の食物

- 栄養と食品
  - 1、食事と家庭生活（食事の必要）　2、私たちのからだ
  - 3、栄養素の機能　4、食品の栄養價
  - 5、適当なたべ方（消化と吸收の面より）
- 献立
  - 1、献立の必要
  - 2、上手な献立、食事の量、食事の質、季節と食品、食物費、美しくておいしい食事
- 家畜の世話（一）家禽
  - 1、家禽のいろいろとその利用　2、にわとりの利点
  - 3、にわとりの品種とその特性　4、にわとりの飼い方、孵化、育雛、親鷄の世話
- 基本調理
  - 1、台所用具の使い方（器具の取扱い、計量、燃料の扱い方）
  - 2、調理と食器　3、調理（飯・パン類・煮物・汁・浸物・やきもの等）
  - 4、食事作法　a、日常の食卓作法（配膳、いたゞき方）　b、弁当時の食事作法

### 僕の生活

- 僕の記帳生活
  - 1、記帳生活の意義　2、過去の記帳生活の反省
  - 3、秩序ある生活の樹立　a、日誌の必要とその記録の仕方　b、小使い帳とそのつけ方　附家計簿　c、栽培又は製作日記について
- 珠算の活用
  - 1、日常の数量生活　2、計算の必要とその様式
  - 3、珠算の活用　a、四則の運珠法及び練習（読上、見取等）　b、記帳への応用
- 幼い家族の世話
  - 1、上手なお守のしかた　2、乳幼児の発育と生活
  - 3、遊ばせ方とその用具　4、よい躾（子供の喜ぶ話よい話、食物のすききらい）
- お使い
  - 1、お使のいろいろ　2、訪問の礼儀作法　3、上手な買物の仕方
  - 4、電話のかけ方……お留守居のし方　5、社会の職業実態への見学

（119）

## 主題　近代生活　第二学年　男子コース

### 職業と家庭生活

- 生活と職業
  - 1、生活と職業の関係について　2、家庭生活を豊かにする衣食住の資源
  - 3、衣食住の資源と職業との関係　4、家庭生活の社会的恩恵
- 各種の職業とその特質
  - 1、いろいろな職業とその特質について……工業（化学・繊維・金属加工・電気製鉄業等）運輸通信業・土建業・金融業・公務業・自由業・農林業・鉱業・漁業（水産業）牧畜業・商業等
  - 2、各職業の職種とその特質
- 郷土と職業
  - 1、郷土にはどんな職業があるか　2、職業別・実態調査
  - 3、職業の地域別発達状況とその発達理由　4、一地域における環境的職業の分布
  - 5、郷土の職業変遷と將來への考察
- いろ〳〵な工芸
  - 1、日常家庭に使用されている工芸品　2、木竹工芸品の研究
  - 3、木竹工芸品の製作（花筒・えもんかけ・うちわ・おもちや・建築模型など）

### 樂しい農園

- 近代的な農業経営
  - 1、近代的な農業経営とはどんな経営をいうか
  - 2、郷土ではどこまで近代化されているか（実態調査と批判）
  - 3、近代的農業をするための諸條件　4、学校農場の施設経営の批判と改良の工夫
- 蔬菜園の経営と管理
  - 1、蔬菜園経営のいろいろ（実態調査）　2、混作・間作の経営と実習
  - 3、半促成、抑制、軟化栽培　4、早採、多毛作（高速度栽培）の経営
- 家畜の飼育（二）
  - 1、家畜にはどんな種類があるか　2、それぞれの利点
  - 3、うさぎの飼育　a、うさぎの利点　b、うさぎの品種とその特性　c、うさぎの飼い方とその実習　d、成兎の処理
  - 4、みつばちの飼育　a、みつばちの利点　b、品種と特性　c、飼育法　d、蜜と蜜蠟の利用

### 心よい住居

- 庭と住居
  - 1、庭の働きと役目　2、実用的な庭の設計
  - 3、庭木とそれぞれの特性　4、日本式と西洋式……庭の相異
  - 5、庭の手入法……学校園での実習



### 記帳の生活

- 器具機械
  - 1、日常学校で使用する器具機械の操作と修理
  - 2、日常家庭で使用する器具機械の操作と修理（バリカン・ポンプ・電気ドリル等）
- 近代生活と記帳
  - 1、記帳生活の必要　2、いろいろの職場ではどんな記帳をしているか実態調査
  - 3、各家庭ではどんな記帳があるだろうか　4、記帳の雛形を集めてみよう
- いろいろな記帳
  - 1、記録計算の方法について　2、取引の記録計算の方法
  - 3、記録計算のまとめ方について
- 記帳と珠算
  - 1、記帳には算盤で計算する場合が多い　2、四則の練習―珠算（小数の取扱い）
  - 3、記帳への応用
- 設計と製図
  - 1、日常器具の設計・製図・写図
  - 木工具・木工品・金属製品・その他

### 僕等の進路

- 僕等の性能
  - 1、自分の性能を知ることの必要　2、性能テストによる自己の長短判定
  - 自己分析―知能テスト・身体検査・体力テスト・向性テストその他のテスト
- 職業と適職
  - 1、職業と適材適所を選ぶことの必要　2、各種の職業とその適性
  - 3、自己の性能と適職　4、自己の性能と不適性
- 進路の選択
  - 1、自己の進路をどう選べはよいか
  - 2、性能と環境・進路をどう組合わせばよいか　a、進学コース　b、就職コース

## 主題　理想的社会　第三学年　男子コース

- 職業の変遷
  - 1、分業への発達について　a、原始的職業　b、近代的社会の職業
  - 2、職業の盛衰について　3、経営内に於ける分業のいろいろ
  - 4、労働條件のうつりかわりについて
- 労働運動と保護
  - 一、労働運動　1、労働運動とは何か　2、労働者の状態
  - 3、労働運動の沿革と現状について4、労働運動法の制定5、各種組合とその現況
  - 二、労働の保護　1、労働保護の理由　2、労働基準法の適用範囲
  - 3、労働基準法について　4、労働基準局と職業安定所との関係

## 職業と社会

- いろいろの計算と記帳
  - 1、暗算の練習　2、珠算の練習……四則・応用問題について
  - 3、諸帳簿のつけ方……帳簿・補助簿のつけ方　4、決算の仕方……その順序
  - 5、手形取引の記帳について　6、伝票について……取引の伝え方、伝票の記入法
- 進路の決定
  - 1、自己の個性や性能の反省
  - 2、進路決定への計画　a、進学の要件　b、就職の要件
- 働く人の教養と倫理
  - 1、職場の文化施設のありさま
  - 2、修養への心がけと趣味への生活　3、職業人の倫理
- 工業のうつり変り
  - 1、木金属工業の進歩発達について　2、木金属器具の製作実習・電気スタンド・額縁・本箱・金あみ・火おこし・半田づけ・鋲打修理・その他

## よいくらしの計画

- 日常生活と書式
  - 1、日常生活のいろいろな書式　2、家庭と社会にはどんな書式があるか
  - 3、いろいろな書式の雛形調査　4、いろいろな書類の取扱いと記録実習振替・為替
  - 通信文・広告・案内・紹介状・註文書・領收書・請求書・その他
- 職業と衛生
  - 1、職業人と健康について　2、身体的欠陥と職業との関係
  - 3、労働と休養　4、職場の衛生施設　5、職業病とその予防並びに療養について
- 日常食品の加工と貯蔵
  - 一、日常食品の加工　1、食品加工の必要　2、家庭で行われる食品加工
  - 3、工場で行われて商品化される加工　4、食品加工法とその製造実習
  - 二、日常食品の貯蔵　1、貯蔵の必要について　2、貯蔵の方法と実習
- 機械器具と生活
  - 1、機械や器具は生活にどんな役割をするか
  - 2、工作機械や交通機関について、プレーナー・ボール盤・旋盤・自転車・その他

## 僕等の社会

- 就職・進学の準備
  - 一、就職について　1、職業観の確立　2、職業あつせん　3、就職への手続き
  - a、職業安定所訪問　b、求人募集の集録　c、職業人の講演　d、知人先輩への連絡
  - 二、進学について　1、進学コースの選択と決定　2、受験準備と諸注意
  - 三、書類の準備とその書き方について
- 住居と店舗の設計・装飾
  - 1、理想的な住居や店舗はどんな條件を備えていればよいか
  - 2、和風建築の特徴とその設計　3、洋風建築の特徴とその設計
  - 4、室内調度とその配置　5、商店の陣列・照明　6、商品の配置・配合の仕方



# 主題　生活圏　第一学年　女子コース

## 私の家庭

- 民主的な家庭生活
  - 1、いろいろな家庭　2、よい家族関係を保つには
  - 3、家務の協力と分たん（各自の役割）　4、自分のことは自分で　5、掃除と整とん
- お客の扱い
  - 1、人に接する態度、心がまえ　2、取つぎ、案内、紹介のし方
  - 3、茶菓のすゝめ方といたゞき方その他起居動作　4、電話のかけ方、うけ方
- 家庭生活と職業
  - 1、家庭生活の意義　2、家族の職業と経済生活について
  - 3、家庭における女子の任務　4、家事と家内職業—女子向のものについて研究する
- 春から夏への家庭菜園
  - 1、学校農園の実況巡視とその指導　2、家庭園の平面図作製
  - 3、両者の比較研究　4、家庭園の改良と將來への施設経営計画
  - 5、蔬菜・花卉植付表作成　6、ホームプロゼクトとその指導、作品展覧

## 夏の被服

- よい身なり
  - 1、中学生らしい身なり　2、日常衣服の手入　3、上手なつくろい
  - 4、簡単な洗たく　5、アイロンの使い方と修理
- ミシンの扱い
  - 1、ミシンの歴史及その構造　2、足踏ミシン・電気ミシンの使い方　3、分解掃除
- 夏の被服製作
  - 1、夏の被服として適当なもの　2、通学服・家庭服　3、材料スタイルの選定
  - 4、ブラウス又はワンピースの製作　5、作品批評会

## 日常の食物

- 栄養と食品
  - 1、食事と家庭生活について　2、栄養素のはたらきと私たちのからだ
  - 3、各栄養素はどんな食品に含まれているか　4、よいたべ方をしよう
- 基本調理
  - 1、台所用具の扱い方—計量・器具の取扱い・燃料の扱い・調理と食器等
  - 2、調理・御飯・パン類・汁・浸物・煮物・やきもの・きんとん等
- 食事作法
  - 1、日常食卓作法（配膳のし方・いたゞき方）はどうするか
  - 2、弁当時の食事作法をどうすればよいか
- 秋から冬への家庭菜園
  - 1、学校農園の実施巡視とその指導
  - 2、秋から冬に栽培する蔬菜花卉等の品種性、栽培法の予備的研究
  - 3、家庭園作付計画製の製作と指導　4、ホームプロゼクトとその指導

## 私の生活

- **幼い家族の世話**　1、乳幼児の発育と生活について　2、あい方・だき方・ねかせ方の研究　3、乳幼児の遊ばせ方とおもちゃについて、おもちゃの製作工夫
- **編物**　1、毛絲あみものについての基礎知識　2、材料と用具　3、ソックスの製作、又は手ぶくろの製作（自分又は乳幼児用）
- **おこづかい**　1、おこづかいの上手な使い方　2、小使帳のつけ方　3、節約貯蓄の方法　4、余つたおこづかいの上手な利用　5、珠算の活用　イ、珠算の活用と数量生活　ロ、四則の計算練習　ハ、歩合その他
- **お使い**　1、お使いのいろいろ　2、お使いの役目の重大性　3、訪問の礼儀作法はどうしたらよいか　4、通信文・代筆等の書式の取扱い方　5、社会の職場見学としての学習整理

# 主題　近代生活　第二学年　女子コース

## 職業と家庭生活

- **女子の職場**　1、家庭生活と職業との関係　2、社会的に女子に適した職場について　3、家庭において女子の受持つ職場　4、職業と倫理（女子の立場において）
- **個性と進路**　1、自己分析と個性調査（精神的・身体的・職業的）　2、適材適所　3、適性の発見と進路の選択（就職・進学コース）

## 睡眠と休養

- **働く人と健康**　1、健康と選職及び進学　2、職場の健康施設　3、休養と労働法規　4、保健衛生に関する職業とその特質
- **寝室と寝具**　1、睡眠はなぜ必要か　2、望ましい寝室とはどんな所か　3、寝具やねまきの手入れはどうするか
- **リクリエーション**　1、健全なリクリエーションの役割　2、家庭生活の趣味と娯楽　3、地方的な娯樂について　4、職場における娯樂　5、生活から如何にして余暇利用を上手に営むか
- **献立と調理**　1、季節と食品―食品の生産と買物　2、調理による栄養素の変化及び消化と吸收　3、献立はなぜ必要か　4、上手な献立のたて方、條件の檢討と実習



## 季節と食物

- **春の献立**　飯・汁・あえもの・煮物・やきもの
- **夏の献立**　飯・汁・すのもの・煮物・いためもの・ゼリー
- **秋の献立**　飯・いも・汁・あえもの・すのもの・やきもの・煮物・ようかん
- **冬の献立**　めん類・飯・汁・いためもの・むしもの・あげもの・ドーナツ・ホットケーキ
　以上季節の料理の特徴と調理方法の研究
- **樂しい農園**　1、学校農園の作付状況とその利用法　2、春から夏への花壇、設計と栽培実習

## 快い住い

- **衛生的な住い方**　1、清潔と整頓された住い　2、季節による住い（日当り・通風・採光その他）　3、不潔になりやすい所をよくするには―台所・便所・風呂場・みぞなど
- **室内裝飾**　1、季節にふさわしい室内裝備　2、美しくするための室内裝飾（染色と手芸）　3、気持よくするための建具・家具・什器の手入れ（洗たく・磨き等）
- **花作り**　花壇園の改裝計画と栽培設計及び栽培実習、秋から冬への花壇
- **秋冬の装い**　1、秋冬の装いとしてどんなことを考えたらよいか　2、整容について

## 便利な被服

- **秋冬にふさわしい被服の製作**　ツーピースドレス（毛物の取扱いに重点をおく）　1、ツーピースの特ちよう、通学服の特ちよう　2、ブラウスとスカートの関係　3、自分にあう形と材料の選定　4、我國の繊維事情について
- **編物**　1、毛糸の更正・利用法について　2、スエーター・チョッキ・中穿などの製作　3、編物に要する時間の上手な使い方の工夫　4、作品の批評会
- **仕事着の工夫**　エプロン・スモック・ズボン等

## 家庭の看護

- **あたたかい看護**、家庭看護の要領
- **日常おこり易い病気の予防と手当**　1、健康の喜び―病体と健康体との相違　2、簡單な病気の原因と手当て　3、けがとその手当
- **伝染病とその予防と手当**　1、伝染病の種類と予防について　2、手当と消毒のし方

- 家庭常備薬
  - 1、家庭常備薬と衛生用品の種類とその扱い方
  - 2、便利な常備薬入れセットを工夫しよう
- 病人食の工夫
  - 流動食品・半流動食品・易消化食品の研究と実習

## 主題　理想的社会　第三学年　女子コース

### 民主家庭の建設

- よい家族関係
  - 1、新らしい時代の家庭生活について　2、家庭生活における家族のあり方
  - 3、老人・長上に対する態度
- 家庭の和楽
  - 1、楽しい家庭生活　2、我が家の趣味・娯楽・教養はどんなだろうか
  - 3、家庭のだんらん　4、ピクニックの計画・プランの立て方と弁当の工夫

### 正しい保育

- 家庭と保育
  - 保育の意義の重要性
- 乳幼児の世話
  - 乳幼児の発育、健康な乳幼児
  - 1、たべもの……乳幼児の食物は何を与えたらよいか（授乳・離乳食・おやつ）
  - 2、きもの……着物はどんなものがよいか、どんなに着せたらよいか
  - 3、乳幼児の衛生…皮膚の清けつ法、かゝり易い病気とその手当
  - 4、乳幼児のしつけと子もり



## よい暮しの計画

### A　安定ある生活

- 家庭経済のあり方
  - 1、収入と支出　2、予算と生活
  - 3、上手な買物・消費組合・産業と経済・物價の変動について
  - 4、節約と貯蓄について、予金の種類と特ちよう・保險その他　5、家計簿の工夫
- 家庭経済の意義
  - 家庭経済と社会経済機構との関連

### B　これからの衣生活

- 一年間の被服生活の計画
  - 1、季節と被服　2、働く着物の種類と特ちよう、和洋服の比較
  - 3、生活様式と着物の特徴の検討
- 着物の製作
  - 1、長着の形式及び構成について　2、單衣、長着に適する布地・色柄
  - 3、仕立て方　計画的な学習をしよう
- 着物の手入と保存
  - 1、我國衣料の状況と動向について　2、洗たく（解き洗いと仕上げ）のけいこ
  - 3、しみ抜きを上手にしてみよう　4、着物の保存を立派に出來る様になろう
- 文化と服装
  - 1、服装の変せんについて　2、衣生活の改善について

### C　食生活の改善

- 正しい食生活
  - 1、たのしい食事　2、正しい食事の條件—食事量・食事質
  - 3、今後の日本人の食事の改良点（米の栄養價・米食の長短所）
- 一年間の食物経営
  - 1、食物費と食物調整に関する労力の問題　2、季節と食品（買方と生産）
  - 3、食品の貯蔵及び加工—貯蔵加工の利点・各種食品の貯蔵・加工法
- 共同炊事について
  - 1、どんな場合に共同炊事をするか　2、献立と調理方法の工夫

### D　理想の住居

- 住居と能率
  - 1、從來の住居生活の反省　2、住居の間取りについて
  - 3、和洋風住宅の特徴について　4、理想の住居として備うべき條件
  - 5、時間と労力の上手な使い方　6、便利に住うための上手な設備・整頓の工夫
- 安全な住居
  - 1、火災防止はどんなにすればよいか　2、盗難防止はどうすればよいか
  - 3、風水害・震災等の防止はどうすればよいか

### 家庭と社会

- おつきあい
  - 1、近所の交わり・隣保の協力・奉仕の生活　2、家庭の年中行事とおつきあい
  - 3、家庭の喜びと不幸とおつきあい　4、贈答の心得と方法について
  - 5、招待のし方・案内状の書き方・招待諸準備・客のもてなし方・客の心得
  - 6、特別調理について・正月料理・誕生日・卒業披ろうの料理・節句等年中料理
- 選職・進学と個性
  - 1、自分の個性認識と選職進学　2、就職先の選定と手続（履歴書・電報文）
  - 3、進学先の決定と手続き、準備
- 女性の自覚
  - 1、理想的なよい家庭婦人（よりよい家庭の建設者）
  - 2、社会への女子の進出　3、婦人と世界平和について

## 四、各單元指導上の留意

### 一　男子コース

**中学一年**の職業家庭科は基礎的な指導を必要とするから出來るだけ各類に亘つて学習材料を選択するよう考慮を拂う必要があろう。特に男女性別的なことを深く念頭におかず、日常の生活（家庭・社会）に誰もが経驗しておく必要のものは一応男女ともトライ・アウトさせるよう計画を立てた。文部省の方針としても第一学年においては四類六項目以上から学習材料を選んで立案するよう注意されてある。そうして一單元についても、なるべく多くの類が融合した形で計画し指導されて行くことが望ましいとされているので、その線にそうよう取扱つてみた。なお綜合主題を縦とし、各教科の單元と横への有機的な連繫をはかつて学習の流れのスムースを考慮した。

第一單元〔僕等の家庭〕は家庭から出発して、家の職業の理解、家計の実態と職業との関連性、自己の位置と自覚による職業・家庭科的活動を指導することに重点をおき、中学一年の男生徒として、どこの家庭でも、誰もがみんなトライ・アウト出來るよう留意した。家庭は職業家庭科学習の素材としての出発点であり、トライ・アウト場であり、応用・復習の場面でありたいので、その指導内容も各類につながりをもつ綜合学習の内容となつて生れた。これらの指導や評價は作業日誌や、作品提出による鑑賞会によつて、たゞ一時的な学習に終らないよう習慣づけて行くことに努力してみたい。

第二單元〔僕等の学校園〕第二番目にこの單元をとり入れたのであるが、学校園の運営こそトライ・アウト・コースとして重要な役割をもつ故、学年の最初から指導してゆきたい。しかも一ヶ年間経営上

（128）

継続学習を行わせる必要があるから、他の單元を学習している場合にも適宜必要に応じて一ヶ年に亘つてトライ・アウトせしむるよう指導の細案をたてることが大切である。栽培する作物については土質・気候・前作などの関係、生徒の慾求などで彈力性をもつてゆきたい。それで栽培物名も指導要項や内容の中に强くにおわせなかつた。

第三單元〔夏の被服〕時季として、また割合簡單な被服として男子にも解りやすく、親しみやすいので、一応まえにも述べたように簡單な自己の身のまわりを理解し、仕事をする緒をつけるねらいをもつてこれをとりあげた。

第四單元〔日常の食物〕この單元では家庭の一員として誰でもが知つておく必要のある学習内容、即ち簡單な調理や献立をとり入れた。これ等のことは家族の協和という点からしても大切だし、男子にもこれくらいの事は興味をもつて研究的にやれるだろうし、家庭で母や姉の手伝いとしてやれるに相違ないだろう。更に学校農場で自ら作り上げた材料（第二單元）を使つてトライ・アウトすれば一そう有意義となるだろうし、学校給食にも深い関心をもつことになろう。家畜の学習も、この單元に出て來ているが前後に引伸して継続的にやらせる必要があろうし、家庭でホーム・プロゼクトとして研究を深めて行くことも出來ると思う。

第五單元〔僕の生活〕この單元は自己の生活を秩序的に行うこと、將來の生活に向つて発展していく基礎的なトライ・アウトを行わせるよう立案したが、その内容は卑近で安易なものをとり上げることにした。

**中学二年**の職業家庭科では二つの類から三項目以上を学習材料として選ぶよう指示されているが、いろ

（129）

いろの状況を考慮して当校では三つの類から各項目に亘つての学習内容をとり入れた。そうして第一学年とちがつて女子コース的なものは一応省いて男子コースの特徴を現わすよう指導内容を選定し、職業・家庭科の分化的な分野を作つてみた。

第一単元〔職業と家庭〕は第一学年〔僕等の家庭〕とすつかり逆なコースのとり方をした。即ち僕等の家庭では家庭に関係をもつ職業、しかも家族や生徒自身の行う職業（仕事）を中心に学習を進めていたが、二年生のこの単元では対社会的な職業の学習に重点をとり、更にこれを郷土や、小さく家庭に帰納して、その関連を学習させ、将来家庭をバックとして社会的職業に発展、貢献する視野と素地を培うよう留意した。

この単元の中、第二小単元〔各種の職業とその特質〕は相当膨大な単元であるが各種の職業を系統的に取纏めるためにまた学習に連関をもたせる意味で一括したが、とても全部を咀嚼することは出来ないと思う。だから指導細案をたてておいて各単元で必要なところを織込むよう考慮して行きたい。
（130）

第二単元〔楽しい農園〕この単元は第一学年の第二単元〔僕等の学校園〕のトライ・アウト・コースの後をうけついで更に一歩高度の農場経営と管理を行わせ、近代的な経営による生産を学習指導の目標におきたい。勿論この単元も一時的のものでなく周年的経営管理の細案を樹てて他の単元の間隙に織込んで実施して行かねばいけない。

なお、時間に余裕がつけば花園の方面にも触れて、真に自然を対象とする農園生活を体験させてみたい。

第三単元〔心よい住居〕近代生活はいろいろの点について、改善し、工夫してよりよい生活様式を生み出さねばならないだろうが、わけても、その改善の第一歩は自己の周辺につきまとう環境や住居の改善、器材、器具（日常使用の）の修繕整備にあると思う。この美しさ便利さが心よい住居となつて産れ出てくるよう、しかも経済的部面も考慮する習慣をつけてみたい。

第四単元〔記帳の生活〕第一学年に於て基礎的な事がらを取扱つたが、この単元では更にそれを広く且深めての学習にはいつて行くよう立案した。そして第三学年の第一単元の第三小単元〔いろいろの計算と記帳〕への前編として役立つよう取扱つて行きたい。

第五単元〔僕等の進路〕この単元を第二学年の末期にとりあげたことは、やや時期尚早の感が深いと思うが、これまで約二年間にわたつて、職業、家庭科の学習実態を体験したのだから、これ等の既習知識や技能を一先ず整理し反省する意味に於て、一面の異つた考え方もあると思われるのと、第三学年の末期になつてからだと、もう更正の余地も一応（青年前期の職業科の学習）無くなるので、このところへ、この単元を設定してみた。
（131）

**中学三年**の職業家庭科では第二学年の単元と角度を一変して、職業の歴史的考察、職業倫理、労働に対する法的学習、卒業を前にして各自の進むべき路について態度の決定といつた、対社会的部面を学習内容にとり入れるよう考慮した。

第一単元〔職業と社会〕職業は時代とともに動きつゝあるから、その動き（変遷）を、即ち流れを知つて、この流れに棹をさしていけるような知識や技能をもたせたい。進路の決定は第二学年の第五単元で学習自覚した線をもとに反省し決定するよう学習を取扱うが、担任教師は常によきアドヴァイスをなし、この単元指導を時間外に第三学年第二学期の末期まで指導の範囲にしたい。その気持のもとに早目に生徒も心構えするようこの單元にとり入れたのである。

第二單元〔よいくらしの計画〕この單元は第二学年、第三單元〔心よい住居〕と表裏一体の関係をもつ單元であつて前学年に学習した事がらを更に広い生活面（家庭生活面、職業生活面）からながめて、日常の生活を樂しく、豊かに、且便利にくらすことの出來る知識・技能を仕上げるためのねらいをもつたものであるから、各小單元の取扱いに充分留意したい。

第三小單元（日常食品の加工と貯藏）は学習事項多く、トライ・アウトとして長時間を要するものが多いから、適宜インホーアメーションで学習をすすめ、トライ・アウトの一部は課外指導またホーム・プロゼクトとして進んで試行するよう指導してゆきたい。

第三單元〔僕等の社会〕この單元は就職、進学の準備を主にしたもので過去三ヶ年の成果を身につけて、それぞれが、それぞれの個性や環境や希望にそつてそれぞれのコースに向つて巣立つて行く準備期間であるから、余裕と落付のある学習指導の單元をとつて時間的に充分の余裕をつけることにした。



## 二　女子コース

**中学一年**女子コースは男子コース同様のねらいを持つて計画した。しかし、多少の性別の考慮と、時間配当、教師の事情をも参しやくして、一年より男子コース、女子コースと定め、生活圏というわく内において、自己中心の經驗的学習をねらつたもので各類を綜合的に取扱うことに留意した。

第一單元〔私の家庭〕では樂しい我家の生活について考えさせ、よりよい家庭生活を営むためには各自の地位における責任を自覚して、その責務を全うする心構えと態度、能力を養うのである。特に知識理解では社会科と関連を保ち、仕事の面においては図工科と連絡して毎日の生活で經驗する率の多い掃除、お客の扱い、家庭園の手入れ等を取りあげ、その生活に一層の向上がみられる様に指導したいものである。（ホームプロゼクトとしての指導が望ましい）

第二單元〔夏の被服〕自分の事は出來るだけ自分で処理して家族の方に迷惑をかけないという気持ちで前單元と連絡し、中学生という立場と、夏という季節の考慮のもとに親しみ易いものをとりあげた。図工科及び数学科と連絡をとり、特にこの單元においては仕事を通しての理解を重視したい。ミシンの扱いについては男子は機械構造、分解掃除に重点をおき、女子は縫方操作に重点をおきたい（高学年でまた扱うため）。被服製作は能率上、型紙をあたえる（当校で製作したもの）。製作に当つては時間数の関係で重点指導をしなければならない。洋裁の基礎はこゝで扱うことにする。

第三單元〔日常の食物〕この單元では理科・数学・図工科と連らくし男子同様の学習目標をもつているが、更に男子の様に食事に対する理解の重視のみでなく、基礎的な調理技術を会得させたい。台所用具の扱い方も科学的扱いを强調し、家庭台所の改良にも心を配らせたい。更に調理実習を学校のみに終らず台所に立働く興味と習慣をつけさせ、家庭の協力手伝いという美しい家族関係を描かせたい。また最近とかく忘れられ勝ちな食卓作法についても樂しい食事という観点から指導すべきである。

第四單元〔私の生活〕この單元は第一單元私の家庭と関連をもつていて前單元は家族の一員としての自分という意識を強くして学習したが、こゝでは自己の存在意識、能力意識を強くもつて自分のやつていること、やれる事柄について考えてみたいのである。社会科・数学・図工・体育で扱われるものを相入れながら仕事を通して能力の練磨をさせたいものである。幼い家族の世話については高学年でも扱うからこの年令にふさわしい子守りの程度を扱うことにした。編物は生徒の能力を調査し、棒針・かぎ針のきそが会得される様な水準をもつて指導したい。おこづかいは生活を秩序的に行える様、堅実な生活の指導をしたい。お使いに於いては自分の仕事を通じて社会に発展するものであり、第二学年への学習の糸ぐちともなるであろう。

**中学二年** この学年から女子的な性格をあらわす様、男子コースとは異にした面について職業家庭科の学習をすゝめる様計画し、主題の近代生活という点から、職業・家庭科においても家庭生活から社会生活への発展がねらいとなるので、かゝる指導内容を選定したのである。

第一単元〔職業と家庭生活〕男子コースの説明でもなされている様に前学年〔私の家庭〕で一応家庭生活と職業という問題を扱つているが、こゝでは同じ問題を広く社会的に学習の重点をおき、特に従来の女子の職業に対する考え方を改めさせ、正しい職業のあり方を理解させ、女子の立場において、自己の問題として職業について考え、社会的に貢献する人物に育成するよう努力したい。この単元を扱うに当つては社会科と関連を保ち、形としては第一単元としてまとめてあるが、一部分は第三学期にもう一度、社会科の職業という単元の時に数時間この問題について扱う事にする。(134)

第二単元〔睡眠と休養〕この単元は前単元と関係のあるもので働き手について更に研究するのである。理科・体育科と連絡をとりながら指導内容を考慮し、働く人の法規的な問題、働く人の環境などに重点をおき、女子コースとしては特に寝室と寝具の扱いの問題を重視したい。

第三単元〔季節と食物〕前学年の〔日常の食物〕より更に発展し、食事の計画性について前に学習した基本調理を綜合させる能力を養う。こゝには季節と食物として一まとめにして記しているが、季節の献立として四季にわけ適当な時期に学習させるものである。更に食物管理にも重点をおき、買い方や生産の実際に当らせることが望ましい。この単元では、理科及び保健体育と特に関係を考え、前学年に学習した数学での〔私たちの健康と衣食住〕の知識をこゝに生かさせる様指導する。

第四単元〔快いすまい〕住宅問題についてはいろ／＼と研究の余地があるが、こゝでは特に衛生と美という点から考えたい。特に細菌学を強調されつゝある今日、日本住宅の欠点を明らかにし、保健的に改造することは文化国家の姿として大切な問題で、生徒を通じて住宅改善を望んでいる次第である。したがつて、ホームプロゼクトの指導をなすべきで、その問題の大きさにより生徒の独力で又は家族の協力によつて解決することが望ましい。他教科との連絡においては理科図工等を相入れ、より一層この単元の学習目的の効をあげる様にしたい。

第五単元〔便利な被服〕この単元では理科の〔衣服と住居〕で学んだ衣服材料の知識をもとにし、前学年の〔夏の被服〕の後をうけて、季節的な着物として冬のものを扱うことにより、自分の一年間の被服製作が計画的になされる様にと考えている。更に被服の機能性について考えツーピースや、編物スェーターの特徴を知り活動着として最適のものであることを理解し、仕事着の研究に発展させたいものである。エプロン等は学校の実習としなくてもホームプロゼクトとして扱わせることも望ましい。(135)

第六単元〔家庭の看護〕この単元の扱いに於いては健康体育とよく連絡をとり、看護実習に重点をおき、あたゝかい看護の精神と技術の錬磨の必要を会得させる。

**中学三年** この学年では理想的社会というわくの中にあつて、職業家庭の対社会的な考察を学習内容としている。即ち従来の家庭生活の検討をなし、今後の家庭生活のあり方を理解し、その管理者である自己を自覚して次の時代を立派に背負つて立つ心構えと態度を養いたい。

第一単元〔民主家庭の建設〕中学一年の〔私の家庭〕に於いて民主家庭のあり方という同じ様な問題を取扱つたが此度のは更に学習内容を広く大きく取扱い、社会科において民主主義の知識を実生活に生かし、民主家庭のたのしい姿を実際に描き出そうとするのが目的である。この単元では家庭の和楽という技術的な面を重視している。

第二単元〔正しい保育〕中学一年の〔私の生活〕中の幼い家族の世話と相つながり、心身の発達に応じてやゝ程度の高い乳幼児の世話としての扱い方である。幼い家族の姉という気持ちよりも保育者という気持を強めて今後の育児のあり方について理解させたい。

第三単元〔よい暮しの計画〕という大単元のもとに生活改善を考えてみる事にした。既に今迄にも生活の理想について学んで来ているので、こゝでは今迄に扱い得なかつた面や又は重要な面は再び要点をくり返す形で取扱う事にし、四つの中単元を掲げたのである。 (136)

a〔安定する生活〕では社会科の経済生活と関係をもたせて金融面を取扱い、より自分達の経済生活が、國家経済に通ずることを理解させ、堅実な経済生活をする態度と習慣を養うのが目的である。

b〔これからの衣生活〕では衣生活の経理面の能力と習慣を養うことを目的としている。更に服装文化について考え将来の衣生活のあり方を理解させる。製作として単衣長着を取扱うことにしたが和洋服の特徴を一層はつきりさせるためである。

c〔食生活の改善〕では日常食のあり方の再検討をさせ、正しい食生活は過去二年間のまとめの意味で扱い、一年間の食物経営に重点をおいてみたい。この問題については特にホームプロゼクトとして研究させ実習させることが望ましい。

d〔理想の住居〕では現在、住宅の能率は、衛生面と共に大きく問題とされているが、我家の改良点をお互いに検討し合いホームプロゼクトとさせたいものである。そして総てが生徒の学習のみに終らず、家庭改善をはかる機会としたいものである。

第四単元〔家庭と社会〕この単元では社会の一小単位である家庭の社交面を取扱い、その改善をねらうものである。〔おつきあい〕に於ては心構えと技術指導を重視したい。

〔選職・進学と個性〕においては、決定と手続きについて会得させ、今迄の職業的な学習の総まとめとしたい。更に既習の事項を綜合して女性の立場を再認識し、社会科の最後の学習〔世界の平和〕を女性の面からも考察して、よりよい家庭、社会の建設者になろうとする心構えを植えつけて、三ケ年の職業家庭科の学習をまとめたいと思つている。 (137)

## 第三章　理科の教育計画

### 一、理科の教育目標と標準教育課程

理科教育の目標はたんに科学的な知識やこれの理解のみでなく、いかに科学的に行動しうるか、すなわち実際生活にあたつて科学的に判断し処理して行く能力を養うことである。科学的に判断し処理するためにはもちろん科学の原理やこれの応用に関する知識が必要であるが、それにもまして物事を科学的に見たり考えたり取扱つたりする能力と真理を見出して積極的に生活を合理化しようとする態度がその

基盤をなすものである。したがつてその目標の達せられるところは科学的な事柄や器具機械に面した部分のみでなくて生活の全領域にわたるものでなくてはならない。かくして一般の市民生活は合理化され向上されて行くのである。このような科学教育の目標が従來行われて來たような科学知識のつめこみ式の教育ではとうていのぞむことが出來ないのはあきらかである。既習知識を記憶することがせいぜいであり之を応用することさえ出來ず、まして社会生活の全領域にわたつてつねに科学的な合理的な判断を下し処理して行くことなど、とうてい不可能事である。このような全人格的な要求に対してはまた全生活領域に於てたえざる指導が必要である。こゝにカリキュラム改正の必要が生じてくる。その一方法としてコアカリキュラムの意義も生じてくるわけであるが当校では綜合カリキュラムの結論に到達した。これらについては総論に於て詳細に説明してあるので省略するが理科としても他教科と相たずさえて完全な單元学習によりこの目的を達しようとするのである。

これに対して昨年度は各学年綜合單元をもうけ各教科ともこれにしたがつて教材を切り盛りしてそれを満たした。理科に於ても文部省の示す学習指導要項により三学年間の全教材を解体して再編成を行つた。しかしこのようにして設定された單元は結局眞の單元とはいえないものである。すなわち有機的に完全な一個体であつてのみ單元として生きてくるのであるが、このようなものは寄木細工にすぎなかつた。或は一つの機械をほぐして又もとのピンとし、棒として考えを進める体のものであり、結局十分な生活指導にはならなかつた。その上教科としては教材の配列に自由さを欠き、理科的立場から見た教材の配列も十分ではなかつた。むしろ綜合的な單元を放棄して理科独自の單元を立てる事とした。しかし他方理科の教育目標を達成するために他教科特に社会科或は家庭職業科等と連絡を密にし学習能率の向上を考えた。たまたま文部省の要目改正にあたりその主旨を受けてこれを他教科と関連、最も実施しやすい形に整理したのが標準教育課程である。したがつてこの根底はやはり文部省の示す指導要目の上に立脚したものである。



## 二、單元設定の要点

單元の設定にあたつては前述のように文部省の示す要目を基礎としてそれに他教科との連絡を考えて決した。尚その單元を表示する場合には出來るだけこれを明確に行つた。單元というのは生徒が全体として把握するまとまりであり、しかも、問題性をもつものであるが、さきに理科の教育目標に於てのべたように生活の中に問題を見出し、またそれを解決するいとぐちを見出す能力を養成するのが眼目である以上單元は出來るだけ大問題であり、大單元である方がのぞましい。というのは大問題である程その中に多数の生きた問題を内藏しまた問題間のつながりが複雑であり、それを考えることが有効であるからである。しかし我々が今こゝに示したのは指導者に対してでありいきなり生徒に示すものではない。したがつて出來るだけ意図するところを明確にして置くことが良好であると考えた結果このような明確というか、一面で狭少な学問的内容をのみ問題にしたような單元表示をしたわけである。特に一覧表の中に於ては單元、小單元ともに印刷の関係上内容的な部分のみを表明して問題單元の様相を失つている事は御注意あり度いと思う。これを実際に生徒に提示する際は適宜問題化し出來るだけ始めは漠然とした形で取扱い、次第に生徒をしてこゝに記してあるような明確なものに向うよう指導するのである。またこの問題も生徒の状況、その時の興味の持ち具合によつて臨機に変形して行くべきである。これらについては各学年の單元決定の実際、第二学年の道具と機械の項、或は指導細案を参照して頂きたい。

尚單元の設定にあたつては学問的体系を一応離れて生徒が現在又は将來当面するであろうと思われる問題、すなわち生活問題を取りあげ生徒がしんに切実な問題として研究意欲を起すかどうかが問題である。社会的にも主要であり、生徒に挑みかゝる切実な問題であることが必要である。右のようにして決定した上で果して科学的な主要な問題を網羅しているかどうかを今一度見てみる必要がある。文部省の新要目の設定にも同様の過程を経ているように聞いているが、このような観点で行けば單元の名或はその順序を変更することは一向さしつかえ無いのみか、学校の特殊事情、指導者の個性、地域社会の要求により独特な單元を設定する事はむしろのぞましく当然の事である。

## 三、各学年に於ける單元設定の実際

**1 第一学年**　第一学年に於ては綜合主題「生活圏」の示す目標中特に「自然環境や自然現象を観察して実際のものごとから直接に知識を得る」点を主たる目標とする。従つて文部省の指導要項の示す第一学年の主題「自然のすがた」の中に示された指導内容を、主として社会科の指導内容を考慮して再編成して單元を設定配列した。

まず第一單元では気象を、次に第二單元にて生物環境を、更に第三單元にて地理的環境を、そして最後に天象へと観察を進めて行くのである。即ち第一学年ではまず自然界をありのまゝに見て、そこに自然の姿を見出し自然の調和と恩惠を知り、これが活用への第一歩をふみ出すのである。

第一單元「季節や天気はどのようにして変るか」は、このような意味で以後一年間の自然環境の観察



の手始めとして取あげられたものである。気象はこの年配の生徒が最も興味を持ち、又非常に入り易い、親しみ易い問題である。それにもまして、理科の研究、特に自然観察の際最も必要である継続的観察を入学早々の第一單元に於て取りあげる事は非常に有意義であると思う。この期間には社会科はじめ他の教科は入学を契機として学校生活を主題に取あげているので理科としては別に他教科と直接の関連なく独自の單元として展開を行う。但し社会科の第二單元「わが國土」中「郷土の自然と生活」の項に直接の関連を持つている。また理科自身としても、第二單元「郷土の生物」中特に生物と自然環境の項を考察の上で指導計画が立てられねばならぬ。第二單元「郷土にはどんな生物がいるか」は必ずしも郷土と限つたわけでは無いのは当然である。自然環境として生きものを直接見すえるという意味でこのような單元とした。別表の指導計画にもあるように、まず周囲の生物を見ることから、これを分類し整理して生物が如何に巧みに出來ているか、また自然環境に何如に適応しているかを感得させる。この單元では、職業家庭科の「春から夏への家庭菜園」の項と関連を保ち植物の栽培、家畜の飼育等の効果を十分に発揮せねばならない。また、理科の次の單元中「水は自然界に於てどのようなはたらきをするか」の項とも関連が深い。

第三單元「地球の表面及び地下はどのようになつているか」この單元は非常に膨大な單元である。文部省改正要目の第一学年II、III、V單元の主な部分を一括した程の内容を持つている。或は旧指導要目の「土」の全部「地下資源」「海」の大部分を含む様な大單元である。従來これらの單元は指導が難しく、多くの教師が最も取扱いに困難を感じた單元ではなかつたかと思われる。このような單元こそ最も完全に社会科と歩調を揃えてこそ始めて指導の効果を発揮出來るものである。従つてこの單元は更に二分、

或は二分する事も考えられるが社会科の「世界」の単元と関連してこのような単元を設定した次第である。社会科が世界の地理に環境をありのまゝの姿で展望する時理科はその原因について掘下げて行く、従って列表の学習活動中には必ずしも理科の時間に改めて展開しなくとも済まされる部分がかなり含まれていると思われる。例えば2、地球の水陸の分布について調べ地図を書く。3、河流の状況と気候との関係を話し合う。4、海の資源についてまとめる等の項はそれである。社会科の時間に於て行つた学習活動がそのまゝ理科の学習活動となり、或は又理科の時間に活用される。この両科の完全な連携によつて指導効果を増し、時間及び労力の両方面に於て能率的な学習が行われるのである。こゝに総合カリキュラムのねらいがあり当教課過程の意義が存在する。勿論実際の連絡にあたつては色々と困難が生じ、また種々の工夫がなされねばならぬであろうが、単に毎週両科の指導教官が指導内容の細案を交換するのみでも相当な効果が認められるものと思う。このような意味で見かけ程膨大でもなく必ず有効に実施し得ると思う。またこの単元中、海及び地下の資源とその採取については第三学年資源の利用の単元にて深く取扱うこととし、こゝでは単に資源が地下にどのようにしてあるかのみに止める。従って地下資源については、理科第一学年当単元に於て資源の種類や成因について、社会科、第二学年天然資源の単元にて、資源の種類と分布を、更に理科第三学年資源の利用の単元にて、各資源の性質と採取及び利用に対する科学的考察を加えるわけである。このように昨年度の総合カリキュラムにおける如く無理に一ケ所に集める事なく階段的に、或は螺旋的に展開していくのである。

第四単元「太陽や星は人生とどのような関係をもつているか」この単元は文部省改訂案 Ⅵ単元そのまゝに近い。旧単元では第三学年に「星と生活」として取扱われていた。もつとも文部省新要目に於ては光

(142)

に対する単元が新設されているので旧要目に於けるような望遠鏡等の原理についてはこの方にゆずつてあるが、当カリキュラムでも同様に取扱つた。またこの単元の指導期間が第三学期即ち最も寒い冬の最中となつていて、出来得れば夏、或は秋に持つてするのが取扱上望ましく思われる。しかしこの単元に限らず、理科に於ては単元指導期間のみが真の指導の時期ではない。むしろ、その教材内容につき考えをまとめ、整理して研究を集中する期間を意味するのである。即ちこのような単元の導入或は前提としての星座の観察はむしろ夏休み、或は秋に於て少しずつ用意し、これを基として展開すべきである。同様に単元の終了は観察或は研究の総結であつてはならない。個性に応じ興味に応じて以後に引続いてこそ真の理科指導の効果が発揮されるのである。地上に茂る樹木の様に花をさかせ実を結ばせるには、見えない地下に根を張り、養分吸収に対する努力が繰返されねばならない。またたとえ地上が枯れても地下の生命は再び次々に芽をふくものでなければならない。このような事は特に生物に関する単元には多く、理科指導にあたるものは単に一単元のみに止らず常に一ケ年、否三年間の教材に対して十分な計画を持つて適宜種を播き刈りとらねばならぬ。この意味に於てこの単元を冬に持ち来したことも十分補い得ると思う。

一年の各単元については後の指導細案を参照されたし。

**2 第二学年**　総合主題「近代生活」の目標中、科学の原理や法則を日常生活に応用する能力を養うことを主目標とする。従つて理科としては文部省の新要目の示す主題「日常の科学」と何等異らない。ただ文部省新要目第二学年では各単元ともあまりにもねらいが漠然としてしかも扱いにくい事と、社会科其の他の教科との関連上特に二、三単元に於て取扱を変えて見た。以下各単元について説明すれば

(143)

第一単元「機械や道具はどのように使えばよいか」、この単元を最初に持つてきた理由は、綜合主題の「近代生活」の原動力として或は社会科の第一単元「近代産業」との関連を考えたためである。また日本史の「原始時代の生活」と比較して取扱う所に妙味がある。従来の単元中、機械の単元はかなり取扱いにくゝ実際指導上困難を感じ指導効果が少なかつたように思われたので全体的にやゝねらいをはつきりするような小単元を用いた。その点或意味では科学的知識に重点を置いたように見えるが結局この方が良好であると考える。指導にあたつては「機械はなぜ使用するか」的な小単元を導入に用いるよりもむしろ第三項「機械はどのように改良されたか」を導入単元として取扱うのが良好である。またその際にも出来るだけ問題を限定して、自転車はどのように改良されたかといつた問題をとらえ問題を出来るかぎり具体的に進める。そしてその解決の必要上「力を加えると物はどのように運動するか」とか「力とは何か」とか言つた小単元、或は「単一機械にはどのようなものがあるか」といつた小単元の必要を想い起させ問題を展開するのである。もちろん指導の際に指導者の意志をあまり反映させ生徒に依頼心を起させ、又は自立心を無くすることは特に注意しなければならないが必要に応じて焦点を合わせ、中心を発見するように導かねばならない。従来、単元学習ではやゝもすると漠然とした問題に終始し、全く焦点のない所を低迷して何等指導の結果を得ないような事になりがちであるのは十分注意せねばならない。このような意味に於てこゝにあげた各単元も決して決定的なものではなく、その時の状況、生徒の考えに応じて臨機に類似単元へと転換されるべきである。そして学習活動に於てはその方法順序等指導者の個性、学校の状況により工夫されるべきである。従つて第一学年指導細案にあげた学習活動も実は真の具体性ある学習活動ではなく抽象的学習活動の例をあげたにすぎないと言い得る。一例として筆

（144）

者の行つた実際的な展開について記して見る。（但しこれは三年生「機械を使えば仕事はどのようにはかどるか」の単元である。）

指導学年　三年右組　　指導期間　　昭和二十五年六月下旬——十月上旬（全七週間）計二十三時

一、予備調査

問題 1、次のものゝ応用されている例を二つづつ書け。てこ・輪軸・まさつ・空気の抵抗

2、次の問に対して（　　）中の答の中で正しいものに○をつけよ。

（イ）大きさの等しい二つの力は（aいつでもつり合う。b決してつり合わない。cつり合う時とつり合わない時がある。）

（ロ）三つの力は（aいつでもつり合う。b決してつり合わない。cつり合う時とつり合わない時がある。）

3、次の場合にBに何グラムの力を加えるとAの物を支え得るか。

てこの例の簡単なもの二つ、定滑車一つ。

4、次のようにAB二つの歯車がかみ合つてまわつている。歯の数はそれぞれAが一〇〇、Bが二〇である。Aが毎分二十五回まわる時Bの毎分の回転はいくらか。

（145）

二、導入「機械を使うと仕事はどのようにはかどるか」につき研究することを表明して（四月最初に単元の取扱い順序は生徒と話し合いの上で決めてある。）どのように研究を進めるかにつき協議。生徒の種々の意見中より「機械にどのような種類があるか」につき課題する。各人レポート。次時に於て発表整理。それ以後単元の展開があまり良好に進まないのを見て「家庭で使用している機械の中で最もうまく工夫してあると思われるものは何か」との問題を出す。これに対してはミシン・自転車などと答があつたのでさらに「自転車はどのような点で都合よく工夫されているか」と問題を制限する。各人に自転車について研究を課題する。自転車のスケッチ、構造上変つた点、力がどのように伝えられているか等の観点のある事を生徒側の発言より導く。「どのような点がうまく工夫されているか」を研究するには「昔の

自転車はどんなであつたか。」「今の自転車とどこがちがうか。」を比較してみると都合がよいという観点に到達しこの方法にて研究を続行するよう協議する。いろ〳〵研究を進めても概して発展性のないのを見て、「力」について今少し予備的研究の必要な事から前述のような「力とはどんなものか」、「力を加えると物はどのように動くか」「単一機械にはどのようなものがあるか、これを使うとどんなに都合がよいか」、の小単元を設ける。

三、展開、「力を加えると物はどのように動くか」、二年生の際の家の単元の力について復習し、木片に対して力を作用させ動き方の比較、力の釣合いについて実験と結果の討論を中心に研究（力や運動等の事項については非常に抽象的であり、ややもすれば教師の指導ばかりに従う傾向になりやすいので前述の様に極力注意をする。また実験法もかんたんな事でも出来るだけ生徒に考えさせる様に工夫する）、最後にまさつを考え全員に「もしまさつがなかつたら」という課題で作文を書かせる。更に木片と滑車を用いて実験。まさつを少くするためにどのような努力がされているかについて個人発表を中心に指導。

単一機械にはどのようなものがあるか。単一機械の種類をあげ各班別に一つづつ受持つて研究、（自由研究二時間、教師の出張の留守時間をあてる）させる。てこ・滑車・輪軸・ねじ・歯車、の五個班、一個班が余つたので原動機の種類について受け持たせた。（これは導入の時、問題になつた）、順次に発表、これを中心として教師が整理、仕事の原理、エネルギーについて指導。

最後に又最初の問題「自転車はどのように改良されたか」にかえり主として車体の構造（車体の形を昔の自転車と比較して討論）車輪（スポーク・リム・チューブ・タイヤ等）、フォーク・スタンド等、閑力の伝達や車輪の回転数、ブレーキ、重みのかゝり方等について討論、適時指導、その間に力、単一機械等の既習事項がどれだけわかつているかについて効果判定に留意する。

自転車と同一の形式にて何でも身近の機械（例えば、ポンプ・ミシン・バリカン等）について各人一例ずつを研究して報告書を作らせる。以上が九月末までに実施した事項であり、以下は引続き実施しようとする計画である。

（146）

適当な機械工場（或は奈良機関庫）を見学して実地について指導する。

原動機について研究した班に発表させ、それを中心に機械の効率について指導。

四、学習効果の判定

1、予備テストと最後の筆記テストをもとに主として、力の釣合い、合力、力の能率、について理解しているか、簡単な作図及び計算が出来るか。単一機械について簡単な計算・応用された部分等を理解しているか。仕事の原理、エネルギーについて理解しているか、原動機の種類と長所短所について理解しているか、について判定する。

2、授業時間内の自由研究・討論・発表等の態度より、機械に興味をもつているか、科学的に考えようとしているか、又科学的に考える力がついたかどうかを見る。

3、レポート

「まさつがなかつたら」及び「機械についての研究」レポートにより、予想する能力、科学的に考える能力の有無。

（147）

4、自由研究及び実験中に簡単な道具や機械を使用する能力や、有効に使用しようとする態度について見る。

尚、言い落したがこの単元の指導にあたつては特に職業家庭科の器具機械の操作と修理の項と関連をもたせる。理想的に言えばこの項と同時又は後から展開したいところである。

第二単元、「健康を保ち増進するためにはどのような注意が必要か」この単元は次の単元「衣服と住居」の導入単元ともなる。この単元では簡単に身体の諸器官中特に消化器についてその作用を考えた上で、健康を増進するためにどのような食物が必要かとして、栄養素、カロリーについて指導。この単元は文部省、第一単元と第二単元を合わせて再編成したのである。文部省第一単元では自然界のどの部分で食物が作られているかについて取扱い、第二単元との区別、意図する所がはつきりしないので取扱いに困難を生じるであろうと思いこのようにした。食物が自然界のどこで作られるかについては第一学年郷土の生物の項に入れた。したがつてこの単元は旧綜合カリキュラムの第一単元健康の単元にやゝ似ているとも言われる。

第三単元「われわれが健康をたもち増進するためには衣服と住居をどのように考えねばならぬか」文部省要目、第Ⅰ、Ⅱ単元を再編した。即ち、食物と衣服を同一単元とするよりは健康の外的要素として、衣・住を合わしたわけである。この単元は社会科、都市と農村、と特に関連が深い。また、職業家庭科、衛生的な住い方、室内装飾、庭と住居との関係をも考えて指導する。また建築材料の項では図工科木材の利用と関連指導のこと。



第四単元「熱と光はどのように利用されているか」別に説明を要しないと思う。

第五単元「日常生活に電気はどのように利用されているか」この単元では家庭電気を中心に展開する。電気鍍金等化学作用については取扱いを第三学年資源の利用の項にゆずり、この単元では導入の際項目としてあげる程度に止めたい。

3 **第三学年**　綜合主題「理想的社会」の目標中、科学が人類の福祉に貢献することを理解し理想的社会の建設に努力しようとする態度を養う。という部分が主なる目標である。人類社会の幸福発展に対する科学の役割を理解すると共に、進んで実現しようとする人を作る。この点文部省の主題「科学の恩恵」とそのまゝ符合する。従つて文部省新要目に於ける第三学年の教材を殆んどそのまゝ配置した。第三学年に来れば社会科が主として政治・経済等民主々義社会の諸問題を取扱うのでこの点理科の教材と直接的関係はない。しかし文化財を取扱う単元では当然文化の内容として科学が問題となり、また特に最終単元「世界の平和」の項については科学者の責任、或は科学の世界平和への貢献につきクローズアップされるのは当然である。科学を善用し積極的に世界平和をきずき上げようとする強い意志をもつた平和國民の養成に対して社会科と理科、否全教科が協力して実現に努めなければならない。ともあれ、第三学年の教材は従来の旧要目の単元の中には見られない形である。一、二年が一般理科的な広い関連を持つた単元をかゝげるのに対して高等学校での分科した理科学習への過渡的な色彩を帯びている。従つて各個々の単元をながめると比較的狭い科学的な内容が含まれている。従つて実際指導の際によほど注意しないと、物理、化学、生物の学問の初歩な或る部分を教えるに過ぎないような指導に落ち入り易い。この点指導者は十分注意して単元学習を完全にするよう注意しなければならない。また各単元とも、一、二年の際に学習した事項の上に立つた教材であるから低学年教材との関連を最も重視しなければならない。各単元については別に問題はあるまいと思われる。たゞ最終単元はこの学年の、或は中学校三年間の総まとめとして各人に一度反省する機会をあたえる意味で最後に置いた。尚その内容については今夏第三学期に改めて取あげなくとも中学各学年に於て指導を受け、経験した事項から一問題をえらびレポートを書く形の取扱いにしたいと思う。それ故、時間の配当も一見稀異に感じることと思う。次に一学年各単元の指導細案及び、二、三学年の指導内容を表示する。

# 主題　生活圏　中学一学年　指導細案

**単元題目**　季節や天気はどのようにして変るか。四・五月（週三時間　六週　計　一八時間）

**目標**

理解

1、雨、風、雲等の気象の要素についての知識を得る。
2、大気の働きについて理解する。
3、季節や天気の変化に適応するにはどのように生活をしたらよいかについて理解する。
4、気候が地勢により如何に影響されるかを理解する。

態度・技能

1、自然現象を長期間にわたつて継続観察する興味を深め、またその能力を高める。
2、気象観測をするための機械、器具を取扱う技能を高める。
3、問題を解決するために資料を集め、またこれを処理する能力を養う。

**題目**

一、気温の変化はどうして起るか。
二、大気はどのようなはたらきをするか。
三、風はどうしてふくか。
四、雨はどうして降るか。
五、日本の気候はどのような特徴があるか。

**主なる学習活動の例**

1、気温の変化を測定する。
2、一日の気温の変化についてその様子を研究する。
3、季節によつて気温がどのように変化するかを研究する。
4、各地の最高、最低気温について比較する。
5、大気はどのようなはたらきをするかについて話し合う。
6、大気圧の大きさについて研究し実験する。
7、大気圧の測り方について研究し、気圧計の構造をしらべる。
8、測候所を見学する。
9、風がなぜおこるかについて研究する。
10、風速、風向等を測り季節による風の特徴を研究する。
11、雲の様子を観察し天気との関係をしらべる。
12、かんたんな雨量計を作つて雨量を測定する。
13、雨量の季節による変化をしらべる、またその原因を研究する。
14、日本の気候、郷土の気候の特徴について研究する。
15、われわれ人間生活が季節変化に対してどのように左右されているかを話し合う。

**評価の観点**

○温度計の正しい使い方
○継続的に研究する態度
○観測記録の処理の方法
○大気圧の大きさ、働きを理解しているか
○天気図を見て気象のありさまを説明することができるか
○地形と気候との関係を理解することができるか

**時間配当**

一　四
二　四
三　四
四　三
五　三



**単元題目**　郷土にはどんな生物がいるか。六・七・九月（週三時間　七週　計　二一時間）

**目標**

理解

1、身のまわりのいろいろな生物の外形、構造、機能、習性についての知識を得る。
2、人類と生物、或は生物相互の関係を理解する。
3、有用な生物の種類を維持したりふやしたりする方法を理解する。
4、環境が生物にあたえる影響や生物の環境への適応について理解する。
5、生物を分類する能力や知識を深める。

態度・技能

1、身のまわりの動物に興味をもち、これに親しむ態度を養う。
2、動植物を飼育、栽培する技術を養う。
3、生物資源を保護したりふやしたりしようとする態度を養う。
4、自然界の美しさや調和を感得する。

**題目**

一、家の中や周囲にはどんな生物がいるか。
二、山野にはどんな生物がいるか。
三、生物は如何に環境に適応しているか。
四、生物をどのように分類することができるか。

**主なる学習活動の例**

1、身近の昆虫を採集する。
2、家の中の生物と人生との関係について話し合う。
3、大掃除の経験を話し合いその意義について研究する。
4、集めた植物についてその構造機能をしらべる。
5、身近な家畜を飼育し植物を栽培する。
6、家畜についてその習性をしらべ、飼育についての経験を話し合う。
7、野山の生物を採集し標本を作る。
8、集めた生物につき分類する。どのような観点で分類したらよいかを研究する。
9、種子をまき発芽について実験する。
10、農作物の種類をしらべ、どのようにして作られるかを研究する。
11、水辺の生物を集め乾地の生物と比較する。
12、生物が水を得る爲にどのように都合よくできているかをしらべ話し合う。
13、寒地の植物と暖地の植物について比較し気温に対する生物の適応について研究する。
14、われわれは植物のどのような部分を食物としてとるか。また植物はこれを如何にして作るかを研究する。
15、炭酸同化についての実験を行う。

**評価の観点**

○生物の飼育栽培の態度と技術
○人生に対する生物の利害について理解しているか
○発芽の條件についての理解
○主なる害虫とその駆除法について知つているか
○生物の環境に対する適応を理解しているか
○炭酸同化についての理解
○身近な生物についての分類法を理解しているか

**時間配当**

一　五
二　七
三　五
四　四

| 単元題目 | 地球の表面及び地下はどのようになつているか。 | 一〇・一一・一二月（週三時間 一〇週 計 三〇時間） |
|---|---|---|

**目標**

**理解**

1、地球の大きさ、形等について理解する。
2、海に対する理解と関心を深める。
3、水の自然界でのじゆんかん及び人生との関係。
4、地球の内部の構造について理解する。
5、地下資源の種類や成因について理解する。
6、地震に対する理解と関心を高める。
7、地かくの変動と長い間の生物のうつり変りについて理解する。

**態度・技能**

1、環境に対する興味を深める。
2、水を合理的に使つて日常生活を科学的に健康的にしていく態度を養う。
3、自然の災害に対して科学的に処理する態度を養う。
4、天然の資源を愛護し増進しようとする能力を養う。

| 題目 | 主なる学習活動の例 | 評価の観点 | 時間配当 |
|---|---|---|---|
| 一、地球の表面はどのようになつているか。 | 1、地球の大きさ、形について書物をしらべる。<br>2、地球の水陸の分布についてしらべ地図を書く。<br>3、世界の主な海流の状況をしらべ、これと気候との関係を話し合う。<br>4、海の資源についてまとめる。<br>5、水の自然界での所在をしらべ自然界でのじゆんかんについてしらべ表示する。 | 〇海と気候との関係について理解しているか | 六 |
| 二、水は自然界に於てどのようなはたらきをするか。 | 6、近くの地形を観察し水の営力についてしらべる。<br>7、水と人生との関係について作文をかく。<br>8、水害について調査し如何なる対策によつて防止できるかにつき話し合う。 | 〇地形図を見てその成因を判断することができるか<br>〇主な岩石についてその名称と成因を理解しているか | 一〇 |
| 三、地球の内部はどのようになつているか。 | 9、土壤がどのようにしてできたかをしらべる。<br>10、附近の山野に出て岩石鉱物を集め標本を作る。<br>11、建築等に利用されている石材をしらべる。<br>12、地下の資源についてまとめて発表し合う。<br>13、地層の観察を実地または模型にて行い、どのようにして出來たかを考える。 | 〇岩石、鉱物等に対して興味をもつているか | 八 |
| 四、地かくはどのように変動するか。 | 14、火山、温泉について絵、写眞、経験を話し合う。<br>15、地震について書物をしらべ、それについて如何なる研究が続けられているかを話し合う。<br>16、化石を採集して標本を作る。<br>17、地球の歴史についてしらべて話し合う。 | 〇自然災害に対して正しい理解と関心をもつているか<br>備考 天然資源の採取については第三学年資源の利用の単元にて取扱う | 六 |



| 単元題目 | 太陽や星は人生とどのような関係にあるか | 一・二・三月（週三時間 七週 計 二一時間） |
|---|---|---|

**目標**

**理解**

1、星をしらべる手がかりや方法について理解する。
2、地球の形状及びその宇宙に於ける位置を理解する。
3、天文に対する基礎的な知識を得る。
4、人類が宇宙をどのように見、考えてきたかを理解する。
5、季節がどのようにして起るかを理解する。
6、太陽がわれ〱にどのような関係をもつているかを理解する。
7、時間はどのようにして決められるかを理解する。

**態度・技能**

1、天体に興味をもち、自ら進んで観察や、記録をする能力、態度を養う。
2、自然科学の進歩に対して正しい理解と注意を向ける。

| 題目 | 主なる学習活動の例 | 評価の観点 | 時間配当 |
|---|---|---|---|
| 一、空の星はどのように動いているか。 | 1、一等星の星図を書いて見る。<br>2、星座を写生し、一日のうちにどのように動くかを観察する。<br>3、季節により出る星はどのようにちがうかについてしらべる。<br>4、主な星座の伝説について話し合う。<br>5、星の運動について昔の人はどのように考えたかをしらべる。<br>6、太陽の運動について日時計を作つて研究する。 | 〇星がどのように運動するかを理解しているか | 六 |
| 二、季節はどうして生じるか。 | 7、地球の大きさ形についてしらべ、これがどのようにしてはかられたかを話し合う。<br>8、太陽がなぜ季節によつて高くなつたり、低くなつたりするかにつき考える。 | 〇主な星座の名前を知つているか<br>〇長時間継続的に観察することができるか | 四 |
| 三、時間はどうして決められるか。 | 9、地球の自転と公転によつてどんな効果が生じるか模型を使つて考える。<br>10、時間がどうして決められるか、標準時の必要性、サンマータイムについて意見を交換する。 | 〇太陽系及び宇宙の構造について理解しているか | 三 |
| 四、太陽はどのようになつているか。 | 11、太陽を望遠鏡で見てその構造をしらべる。<br>12、太陽の熱がどうして出來、またこれが地球上にどのような現象を起しているかについて話し合う。 | 〇自然科学の進歩に対して正しい理解と注意が向けられているか | 四 |
| 五、太陽や月の他にどんな星があるか。 | 13、望遠鏡で主な惑星、月を観察する。<br>14、個々の惑星について書物でしらべ写眞を見て話し合う。<br>15、星に明るさ、色等のちがいのあることを観察する。<br>16、宇宙がどのようになつているか書物でしらべて話し合う。<br>17、どのようにして宇宙に対する研究が進められるかをしらべる。 | 〇主な天文現象について理解しているか | 四 |

| 中学二年 | | 主題　近代生活 | |
|---|---|---|---|
| 指導期間 | 単元名 | 小単元 | 主なる学習内容 |
| 4・5月 | 道具と機械 | 1. 力を加えると物はどのように運動するか<br>2. 單一機械にはどのようなものがあるか<br>3. 機械はどのように改善されているか | 力とはどんなものか，力を加えると物はどんなに運動するか，作用と反作用<br>力の釣合い<br>てこの原理，滑車と輪軸，仕事とエネルギー，仕事の原理<br>機械の種類，どのように工夫されているか，主な原動機，機械の効率 |
| 6・7月 | 健康 | 1. われわれのからだはどのような部分からできているか<br>2. 健康を増進するにはどのような食物が必要か<br>3. 栄養素は体内でどのような働きをするか | 身体構造の概要，健康増進の條件<br>栄養素の種類とはたらき<br>消化と吸収<br>カロリー |
| 9・10月 | 衣服と住居 | 1. 衣服の材料は何からとるか<br>2. せんいはどのように加工されて衣服に作られるか<br>3. 家屋の材料には何が使われるか<br>4. 材料を合理的に使用するためにどのような工夫がされているか | 繊維の種類，繊維の性質と強度<br>人造繊維と天然繊維，衣服の保温性<br>衣服の染め方，紙と皮革<br>建築材料，人造物と天然物<br>ガラスとセメント，材料と強度<br>耐震家屋，合理的な間取 |
| 11・12月 | 熱と光 | 1. 熱はどのようにして得られるか<br>2. 熱はどのように利用されているか<br>3. 照明にはどのようなものが用いられるか | 燃料の種類，酸化と燃焼温度と熱<br>高温，低温を得る法<br>熱の伝わり方，熱による物の膨脹<br>暖房と冷房<br>光源の種類，照度，光と衛生 |
| 1・2・3月 | 電気 | 1. 電流による熱はどのように利用されているか<br>2. 電気は動力としてどのように利用されるか<br>3. 電流はどのようにして起し，また送られるか | 電燈，電熱器，電池と電流<br>オームの法則，電磁石<br>磁石の性質<br>モーター<br>発電機，変圧器，送電<br>電力 |

（154）

| 中学三年 | | 主題　理想的社会 | |
|---|---|---|---|
| 指導期間 | 単元名 | 小単元 | 主なる学習内容 |
| 4・5月 | 生物の改良 | 1. 生物はどのようにしてふえるか<br>2. 親の性質は子に伝わるか<br>3. 家畜や農作物の品種はどのようにして改良されるか | 有性生殖と無性生殖，受精の意義<br>遺伝についての種々の法則，雑種<br>自然陶汰と人爲陶汰，品種<br>健康と子孫 |
| 6・7月 | 交通機関 | 1. 交通機関はどのようにして発達したか<br>2. 汽車はどのようにして動くか<br>3. 自動車はどのようにして動くか<br>4. 船はどうして浮かぶか<br>5. 飛行機はどうして飛ぶか | 蒸気機関の構造と特長，電車<br>レールの働き<br>内燃機関の構造と特長<br>船の形と安定性，船舶のエンジン<br>飛行機の原理<br>交通機関の速度，交通機関の進歩 |
| 9・10月 | 資源の利用 | 1. 天然資源にはどのような種類があるか<br>2. 金属資源はどのようにして採掘利用されるか<br>3. 天然資源からどのようなものがつくられるか | 資源の種類及び所在<br>主な金属の採掘，金属の性質<br>用途<br>食塩とその利用<br>人造肥料 |
| 11・12月 | 通信機械 | 1. 音はどのように通信に用いられてきたか<br>2. 電信や電話でどのように通信することができるか<br>3. ラジオの放送はどのようにして聞くことができるか | 音波の発生，音波の伝播<br>電話，電信の構造，発達の歴史<br>電波の性質，眞空管のはたらき<br>送信と受信<br>通信機関の進歩 |
| 1・2・3月 | 光学器械 | 1. 眼はどのようにしてものを見ることができるか<br>2. 顯微鏡はどの位小さな世界を見ることができるか<br>3. 望遠鏡によつて見える世界はどのように広くなつてきたか<br>4. X線によつてどのようなことが分つてきたか<br>5. 映画や写眞はわれわれの生活にどのように役立つてきたか | 眼の構造，近視遠視と眼鏡<br>顯微鏡の原理，電子顯微鏡<br>望遠鏡の原理<br>X線の性質と利用<br>幻燈，写眞，映写機，トーキー |
| | 科学と人生 | 科学の発達は如何に人生に貢献しているか | 何れかの分野について論文をかく |

（155）

## 四、実際指導の諸問題

以上他教科との関連等を考慮して単元を設定したが、それですべてを総つたのではなく、実際指導の際には無数の問題が考えられる。むしろそれからが問題であり指導の効果もここにかかる事が多い。今それ等について二三考附加して置き度い。

**1、教科書の問題** 綜合カリキュラムにて授業を展開する際、教科書を如何に使用するか。教科書の使用については必ずしも綜合カリキュラムの場合に限らず単元学習の際に問題となる事である。昨年度の当校カリキュラムの如き、綜合単元による各科の学習の展開を行う場合には綜合主題によつて教科書を作るべきではあるがまだ其処まではいたらなかつた。従つて昨年度一年間に綜合主題に直接関係のある内容の教科書を（文部省、私たちの科学）持たせて指導した。例えば一年生健康の単元の際には、文部省第二学年用「からだはどのように働いているか」及び一年用「何をどれだけ食べたらよいか」の教科書を使用させた。もつとも前者はその前単元から引続き使用した。このように教科書の上で非常な不便を生じた。今回のような単元でも大体同様な取扱いをする他は無いと思うが、もし文部省の新単元に類似した単元による教科書が出来上ればあまり大した混乱は無いだろうと思われる。少くともシークェンスが決定している以上、学年間の交流即ち、二年の教科書を一年生に持たせねばならない等という不便はさけられる。ともかく各校に於て独自の単元を作製する場合にも教科書又はこれに代るべきものを同時に用意するのが理想である。それの出来ない場合には上記の様に近似的な教科書を使用するより他は無いであろう。もつとも教科書も従来の教科書の様に唯一の寄り所として章節を追つて説明を加える



のではなく、一つの参考書として取扱う以上内容的な相違は別にさしつかえないわけである。或る意味ではそれ等の異つた内容を含む教科書の中から現在問題とする部分を抽出する事に一つの修錬が加わり意義を持つとも言い得る。単元の導入にあたつては指導者はまずどの教科書の何れの部分が関係あるかにより適当な教科書（主要部分を含む教科書、例えば季節と天気の単元を展開するにあたつては文部省の教科書「空気はどんなはたらきをするか」を持たせてもよいであろう）を必要により用意させる。他方また、学校の設備中役立つものについてしらべ、或はこの地域に於ける工場その他の施設、P・T・A中より参考資料を提供し得るかどうかを考え、次に生徒の経験した事柄について調査し指導方法を立案する。また他方導入にあたつて生徒に学習範囲、学習する方向の見当をつけさせ研究方法を立案させる。しかしその際生徒は単元の含む内容について見当がつかないのが当然である。極く大ざつぱな想像をもとにして手持ちの教科書、参考書を見て次第に内容、研究方向について像を描き始める。この際、内容が手持ちの異つた教科書にわたることは指導によつては面白い結果を生じるであろう。



また教科書が決定し、参考になる部分の見当がついた後もあまり密に教科書と直結した指導をすべきではない。教科書はやはり固定した死物であり、標本的なものである。それに対して生徒の学習活動は生きて刻々に脈動して居るべきものである。従つて他方で標本を通覧して見当をつけさせながらあくまでこれに捕われぬ様に注意しなければならぬ。勿論時には特定な部位に於て標本を凝視させ、標本に対する解説を加える事により確実な知識を増すであろうし、学習研究が飛躍するような場所では適切にこれを活用すべきであるのは言うまでもない。

**2、指導時数の問題** 理科指導上指導者が最も頭をなやませるのは指導時数の不足をどうするかの問

題であろうと思われる。単元の内容から見てもこれを説明し、単に理解させるというのみに学習指導を限定しても尚現在の時数は必要であろう。ましてこれをすべて単元学習する場合には二倍欲を言へば更にそれ以上の時数が必要であると思われる。学校行事に食われ、出張その他によつて指導時数の減少する時、少し気をゆるめれば一学期間かかつて一単元がやつとであろう。このような時先を急ぐあまり結局要領よくつめ込まざるを得ないのが理科教師のいつわらざる告白であろう。特に新しく発表された理科の要目に従えば、第三学年には科学の恩恵として従来よりも更に多くの部分が附加されている。もつとも附加ではなくて取扱い方法の変更により生じたものではあるが結果的には前要目による十八単元よりも内容的に増しこそすれ少くはないと思われる。これを基として作成した当校カリキュラムに於てもこの点に大した変りはない。これに対して文部省当局では各単元の目標を達すれば個々の教材は一々ふれなくともよいとの立場を取つている。(158) しかし目標を達するためにはやはり相当程度に取扱わねばならずまた若しこの方はよいにしても入学試験が他方から我々を苦しめる。このような点に対しどんな方法により単元学習の効果を発揮すればよいか。これに対しては単元学習を重点的に展開するより他はあり得ないと思われる。即ちすべての単元を、同じ重さで展開するのではなく要点的に、即ち生徒の興味、学校の設備等事情によつて最も効果的と考える単元にて、また単元中で最も効果的に生徒の科学的な処理能力の養成になると思われる部分では勇敢に徹底的な単元学習を行い、他の部分では必要に応じて手を抜き時間的な節約をすることである。物語りとして生徒に話し聞かせて効果を発揮出来る部分、生徒が各自本を読む事によつて済まされる部分、要領よく説明し知識として理解させるのみで充分な部分等、各教材の意義、内容によつて適当に判断し処理して行くべきである。但しどのような単元、どのような小単元に於ても導入のみは十分に行い自ら学習しようとする意欲、予想する力、内容を整理し問題の焦点を見出して行く能力と常に目的をはつきりさせて行動する態度は十分身につけさせねばならない。各単元の始め、各小単元、或は毎時間必要な導入を行う時はたとえ教師が説明しても決して教師中心の学習ではなく生徒の自主的学習とすることが出来る。

(159)

# 第四章　数学科の教育計画

## 一、標準教育課程と数学科

学校の教育が「人間を作る」ということの点に於ては新教育以前の教育といえども全人教育といつて目標にしたところであつた。然し前の時はその方法が学問のための学問を授けることによつてそれが達成できるかのような錯覚を起さした。数学でもユークリッドの幾何学や因数分解式なものをただたきこんだ（ただたきこんだのである）のはこの例である。現代に於ては生きた人間、生活力のある人間は生活経験を積むことによつてより有効に達成されると主張する（我等も同感であるが、これ等の教育思潮を紹介するのが本稿の目的ではない）。（160）

元来、生活は綜合的なものであるから寄木細工的に各教科の学問の集合によつて生活力のある人間のできないことは明らかであるが、この思想は生活経験を主流とするコーアカリキュラムの考えを生んであちこちの小学校で実験されているが我々は中学校に於て、この不可能に近いことを思い、昨年は本書一二頁—一四一頁に掲げられたようなカリキュラムを実施したわけであるが、これも又種々な困難があつた。それで今年は生徒指導の共通基盤を設けて、この基盤の上に立つて生徒の教育を各科ですゝめようということになつたわけである。

我々は数学科の単元学習に於て、他教科と一体になつて取扱うことによつて大部無駄な時間が省けて能率のよい数学の学習が出来ると思つたわけであるが、これにはいろいろな困難が起つた。結論的に言うと他教科と歩調を合せることのみでは数学科に要求されている内容をうまくやることは不可能である。数学科は生活力のある人間養成のため果すべき重大な役割があるので、全校カリキュラムの中で昨年のように他教科と同一主題についてのみ研究していてはその使命を果たすことがむづかしい。

昨年は全体のカリキュラムの必要上教科書とは全然無関係な単元を構成してやつたのであるが、これは教師がその構成単元に関するプリントでもしてやらないとやりつぱなしになつて生徒はよりどころがなくて困り、教師は単元の構成そのものに非常な努力を要した。

以上の事から数学科は綜合主題の目ざす人間生活の基盤に着目し、出来るだけ他教科との連絡を考えるが、単元は教科書によつて、教科書の単元を改造して学習をすゝめることにした。従つて数学科は本校カリキュラムに於て単元を綜合主題とその目標に合致するものに求めるように努力し、他教科との連絡も考慮するが学習の展開は教科書を用いる。教科書の使用については後の単元学習の項を参照されたい。（161）

## 二、数学科の目標

教育の目的や方針は新しい憲法の下に定められた教育基本法に明示してある。言うまでも無く我々は数学科に於てこの教育の一部面を担当するわけである。単に式の計算が出来たり、方程式が解けることは、これが教育の目標の達成のために何等の貢献もなさないならば、その数学教育は失敗であり、又無価値なものといわれても致し方があるまい。教育の理想とする人間像は教育基本法の第一條教育の目的の項に明示してある。即「教育は、人格の完成を目ざし、平和的な国家及び社会の形成者として、真理と正義を愛し、個人の価値をたつとび、勤労と責任を重んじ、自主的精神に充ちた心身ともに健康な国

民の育成を期して行われなければならない」これ等に関係して中学校、高等学校の数学科の一般目標の中に

①数学の有用性と美しさを知つて、眞理を愛し、これを求めて行く態度を養う。

②明るく正しい生活をする爲に数学が果している役割の大きいことを知り、正義に基いて自分の行爲を律して行く態度を養う。

③労力や時間を節約したり、活用したりする上に数学が果している役割の大きいことを知り、これを勤労に生かして行く態度を養う。

④自主的に考えたり、行つたりする上に、数学が果している役割の大きいことを知り、数学を用いて自主的に考えたり、行つたりする態度を養う。

と述べてある。これ等は数学科が教育の全体目標を如何にして追求するかをはつきり示していると共に又このような目標を達成するためには、今まで通りの学習指導法ではいけないこともうなづけよう。

この外数学科の目標は詳細に分けてあげてあるが、それは学習指導要領を見ていただくこととして、これをもつと大まかに分類してみよう。

一、数学的な概念や知識についての理解を深め、これ等についての技能を養う。

数学教育の目標はこれで全部だと思つている人があるくらいこれは基礎的なものであると共に又重要である。

即(イ)数、量、空間、形、式等についての理解を深めること。

(ロ)数や式についての計算の技能、測定についての技能を養うこと。

(162)

等のみでなく、更に左のようなことが大事である。

(ハ)数学的表現や数学的取扱いが、我々の生活の向上に対して持つ意味を理解すること。

(ニ)数学的に表現することができるような社会や自然の機能について理解すること。

(ホ)数学的な表現の特性と限界を理解すること。

二、数量的洞察によつて問題を構成し、解決して行く能力を養う。

これは(一)で述べた事が基礎になつて洞察が出來るようになるわけである。洞察というのは見透しの事である。数観念や四則の意味の理解による見透しや、その他いろいろな概念や関係等の理解に基づく見透しが考えられる。要するに数量的に見透しがきいて、生活問題を処理する人間を養いたい。

三、数学を用いて、自分の生活を高めていく態度や習慣を養う。

このように目標を考えて、はじめて数学科が人間の育成に貢献することが分るであろう。これは我々の学習の形態や評價の事にも関係してくるものである。これ等の目標を達成するために当校ではどのような單元をとつて、どのような数学的内容を織りこんでいるか紹介して、当校で考えている学習法について述べてみたい。

(163)

## 三、年次計画一覧表　第一学年主題生活圏

| 單元 | 研究主題 | 生活経験番号 | 数学的内容 新指導内容 | 数学的内容 復習事項 | 時間配当 | 備考 |
|---|---|---|---|---|---|---|
| 1. 中学生になつて | 一、私たちの中学校<br>二、社会の窓 | ①②③④⑥ | 単位分数、通分、約分<br>四則計算のことば(和差積商その他)<br>概数、概算 | 表やグラフを用いるときの注意<br>整数、小数(分数)の意味<br>位取り<br>整数の四則の意味<br>概数、概算(加法) | 4月(3週 12時間) | 社会科(私たちの学校) |
| 2. 生活の設計 | 一、日課表<br>二、予算生活 | ①④⑤⑥⑦⑧⑨ | 時間についての加減乗除<br>歩合、比の一・二段<br>元金、利息、利率<br>整数×分数、整数×小数 | 百分率<br>円グラフ、帯グラフの書き方 | 5,6月(5週 20時間) | 職家科(僕の仕事、記帳生活 おこづかい) |
| 3. 私たちの健康と衣食住 | 一、健康とたべもの<br>二、すまいと着物 | ④⑤⑥⑦⑧ | 小数×(÷)小数<br>分数×分数、整数÷分数<br>比の三段 | 百分率、分数(割合)<br>折れ線グラフ | 6,7月(5週 20時間) | 職家科(栄養と食物)<br>保体科(健康の必要)<br>図工科(衣食住と色彩)<br>職家科(夏の被服) |
| 4. 計算と私たちの生活 | 一、整数とその計算<br>二、分数・小数とその計算 | ②④⑤⑦⑧ | 乗除の概算(位取りの決定)<br>素数<br>最大公約数、最小公倍数<br>分数÷分数 | 整、分、小数の四則計算<br>歩合、百分率、比の三用法 | 9,10月(5週 20時) | 職家科(珠算の活用) |
| 5. 測定と私たちの生活 | 一、測定と社会生活<br>二、いろ〳〵な測定 | ⑩⑪⑫⑮⑰ | 單位(尺貫法、ヤードポンド法)<br>換算(メートル法、尺貫法、ヤードポンド法)<br>概測、縮尺<br>副尺<br>速さ、ノット | 單位(km km² m² cm³ m³)<br>求積法<br>正方形、長方形の面積<br>立方体、直方体の体積 | 10,11月(4週 16時間) | 職家科(僕等の学校園 夏の被服製作) |
| 6. 賣買と私たちの生活 | 一、商店と私たちの生活<br>二、買物と私たちの生活 | ⑦⑧⑨ | 原價、定價、賣價<br>手数料<br>利益、損失の割合、割引率<br>請求書、領収証 | 歩合、百分率 | 11,12月(4週 16時間) | 職家科(お使い) |
| 7. 明るい生活 | 一、私たちの周囲の整とん<br>二、美と私たちの生活 | ⑪⑬⑭⑯ | 平行線、垂線<br>正多角形、中心角<br>角、頂点、辺<br>中点、対角線<br>二等辺三角形、正三角形<br>鋭角、どん角、直角三角形<br>平行四辺形、ひし形、台形<br>角の二等分線、垂直二等分線、球、円柱、円すい | | 1月(4週 16時間) | 図工科(美術と生活 形体と機能) |
| 8. 数量と図形のはたらき | 一、数量のはたらき<br>二、図形のはたらき | ⑥⑦⑧⑬⑭⑯ | | 量の比較(差、比)<br>割合(分数、小数、歩合、百分率)<br>グラフ(折れ線、棒、円グラフ)の特長<br>平面図形(三角形、台形…)<br>立体図形(直方体、円すい……) | 2,3月(5週 20時間) | 図工科(交通機関の形と色) |

(備考)時間が不足した時は第八單元を省く。

(164)

(165)

## 第二学年　主題、近代生活

| 單元 | 研究主題 | 生活経験番号 | 数学的内容　新指導内容 | 数学的内容　復習事項 | 時間配当 | 備考 |
| --- | --- | --- | --- | --- | --- | --- |
| 1. 地図の作り方 | 一、広い地域の地図 | ⑩ | 球（大円、直径）<br>経緯線とその測定法<br>地図投影法（心射図、メルカトール図） | 円（円周率） | 4,5,6月（8週 24時間） | 社会科（近代産業 天然資源） |
| | 二、狭い地域の地図 | ⑧ | 三角形の決定條件<br>平板測量法 | 縮図、縮尺 | | |
| 2. 私たちの測定 | 一、測定と誤差<br>二、縮図と面積<br>三、体積 | ⑨ ① ⑩ ⑪ | 誤差<br>正しさ、くわしさ<br>有効数字、測定値計算<br>計算尺による乗除<br>面積と体積<br>三角形、平行四辺形、<br>台形、円、角柱、円柱、<br>角すい、円すい<br>文字の使用<br>文字使用の約束<br>公式 | 百分率<br>方眼による面積計算<br>正方形、長方形の面積<br>立方体の体積 | 6,7月（6週 18時間） | |
| 3. おかねのはたらき | 一、おかねのはたらき | ④ | 複利法<br>文字の使用<br>等号、不等号、等式、<br>括弧でくくる、はずす<br>二乗、三乗、係数、同類項、指数<br>公債、株式、小切手額面、<br>現價、配当、利廻り<br>指数<br>物價指数、賃銀指数、<br>生産指数、計算尺と比例<br>度数分布表、柱狀グラフ | 單利法<br>銀行、郵便局の預貯金 | 9, 10（7週 21時間） | 指数は教科書の天然資源の單元参照 |
| | 二、生産と家計 | ⑨②③ | | 歩合、百分率 | | |

## 第三学年　主題、理想的社会

備考　本学年は週に三時間であるので極力單元数を少くした。

| 單元 | 研究主題 | 生活経験番号 | 数学的内容　新指導内容 | 数学的内容　復習事項 | 時間配当 | 備考 |
| --- | --- | --- | --- | --- | --- | --- |
| 4. 日常生活に於ける数と式 | 一、数量と生活 | ⑫ | 十進法<br>正負の符号 | 割合（比、分数、小数、歩合、百分率）<br>比の三つの用法 | 11, 12月（6週 18時間） | 歩合、百分率は天然資源と私たちのからだの單元参照 |
| | 二、式と生活 | ④ ⑤ ⑥ | 公式<br>方程式<br>根、未知数、解く<br>等式の基本性質<br>不等式<br>比例、反比例の関係式<br>比例定数 | 等式<br>比例、反比例 | | |
| 5. 数量と図形 | 一、図形と生活 | ⑦ | 合同の條件<br>相似の條件<br>相似の中心、相似の位置<br>相似比と面積、体積の比 | 棒グラフ、折れ線グラフ、<br>正方形グラフ、円グラフ、<br>帯グラフ、柱状グラフ | 1,2,3月（8週 24時間） | 図工科（生活と美術） |
| | 二、グラフと言葉 | | ピクトグラム | | | |
| | 三、数と式 | ⑫⑬⑤ | 正の数、負の数、絶対値<br>正の数、負の数の四則計算<br>式の計算、指数の法則 | 方程式 | | |
| 1. 生産と私たちの協力 | 一、農業の進歩<br>二、大量生産と分業<br>三、物資の生産と流通 | ② ⑬ ⑧ | 回転体、回転軸<br>投影図<br>平面図、立面図、側面図<br>基線<br>為替相場 | 割合（…当り、百分率）<br>指数 | 4,5月（6週 18時間） | 職家科（工業のうつりかわり）<br>図工科（機械と美）<br>理科（交通機関） |

| 単元 | 小単元 | 目標 | 内容 | | 期間 | 関連教科 |
|---|---|---|---|---|---|---|
| 2. 数式と私たちの生活 | 一、公式<br>二、グラフ<br>三、方程式 | ①<br>⑦③⑥<br>⑤④ | 公式の変換<br>数値計算（負の数）<br>数直線<br>座標、座標軸<br>比例のグラフ $y=ax$<br>一次関係のグラフ<br>$y=ax+b$<br>直線の勾配<br>反比例グラフ $xy=a$<br>一次方程式<br>移項<br>連立方程式 | 文字の使用<br>公式、指数の法則、同類項の簡約<br>正の数、負の数<br>比例定数<br>等式の基本性質<br>かっこの用法<br>式の計算 | 6,7,9月（9週 27時間） | |
| 3. 経済と私たちの協力 | 一、生産と銀行のはたらき<br>二、税と社会生活<br>三、保険と社会生活 | ⑧<br>②<br> | 手形<br>約束手形、為替手形<br>割引率<br>小切手<br>税<br>所得税、税率<br>保険<br>保険金、保険料、<br>保険料率 | 貯金と利息<br>複利<br>百分率<br>割合（死亡率、その他） | 9,10月（5週 15時間） | 社会科（経済生活） |
| 4. 自然と私たちの協力 | 一、自然と私たちの生活<br>二、実験と法則<br>三、測量 | ②<br>⑦<br>⑨⑭ | 実験式<br>三角比<br>正接、正弦、余弦<br>三角比の表<br>直角三角形の性質<br>（三・四・五の割合） | 経度、緯度<br>頻度表<br>率（利用率、出火率）<br>誤差<br>相対誤差、絶対誤差<br>測定値計算<br>平板測量<br>三角形の決定條件<br>相似形 | 11,12月（7週 21時間） | |
| 5. 数学と私たちの協力 | 一、数量と私たちの生活<br>二、図形と私たちの生活<br>三、数表の利用<br>四、数学の進歩 | ⑨<br>⑩<br>⑪<br>⑫ | 対称<br>線対称、面対称、点対称<br>垂直二等分線<br>回転<br>回転の中心、回転体<br>展開図<br>三平方の定理<br>平方、平方根<br>平方表、平方根表 | 表、グラフ、式のやくめ<br>方程式のやくめ<br>合同 相似<br>二等辺三角形、正三角形、正方形<br>平行四辺形、長方形、正方形、円、球の性質<br>数表 | 1,2,3月（8週 24時間） | 職家科（住居と店舗の設計・装飾） |



# 四、單元計画例

## 第一学年單元例　生活の設計

A 目　標

**知識と理解**

①時間の四則計算の方法の理解
②円グラフや帯グラフは全体に対する割合を表わすのに都合のよいことを理解
③実数を目盛つて円グラフや帯グラフを書くことを理解
④収入、支出、残高等の言葉を知る
⑤出納簿の記入や整理の方法についての理解
⑥ $a$ の $b$ に対する割合は $a \div b$ で計算できることを理解
⑦ $a$ の $b$ に対する割合 $p$ と $b$ が分つているとき、$a$ を知るには $a=bp$ として求められることを理解
⑧百分率を目盛つて円グラフや帯グラフを書くことを理解
⑨割合の表わし方に四通りあることを知り、それらの間の関係を理解
⑩予算のたて方についての理解

**能　力**

イ問題を構成し分析する能力
ロ時間の四則計算をする技能
ハ実数を目盛つて、円グラフや帯グラフを書く技能
ニ出納簿をつける技能
ホ出納簿を整理し項目別にわける能力
ヘ比の一段階を用いる技能
ト比の二段階を用いる技能
チ百分率を求めて、円グラフや帯グラフを書く技能
リ割合の四つの表わし方を相互に変換する能力
ヌ予算を立てる技能

**習　慣**

a 時間を有効に利用する習慣
b 出納簿を休まず毎日つける習慣
c 無駄づかいをせず、計

| 知識と理解 | 能力 | 習慣 |
|---|---|---|
| ⑪経済上の初歩的な言葉（インフレ、通貨流通高、物價等）の意味の理解<br>⑫元金、利息、年利率、日歩等利息計算にでてくる言葉の意味の理解<br>⑬利息計算の方法の理解（單利のみ） | ル利息計算をする能力（單利の場合） | 画的に金を使う態度<br>d貯蓄の重要性を知り、つとめて貯金する習慣 |

## B 学習の展開計画

| 学習活動 | 目標 | | |
|---|---|---|---|
| **(Ⅰ)研究問題の構成**<br>生徒達が自分達の生活をよりよくしたい具体的なことについて話し合い、結局それは時間に関することと、お金に関することになることを結論し、今後これについて次の(Ⅱ)(Ⅲ)のような問題について研究することを話し合う。 | | イ | |
| **(Ⅱ)時間について** | | | |
| 一、時間をもつと有効に使うために、現在自分達が一日の時間をどのように使つているかしらべよう。 | | イ | |
| 1各自の生活時間をグラフに書こう。（実数を目盛つて） | ①②③ | ロハ | |
| 2無駄にすごしている時間がどのくらいあるかしらべるために、目的別に分類してみよう。 | ① | ロ | |
| 二、よりよい時間の使い方を考えよう。 | | イ | |
| 1各自の日課表を計画して、円グラフや帯グラフに書いて発表しよう。 | ①②③ | ロハ | a |
| 2自分の作つた日課表の実行について反省の方法を研究しよう。 | | | a |
| **(Ⅲ)お金について** | | | |
| 一、限られたお金を有効に使うため、予算をたてて生活しよう。 | | イ | |
| 1出納簿のつけ方をしらべよう。 | ④⑤ | ニ | |
| 2六月以降毎月つけてみよう。 | ④⑤ | ニ | b |
| 3出納簿の整理の方法を話し合つて整理しよう。 | | | |
| イ、項目はいくつぐらい設けるのが適当か研究しよう。 | ⑤ | ホ | |
| ロ、項目別に分類して整理しよう。 | ⑤ | ホ | |
| ハ、百分率を求めて、これを円グラフや帯グラフに書こう。 | ⑥⑦⑧ | ヘトチ | |
| 4おこづかいの予算をたてよう。 | | | |
| イ、予算はどのようにしてたてたらよいか研究しよう。 | ⑩ | ヌ | c |
| ロ、どのような割合に分けるのが、最も自分に適しているか考えよう。 | ⑩ | ヌ | c |
| ハ、その割合に、おこづかいの総額を分けて予算を立てよう。 | ⑦ | ト | c |
| ニ、自分のたてた予算の実行について反省の方法を研究しよう。 | | | |
| 二、備えある生活をするため貯金しよう。 | | | |
| 1貯金が必要なわけを社会生活や、個人生活から考えてみよう。 | ⑪ | イ | d |
| 2貯金の利息計算はどのようになつているかしらべてみよう。（單利の場合のみ扱う。） | ⑫⑬ | ル | |
| **(Ⅳ)まとめ**　この單元の学習内容をまとめたり、研究方法の反省をしたり、計画の実行について話し合う。 | | | |





## 第二学年單元例　地図の作り方

### A 目　標

| 知識と理解 | 能力 | 習慣 |
|---|---|---|
| ①球面は平面に展開出來ないことを理解<br>②仰角、星の高度、視界、日食等の言葉の理解 | イ問題を構成し、分析する能力 | aいろいろな地図に関心をもつ |

③北極星の光は平行、その高度と緯度の関係を理解
④地球はほとんど完全な球とみなせることを理解
⑤円周率の意味と円周の求め方を理解
⑥円の弧は中心角に比例することを理解

⑦経線、緯線の引き方を知る
⑧経度、緯度は中心角の大きさであることを理解
⑨北極星の高さが緯度を示すことを理解(於北半球)
⑩日本の標準時は東経百三十五度……を理解
⑪太陽が南中した時刻から経度が分ることを理解
⑫正しい地図は作れないことを理解
⑬目的に応じていろいろの地図があることの理解
⑭経緯網に各地の点を記入すれば地図ができることの理解
⑮球面上の最短距離は大円の弧であることを理解
⑯心射図の経緯網の書方を知る
⑰心射図では大円が直線になることを理解
⑱メルカトール図の経緯網の書方を知る
⑲この図では等方位線が直線になることを知る
⑳この図では極地が拡大されすぎることを知る
㉑両図併用による航法について知る

㉒三角形の決定條件を理解

ロ直径を知つて円周を求める能力
ハ弧と中心角から直径を求める能力
ニ比例式を解く技能

ホ座標面上に点を記入する技能

b地図を目的に応じて正しく用いようとする態度
c心射図を正しく用いる習慣
dメルカトール図を正しく用いる習慣

e正しく測量する習慣



㉓距離を間接に測定する方法を理解
㉔巻尺より長い距離を正しく測る方法を知る
㉕相似形とはどんなものであるかを知る
㉖簡單な測定法には三角形法、射出法、交叉法があることを知る
㉗次の如き平板測量器具の名称を知り、使用法を理解(略)
㉘共同で仕事するときは、目的を定めて、仕事の分担と手順をきめると能率的にできることを理解

ヘ長い直線距離を正しく測る能力
ト三角形の決定條件を使つて測量する能力
チ距離の間接測定をする能力
リ測量器具を正しく使う能力
ヌ縮尺を正しく、図を書く能力
ル縮図を見て長さや面積を計算する能力

f器具の取扱を正しくていねいにする習慣
g協力して、能率的に仕事をする態度

## B 学習の展開計画

(I)研究問題の設定

地図についての経験や疑問を話しあつて次の(ⅡⅢ)ような研究問題をきめる

(Ⅱ)広い地図(世界地図等)はどうして作るか

一、地球の形や大きさについてしらべよう

1 地球の形が球状であることを昔の人達はどうして知つただろうか

2 地球の大きさはどのくらいか

イ、地軸と赤道半径の割合はどのくらいか

ロ、地球の大きさはどのくらいか

ハ、昔の人はどうして地球の直径を測つただろうか

二、地図の書方とその特長をしらべよう

1 経線、緯線はどうしてきめてあるか

| 目 | ① | ②③ | ④ | ⑤ | ⑥ | |
|---|---|---|---|---|---|---|
| 標 | イ イ | | | ロ | ハ ニ | イ |
| a | | | | | | |

イ、経線、緯線を地球儀についてしらべよう。
ロ、リンゴやミカンを切つて経度、緯度についてしらべよう。
ハ、針金で経緯線のみからなる地球儀を作ろう。
2 或土地の経度緯度はどうして分るか。
イ、緯度はどうして知ることが出來るか。
ロ、経度はどうして知ることが出來るか。
3 いろいろの経緯網の書方とその特長をしらべよう。
イ、いろいろな地図をあつめて、その名称や特長を先生に話してもらう。
ロ、経緯網に地形を記入する方法を考えよう。
ハ、心射図の書方と特長をしらべよう。
ニ、メルカトール図の書方と特長をしらべよう。

(Ⅲ) 狭い地域の地図はどうして作るか。

一、測量の原理をしらべよう。
1 点の位置決定のため三角形の決定條件をしらべる。
2 実際の場面に右の條件がどんなに使われるか研究する。
3 縮図を書く練習をする。

二、器具の使用法をしらべて実地に測量しよう。
1 どんな器具が必要か考え、又使われているものをしらべよう。
2 実際測量すると机上で考えたことの外にどんな点に注意せねばならぬか知るため奈良公園へ行つて測量しよう。
3 測量法その他について反省してみよう。

三、出來た地図についてしらべてみよう。
1 測定したところの距離はいくらか。

⑦ ⑧ ⑦⑧ ⑨ ⑩⑪ ①⑫⑬ ⑭ ⑮⑯⑰ ⑱⑲⑳㉑ ㉒ ㉓㉔㉕㉕ ㉗ ㉘

ニ ホ イ ヘトチ ヌ リ リ ル

b c d e f fg



2 測定したところの広さはいくらか。

(Ⅳ) この單元で学習したことを反省して結果をまとめておこう。

ル

## 第三学年單元例　経済と私たちの協力

### A 目　標

#### 知識と理解

①年により変化する生産指数をみて生産状況をしることを理解。
②次の言葉の理解
復金、貸出残高、復金勘定、担保、手形貸付、約束手形、爲替手形、小切手、申告納税制度、税率税額、基礎控除額、國税、地方税、直接税、間接税、保険金、保険料、附加保険料、純保険料
③銀行預金の種類を知り、その内容を理解。
④銀行の社会的個人的役割の理解
⑤目盛の複雑なグラフの理解
⑥複利法による利息の計算法及び複利表のつくり方の理解
⑦おかねの貸借には必ずその証拠となる書類の必要なことを理解する。
⑧國家財政、地方財政の歳出歳入についての知識

#### 能　力

イ 指数表、残高表、勘定表等をみてそれを処理し状況を知る能力
ロ 百分率を求めて比較する能力
ハ 目標額に対する達成率を求め、次の目標を定める能力
ニ 桁数の非常に異なるものを適当な目盛をつけてグラフに表わす能力
ホ 複利法による利息を計算する能力
ヘ 手形割引料、手取金を求める能力
ト 大きな数を処理する能力

#### 習　慣

a 社会の生産状況に関心をもつ
b 銀行預金の適当なものをえらぶ態度
c つとめて預金する習慣
d 國家財政、地方財政へ

| | | |
|---|---|---|
| ⑨各種税金の意味の理解 | チ税額を計算し求める能力 | 関心 |
| ⑩税額の出し方の理解 | リ正しい申告書をつくる能力 | e正しい申告をし、納税に協力する態度 |
| ⑪申告書に書く事柄の理解 | ヌ調査の結果を統計的に処理する能力 | f保険に加入し、社会に協力する心構え |
| ⑫各種類の保険の理解 | ル保険料を計算し求める能力 | |
| ⑬保険料の求め方の理解 | | |
| ⑭保険料率が時、所、人により異なるわけを理解。 | | |

B 学習の展開計画

| | 目標 | | |
|---|---|---|---|
| (Ⅰ)研究問題の設定<br>経済的に豊かな、安定した社会生活をする為に次の(Ⅱ・Ⅲ・Ⅳ)ような問題について研究することを話合う。 | | | |
| (Ⅱ)生産をあげる為に銀行はどんな働きをしているかをしらべよう。 | | | |
| 一、生産をあげる為に資金はどのように融通されているか。 | | | |
| 1生産状況の調査 | ① | イ | a |
| 2生産の回復の早い業種と資金の関係はどうなっているか。 | ②④ | ロ | |
| 二、生産のもとになる私達の預金の重要な事を話し合い、併せて銀行預金について研究する。 | | | |
| 1銀行預金の種類とその特徴をしらべる。 | ③⑤ | ニ | b |
| 2金融機関の増加目標額と達成率は生産にどのように影響するか。 | ④ | ハ | c |
| 三、事業家、商人は、お金が必要なときにどんな借り方をするか。 | | | |
| 1担保、借用証書、手形、小切手等についてしらべる。 | ②⑦ | ヘ | |
| 2利息はどのようにして計算されるか。 | ⑥ | ホ | |
| (Ⅲ)公共施設を完備する為に必要な税についてしらべる。 | | | |

(178)

| | 目標 | | |
|---|---|---|---|
| 一、我々の納めている税はどのように使われているか。 | | | |
| 1学校、警察、消防署等に必要な費用はどこから出ているか。 | ⑧ | ト | d |
| 2政府、地方自治体の歳入と我々の納める税金とはどうなっているか。 | ⑨ | ト | d |
| 二、適当な課税をうけ進んで納税に協力する為に納税についての正しい知識を得よう。 | | | |
| 1各自の家庭で納めている税の種類にはどんなものがあるか。 | ⑨ | | |
| 2税額はどうして計算されているのか。 | ⑩ | チ | |
| 3申告書のつくり方、税金を納める方法はどうなっているか。 | ⑪ | リ | e |
| (Ⅳ)不慮の災難に備えて社会はどんな設備をしているか。 | | | |
| 1不慮の災難の状況をしらべる。 | | | |
| 2災害に備える共同準備金を出し合う方法はどうすればよいか。 | | ヌ | |
| 3保険にはどんな種類があり、どんな特徴があるか。 | ⑭ | | f |
| 4保険料はどうして計算されているのか。 | ⑫ | | |
| (Ⅴ)この単元で学習したことを反省して、結果をまとめておこう。 | ⑬⑭ | ル | |

(177)

## 五、数学科の単元学習

**(1) 何故単元学習を採用したか** 前にも述べたように従来の教育のように学問の為の学問を教えていたのでは実際世間に出て役立たなかった。今のように世の中が忙しく、せち辛くなって来ては教育はかざりのためでなく、役に立つ人間の養成のためでなければならない。数学でいうと代数の為の代数でなく生活の為の数学でなければならない。昭和十七年の改造以来大分役に立つ数学ということが叫ばれたが、それはやはり数学の為の生活であって生活の為の数学ではなかった。生活の為の数学が単元学習であり、数学を教える為、生活を手段に使うのが生活数学である。

単元学習は又問題解決の学習ともいわれる。我々の生活は問題解決の連続である。「今度の火曜日に県下数学会の研究会が自分の学校である。一体どうしたら有意義にこれを終ることができるだろうか」と先生方は問題に当ってその解決の方法を考える。即問題を幾つかの小問題に分けて解決して行く、研究授業もしよう、講演もきこう、この会の為に費用はどのくらいかかるか、どうしてその金を調達するか、一人当り臨時会費をいくらとったら足りるか等と考えて準備しこれを解決して行く、この生活の姿をそのまゝうつしたのが単元学習である。数学科の単元は数量図形的解決を要する内容を豊富に含むだけのことである。

そして又前の数学科の目標のところに述べたような事、例えば数学の概念や応用をもつとよく理解させることができると思つたからである。単元学習は問題解決であるから解決すべき問題を持たねばならない。生徒の各自が問題をもち、学習の目標をはつきりつかんでいなければならない。従つて目標をはつきりつかんで学習が行われることは教育の効果が上る所以である。尚次の（六）の学習指導上注意すべき諸点を考えると単元学習をすることによつて一層学習が効果的になることを理解できるであろう。 （178）

**（2）単元学習とはどんな学習か** 単元学習は問題を解決して行く学習である。この数学科でいう問題というのはどんなものか、それは子供達が自分の生活を高めて行こうとするとき子供達に起る問題である（一七頁の単元例地図の作り方参照）社会科の勉強で地図を見る機会が多いがどうもよく分らない何とかこれについて知りたいという欲望が子供達に起つてくるような問題。然しこれも放つておいたのでは起りようがない、教師が目覚めさしてやる必要がある。いろいろな経験発表や問答の末生徒に問題を発表さしていくとだんだん馴れてよい問題を作るようになつてくる。次に問題は数学的解決を必要とするものであることは勿論である。「世界の交通を調べよう」では数学の問題にならない。第三に問題は障害と目的がはつきり分るようなものでなければならぬ。「体を丈夫にするためにごはんはよくかむようにしよう」では目的はよく分るが、数学的解決を要するような障害はない。世界地図を見るといろいろの地図がある、これ等がこんなになつているわけが知りたい（目的）ところがおいそれとは分らない、（障害）上ほどうまく計画をたてて研究しないと分りそうでない、ここに数学科の単元が成立つわけである。それなら学習はどうして進められるかというと

（イ）障害を次第に分析して幾つかの小さな問題にする。即ち広い地域の地図、狭い地域の地図と問題を分け、それも又次第に小さな問題に分析して子供の学習活動が起り得るところまで分析する。この分析は目的に叶うように、数量的な処理ができるように考えてやるとうまくいくだろう。

（ロ）問題を限定する。数学のできるものとできぬものを区別する、数量のできるものに問題を限定する。 （179）

（ハ）計算したり、測定したり、式やグラフに書いて処理をして問題を解決する。

（ニ）各段階毎に研究のすゝめ方や分つたこと、分らないこと、残つた問題をはつきりするように評價して行く。

此処に注意すべきは第一、二時間目の問題構成のところで全部が分析しおえるわけでなく分析はその問題に入つて行く時行われるものである。単元学習というと生徒が役場か銀行からしらべて発表することのみのように思う向きがあるようだが、これは極く少い場合である。問題解決の資料が教科書にあるならそれで結構、又「式を使うとどんなに便利であるか、式の使い方についてしらべよう」というような単元では分析も教師が指導する部分が大部分になろうし、内容の研究についても又そうである。然し

これでさえ、生徒に目標を持たせて学習をすゝめることは出来る。

**(3) 単元の構成法** 単元を構成する為には先ず年次計画を立てる必要がある。これには先ず教科書を一通り読んで前述の（一六四頁—一六六頁）ような年次計画一覧表を作ってこれに従って学習指導をすゝめることが望ましい。この計画表を作らないと、どうも同一の単元にひっかゝって二学期の末になってもまだ当学年の教材が半分もすんでいないというようなことになってしまう。二年生は週三時間であるから数学的内容を考えて、大分単元数をへらした。又数学的内容の前後の連絡等考えて線で結んでおくと便利であるが、本書では印刷の都合で省いた。

次に各単元をやる時、準備として考えておくと都合のよい事を述べる。

**(イ) この単元を選んだ理由** ここでは指導すべき数学的内容を考え、指導法や前後との連絡を考える。次に望ましい生活経験をとり上げ、解決すべき問題とその分析を考える。第三にこの問題をやれば予定としている数学内容がうまくやれるかどうかを考える。つまりここでは、この問題は生徒の生活指導上大事で、数学的にみても予定の内容をやることが出来るからこの単元は価値があるというわけである。他教科との連絡もここで考えておくと都合がよい。（180）

**(ロ) 目標** 毎日の授業は、単元のはじめに考えた目標の何れかを達成する為に行われねばならない。そしてこの単元の目標は数学教育の目標へ、ひいてはそれは教育基本法に示された教育の目標へつながるものでなければならない。

日々の学習をより有効にする為に目標は詳細に立案する事が望ましく、知識理解、能力（含技能）習慣（含態度、心構え、理想、関心）の三つに分けて考えると手落が少くてすむ。前述のように

窮極のねらいはよりよい生活経験をつむ事にあるからどんな態度習慣をねらうかということを考えてみる。例えば前の二年の単元例で、正しく測量する習慣を養うという目標をたてると、そのために必要な能力が考えられ、その能力を得るためにはどんなことを知りどんなことを理解していなければならないかということが、即ち目標が次々浮んでくる。これ等は表にしておくと関係が一目でつかまれて便利である。

尚この目標は生徒の力（実態）によって変るのが普通である。

**(ハ) 学習の展開計画** 学習の展開計画をたてるには第一に問題の分析をしっかりしておく。この分析は生徒の学習活動になるまで細分して行くことが大事である。調査したり、話し合ったり、報告したりすることのみが学習活動ではない、計算したり、式を書くことも学習活動である。学習の展開は生徒の学習活動の形で、然も「……の為に……をしらべる」等の如き考え方が望ましい。一年生の例にあるように「時間をうまく使って、生活をもっと合理化する為に、一日の生活時間をしらべよう」等の如く、それから技能の練習を何時するかということや時間配当の計画をしておくがよい。（181）

**(ニ) 評價の計画** 評價のことについては後で述べるが、評價は一単元すんでからやるのではなく単元の展開中、毎時間、いや各瞬間毎に行われねばならない、評價は次の指導のためにすべきものである。五段階にした評点のためのみに評價してはならないが、単元の終り、或は一分節すんだ後の評價は各目標に対してそれぞれ行われねばならない。先ず何を評價しようとするかはっきりきめる。その項目毎に問題をつくる。観察の計画、記録の計画等もたてておく必要がある。

以上の四項目について考えておくと大体手落なく準備が出来ると思うが、平常の授業でこれだけやるのは一寸面倒かもしれない。最少限本書に示したように目標と展開計画の二つをやれば授業に出られる。これをやらないでは単元学習は出来ない。ところがこれさえ実際は面倒がるのである。

（４）**単元学習の将来**　前にも述べたように単元学習は望ましい学習形態であり、教育の本質から考えても重要なことである。然し現実に我々が実行して考えることは時間が足りない。技能を身につける余裕がない。社会科でやるような事までやっていては益々時間が足りない。問題を極力数学的事項に限つてもそうである。私は数学科が単元学習をする為には週五時間はほしいと思つている。

次に現在の教科書がいけない。今の教科書で単元学習をやることは困難である。今の教科書は問題の解決というより生活問題を問答式に順番に流しているだけである。本書に述べたように問題を分析してあるのを私は知らない。従つてどの教科書も教科書順に忠実に取扱つたのでは（多くの教師がそうであるが）単元学習にならない。従つて教科書をそのまゝよんでやつている人は単元学習をやつているのではない。単元学習は全体としての解決すべき問題（書かれた問1問2の問題ではない）を持たねばならない。 (182)

現在の教科書の単元は同一単元の中に実に多くの数学的内容を含んでいる。例えば一六四頁一年の第二単元などは、①④⑤⑥⑦⑧⑨の七項目の内容を含んでいる。少していねいにあつかえばこの単元だけでも十週間はかゝろう。それで二年生のように極力重複をさけると少しやりよくなる。大事なことは繰返して出てきた方がよいなどといつてはおれない。殊にこのことが学習の内容を漠然としたしめくくりのないものにしてしまつた。やたらにひろげることだけひろげて、しめくくりをせず、具体からの抽象化（一般化、法則化）が行われないために、又その重要な点の強調が足りないために、子供の頭は漠然として

何を学習したかさえ分らない事になり勝ちである。こうして今の単元学習は数量的処置の出来ない、従つて見透しのきかない子供を作りつつある。

まだいろいろの観点から単元学習は批難され、やがて取止めになるだろうと、振子の元へ戻るのを待つて単元学習に手をつけない人がある。然し単元学習が望ましいと出発し、又理論的に根本の考え方はよいのであるから、我々はもつとやりやすく能率の上る方法を工夫して、この方法を育てゝ行きたいと思う。

## 六、学習指導上注意すべき点

①指導者は目標をはつきりつかんで指導に当ること。 (183)

これは当り前のことのようであるがぼんやりしてやる事が多い。この時間の中心的なことは何かはつきりつかんでこれを徹底させるように努力すること。この為に先立つものは教材研究であることは勿論である。

②生徒が自主的に学習するように、又はする習慣ができるように指導すること。

自主的精神ということは教育の一大標識であると共に又民主主義の原則である。又数学上達の唯一の道である。

人に十題きくより一題自分で解いた方が実力養成に役立つことは万人の認めるところである。

自主的に学習させるためには次のような諸点に注意するとよい。

（イ）生徒が目標をはつきりつかんで学習するようにする。

（ロ）問題を投げ出し、生徒に考えさせ、工夫させ、子供に成功感を味わせるようにする。考える方法を教え、科学的に考える習慣を養うことはきわめて大切なことである。

（ハ）生徒達が自分達のしたことに対して、自己評価が出来るように指導する。何処が分らないのか、何故間違ったのか反省するくせをつけさせる。

（ニ）取り上げた問題が生徒の必要や興味にもとづいたものであれば、生徒達は自ら創意をはたらかして積極的に学習するものであるから、つとめてこのような事項をとり上げること。

（ホ）生徒達の能力にあった問題でないと生徒達はとりつくしまがなくて手を出さない。常に生徒の能力を評価して（観察で分る）、それに応じて対策をたてゝ行くこと。

③知識は概念的に教えず、具体的な例を用いて理解しやすくし、強く印象づける事が大切である。



イ、具体から抽象へというのは数学教育の一つの原理である。

ロ、具体的なものは出来るだけ沢山与えて類似概念との異同がはっきりするようにするがよい。（単元学習のよさの一つが此処にある）

ハ、生徒の頭に強く印象づけるためには具体的な例を用いる方がよい、毎日何も頭に残らぬような指導にならぬよう、生徒の頭にはっきりした像をつくる事が大事である。

④作業を通してはじめて理解し、理解したことを身につけるものである。

計算したり、表やグラフに書いたり、図を書いたりして学習をすゝめる。（いろいろの表現活動を通す）ことは、理解を助け、知識を確実にする為に大切なことである。授業時間中一字も書かないようなことは感心しない。教師の板書をノートにうつさせるだけでも子供は頭に整理が出来

て知識や理解を確実にする。

⑤能力差を考えて指導する事。

現在の新制中学のように能力差のひどい学校では生徒の能力差の為に殆ど授業が不可能である。我々はこれについては英語と数学の時間だけでも能力別の学級編成をされる事を希望する。父兄は教師が信念を持って当れば自然に納得するものである。右のような編成が出来ない学校ではせめて技能練習の時間だけでも程度に応じた三段階ぐらいの問題を用いて指導したいものである。

⑥前の⑤の④で述べたように学習の中で必要な数学的法則はまとめて強調することが必要である。それを漠然とほっておいては何を習ったのか分らなくなる。例えば分数で割ることをやったら「分数で割るときは逆数を掛ければよい」とまとめ強調して練習をする。学習のしめくゝりをつけ、一般化をしないと数学は成りたゝない。



⑦授業中常に生徒の動きを評価して指導が生徒にぴったりしたものになるように工夫すること、（前述②ホの強調）

⑧板書は計画的に、明瞭にすること、必要な事項は時間を与えてうつさせる。

⑨机間巡視は目的的にすること。

生徒の一般の出来工合を見るとか、特殊な解答をしている者はないか、特に注意して指導の必要な者は誰か…等の目的を持ってみてまわること。

⑩備品、展示物等具体的なものをつとめて利用する。

⑪授業終了後、今日の授業の反省をする。

イ、目標として考えていた事を徹底させることが出來たか、出來なかつたならその理由を考える。

ロ、授業時間中起つた事で特に必要な事をメモに記入しておく。(例えば生徒はどんなところに理解の困難をかんずるか等)

## (附) 評價について

(イ) 評價は次の指導の参考の爲に行うべきもので成績をつける爲のみに行うのではない。從來のテストもその一部分ではある。從來行われて來た診断考査が最もよくその性格を示している。然し筆記テストのみでなく、授業中に生徒の顔色（分つているか、分らないか）を見ることも大事な評價である。

(ロ) 評價の対象としては知識や理解､能力（技能）習慣（態度）の三項目にする方がやりやすい。たゞ習慣や態度については觀察によるより外に道がないが、前二者は普通のテストや平常の觀察で出來る、何を見ようとするかはつきりして問題を作ること、例えば「場合に応じて適当なグラフを用いる能力があるかどうか」を見るための問題というように目標に応じた問題を作ればこの評價が割に樂である。

(ハ) 評價は必要によつて各指導の前に行う。(予備テスト、或は問答で) 又、全指導過程中常に行われねばならない。長期に亘る学習の内容については普通の通りである。

(ニ) 評價は前からしばしば繰返したように觀察、問答、筆記テスト等が主なものである。何れにしてもこれ等は次の指導の参考に供せられてはじめて意義あることである。このことは言うはやすくして行われ難いことであるが、筆記テストはすべて診断テストだと思つて直ちに処理して我我の教育効果を一そう大ならしめたいものである。

(ホ) 最後に自己評價ということを考えよう。生徒が自分で自分の発達を見ること、どの問題が出來ないか何処が分つていないか等を、自分で反省して進歩するように努力するのが自己評價である。授業中常にこのことに留意するのは勿論診断テストでもしたときは特に必要である。生徒が自己評價が出來るようになると数学は確かによく出來るようになつて來る。

# 第五章　國語科の教育計画

## 一、標準教育課程と國語科

國語教育の目標は、学校教育法第十八條の目標の中から

四、日常生活に必要な國語を正しく理解し使用する能力を養うこと。

八、生活を明かるく豊かにする（音楽、美術）文藝等について、基礎的な理解と技能を養うこと。

という部分に、主なよりどころを見出すのであるが、その他の目標としてあげられている、例えば

一、学校内外の社会生活の経験に基き、人間相互の関係について、正しい理解協同自主及び自律の精神を養うこと。

二、郷土及び國家の現状と伝統について正しい理解に導き、進んで國際協調の精神を養うこと。 (188)

といつた目標にしても、その理解を導き精神を養うことは多く言語行動を通して形成されてゆくのであるし、数学的自然科学的経験にしても言語が媒介する場合がきわめて多い。

すると國語教育の場というものは、カリキュラムのあらゆる面に存在するのでその場その時における適切な指導が最も有力な國語教育であるとすれば、國語教育は本来総合的であるべき性格をもつているといえよう。

これに対して教科としての國語科は、國語教育の基礎的準備的反省的な性格を数えることができるであろう。そして総合的なカリキュラムを構成する場合においても、そういう性格の基礎的言語経験を無視することができないことはいうまでもない。

総合的なカリキュラムを作る場合でもこの言語の基礎技術的な部分だけをとり出して中心的な生活学習とは一応別の学習としておく場合がある。この場合はいわゆる國語科的なものは二つにわけられて一部は中心的な生活学習の中に融合し一部は純粋な基礎練習として位置づけられることゝなるのである。しかしカリキュラムの総合的なあり方は必ずしもこの方式によることが唯一ではない。すなわち総合主題を設けてそれに総合をはかりながら各教科のカリキュラムを考えてゆく方式もその一つの道であり、この方法に従えば國語科の担当分野は単に基礎練習的なものばかりではなく生活学習そのものをも多く担当することになるから、前述のゆき方が言語生活の基礎としての練習課程を一般の生活学習から分けて最少限度の國語科の課程として保存しようとするのに対して、このゆき方は、言語生活そのものゝ問題を最大限に國語科の中に於て解決しようとするものということになるであろう。

そしてこれが単なる教科カリキュラムに止まらないで総合的な生活学習となり得るためには、各学習 (189) 期間に於ける総合主題に対する國語科の立場を明らかにすると共に、他教科との相関連絡を緊密にする総合的配慮の下に計画されなくてはならぬことはいうまでもない。本教育課程における國語科の立場は右のようである。

## 二、言語生活の課題

國語科が基礎的言語練習の場としてばかりでなく生活学習として位置づけられるとすれば、それは言語生活におけるあらゆる課題の解決に参与するものでなくてはならない。

言語生活の課題はおよそ次の二つの方面に於て解決されなくてはならない。

第一の方向として話すこと、聞くこと、書くこと、読むことを可能にする基礎的な知識理解を獲得して能力として身につける方向が考えられる。この方向は一貫連続して下級より上級にいたって、永久に解決し盡されることのない言語生活の課題である。たとえば話すことは三才の幼児にも能力がないとはいえないが、有力に話すことは成人にとっても容易でない。また同じく話すといっても座談はたくみであるが講演は不得意であるというように時と場合によって能力の差違がある場合も考えられる。そこに何らかの向上と改良とが期待せられるかぎり話すことに関する課題は絶え存在するといわなくてはならない。

第二の方向は言語がはたらくそれぞれの場における特殊の技術の問題である。いうまでもなく言語が生活に働く場は広くかつ深い。従ってこの問題も無限の広さと深さとの中にあるともいえよう。たとえば挨拶をするということがらにしても自分や対手の年令や地位また其の時機に於て千変万化する。その変相の一々における技術を個々にとらえることは甚だ煩瑣であるが、それかといって挨拶一般の原理を学習しても直ちに適切な挨拶ができるものではない。要するに能うかぎり多くの有効な経験と反省とを重ねてこそこの方向の深化も期し得るというものである。この方向に於ける言語生活の課題それぞれの間には勿論はっきりとした区分があるわけではない。しかし生活自身が日常性を基礎として文化の方向にむかって進行すると考えれば、言語生活の課題にも、より日常生活的なものと、より文化的なものとの二つの段階を見出すことも不自然ではないであろう。 (190)

以上の二方向の課題の中、第一は縦に深まりつゝ横にひろがるべき課題をはらみ、第二は横にひろがりつゝ縦に深まるべき課題をはらんでおり、相補って言語生活の実相がくりひろげられてゆくのであるがこれを学習の立場からいかに捉えうるかが次の問題になる。

## 三、言語学習の方法

言語生活の課題としての二つの方向に対してこれを解決すべき言語の学習がどうあるべきかという問題であるが、今その有効な方法として単元学習の方法がひろく用いられているのであるが、その計画と実施においては相当大きな幅のあるのが実態である。さらに國語科の伝統的教授法の中核であり、かつ今日の資料状態からは、時として唯一の資料ともなる教科書との関連も無視することはできない。

さてまず代表的な単元学習の例をあげれば一つの総合的な言語活動を一単元として選び、その中に話すこと聞くこと書くこと読むこと等のさまざまの場における経験要素を織りこみ、第二の方向に於て生き〳〵とした場の上の指導を行うと同時に、第一の方向の深化を期待するというのがその立場である。 (191) この単元学習のねらいはこの生活を通しての経験の生命感にあるともいえよう。これに対しての実証的批判として提出されている問題は学力の低下ということである。すなわち、このような単元学習では生き〳〵とした経験が得られやすい反面さらに基礎にあって経験の成立を可能ならしめる根拠ともなる基礎的能力についての養いがおろそかになりやすい欠点があるというのである。勿論、基礎的能力は、経験によって豊富になり、更に次の経験の基礎をなしてゆくのであるが、それにしても余程たくみに計画されない限りはこの方法において能力を維持増進することが手薄になり易いということはいえよう。

これに対して能力の向上そのものを主題とする学習が考えられる。教科書の一課の読解から入って書取、語いの使用、作文、文法などゝ進んでいく伝統的教授法であるが教科書の一課から多角的に発展するというところに幾分單元的なまとまりを加味したものもある。

以上の二つをそれぞれの極端として、その間にさまざまの單元学習又は單元的学習を考えることができるがその折衷的方法として、單元学習と基礎学習とを一応区別して両者の長所をとり入れて行う方法も考えられている。但しこの場合にも両者が全く分離する形式ではなく、関連的に行つてゆく方法もあるし、全く区分してしまう方法もある。例えば習字は勿論文法の学習の如き場合も後者に従つておるものが多く、作文、書取などもこの方法をとるものもすくなくない。なお又教科書を用いての読み方をも基礎学習として分離する向もある。

当校カリキュラムの組織に於て昭和二十四年度案が一單元の計画に於て具えるべき内容として各單元毎に

一、研究問題（單元主題）
二、教材選択の目標　1.思想内容　2.表現形式　3.文法
三、表現活動
四、基礎練習

をとりあげたこともこの立場の総合をはかつたのであるが昭和二十五年度案に於ては前記二方向に基いて次の三階層をたてそれぞれの階層を満足せしめる要素を見通した総合的單元計画をたてゝいる。すなわち



第一は**基礎的言語能力獲得の階層**である
第二は**個人的社会的公民的言語技術修得の階層**である

第三は**言語文化の体験と創造の階層**である
そこで次の問題は各階層に於ける要素とその達成目標の問題となる。

## 四、学習要素

上にのべた三階層に基いて言語学習の要素を一応列挙して見よう。

第一階層すなわち基礎的言語能力獲得の階層に於てはまず獲得せられるべき言語能力の要素的分析が問題になる。常識的には

話す力　　聞く力
書く力　　読む力

としてあげることができる。実際生活に於てはそれらの複合による総合的な能力を要求する場面が多く例えば

聞いて話す力　　聞きながら書く力
読みながら話す力

などがあげられるが総合の力はやはり個々の能力の総合であり、第一階層に於ける基礎の養いとしてはそれぞれの單独の力を見つめてゆくことがよいと思われる。

さてそれぞれの力がいかにして養われてゆくかということ更にその根底に

発　音　　文　字
語　い　　語　法

といった基礎的言語材料を必要なだけ十分に獲得する事が要求せられるわけである。なお音声言語に於ては若干の身体的要素が参加する。

さて中学校の教育課程において以上の要素がどのようにして具体的にとりあげられそれぞれの要素においてどのような事柄について達成することを目標とすべきかということが次の問題である。これには問題が多くまた必ずしも一律に決定すべきことではないが一応試案としてその基準を考えてみよう。

まず**発音**に於ては標準音の使用を一般的に可能にすることであり日常語における訛音をなくすることが目標である。アクセントについては強いて厳密さを求めず、ただアクセントによって語義の相違する場合などについては注意することができるようであればよい。

次に**文字**はかな漢字ローマ字の理解使用に慣れることが必要であって、かなづかいは文語を中心とする歴史的仮名遣、口語を中心とする現代仮名遣の両様を理解し、漢字はよみは生活に必要な当用漢字かくことは教育漢字を一応その範囲とし、ローマ字は訓令式ヘボン式の一つを主として両様の理解使用を可能にするがよい。 (194)

**語い**は一般新聞の記事が大体理解できる程度の豊富さ。

**語法**は教科文典としての口語法を理解して日常の言語生活の反省の上に利用できる程度。文語法はこれを利用して古文をよんでゆく程度。

以上は言語材料的な要素についてみたのであるが次に個々の能力のありかたについて考えてみよう。

まず**話す力**としては、ことばづかい、他人の理解のための配慮と表現能力、話題、大勢の前での話、組織的な話などがその要素として考えられる。これらの能力は第二階層の学習要素を主とする学習活動の裏付けによって学習されることが多かろう。

**聞く力**としては、聴取能力と態度の問題が重要であろう。上級に於ては多人数の話を綜合する力、話の鑑賞力、批判的なきゝ方といった面をもふくむべきである。

**書く力**としては正確、明瞭な文を前提目標として速写、速作の力を養う一方文を錬る力をも十分養いたい。更に書写作文に対する態度の問題も重要な目標であろう。

**読む力**としては速読と精読とが共に重要な目標として考えられる。文意把握力、鑑賞力、批判力等もその内容的要素として、それぞれ年級に応じて十分伸びてゆかなくてはならない。

次に第二階層すなわち個人的社会的公民的言語技術として修得すべき要素であるが勿論網羅することは困難なのでその代表的なものを考えて見よう。これらの要素は必ずしも単独の言語能力を基礎とするものではないが便宜上その主とするところに従って分類すれば (195)

①話す、聞くを主とする技術

発表及び伝達（音声言語）（講話、弁論、報告、説明等）

挨　拶　　紹　介

問　答　　会　議

座　談　　放　送

②書くを主とする技術

ノート　　記　録

発表及び伝達（文字言語）（感想文、論文、報告文、説明文、掲示広告等）

手紙　　日記

書式　　編集

③読むを主とする技術

新聞　　辞書参考書の利用

法規　　図書館の利用

書籍雑誌の選択購読

等をその主要なものとしてあげることができよう。

**まず音声言語の発表及び傳達**であるが、学習的には教室が單位になつても到達目標としては全校生徒の前に立つて簡明な発表伝達ができる程度にまではすゝめたいと思う。またこれらの要素の実践によつて第一階層の話す力の伸張が期せられるのであるが、それはその場その場に於ける的確な言語技能の働きとして経験せられ、次第に能力として身についてゆくことが大切である。

次に**挨拶**　**紹介**などは國語科以外の一般的学校生活に於て経験せられるべき面が多いが、主としてその作法の理解や態度の点に重きをおくべきであろう。

**問答**は教室におけるもつとも普通な言語形式であるから、その機会はあまりに多いが、しかも正確に切り結ぶ問答の数は案外すくない。正しい問答の技能と態度は話しかたの最も基礎的な養いである。

**会議**　**座談**については、すべてのものがそのいろんな位置において活動できるだけの技能と、これらに対して積極的に協力する態度とが主要な目標でなくてはならない。

**放送**　についてはラジオを効果的にきくことゝ基礎的な放送技術を身につけることを目標とすべきである。

（196）

**ノート**　についてはまず効果的な使用を工夫する態度技能を覚え、この仕事を通してきゝながらかく能力を伸ばすべきである。速写についての練習もこの仕事の裏付けとなる。

**記録**　についてはまず記録の意義の理解と記録方法の工夫——要点記録とか箇條書とか記録形式の案出とかを出來るようにさせ、記録することへの関心を高め習慣を作ることが目標である。

**文字言語の発表及び傳達**　においては思つていることゝ書かれることゝが障りなく連なりあうような基礎的技能の上に立つて有力に自己を発表し、効果的な発表の技能にまで到達することが目標である。

**手紙**　については社交的な手紙と実用的な手紙等の性質によりそれにふさわしい文体、ことに前者においては感銘を後者に於ては要点をそれぞれ有力に書きとると共に言葉の作法についての十分な実践力を養うべきである。

**日記**　に関しては個人的な日記と公人的な日誌のそれぞれの性格にもとずいた記述をする技能をもつと同時に日記の意義と價値を理解し日記を書くことに関心を高め日記の習慣にまで導くことが目標である。

**書式**　については学校生活及び身辺の社会生活における書式を理解して規約を作つたり願書届け書をかいたり、履歴書を書いたりできるようにするのが目標である。

**編集**　については学級、学校新聞や文集雑誌等の編集にたずさわることによつて編集の仕事の意義を理解し、編集技術のいくばくかを経験すると共に時には印刷にもたずさわるなどして共同作業や分担作業を通して社会的活動の経験を与えることが一つのねらいである。

（197）

**新聞** については特に新聞の社会的はたらきを理解し新聞をよみこなす能力を養うと共に効果的なよみ方の発見につとめその利用についての技能をもつと共に新聞を日々正しくよむ習慣をつけることが目標である。

**法規** については憲法法律規約等の文章を読みこなす能力を養うと共にその特殊な形式になれてゆくことが目標である。

**書籍雑誌の選択購読** については、読書の意義を理解し、書物の読み方および選択について標準をもち、次第にその水準の向上をはかる様に指導すべきである。（この問題はまた第三階層の目標と深く関連する）

**辞書参考書の利用** は自らの問題を自ら書物によつて解決してゆく態度と技能の養いに中心がある。目次や索引の利用法その他これらを利用するに必要な技能を修得させると共に参考書に対する盲信的態度を次第に批判的態度に導かなくてはならない。

**図書館の利用** は効果的に公共の施設を利用して読書目的を達成する技能と態度の養いに主眼があるが、その経営にも参与して、管理の経験をもつことが望ましい。学級文庫の経営等はその意味においても意義がある。なおまた公衆の中にあつて読書する正しい態度の養成も重要な目標でなくてはならない。

終りに第三階層すなわち言語文化の体験と創造についての要素として文学および言語が参与する藝術としての劇藝術をとりあげる。なお言語科学の問題の中から生活に結びつきの深いものをとり出してこの階層に入れる。



①文学及び劇藝術

| | | |
|---|---|---|
| 詩歌の類 | 小説の類 | 伝記歴史の類 |
| 随筆の類 | 論説の類 | |
| 脚本および劇、映画 | 現代文学 | |
| 古典文学 | 世界文学 | |

②言語科学

國語の特質

國語の変化　　國語の改良

こゝに文学の要素を形態と時代及び地域とを併用して分類したのは勿論重復するのであるが、詩歌としての観点からと古典文学としての観点からとの二つの見方に要素的意味があるので併存した。

次に各要素についての目標をあげる。

**詩歌の類** 自由詩、和歌俳句漢詩その他の詩にふれ、抒情詩の鑑賞創作を通して観察をふかめ感覚をみがき自然社会人間性を味わい知る技能と態度とを養う。

**小説の類** 童話物語小説等を読んで幻想を豊かにしたり自然の見方を学んだり人生を味わつたりさせると共に多少の創作の体験をもつことによつて構想力を練る。

**傳記歴史の類** 記録のもつ文化性を理解し有力な叙述の迫力を体験して、自己や自己の環境の事実を有力に文献の上に残そうとする態度を養う。

**随筆の類** 自由な思想が自由な表現をとることの意義を理解し、思想を豊富にし、新鮮な感覚をもち鋭い洞察力を養う。

**論説の類**　すぐれた論文の的確精密な論旨を味わい、識見を深めると共に、論文をかくことによつて言語の効果的な使用を錬磨し、達意の文を書くようにする。

**脚本の類および劇映画**　戯曲やシナリオをよんで、音声言語の味わいを深め、劇的表現や映画的表現の特質や効果を味わうとゝもに、演出することによつて、音声言語を反省してその体験をふかめ、動作と声のむすびつきにも注意を払うようにする。さらに劇や映画の意義や價値を理解してそれらを正しく享受しようとする態度を養う。なおこの鑑賞や表現によつて言語の含んでいる人間性の機微を理解する。

**現代文学**　現代文学がどう働いているかを理解し、現代文学をどうよんでゆくことが正しいよみかたであるかということを考え、自分で選択してそれらをよんでゆく技能を養う。

**古典文学**　古典文学はどんな意義をもつているかを理解し古語の障害を排除して古典のよみかたを習 (200)
得し、古典を尊重しかつ批判する態度を養う。

**世界文学**　世界の文学水準にふれて、その優越性を味わうと共に、自國の文学との比較に基いて、文学の地域的特質を理解する。かつまた、異國文学の相互影響の関係にふれて文化の交流現象を理解する。

**國語の特質**　日本語の特質について理解して國語に対する基礎的認識を養う。

**國語の変化**　日本語の歴史的変遷の幾分を考察して現代語に対する基礎的認識を養う。

**國語改良問題**　世界における國語の地位とその困難、ならびに改良のための努力の概要を理解して國語の愛護の念をもつてさらにこれを改良してゆく態度を養う。

以上三つの階層に於ける要素とその達成目標をあらまし考えて見たが次にはその排列の問題である。

## 五、排列の問題

さて國語学習に於ける経験要素をいかに排列するかという問題であるがこれを決定するものは要素の性格と学習者の能力の問題とさらに総合主題からの要求との三者をにらみあわさなくてはならない。

まず要素自身の性格であるが要素の中には一かたまりの経験として一時期に集中して排列し得るものもあるが多くは経験の繰返しと深まりによつて目標に接近し得る性格のものであるから、一つの経験要素が全学年の間、また必要ならば同一学年の中にも効果的にくりかえされるように排列する着意がなくてはならない。しかしながらその繰返しは同一経験の繰返しではなく、類似しつゝもまた新しみを含むものであるべく、また繰返しのそれぞれの重さも等質でなくて重点がかゝつたり軽く扱われたりする緩 (201)
急の度があつてよい。

次に学習者の能力であるが現在の年令別学級編成では学習者の能力に大きな差があつて、所謂何年生相当の学力基準というものも個々の学習者にとつては実状には即しない所もある。もつともこれを一つの段階表と見ることもできるわけであろうが、現状に於ては学習の個別化にはさまぐ〳〵の点から限界となる障害があつて、例えば第一階層の基礎的言語能力の学習の如きは相当考えられ実施できても第二第三階層の学習の個別化は困難である。たゞ同じ主題の下にでも到達目標にさまぐ〳〵の程度を設けて個別化をはかるくらいがせいぜいの実情である。従つて中学校に於ける言語生活課題を解決すべき学習経験として位置づけられたこれらの要素を年令段階に於ける心意の発達に即して序次することの外に現在の所能力にしたがう排列の方途はない。

第三に綜合主題よりの要求を考えなくてはならぬ。即ち第一学年に於ては生活圏という綜合主題に対し國語学習のあり方を考えなくてはならない。こゝに

　生活圏における基礎的能力である正しい言語能力とよい言語習慣、ならびに生活圏に即した言語技能を養う。

という綜合主題の目標がたち、第二学年においては**近代生活**という綜合主題に対して

　近代生活の要素である言語の伝通的機能に習熟するとゝもに言語文化を理解し創造する基礎的な技能を養う。

という目標がたち、第三学年においては**理想的社会**という綜合主題に対して

　理想的社会の形成要素である言語文学の意義を理解し個人的社会的言語生活を改善し生活を豊かにしようとする態度を養う。

という目標がたてられている。

　以上の三つの観点から要素をふりかえつて排列を考えれば、まず第一階層の基礎的言語能力の要素はできるだけ多くの繰りかえしをもつことが望ましいが、第二第三階層の要素と複合して繰りかえすことが可能であるから、單独に行う基礎学習は低学年に於て広範囲にあつく中高学年になるに従い他の階層の要素と複合しつゝ繰りかえすことがよいと思われる。但し語法については中学全学年を通じてたえず正確な習得ならびに練習をつゞけなくてはならない。なおまたこの階層に於ける病的不振者に対しては特に個別的に治療策を講ずる必要があろう。この際は学年の段階にとらわれることなく基礎的な下位経験からこれを繰りかえしてかためるようにすべきである。



　次に第二階層の個人的社会的公民的言語技術の要素は第一学年においては、身辺的日常的生活経験を主とし、第二学年より第三学年については、広く一般的な経験に進むのであるが、特に第二学年の経験は技能としての把握を主とし第三学年に於てはその上に理解を深め態度を確立する反省的性格を加味すべきである。

　第三階層の言語文化については第一学年に於ては個別的な無意識的な受容を主とし専ら素地を養い第二学年に於てその類別の理解及び技能を培い第三学年に於ては意義的價値的意識の下に理解を深め、態度の確立に資する事が必要である。

　かゝる立場から各学年におかれる経験要素の性格はおうむね定まつてくるわけであるが、さてその要素を綜合して一つの生活経験の流れとする單元のありかたは如何にすべきであろうか。これが次の問題である。

## 六、單元計画

　学習要素が排列の規準によつて、学年毎の学習内容が決定されるわけであるが、この学習内容をばらばらのまゝで指導することは生活経験としてのまとまりがわるく、教材主義的な色彩が濃くなり易い。そこでこの経験群をいくつかのまとまつた單元に計画することが次の仕事となる。

　さて單元の性格にはさまざまのものがあつて、作業を中心とする作業單元、教材にまとまりの中心がある教材單元、特定の問題解決を中心とする問題單元等がある。國語の單元としてあげられているものを見ると、「日記のつけかた」「雑誌のよみかた」というように言語生活の課題乃至は学習要素がその

ま丶單元の題目となつているものがあるかと思うと「われわれの意見は、他人の意見によつて、どんな影響をこうむるか」というような問題單元もある。「さらに広く世界を」「希望を胸に」だとか「美しい自然」「科学への道」といつた風に材料を單元にしたものもある。このように單元にはさまざまのものがあつてもそれぞれの單元がよく計画されたものであれば、どんな單元の題目をとつていようともその内容には巧みに学習要素が織りこまれており、その目標を達成するような配慮がゆきとゞいているべきである。そしてその單元が生徒の興味に適合するものであれば單元としてよいものということができるであろう。しかし、いかに興味のある單元でも評價の結果目標を逸脱して他事を行つていたというようなものはよくない。そこで單元の條件としては生徒をひきつけると共に目標に対して正確な達成資質を具えるものであることが必要である。また排列の規準となつている総合主題の性質も單元を性格づける上から考慮しなくてはならない。

中学校の教育課程において概して無難なのは、学習要素に近い言語機能のまとまりを單元としたものであり、下級生においては小学校的性格をもつた單元、すなわちある生活自体を單元として言語活動を組み入れる方法を加味し、上級生においては高等学校的性格をもつた單元、すなわち問題解決を中心とする研究主題的な單元を加えることが適当であると思われる。

次に單元の大きさは、その單元の性格によつてきまつてくるわけであるが、各地の計画をみると大体一年七單元から十四單元位の間のものが多い。一單元の時間数は最低五時間から三十時間位にまでおよんでいる。またいくつかの小單元を大單元と包括するような方法をとつているところもある。

大單元の長所は学習活動を多角的に発展させることができ経驗を深める点に便宜のある一方、短所と



して興味の持続が困難で、中だるみを來し易いことが考えられる。小單元の場合はその逆であつて、まとまりはよいが一本調子に流れ経驗的な深さに欠けることがある。もちろんこれらは指導技術の問題であつて、適切な配慮によつてはそれぞれの短所を補うことも不可能ではない。しかし大体一年十單元、一單元の指導時間十時間乃至二十時間といつたところが適当ではなかろうか。

当校教育課程は各科目共一年平均五單元位の大單元制をとつているので國語科に於ても、一応一年五單元の組織とするが、各單元はそれぞれ二つの小單元にわかれていて、学習單元としてはむしろそれが基準的なまとまりを示す場合が多いから各学年十單元であるとも称することができよう。次に各單元の目標とするおもな学習内容を示すこととする。

（各單元の番号は大單元小單元共、通し番号とした。後にある單元をいう場合この番号によつて代用することがある。）

**第一学年　主題、生活圏**

**單元一、樂しい学校生活**

**小單元1中学生になつて**　中学生としての言語生活のありかたや、國語の学習のしかたを知り、辞書や参考書のつかいかたを習う。

**小單元2　学園祭**　学園祭のために詩の朗読、ものがたり、劇などを練習して演ずる。

**單元二、讀書の喜び**

**小單元3　わが校の図書館**　図書館の利用のしかたを知つて讀書すると共に学級文庫の経営をはじめる。

**小單元4　讀書ノート**　讀書ノートを作つて効果的な讀書をすると共に一般にノートのつかいかたを工夫してゆく

**單元三、記錄と編集**

小單元5　**日記と記錄**　公私の日記や記錄を書くことを習うと共にすぐれた日記や記錄文をよみ味わう。

單元四、みがかれた表現

小單元6　**私の文集**　愛讀愛誦する詩や文を集めたりスクラップブックをつくつたり自己の作品を文集にしたりする

小單元7　**話しことばの改善**　正しい話しことばのありかたと、自分たちの実情とをしらべて日常のことばを改めてゆく。

小單元8　**よい文学**　よい文学のもつている思想感情を味わい語のつかいかたや文の組立表記法などのすぐれた点をしらべる。

**單元五、ことばのつばさ**

**小單元9　ラジオの樂しみ**　ラジオのよいきゝかたを工夫すると共にラジオ番組の面白いものを教室で演じたりする

小單元10　**たより**　交際のための手紙をかき、郵便友の会などを通じて出すと共によい手紙文をよみ味わう。

第二学年　主題、近代生活

單元六、詩の世界

小單元11　**詩の鑑賞**　自由詩和歌俳句などを鑑賞し詩作についての知識をも求める。

小單元12　研究会　詩歌についての分担研究発表や作品の合評会などをしてそうした研究会の一般形式を経驗し会のすゝめかたを学び、話しあいを豊かにする。

**單元七　さまざまの文章**

小單元13　**讀みの改善**　さまざまの文を理解する力をねると共によみの速度を自覚的に改善してゆく。

小單元14　**クラス**雜誌　学級において研究や作品雜報などを執筆編集して雜誌をつくり文章をつくる力と編集法を伸ばしてゆく。

**單元八　映画と劇**

**小單元15　シナリオ**研究　シナリオのよみかたかきかたを研究し映画を見る態度を養う。

小單元16　脚色と演出　脚色や演出の方法を文献でしらべ、日常生活の劇化や文芸作品その他の材料の脚色をして演出する。

單元九、讀書の方法

小單元17　**どんな本を讀めばよいか**　讀書の方法をもとめ、自分達の讀書の実際をしらべて良書の選択法を見出す。

小單元18　讀書会　グループ讀書の長所を体驗し、讀書の幅をひろげ、効果的経済的な讀書法をもとめてゆく。

單元一〇、話の技術

小單元19　**講話と座談会**　一人ではなしたり会話したりする機会をつくりそれぞれの能力をのばしてゆく

小單元20　**日常語の反省**　標準語方言敬語などを反省して日常のことばづかいや挨拶や電話のかけかたなどを改善する。



第三学年　主題　理想的社会

單元一一、古典入門

小單元21　**日本の古典**　いくつかの代表的古典作品を味わい文語のよみかたを習いつゝ古典の意義をさぐる。

小單元22　世界文学　中國および西洋の代表的作品を味わい、世界的文学のよさを知る。

單元一二、新聞と放送

小單元23　**新聞の編集**　一般新聞のよみかたを習うと共に記事のとりかた、世論の調査法、編集法等を学び、学校新聞を編集する。

小單元24　学校放送　放送のしかたを習いプログラムを組み、放送劇などを演出する。

單元一三、文学と人生

小單元25　現代の文学　現代の文学をよんでその人生における意義を探り批評の力を養う。

小単元26　**創作の方法**　文学創作の基本態度や方法の問題を考え、また文献にもとめるとともに創作を実践してみる

**単元一四、ことばと社会生活**

小単元27　**討議と討論**　ことばの社会生活における意義やありかたをしらべると共にディスカッションのいろいろの形を実際にやってみる。

小単元28　**書式のいろいろ**　実用的な手紙のかきかたを習い履歴書や届書規約法令などの書式をしらべる。

**単元一五、日本語**

小単元29　**日本語の特質**　国語の特質や国語の歴史についての文献をしらべて話しあい認識をふかめる。

小単元30　**国語をよくするにはどうすればよいか**　国語改良問題の意義と現在のありかたとをしらべ、将来はどうした方向に発展させるべきかを話しあう。

次に、学習要素がこの単元計画の中にどんな風に組み入れられているか、また組み入れる可能性があるかを次に示してみる。これは各単元の評価の規準にもなる。 (208)

**第一階層の学習要素**

**発音**　音声を使用する機会はすべての単元にわたって考えられるが、特に反省される機会として2 7 9 12 19 20 24 27をあげることができる。

**文学**　これについては右の単元計画とは別にワークブックや特別練習等による学習も考えられるが関連ふかい単元としては1 4 5 6 10 13 14 21 23 28 29 30等があげられる。

**語い**　これも前項と同じである。関連深い単元は1 6 7 8 9 10 11 13 20 21 22 23 24 25 28 29 30等である。

**語法**　これはこの単元計画の外に別に文法体系を授けるのもよいと思うが関連深い単元は2 6 7 9 10 12 14 16 19 20 21 23 24 27 28 29 30等である。

**話す力**　全部の単元にその場をもっているが特に1 2 7 9 12 16 18 19 20 24 27等が主なものとしてあげられよう。

**聞く力**　これも前項と同じであるが、特にあげるとすれば1 2 4 5 7 9 12 13 15 16 19 20 23 24 27などである。

**書く力**　4 5 6 8 10 12 14 16 21 23 26 28 30等が主な単元であるがその他一般に学習の場は多い。

**読む力**　すべてにわたっている。関連深いものは1 2 3 4 5 8 10 11 13 15 17 18 21 22 23 25 26 28 29 30等である。

**第二階層の学習要素**

**音声言語による発表及び傳達**　その働き得る場は全単元におよぶであろう。ことに2 9 12 16 18 19 24 27などではこの要素がとりあげられて練習を加えられ、7 20 30等では反省せられまとめられる。ともあれこの要素はたえず形をかえてくりかえすことの必要なものである。 (209)

**挨拶および紹介**　1 7 20 24等が主な場であり、その中まとめるのは7 20である。

**問答**　これも全単元に場をもち得るものであるが、主なものは1 7 9 12 19 20 27などで、まとめるのはやはり7 20である。

**会議および座談**　広く全単元に関連させ得るが12 19 27が主な場である。会議の進めかたは12、座談のしかたは19でまとめる。

**放送**　2 9 16 20 24等が関連するが主として9ではラジオのきゝかたを、24では放送のしかたをまとめる。

**電話**　学習の必要から実際電話をかけたり、劇や放送の中に電話の場面を組み入れることがよい。まとめのための單元としては20があり、7も関連させることができる。

**ノート**　広く学習の場を持つているが、特に4でまとめる。12 13 16 18 21 22 29などでは自覚的に練習をやらせたい。

**記録**　5はこの要素のまとめの單元であるが、応用の場は広い。メモは殊に度々練習させたい。2 4 6 7 9 12 13 16 18 19 23 24 26 27などを一応適当な場としてあげておく。

**文学言語による発表および傳達**

**レポート**　さまざまの單元を学習するにあたつて分担したことなどについて簡單なものを書くことを主とし、まとまつたものを目標とするのではないが、それができる者には11 17 20 21 22 25 29 30などを材料としてかゝせてもよい。**感想文**の場としては1 4 6 8 12 14 18 21 22 25などがあり**説明文**には2 6 9 11 19 23 24等がその場となり、**論文**には17 20 21 22 23 24 25 26 27 29 30等が適当であろう。

**ポスター掲示廣告**　などは2 15 23 28などであつかうことができよう。

**手紙**　10 28は主として手紙の單元である。二年生であつかうには13 14が適当であろう。

**日記**　5に主な学習をまとめる。14 23などにも関連させ得る。

**書式**　28が主なものである。

**編集**　6 14 23が主な学習の場である。

**新聞**　23がそのまとめの單元であるが5 6 13 14などでも意識して学習させるがよい。

**法規**　28に組み入れる。



**書籍雑誌**　3 4 17 18が主要なものである。活用を考えればほとんど全單元に関連させうる。

**辞書参考書の利用**　1 3 4のあたりで基本的な学習をして、8 11 13 15 18 21 22 25 29等において習慣を身につけるようにする。

**図書館の利用**　3が基本であるが、随時利用の習慣をつけ図書館の経営についても理解をふかめるように配慮する。8 11 15 16 17 20 21 22 23 24 25 26 28 29 30等は適当な場である。

第三階層の学習要素

**詩歌の類**　まとめの單元は11 12であるが1 2 3 4 5 6 8 9 13 14 17 18 21 22 25 26 等は経験の場として適当である。中でも一年では8三年では21 22あたりで主な学習をさせる必要があろう。

**小説の類**　まとめは25 26あたりであるが、2 3 4 8 9 10 13 17 18 19 21 22等は適当な経験の場である。

**傳記歴史の類**　はつきりとこれにあたる單元がないので、3 4 5 6 8 13 18などを経験の場として材料を組み入れることを考えるべきである。一回乃至二回でよい。

**随筆の類**　3 4 5 6 8 13 14 17 18 21 22 25 26等を経験の場として、各学年少くとも一以上を組み入れるようにする。

**論説の類**　17 23 27 30等が適当な経験の場である。

**脚本および劇映画**　15 16をまとめの單元として、2 21 22 24 25 26などを経験の場として学習することができる。

**現代文学**　25が中心單元であるが経験の場は広い。2 3 4 8 11 12 13 15 17 18等に材料が豊富に見出されるであろう。

**古典文学**　21が中心であるが、一年では３４８あたり二年では11 12 13 17 18等のどこかに先行的材料を組み入れて扱う方が学習がなめらかに進行させることができてよい。

**世界文学**　22が中心であるが、これも前項と同様２３４８９11 12 13 17 18等に先行的な材料が扱われている方がよい。

**國語の特質**　29が中心であるが經驗的には随時その場を発見することができよう。１７８10 13 21 28などでは適当な反省の問題が生まれ易い。

**國語の歴史**　やはり29 30がまとめの中心であるが21を中心とする古文の扱いに際してはこの經驗の材料が多く見出されよう。

**國語の改良**　30を中心とするが１４５６７８９10 12 13 18 19 21 23 26 28 29等の各単元の学習にあたり、言語使用の実際にふれて改良の問題を考えることができよう。（212）

## 七、資料の問題

単元計画の実施に当つての困難の一つは資料、ことに教科書の問題である。教科書の順を追うて学習すれば、それで言語生活の課題が果され、学習要素が残らず經驗されるように計画されておれば取扱い上便利なので、現行の教科書はおゝむねこの線にそつて編集をすゝめている。しかし、言語生活の実態は地域生徒により相当の幅があるから、一種類の教科書がすべての生徒の学習の要求にこたえる弾力性をもつことはむづかしい。そこで教科書の編集組織に従つて学習を進める場合にも、学習要素の果されることをたしかめながら、補つたり省いたりして、教育課程をとゝのえてゆくようにしなくてはならない。それに先立つて大切なのは教科書の選択であり、自校の教育課程に最もふさわしいものを選ぶことが必要である。なおまた、教科書の組織が一応教育課程の組織としてふさわしいとしても、資料の立場からいうと、限られた頁数では到底十分な単元学習の要求にこたえることのできるものではない。こゝにやはり辞書参考書練習帳をはじめ文庫図書館等の学習環境の整備が望まれてくるのである。

一方教科書をそれらの資料と全く同じ位置にまで引き下げて、自主的単元計画を基にして学習を進める立場が考えられる。教育課程の立場からいえば、この方が純粋であり、進歩的であることはいうまでもない。しかしこの場合にも教科書の選択は重視しなくてはならない。使用し得るふさわしい資料を多くふくみ、また教科書の中の単元が自主的にたてた単元とできるだけ一致しやすいものを選ぶことなどが着意として考えられなくてはならない。できれば二種以上の教科書の併用によつてこの目的は達せられ易くなるであろう。なお、この立場をとる場合には、一層一般的な資料にむかつて関心をむけなくてはならない。（213）

一般的な資料の蒐集にあたつて、まず考えるべき整備の規準は学習要素との関連である。要素毎に、学習資料としてふさわしいものが指示され整備できれば、単元学習の進行は容易になるであろう。学級文庫や学校図書館の整備にはこの点の配慮がのぞましい。単に無計画な資料の堆積は煩わしさを増し、学習を逸脱させる逆効果をきたす場合のあることをも考えておかなくてはならない。

## 八、学習展開と指導の問題

以上、言語生活の課題と言語学習の方法に基いて教育課程のあるべき組織について考えて見たのであるが、現実の学習活動を有力にするためには、さらに具体的な学習計画をたてなくてはならない。学習展開計画にあたつては次の諸項目が特に配慮される必要がある。

一、単元の学習目標と適当な資料とを有機的に結合して、生徒の動力的学習活動を可能ならしめるような単元展開であること。

二、生徒の個人差について考慮し、学習の個別化の工夫と、それに伴う資料の準備等に手をつくすこと。

三、評價の方法体系をそなえ、学習課題の目標に從つて随時その到達程度をはかつて学習効果をたしかめる工夫をすること。

さてその学習展開計画が有力に動き出すについては以上の諸問題が学習指導の技術として、指導者の指導能力の中に総合されるときはじめて生命をもつのであつて、教育課程や学習指導計画を生かすものも最後は人そのものゝ問題に帰するといわなければならない。



## 九、國語科の一分野としての習字（主としてペン習字について）

國語科の一分野としての中学の習字は本年度（二五・九・十四日中間発表）の國語指導要項にもあるように明瞭で効果のある実用的な手紙や、興味深く楽しい社交的な手紙を書けるようにしなければならぬ。なお各学年に配当されている條項を拾つてみると

第一学年に於ては　実際のための手紙の書き方

第二学年に於ては　宣伝とポスター

第三学年に於ては　実用的な手紙の書き方、書式一般

とある。そのうち手紙や葉書の書き方その他、実用方面では殆どペン習字で間にあわせている実情は否定出來ない。ペン習字は國語科で指導せられる向が多かろうとは思うけれど、それは字としてゞなく字そのものはすでに出來上つたものとして、修辞の方面や、表現形式を主として指導せられることが多かろうと思われるので、作品の出來不出來の因つて來る所の一に字の上手下手のあることを究明するのは習字科に待たねばならないだろう。

國語の教師が習字を兼ねている場合は文句なしであるが、よし同一人が兼ねていた処で國語科としては、そうした実用方面はむしろ習字科にまかせて、もつと他に多くのせねばならぬ事項がある筈だから習字科では國語科と緊密な連繋をとつて、その指導にあたらねばならぬ。

さてペンで書かれた作品に優劣のある原因となるべきものを探つてみよう。まずレターペーパーに書かれた手紙の一例をとつてみると。

1. 本文と日附並に差出人、宛名、脇付がお互に即かず離れず、最適の位置を占めていること。
2. 文字の大きさ、間隔等々がペーパーの大きさや形によくはまつていること。

これ位出來ていると先ず見られるというわけだ。それ丈でもなかく熟練を要するものである。しかしこれ丈では、いわゆる事務的の手紙より一歩も出ていない。その手紙に接して相手の眞心がほのぐと感受出來その人に接するが如き典雅な香を放つもの、或は達筆躍如たるもの、あるいは曰く何という域のものは、その中に盛られた文章と相俟つて文字の書的表現、（藝術表現）いゝ換えれば習字指導目標中の「美しく」書かれていることに因するのではなかろうか。実用的な手紙の外様々な書式について

もこれと同じことがいわれると思う。

もとよりペン習字は藝術的の面に於て、毛筆と同日に論ずることは出来ないかもしれないが、研究次第によつては、生徒なりになかなか面白いものが出来る筈だ。

國語科で作成せられた詩や歌や俳句などを適当な紙に、毛筆で書く時のような散らし方を応用して、その時々に書かせるのも、気軽に自由に書けることにおいて、どんなにか彼等の文学的生活を、より裕かなものにすることが出来るだろう。

試みにペン習字の書的分野を左に記してみよう。先ずインクの色の工夫が必要。インクの色といえば藍色一てんばりを考えずに、茶色もよかろう。紙の色との配合によつてはいかにもフレッシュな感じのものとなろう。薄緑はどうであろう。紙の色合によつては卑しいものとなるから注意せねばならぬが、ホワイトは黒色の紙にはよく配合されて面白いものとなろう。金や銀は黒い紙よりも紺紙に一きわ映えて藝術的効果は百パーセントである。（216）

その他いろいろのインクが街の文房具やに賣つてあるが、また植物等からおのおのじし好みの色を自分で工夫創作するのも面白かろう。展覧会等にこれを試みられるならば、また一生面を開き得るものと思われる。

最後に一つ、黒色のインクは厳しい処によつては字を鮮明にまた上手にも見せる、紫色はいやしく赤インク使用は論外、実用向には何といつても藍色であるべきはいうを俟たぬ。

次にペン、種類は街の店にある丈でも大した数に上るだろう。万年筆の特色はすべりがよくて、インクがとぎれないことが生命であるが、戰前のように金ペンが安くてあればよいのであるが、相当なものは千円近くかゝる当今ではお話にならない。粗悪なものでも使いなれたらすこしは見られるものが書けよう。

その他普通のペンではGペンは細く書くには向くが雅味に乏しく、紙が薄くては破れてしまう。Tペンは楽符を写す時に使うのだろうが、これを文字に使いこなすと豪放な字が出来て面白い向もある。すると残るは銀行ペンの一類である。これの上質なものは日本字を書くのに最も適しているようである。またインクも少々長持ちする処から一番穩当かもしれぬ。銀行や会社等でよく使われている硝子ペンは弾力がなくて字に品格がない。最後に鵝ペンはどうであろう。実用向ではないが鵝鳥の羽の附根の処を斜に鋏を入れてペン先のようにこしらえて書くと、ペンよりも柔らかで、おゝらかで上手に使いこなすならばなかなか味のあるものである。その他器用な人は竹で作るのも面白かろう。（217）

次にペーパーである。用途によつて使いわけねばならぬが、作文等については、こゝで改めていう必要もないから控えるが、藝術方面としてはトリノコが最も書き易い。画用紙はざらつく。レタペーパーでも罫線のない方が面白く、和紙でも天平紙の様な厚手でインク止めがしてあつたなら割合に面白くいく場合もある。

右は材料方面許りを云つたのであるが、書き方の面ではペンにはペンの特質があるのであるから毛筆と相俟つて工夫していかなければならないであろう。

しかもそれぞれの場合、それぞれの個性に応じて指導していくべきものであろう。しかし特別にこのために時間を多く割くということでなしに、その時々に、宿題や随時に出来た作品について批評し、鑑賞し、展覧して指導していつたらよいと思う。

右は國語科の一分野としての習字が負うべきペン習字の方面をのみいつたのであるが、毛筆の方が都合のよい場合もあるのであるから、それは次の項で述べることゝする。

## 十、習字カリキュラム作成にあたつて

小学校の習字科が必須科として復活出来るのは、いよいよ廿六年度からときくが、それがまだ実現されていない現段階においては、中学生は以前とはちがつて入学当初の書写能力は誠に低劣であることは否定出来ない。

なお本年度文部省発表（昭和二十五年九月十四日）の中学校習字学習指導の目標をあげてみると、

1. 書写用具になれ、気軽に自由に、かつ誤りなく文字を書く習慣をつける。
2. 正しく、美しく、かつ速く書けるように熟達する。
3. 筆跡のよいわるいが鑑賞できる
4. 文字を書くことの必要　目的　場合によく応じ、それぞれ適切な書き方ができる
5. 正しい書写態度を身につけ、実生活の上にも、よい態度の基礎となる。

（218）

とあるが、前掲の國語科の目標とにらみ合せて、中学校毛筆習字のあり方は、どうしてもお座なりのやり方では、目標のみ高く掲げられていても、実行の伴なわない低調なものとなるであろう。且は一週一時間の限られた時間内において、しかも三年間で完成せねばならぬ運命を思えば、短時間でも応用力のきく最も効果的なやり方をねらわなければ、いうべくして行われるものではない。

それには根本的な問題として習字の基礎学習が徹底して行われねばならぬ。基礎学習の徹底は一を習つて十を創作し得る力の養成である。そんな力はどこにひそんでいるのか、私は先ず習字に対する生徒の関心の高揚にあると思う。生徒の興味を持ち得ない処に習字の向上は望めない。次には手本の忠実な習い方の指導にある。それには先決として教師自らの最も是とし、信を置く教科書の選定から始められねばならぬ。教科書の字と教師の意図する書法と離れ〴〵であつては、生徒が帰趨に迷うて効果はおそい、何としても即効的な効果をねらわねばならぬ。

といつても習字は固よりひたむきな熟練を要するので、早道をねらうわけのものではないけれど、とにかく三年間にどうでも或点までの到達が必要なのだから。

そこで本科のカリキュラムの設定に当つては、本校の全体計画の単元にも触れて、第一学年に於ては生活を中心とした書写能力の養成をとり入れた。第二学年に於ては近代社会生活の上に使用されている書写方面に留意して機に応じ材料をしんしやくして盛ることにした。

（219）

こうして身近な事を気軽に自由に書き得ることは習字に興味を持つ最初の入口でもあるからである。

しかしこれまで書写能力が充分に徹底するものでないことは周知の事実であろう。ノートや書物類に記名したり時間割等を毛筆で書くことによつて一応は興味を引いてもむつかしい掲示板や門札、看板、宣伝ポスターもつと手近な葉書や手紙等を書くにしても、生徒は生徒なりにもつとつゝ込んだ系統的、根本修練が必要とされる。

そこで本カリキュラムでは第一学年から第二学年にかけて、大楷、中楷、行、草、仮名、單体、の基本練習を徹底して修練させる。それから調和体に入つていくわけである。

その方法については、無自覚にたゞ習わせることを以て、事終れりとするのではなくて、未来に開か

れねばならぬ創作の扉のために、いいかえれば創作をいよいよ重要なものに考えるために、且つは短時間に奏効のねらいの故に、教科書について、或は参考書についての検討は怠らずやらせる。かくて最初は意識的に手習するならば、心を外に車の空廻りをするような危険から救われることは必定である。

もしそれはんぜんと子供ら自らに習字の妙を悟るの時、明鏡止水の境界にわれ人を忘れて、手習する生徒を見出すだろう。しかもそうした境地にひたる一時においてこそ、他教科と置き換えては養い得ぬ徳性の向上があるのである。自己統一といい一如の世界といい、静的境地というそれである。その心の持ち方を実生活の上にも写すべき「よい態度の基礎」の根本になるものである。

（なおカリキュラムには随時速書の練習あり、鑑賞も課しているが紙面の都合で省く）



# 第六章　図画工作科の教育計画

## 一、図画工作科教育課程の根本目標

各教科の学習は、学ぶものが、やがて社会に出て、理想的な人間社会を形作るために必要な、知識や各種の能力を養うところに大きな目標がある。

吾々が教育の分野で、図画工作教育に努力しているのも、生徒がやがて住みよい家庭、住みよい社会を形成して、美しい生活を営むことを念願しての教育である。

それには、図画工作教育を通して、造形美の理解と美に対する鋭い感覚を育めることが、大切なことである。先ず色や形の美しさを理解する感覚を養ってやることが根本である。その最も基礎的なものは、描画学習にあるということが出来る。描画学習を通して、色彩、線、空間の美の法則を会得させることである。更に描画の基礎としては、素描の学習が重要なものであることはいうまでもない。

素描の学習は、思想、感情を画家の立場としてではなく、各種の職業に携わるものとして、何かの立体として発表する場合にも、画や図にあらわして人に伝達する時にも、素描力が基礎をなすものである。

色や形に対する鋭敏な感覚は、日常生活に於て、衣食住の各方面の造形品を市場から求める場合にも家庭の器具、調度の配置、配合にも、上品な趣味と、合理的な使用をなし得るようになるものである。

衣食住その他の日常生活に用いられる各種の造形品の構成材料について、一通りの知識と材料の性質構造、製作方法を理解して居ることは、造形生活を自分の手によつて処理して行くことが出來、その生活をつとめて美しいものにして行くことが出來る。

結局に於て図画工作の教育は、色や形を通し、造形面を通して、生活を楽しいものにし、平和社会実現のための教育であるということが出來る。

それらを流れる美の理解、美の表現は、純粋美のみでなく、生活の美化にあるということが出來る。

さりながら、世界の高い位置にある藝術品の鑑賞、理解の能力を養うことは、高い教養によつて、心を浄化すると共に、個人の生活を通して、ひろく世界の文化への理解と世界平和希求の精神を養うことになるのであつて、図画工作教育は、東西古今の造形藝術の鑑賞の指導を、上級になるほど力を入れて、生徒の情操陶冶と共に、ひろく世界文化理解への機会を与えてやらねばならぬ。



## 二、図画工作科教育課程の構成法

本校のカリキュラム構成にあたつて、中学各学年に共通な大目標を立てて、各教科指導の綜合主題としたものは、

第一学年　生　活　圏
第二学年　近 代 生 活
第三学年　理 想 的 社 会

以上の主題は、社会科の新しい学習單元を基礎として設定されたものである。社会科は、第一学年に於て学校と家庭、わが國土、世界、交通通信の範囲の四單元、第二学年に於ては、近代産業、都市と農村、天然資源、職業の四單元、第三学年では、民主主義、政治、経済生活、文化、世界の平和の五單元が設定された。これを中心に各教科は、それらとの結びつきをと考慮して、各教科独自の單元が定められた。

結局に於て、生徒をしてよき市民として、よき民主主義國民としての素地を作るところに教育目標があるのであるから、個人の生活、社会生活の種々相に於て、衣食住の造形的生活をたのしいものにし、ひいては造形文化の高度の発達をのぞむところに、図画工作教育の使命はあるのである。その点から生活を基調とした單元題目を設定したのである。

それに先立つて図画工作科の各学年に於てねらうところの主目標を左のようにさだめた。

**第一学年**　家庭、学校、郷土を中心とした美術の学習によつて、造形美の理解と造形的能力を養う。
**第二学年**　近代生活に於ける造形美を理解せしめると共に造形的能力を養う。
**第三学年**　造形的文化遺産を理解せしめると共に造形的表現能力を養う。

これは生活学習の立場からの図画工作科各学年の指導目標である。三年間の図画工作学習は、やがて社会人として、各自の造形美の生活を充分になし得るように、右の指導目標を眼目とした図画工作教育の学習單元を設定する。

第一学年　たのしい生活、美しい郷土、美術の鑑賞、機能の美
**第二学年**　美術の応用、形体の美、**木材の利用、生活と美術**

**第三学年**　印刷美術、機能と美、セメントの利用、金属の利用、東西の美術

これらの単元は、更に綜合カリキュラムとして適切な学習内容をそれぞれ定めて居るが、それは、昭和二十二年度学習指導要領図画工作篇の内容を考慮し、学校の特殊事情も加味して、奈良という郷土を背景とした図画工作科教育を実施して行くわけである。

## 三、図画工作科の学習内容とその指導

**第一学年**

**一、たのしい生活**　1、美しい学校　2、たのしい家庭のための工作　3、衣食住と色彩

**美しい学校**　中学校入学当初の中学一年生に、美しい学校にすることと、美しいところのある学校を図画工作科の立場から理解せしめると共に、表現せしめるのである。学用品も揃って、希望に燃えて入学した一年生が、写生用具をもって、校庭の写生に出る、本校の植物園や講堂前広場で若草山や春日山の見える風景写生をする。（224）

学用品やホームルームの小修理をする。ホームルームを飾るよう工夫するというような学習内容で指導をすゝめて行くのである。

入学当初は、描画の能力の程度を見ても相当に差があるものである。素描力の差も甚しいが、水彩などを見ると気分本位の描画のもの、透明描法のもの、点描法のもの、教師の個性の反映の著しい点などは、各種の教科の中でも図画工作科の右に出るものはないのではないかと思われる。

先づ素描力の程度が、鉛筆スケッチなどにもよくあらわれる。一年の当初から常に力を入れて、しっかりとその見方を指導せねばならないのは、形と明暗の指導である。形の上で透視的な見方の不充分なものが非常に多い。風景写生などで、屋根の線、窓の線、土堤の線などの変化を、実際についてよく見て描く態度が足りない。またそれを自分で研究的に見きわめる態度が足らないようだ。

構図についても、引き寄せ式の構図を好んで描く。遠くの方だけを画面一杯に描いてしまうのである。さらに物の比較ということも足らない。大きい家と小さい家の比較が出来ても、高さの比較が不充分で低い位置にある小さい家が、画面では、高い位置に描かれていたりする。

明暗も、物個有の色を鉛筆であらわしてしまって、明暗が正しくあらわせないもの。校舎の軒下の白壁は、屋根より暗いにかかわらず屋根の瓦を黒くして、壁はどこも白いままで陰影が見失われ勝である。

樹木の緑の明度差等は、なかなかに観察出来ない。

それらの素描の下に、着彩が行われて行くのであるから、距離や明暗の正しい感じがあらわれない。（225）

美しい学校を理解するまでには、図画工作科の一年当初の学習から、更に二、三年への発展が必要である。

**たのしい家庭のための工作**　家庭で使う学用品、家庭用品、運動具、玩具などを家庭にあるもの、作らないものなどを調べる。それらの材料も調べる。木、竹、布、糸、金属など各種のものが必要である。また自分で作れるかどうかを判断する。方向がきまったならば、個々の生徒に製作予定を発表させる。

材料や技法の上に無理のあるもの、予定時間の過重なもの、それらについての指導をなすと共に、製図をすゝめて行く。製図の基礎も充分でないから、家庭用品の見取図、投影図による家具などの表現をなさしめ、その間に規格製図を学習して行くようにする。それから家庭のための物品の製作にすゝんで

行く。製図、次ぎに製作である。

工作室の工具は、共用具として、鉋、鋸、竹尺その他が、教室に用意されて、班別に使用されるようになっている。班は八班とし、鉋は一班に五個ずつ用意されている。

**衣食住の色彩**　色彩指導は、一年の一学期にその基礎を学習せしめるようにしているが、たのしい生活の単元に結びつけ、衣食住の色彩となっている。

無彩色、有彩色の名称も、一年生の半分以上も知らない現状である。写生の間にも、これらのことを時々取りあげて、だんだんと理解させる。

衣食住の色彩では、無彩色の研究を先にする。最高の明度の白、最低の明度の黒、灰色段階などを、生徒の服装や、家屋の色、家庭用品などから研究をすゝめて行く。

（226）

絵具の色に多い有彩色、白、黒二色の無彩色それらのものゝ混合で多種類の色が出来ることは、小学校から経験しているが、もっともあざやかな色即ち純色の色相について、標準色紙でしっかと理解させる。

それらの色の明度、色相、彩度の標準色彩表を用意して、それを台紙に貼り、明度、色相、彩度について一通りのことを学習せしめる。

それをもとにして、学用品の明度や色相、服飾品の色相、建物の色相、明度などを研究して行くのである。

減算混合については、比較的研究の機会の多いものであるから、中間混合の研究として、混色器を作って見る。こまの混色器を作って見たり、画用紙の混色器も作って見る。

タービン式の羽車を作って、空気を送って羽車をまわし、その車軸の一端に混色板をつけて混色実験の出来ることを指導して行くと、いろいろなものが生徒の手で工夫される。モーター式の混色器を工夫するものなどもある。

衣食住の色彩を中心に、色彩の基礎を学習せしめ、更に配色練習をすゝめて行く。昭和二十五年度は、明度の美の大きい配色の図案、明度差の少い配色図案などを水彩絵具でやって見た。

**二、美しい郷土**　1、郷土の自然　2、奈良の美術　3、郷土の工藝

社会科は、わが國土、美しい郷土、世界などの単元をあげているが、この時期に、図画工作科は、「美しい郷土」に於て、郷土の自然、奈良の美術、郷土の工藝などの学習の内容をもり、「世界」の単元の時期に、図画工作科は美術の鑑賞に於て世界の美術、美術と生活の学習内容を取り上げている。

郷土の自然を造形美の立場から学習のテーマとすることは、いろいろな方面に発展させることが出来るが、郷土の地形図を描くことや、郷土の特産物の分布図を描くことや、郷土の発展を予想しての構想画、郷土の風景写生、郷土の植物の写生、各種の研究方向が描画面としても取り上げられる。

（227）

**奈良の美術**　奈良という造形美術の面に文化遺産の非常に多い郷土に育つものとして、郷土の美術の研究を中学一年の程度に於てすゝめて見る。飛鳥時代のものは、法隆寺方面に多いので、奈良市に多い奈良時代の絵画、彫刻、建築、工藝を主として学習主題とする。

美術史的な研究は三年に中心をおき、一年では、造形美の理解と、これらのものの観察、表現によって郷土美術の研究の機会とする。学習時間に制限があるから授業の時は、二時間連続の時間に出かけて、実際に見ることの出来るところ、写生の出来るところを選ぶ。

それについては、奈良市内の通学生から代表者を選び、研究目的地を定め、予定を立てゝおく。候補

として常に上げ得るところは、正倉院附近、大佛殿附近、南円堂附近、五重塔附近などである。建築や寺院内の佛像のスケッチ、水彩写生などによつて、その美術の鑑賞と理解を深め、描画学習の機会とする。

その場合スケッチブックによる研究、わら半紙などによる短時間に多種類の研究、一候補地に固定しての研究など種々な場合が出て来る。更にこれらの郷土美術は、彫塑などにあらわすことによつて、理解を深める手段とする。その後にこれらの研究のための展示会の計画もすゝめる。

**郷土の工藝**　郷土の工藝として、奈良のほこり得るものは、現在筆、墨、一刀彫、扇子などである。その外にも奈良の土産物としての種々なるものがある。これらに関連して、郷土工藝品の創案製作を中心に、工作学習をすゝめて行く。それには郷土の工藝品をよく調査研究する機会が必要である。



**三、美術の鑑賞**　１、世界の美術　２、美術と生活

**世界の美術**　郷土のクラシックな美術を中心に学習をすゝめて来て、美術の鑑賞は、更に世界の美術の鑑賞に発展する。中学一年の程度に於て世界の美術の如何なるものを多く鑑賞の対象とするかを研究して、学習をすゝめて行く。飛鳥、奈良の時代を西洋の時代で見ると、中世紀である。年代を横に切つてこの時代のものも鑑賞の対象として取り上げて見る。更にさかのぼつて、ギリシャの盛時のものも僅に鑑賞資料として、さしはさんで見る。更に下つてルネサンスの三大美術家レオナルド・ダ・ヴィンチ、ミケランゼェロ、ラファエルなどのものから、主として十九世紀から二十世紀初頭のものを中心にして、いろいろな形で研究して行く。中学一年の程度では、写実的な洋画や西洋彫刻の方が、飛鳥、奈良の彫刻などより興味が多いようである。

**美術と生活**　美しい郷土から美術の鑑賞の学習に入り、これは一年も終りに近くなつて研究に発展させる。図案と共に配置、配合をねらつての題目である。

中学一年になつて、図画工作科で学習して来たことがらは、その内容を更に分類して見ると、描画、工作、色彩、図案、製図、描図、美術品の鑑賞であつた。それらの学習の間に形として作り上げられたものを、生徒の勉强部屋に飾り、弟妹の部屋にも飾り、家庭で実際に使用して見るものもあるであろう。それを如何に室内に配置、配合し、自分の勉强部屋を中心にその美化を心がけて見ることが出来るかについて学習をすすめる。

またどんな名画、名彫刻などを選んで自分の部屋にかゝげたらよいかを研究させる。

**四、機能の美**　１、形体と機能　２、交通機関の形と色



中学一年の終りに、図画工作科の学習単元として機能の美をとりあげる。今まで学んで来た事柄の帰納的な條件と、第二学年への展開に備えて、形体と機能、交通機関の色と形という学習をすすめて行く。

学用品、学校、家庭の小工藝品、手近な器具、機械、建築物など各方面にわたつて、用と美のつながりを研究して行く。

最も親しみの多い学用品の一つの下敷、鉛筆などについても研究して見る。下敷は、ノートの紙と紙との間にはさんで、筆記をするのに、書きやすいようにするための用具である。多くはセルロイドで出来ている。他の材料をこれに換えたらどうであるか、それについて話しあつて見る。木材では耐久力の上から厚くなる。紙製のものも同様である。金属製なら、薄いものが出来る。金属製のものでも、ブリ

キヤトタン板のものなら使用に堪えるが、セルロイドのものに比べて重量がある。アルミニウムのものやゼラルミンのものは軽いものが出来る。しかし凹凸がつきやすいとか、色をつけるとすれば表面に塗料を塗らなければならないから落ちやすい。その点セルロイドのものは軽くて、このみの色をつけることが出来る上に、もつとも筆記に都合のよい表面のなめらかさを保つことが出来る。その点からセルロイド下敷が、普及している。

その最も重要な理由は、用と美の條件がそれに適合しているからということになる。用という面は、なめらかに鉛筆を運ばせるという機能に適合していることであり、学用品としてのこのみの色に美を附加することが出来るということになる。それと共にその形は、A列五番型のノートによいもの、B列五番型のノートによい程度の下敷とか、紙の仕上寸法の規格に関連した大きさをもつて居り、それ以上に大きくしても無用であり、小さくとも不便である。用途に応じた形の大きさの制限が考えられる。 (230)

その他ドアーのハンドルにしても、人の手にもつて持ちやすいような丸味と、大きさをもつて居り、木製のもの、眞鍮製のものなど、感触や美感もちがつている。

これらのことは、手近なものから、工藝品、器具機械、建築物についても考えられるということから導入して、生徒の思い思いの研究方向に発展させる。

更に冬の季節としては、紙、人造石、木材、金属などで、その研究を実材にあらわして見る。それらのものは、部分の模作から、工夫創案になる形体模形にもすすめて見る。

交通機関の形と色は、機能の美について、近代交通機関の代表的なもの、船舶、汽車、電車、自動車などについて、機能的な形を設計し、図に描きあらわして、用途に適合した色彩の研究にまで導いて行くのである。

**第二学年**

**一、美術の應用**　1、自然形体と人工形体　2、室内装飾　3、商業美術

**自然形体と人工形体**　生活に直結した美のつながりとして、自然形体と人工形体の美を理解させ、その関連、応用について学習すると共に、それらのものには、対称、均衡、変化、統一などの美しさのあることを理解させる。

自然形体について見るに、さくらの花や梅の花の対称形の美、木の葉などに見る対称形の美、更に雪の結晶を顯微鏡で見た場合の対称形の美、おのずから均衡をもつた自然の不可思議な美しさ、貝殻や動物の表皮にあらわれた不規則な模様に見る自然の均衡など、自然の美の造物主によつて意図されていることを研究する。 (231)

海の波、川のさざ波の変化共に千変万化の容相の中に統一のあることを気づかせる。

人工形体についても、蒸気タービンなどの羽車の対称形、水力タービンによる発電所の石炭輸送管などの、なだらかに石炭を落下輸送させるための機能的な形は、蛇やみみずのうねうねと歩く無理のない形に似ている。

飛行船の形の、海のかつおの形に似たような流線形、近代の船艦の船体のスマートな流線形とあゆなどの敏捷な形の類似、自然の美と共に、その独得な生活環境に応じた形の美しさとはたらきは、自然各種のものについて研究出来る。

更にそれらは、生活の実際に結びつけて研究をすすめる。

**室内装飾**　電気スタンド、本棚、額縁、椅子、テーブル、ソファー、カーテンなどについて、自分の家に備えつけたいもの、理想的なそれらの形や色などについてデザインをすすめて見る。
更にそれらを部屋に配置、配合して、もつとも住みよい部屋の設計をして見る。または粘土でそれらの模型を作つて配置、配合を研究して見る。

**商業美術**　商業美術にもいろいろあるが、ポスターもその一つである。商業用の宣伝ポスターの研究も大事なことである。商業に直接関係はなくとも、スポーツ、クラブ活動、バザー、音楽会、美術展のポスター、衛生や交通、災害防止のポスターも研究の対象となる。それは商業美術へのつながりをもつ。従属、対立、対称、均衡、反復の美を、それらの図案の学習に織り込んで見る。
レッテル、マークなども商標としてのものを蒐集して、その色や、形を研究して見る。更にそのデザインを学習して見る。学校の生活に直結したマークとしては、校章、バッヂ、襟章、バックル、ブローチなどのデザインの研究にすすめて行く。
商業美術の分野もひろいが、二年の学習の程度をこの段階においておく。

**二、形 体 の 美**　1、都市と田舎の自然　2、都市と田舎の工藝　3、都市と田舎の建築

**都市と田舎の自然**　都市の構成、農村の構成を実際について研究して、自然と人工物のとり合せをよく見て、住居、工場、河川、橋梁、社寺、停車場、学校、官廳、共同施設、田畑、公園などの分布についてそれぞれ郷土について、その見取図を描いて見る。それらのことがらを生徒居住地区を中心に研究せしめる。自然の利用、村落、都市の分布などを研究的に調べて見る。鳥瞰図、地図的表現各種の説明図を書いて見る。



**都市と田舎の工藝**　農村の家具、農具、都会の家具、器具、機械、農村と都市の衣食住の諸施設について、形体と機能を研究し、素朴な美、近代的な美のよつて来るところについても研究して見る。

**都市と田舎の建築**　田舎の建築の形体、都市の建築の形体を調べる。また両者の構造について違つた点も研究する。間取図なども描いて見る。それにもとづいて、理想的な間取、構造などを設計して見る。時に模型を作つて見る。

**三、木材の利用**　1、樹木の種類　2、木材　3、木材の利用と木製品の修理

**樹木の種類**　材用植物というものがある。建築、家具その他の工藝品を作るのに適当な樹木の類である。それらについて研究する。

建築、土木用材
松、杉、檜、樅欅、えぞ松、米松　　主な建築、土木用材
栗、松、落葉松　　鉄道の枕木材
チーク　　造船材

器具用材
欅、檜、ラワン、桑、黒柿、黒檀
たがやさん、マホガニー　　家具用材
櫻、つげ、朴、桂　　版木、櫛
桐　　たんす、琴
紫檀、かりん、姫小松、楓　　三味線、ヴァイオリン

一位　　　　　　　　　　　鉛筆材
どろ、しなのき、姫小松　　　マッチの軸木

これらのものの中で、学校園やこの地方にある樹木について、その特長を研究する。

木材としての材質について調査、研究をする。

**木　材**　木材の組織、木材の乾燥、板の取り方、柱の取り方、板の接合法などについて研究する。

**木材の利用と木製品の修理**　木材の性質や加工法を研究して、簡単な日用品や家具を作って見る。材料の利用の仕方を考えて、自分の設計によって、設計図を描き、合理的な方法で正確で美しいものを作って見るようにする。

材料の利用は、無駄のない使い方で、用途に対して、もっとも有効なはたらきをするような形を研究せしめる。工藝品の美が、簡單な装飾でも生きるものであるから、生地を生かした仕上げ方も考えさせる。 (234)

木工に伴う工具も、鉋、鋸、のみ、直角定木、木口台、ドリルなどの合理的な使用法を指導する。

更に木材の接合法の研究や塗装法の研究を実際の家具の修理に導いて、学校や家庭の小工藝品の修理工作を指導する。

**四、生活と美術**　1、各種の製図　2、機械製図　3、近代生活と美術

**各種の製図**　いろいろの書き方の図を持ちよって調べて見る。図法にも線の用法にも、文字の書き方にもいろいろな場合がある。建築製図、ラジオの配線図投影図、等角図、傾斜投影図など各種のものがあるが、工業上の製図に使われるものは、正射投影図の中の第一角法や第三角法である。工藝品の製図などには、第一角法の製図が多く使われる。これを規格製図というが、その図法について、用具、描き方、文字や数字の記入の仕方を正しく指導する。そして美しい家具などの設計図が描けることによって、生活の設計に役立てる。

**機械製図**　木工具、木工機械、金工用具、金工機械、家庭の器具、機械を中心に製図を指導する。

**近代生活と美術**　生活と美術の單元の中には、いろいろな学習内容をもち得るが、特に工業用規格製図と、近代生活と美術という内容をとりあげている。近代生活と美術の題目では、衣食住の近代的性格とその造形美術の面と、映画、演劇その他の綜合的な造形藝術についての立場から学習をすゝめる。

**第三学年**

**一、印刷美術**　1、版画の発達　2、西洋の版画　3、日本の版画

**版画の発達**　主として木版画を主題とするが、どんな風に西洋や日本の版画が発達して来たかを調べる。美術的なものとしては、西洋にはエッチング、日本には板目木版画が発達して来た。西洋の木版画は、木口木版で板の小口に彫る版画が発達した。エッチングは、普通の凸版の形式に対して凹版の銅版画である。 (235)

特に日本の木版画は、德川時代の浮世絵版画が代表的なもので世界の人々に知られている。

**西洋の版画**　西洋の版画の中で、主としてエッチング、石版画、木口木版の一般を理解させる。エッチングは、銅板にろうを塗被して、その上に鉄筆で絵画を線描きして後、これを硝酸の中に入れて銅板面に線画を腐蝕させて後、ろうを落して凹版を作るものであり、これにインクを入れてルーラーで紙に印刷してあらわす美術版画である。

この代表的作家にオランダのレンブラント、スペインのゴヤ、イギリスのウイリアム・ブレークなどがある。

美術版画として西洋に発達したものに、石版画がある。フランスのドオミエなどは、その代表的作家である。これらのことを西洋版画の鑑賞と共に指導して行く。

**日本の版画**　徳川の初期岩佐又兵衛によつて始められた浮世絵肉筆画が、菱川師宣によつて、木版浮世絵となり、鈴木春信によつて色刷り版画が完成し、次第に浮世絵版画は発達して來た。徳川末期には、歌麿、広重、北斎、写樂など代表的作家があらわれた。

日本の版画は、西洋版画の自画、自刻、自ずりに対して、彫師、描り師、摺り師の分業によつて行われた。徳川末期次第に西洋画の影響をうけて、遠近法などが取り入れられ、自然の写実的な表現が版画にもあらわれて來た。明治以後次第に西洋版画の普及と共に、自画、自刻、自ずりの西洋風板目木版画が、日本には発達して、現在美術展覧会などに発表されるものは、自画、自刻、自ずりの洋風板目木版画である。これらのことについて学習をすゝめると共に、風景写生や、静物、動物、人物などの写生を生徒になさしめて木版画の実習に入る。

木版画の下絵（版下）は、彫りやすいから、ほうなどの板に、下絵を裏返しにはりつけて、これを彫つて行くのであるが、それまでに、版下の描き方について、自然のあらわし方が描画の場合と條件の違うことを理解させる。

線の美しさ、点の美しさ、面の美しさ、紙の地の白に墨の一色によつて、物の形をあらわすことの効果的な表現についても充分考えさせる。



結局線の省略、形の省略は、明暗の單純化、形体の單純化についての工夫研究の機会になる。

これらの條件を考慮した版下を墨で描き、版木にはりつけて彫つて行くのであるが、彫刻刀の使用法、彫りの深さなどについて指導して、版木を完成する。單色刷り、色刷りの方法についても指導して、それぞれ好みの紙に版画をすつて見る。何枚も同じものをすつて友達同志わけあつて、お互の工夫を参考にする。更にそれらのものを学校新聞のカットなどに利用する機会も作つてやる。

**二、機能と美**　1、器具、機械の機能と美　2、乗物の機能と美　3、建築の機能と美

**器具機械の機能と美**　形体指導は、二年までに順次すゝめて來ているが、三年では、主として描図、彫塑などの表現学習を通してこのことがらを指導する。

写眞、実物などによつて、もつとも機能的で美しい、器具、機械の形を調べる。それらを参考にして図を描き、又は、粘土で形を作つて見る。ろう石、人造石などで、その形体をあらわして見る。特に女子は服飾の形と美を研究し、この学習に色彩指導も加味される。

**乗物の機能と美**　船舶、電車、汽車、自動車などについて、形体の機能の美を研究し、描図、彫塑などによつて表現し、色と形の美しさも研究する。明度、色相、彩度等について考えさせる。

**三、セメントの利用**　1、現代の文化的施設とセメント　2、セメント工の用具、材料　3、セメント工施工法

**現代の文化的施設とセメント**　都市や田舎のコンクリート施設について研究する。

セメントの発明と発達を調べる。

セメント工の用具、材料　コンクリートに使われるセメントは、水を加えると固まるという性質が、

土木、建築その他に利用されて、非常に利便を与えているわけである。普通はセメント、砂、砂利、水の混合によつて出来るコンクリートとして使用される面が大部分である。セメント、砂、水だけを加えてモルタルとして作られるもの、コンクリートの塗仕上げに使われる場合、セメントと水のみの純セメントとして使われる場合もあるが、何れもセメントの凝結力を利用して行われる仕事である。この固めたものが、望むところの形になつて固るために、型枠を作つてその中でかためるのである。近年では、セメントを利用した彫塑なども出来て来たが、その利用の範囲はせまい。何れにしても型枠材料として木材、それを処理する木工具、セメント、砂などの計量具、塗鏝、土耕用具、補強材料としての鉄筋、鉄綱、針金など特種な用具があることを研究する。

セメント工施工法　セメントによる物品の製作法、道路舗装などの施工法について、その時の学習題材として適切なものを把えて指導する。

**四、金属の利用**　1、金属の加工　2、金属製品の設計、製作、修理

**金属の加工**　普通の針金、板金、鉄材、真鍮材などの加工法を、特に材料の特質を中心にすすめる。針金の形がほそくて長く、切断や彎曲の自由なことと共に強度の大きなことに対して、これを創つたり、ひきのばしたり、平面にすることとの出来ない條件は、特殊な加工法が生まれる。板金は、画用紙や厚紙のように、平板のものを切断、彎曲、屈折が自由である。強度が強いから特種な鋏で切り、接合は、半田ろうなどで行うことなどを研究する。材料の特別な性質を研究してその加工法を考える。

**金属製品の設計、製作、修理**　あきかんを利用した板金工、針金を利用した人形、アルミニュームを利用した装飾品など、各種の金属を利用した物品の設計と製作、更にそれらのものの家庭学校用品の修



理を指導する。

**五、東西の美術**　1、日本の美術は世界文化に如何なる貢献をしたか　2、東洋美術は如何に発達したか　3、西洋美術は如何に発達したか

社会科の世界の平和という単元に関連して、右の単元を図画工作科は設定したが、鑑賞美術史を三年の終りに指導する場合に、学習の観点を世界文化への貢献、東西美術の発達というねらいのもとにすゝめて行き、生徒の世界観をひろめ、美術の文化史的位置を更に深く認識させる機会とする。

現代作家の中に西洋では、マチス、ピカソその他の近代絵画史上特筆さるべき人物があり、日本現代の各方面の美術と現代美術の推移については鑑賞その他に於て、指導の機会は多い。三年の終りには、美術の世界的大勢と、日本美術の世界的地位を大いに理解させ、文化国家建設の基礎としたい。

## 四、今後の図画工作教育の動向

図画工作教育が、造形美の理解と造形的表現能力を養うところに、主目標があることはいうまでもないが、それが、常に生活の美化に役立つものであることが、今後の図画工作教育に強調されるところである。

素描、彩描の学習指導、更に色彩、各種の工作学習も、従来以上に、技術の力を養うことに努力する必要があると共にそれが如何に生活の中に活用されるかということに、教師の研究の面で、新しい展開の分野が非常に多い。

新しい図画工作教育では文部省の発表した図画工作科検定教科書規準に見ても描画、描図二五％、図

楽二〇％、配置配合五％、工作二〇％、製図一五％、色彩五％という頁数の割合を示しているが、ともすれば、孤高の美の探究にかたむき勝な図画工作教育は、民衆のための図画工作教育、よりよき社会人のため図画工作教育として、美術的図画工作指導から生活美指導の方向に一層の重要性が加わって来る。



# 第七章　音楽科の教育計画

## 一、全体計画に於ける音楽科の位置

標準教育課程という題目のもとに音楽科もおかれたわけでありますが、この題目が音楽科教育課程に適当であるかどうかは別としまして、一般に音楽科が、全体計画の中に入り各科と連関を保つということ、即ち綜合カリキュラムとしての音楽は、全然成立しないとはいえませんが（例えば綜合単元家庭という題目がありましたら、子守歌などがいれられます）非常に無理があり、音楽の本質に反するものであると思います。無意味な学習の重複をさける意味の綜合カリキュラムは、学科によっては非常に重要な問題でありますが、音楽科は他の学科にみるような重複ということがないのでありますので、無理に結びつけるような計画は失敗に終ると思います。形式にとらわれず、音楽は音楽独自の立場で教育課程を計画することが最も適当であると思うのであります。近頃の教育は、あまりにも形式にとらわれて、間口の広い、奥行のないものになっている向もないとはいえないのでありますから、一応自分をふり返ってみて、反省してみることも必要だと、痛感しているのであります。



## 二、音楽科教育課程の構成法

音楽科教育課程は前述の様に他教科との関連を考えていないのであります。計画というものは往々にして計画倒れに終ることがしばしばあることでありますから、計画と実際とがかけはなれないように計画することが第一に大切なことであります。その上、生徒の実情、環境などを考えあわせて、無理のない課程をつくることであります。本校教育課程は、教科書を中心にした最も月並なものであります。それぞれ特色のある検定教科書が発行されましたのですが、何れの教科書にしましても、学習指導要領に示された歌唱、鑑賞、創作、器楽の四項目がとりいれられているのでありますので、教科書を忠実にすゝめていったら、多かれ少かれ、音楽のすべての部門の基礎知識が養われることは確かであります。基礎知識の有無が個性の伸張に非常に影響することが大きいことは、はっきりいえると思います。

## 三、音楽科単元の問題



先ず、音楽の単元とはどういうものであるかということが考えさせられます。まだ文部省から音楽の単元なるものの明示がありません。終戦後、文部省から発行された学習指導要領の単元が、指導の要項にすぎないとか、又あれも立派な単元であるとか問題にしているようでありますが、一つの学習のまとまりである単元ということを考えますと、いろいろに解釈出来るのでありまして、仮に音楽科の単元を無理につくり出そうとするならば、次の三方面から考え出すことが出来ると思います。

一、音楽に関する基礎要素の類を単元としたもの

例、リズム、メロディイ、ハーモニー、形式音階、音程等

一、音楽史的な見方の単元

例、楽聖と作品、時代と様式等

一、社会科的な見方の単元

例、音楽会、コンクール、世界の民謡、子守歌、春の歌等

註、これらは、単元題目の骨子だけ示してみたものでありますから、表現の形はどう変ってもよいと思います。例えば、美しいメロディイ、ベートーヴェンと主な作品というように。

以上思いつくままに例をあげてみましたが、これらのいずれの単元をとりあげるか問題であります。リズム、メロディイ云々というものは、始終音楽の中に流れているもので、特別に単元としてとりあげて教えなければならないことでもないと思います。然し、その各々の重要さを知らせることは、絶対に必要なことであります。いろいろ考えますに、この類のものを単元としてとりあげますと、小さな単元が多くできすぎて、指導要項と変らないようなものになりますし、簡単なものにすると、まとまりのないものになり、系統立てゝ計画しようとすると、一方に片よった単元が出来上ったりするということは、いなめない事実であると思います。このような点を考えて、音楽は、純粋の音楽の世界にだけ生かしていきたいと思うのであります。音楽は、理窟や文章で解決できるものではありませんから。然し、ここに、誤解のないように申上げておきますが、この意見は、一個人のもので、甚だ微弱なものでありますから、音楽にも是非単元が必要だと思われる方は、音楽科の最も適切な単元を示して下さいますよう、望んでやまない次第であります。音楽教育は、音楽の本質をわきまえての方法は如何なる方法でもよいとされていますから、教授者が自分の信ずるところの自由のものでいいと思います。



単元の問題は、以上のようなものでありますが、音楽科に単元があるにしてもないにしても、教育には、それぞれ下に流れる一貫した系統がなくてはならないことを、声を高くしていいたいと思います。

これが、本当に音楽を理解させるに必要な基礎要素で、興味を失わない程度に、怠りなく系統だてて、反覆練習させつつ、すすめていかなければならないことはいうまでもないことであります。その上に、音楽の経験をつませ、鑑賞、創作、演奏等、音楽全般にわたって、大なり小なりの理解を深め、音楽を楽しいものにするよう、又、個性の伸張をはかるようにすることが、中学校音楽教育の使命であるのではないでしょうか。

## 四、音楽科の指導

教育は、生活の中にそくして行われなければならないことはいうまでもありません。音楽も学校だけの音楽でなく、家庭、社会、その他どこでも行われなければならないのであります。家庭に於ては、ラジオ、レコード、家庭団らんの演藝会、野外では遠足などの楽しい合唱など、いろ〳〵と活動の場が出てくるのであります。音楽の指導は、従来のようにおしつけでなく、音を楽しみ美しさを味わうものでなくてはなりません。このような主旨から、小学校の低学年では、遊びながら音楽を学ぶというようなところも多く見られますので、これが、単なる遊びに止まらないように教授者は特に注意すべきであると思います。中学校では、相当理解力も出来てきていますから、楽典の類は必らず、無理がなく理解できる程度に教えておくべきでありまして、教科書によってすすめていったら、大体系統立った教え方になると思います。(244)

次の問題は、学習指導要領の中に示された四項目、歌唱、鑑賞、創作、器楽をどの程度まで指導すべきかであります。文部省側では、各項にわたる音楽教育をするようにと云っているのでありますが、現在のわが國の状態では、非常にむずかしいのであります。机の上では、あれもして、これもしてと立派な計画が出来ますが、なか〳〵実施ができないということが何にでもよくあることです。先ず、設備、環境が充分であるかを、教える人は考えることでありましょう。オルガン一台で、多勢の生徒を教えなければならない学校も、相当あるのではないかと思います。現在の各々の不備な点を、少しでも理想に近ずけるためにはどうすればよいか、これが多くの音楽教育に当っている人の頭の中にあるなやみであると思います。いろ〳〵な事情がありましょうが、どうにかして、義務教育である中学校音楽では、音楽にはこのような部門があって、それ〴〵独特の味があるということを理解させ、後の個性伸張のために役立たせたいものと思います。四項目を平均に教える最も理想的な方法としては、一定の期間を定めて、中心をつくることと、そして、その中心を交替して教えることであります。右のことを図に示しますと、次のようになります。(245)

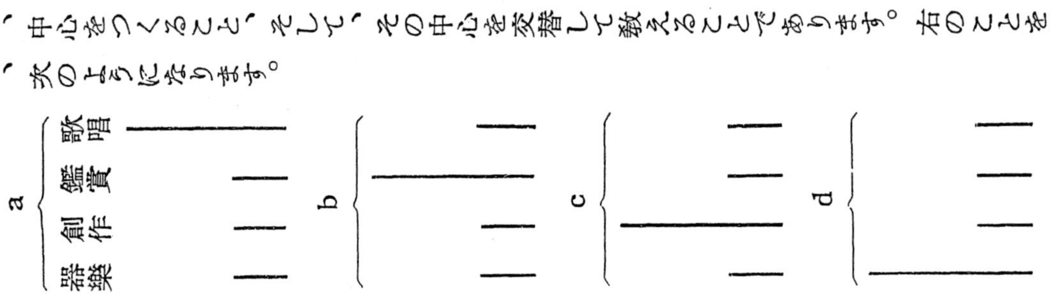


abcdを、期間の長短は教授者の任意で交替で実施するのであります。この方法は前にも申しましたように、中学校音楽教育としては最も理想的ではありますが、実施が困難であると思います。理想は実施できたらそれに越したことはないのでありますが、出来ない場合が多くありますから、出来得る最もいい方法をとることが賢明な道であると思います。それは、教授者のねらいとする或項目（一項目又

は二項目位）を定めて、それを何時でも中心として、深く教えこむことであります。他は、大体の形が理解出来る程度に止めておくことです。中心となるものは、学校の実情、教授者の得意とするもの等から、それぞれ変ってくると思いますが、各々の特徴を生かしたものでいいと思います。然し、鑑賞教育が重大視されている今日、鑑賞を嫌いものにすることのないようにしたいものです。右のことを図に示しますと、次のようなものが出来上ります。



a、歌唱を中心とするもの（あまり変声が現われていない時）

歌　唱 ————————　創　作 ——

鑑　賞 ——————　器　楽 ——

b、鑑賞を中心とするもの（変声期には、b以後の方法がいいと思います）

歌　唱 ——————　創　作 ——

鑑　賞 ————————　器　楽 ——

c、創作を中心とするもの（この方法は、創作を相当研究された方でないと無理かもしれません）

歌　唱 ——　創　作 ————————

鑑　賞 ——————　器　楽 ——

d、器楽を中心とするもの（人数の多い学級ではやりにくいかと思います）

歌　唱 ——　創　作 ——

鑑　賞 ——————　器　楽 ————————

以上の例は、適切でないかもしれませんが、大体の傾向がわかっていただけたらいいと思いましてあげました。

## 五、本校音楽科指導の実際

本校音楽教育の中心は、歌唱と鑑賞においてあります。歌曲は教科書中学音楽（教藝）を中心に、鑑賞は、それに巾をもたせて、創作は、教科書の例題をする程度、器楽教育としては、全体的にはやっておりません。次に、歌唱の一教材を中心にして、どの位の巾をもたせて指導するか、各学年の例をあげてみることにいたします。



**一学年**　歌唱教材「花散る」

イ、モーツアルトについて（前教材ABCで生徒が調査したものの発表）

生誕地と幼時のモーツアルト

モーツアルトの主な作品（トルコマーチ、歌劇二・三曲、ジュピター交響曲、セレナード等）

時代（十八世紀の後半で、ベートーヴェンの前という程度で、音楽史上の大体の位置）

ロ、輪唱の意味

ハ、調子について

♯の説明、ト長調の音階構成法、何故に♯が必要か。

固定ド唱法、移動ド唱法

ニ、拍子とスタッカート

三拍子のリズムの感想（軽快）三拍子は、どんな楽曲に用いられるか（ワルツ等）

スタッカートが加わって一層軽快な感じを、歌わせて納得させる。

ホ、曲の形成

大体二つの部分に別れることを理解させる程度。

ヘ、鑑賞（レコード）

トルコマーチ、セレナードの二楽章程度に止める。（ロマンスの部分）

## 二学年　歌唱教材「アロハ・オエ」

イ、民謡とは（古くからその國の人々に親しまれている歌）

作者不明のものとわかつているものの二種あること。

民族的音樂の特徴をとらえさせる。

ロ、民謡の類をあげさせる。

イタリー（サンタ・ルチア、オーソレミオ、かえれソレントへ、さらばナポリ等）

スコツトランド（スコツトランドの釣鐘草、仰げば尊し、螢の光等）

アイルランド（菊）

ロシヤ（ヴオルガの舟唄、母なるヴオルガ、ステンカラージン等）

アメリカ（オールド・ブラツク・ジヨー、なつかしのケンタツキーの家、おおスザンナ、故郷の人々等）

ドイツ（ゆうべの鐘、ぼだいじゆ、ローレライ、故郷をはなるる歌等）

日本（かぞえ唄、子守唄、さくら、づい〳〵、木曾節、小原節等）

ヘ、樂譜上の注意

変格小節 ♪♪♪ のリズム、伴奏のアルページオ（琶音）速度標語アンダンテ（ゆつくり歩く速さ）

ニ、二部でハミングコーラスをさせ、ハミングの指導

ホ、民謡のレコード鑑賞



## 三学年　歌唱教材「夏の海べ」

イ、ヴエルデイについて

歌劇作曲家としてのヴエルデイ、旋律美にあふれた主な作品（椿姫、リゴレツト、アイーダ等）

教材はリゴレツト中の詠唱、歌劇について

ロ、樂譜上の注意

♪♪ と ♫ のリズム、最後の「ア」の発声法。

ヘ、レコード鑑賞

ヴエルデイのオペラ、最もわかり易い椿姫の前奏曲やアリア等。

以上は、單に教材のとり扱い方の要点だけ示したもので、指導の形式にはふれていませんから、どんな方法でもよいと思います。細かい指導の部分は各教科書の指導書が出ている筈ですからごらん下さい。音樂教育の目標は、指導要領に示されているように、音樂美の理解感得、高い情操と豊かな人間性との養成にあるのでありますから、教授者自身の信念にもとずいて教育に当つたら、必らず目的を達成する筈であります。

# 第八章　保健体育科の教育計画

## 一、体育カリキユラムの構成

**構成の基礎條件**　カリキユラムを構成するためには、そのカリキユラムのみが最も正しいと主張したり自負することは好ましくないのであると思う。たえずこのカリキリユムは構成の原理に於ても、その手続に於ても、又実施に於ても、これでよいのか、これでよかつたかと常に自己反省して、その合理、不合理を判断しなければならない。然しそれは何を基準にしてなされるか。これには先ず経驗によることが第一であるが、科学的な調査研究の結果に基づいて判断をして、更に新しいものを生み出すべきである。体育も生活にその基盤を置き、生活中心の体育である以上、生活指導の体育であり、この科学的態度によつて左右されるものである。

教育の道が生活敎育、生活学校の方向に進んでいるのであるから、体育も亦この線に副つて進むべきは当然であつて体育のカリキユラム構成の根本態度も教育全般の傾向から見て方向づけられ決定されるべきである。

わが國のかつての体育カリキユラムは抽象的普遍的であつて、更に細かい点までも規定されたのであるから、それによつて生ずる体育活動も必然抽象的に墮した傾きがあつた。それは生活カリキユラムの形式は整つていたのかも知れないが、実際に於ては敎材中心の体育活動が行われていたのであつた。

(250)

其の後出來上つたカリキユラムは可成り生活に即したカリキユラムであつたが、これも全國的に統一して実施したので結果は同様であつて、そこに生活の具体性を反映することがなかつたのである。従つてこれらのカリキユラム実施の結果は、一般の体育指導者は、地域社会の要求とか、生徒児童の研究とかを考えず、或は自主的に体育計画を立てて、実施してゆく積極性さえも失つて、唯國家で作成したカリキユラムの忠実な実行者であつたのである。故にすべてが、國家で規定してくれることを希求し、それに依存したのである。

ところが今日の思潮である生活中心のカリキユラムであるならば尚更ら文部省に依存するようなことでは根本的に研究態度を改めねばならない。生活の立場、生徒の属する生活環境（生活の地域社会）とを基盤とすれば、抽象化し、普遍化したカリキユラムでは到底その目的を達することは出來ない。故にその実情に即した各学校、各地域に於てカリキユラムを構成することを第一とせねばならないのである。そこで構成の基礎條件ともなるものを次に数項目挙げて参考にすると

1、各学校、各地域に基盤を置いたカリキユラムを構成し、他様のものは、或は標準的カリキユラムであつても、それは結局参考とすべきものである。

2、体育の立場から見て、児童生徒の正常な発達を期する上に、どれだけの学習内容が必要であるかの研究。

3、そしてこの学習内容を、どのように排列するか。

4、全体計画に於て、これがどのような形態（敎科カリキユラムか、或はコア・カリキユラムか）で組まれるのか、これによつて幾らかの修正は当然しなければならない。

(251)

5、体育の特殊的な性格から推して、生徒、児童の要求や、地域社会の要求をよく洞察する。
6、生活基盤を創造することは科学的態度以外にはないのである。この態度はやがて自己批判をする態度となる。カリキュラム構成、実施に於てもこの自己批判は最も重要なものとなる。
7、生徒、児童の要求、社会の要求によつて学習内容の範囲を勘案して、適切に排列し、更にその学校の特殊事情や、四囲の諸條件を考究して、具体的な実情に即したカリキュラムを作成すること、徒らにカリキュラムのための、カリキュラムに終りたくない。
8、一般的教育思潮を考え、その線に沿つて体育のカリキュラムの根本的態度が決定なされるべきである。早計、拙速は戒しむべきことである。

**季節と体育カリキュラム** 体育が身体活動能力育成という一つの基本的目標である以上、これは生活環境との関係も深いものがあるわけである。しかもこの季節は地理的環境の一要素ともいうべきものでカリキュラム構成には一問題としてとりあげられ、体育計画のシーズン化、地域化ということが、何等かの形に於て解決されなければならない問題である。殊に生活体育カリキュラムということになれば尚さらその地方の実情に応ずることが使命であり、その地方の実情に適するか否かによつて、カリキュラムの死活にもなり身体活動能力育成にも重大なかぎをもつことになる。従つて生活中心の体育カリキュラムはこの要求を見のがすわけにはいかないのである。

（252）

地方（地域）と季節とはいろいろの差異もあり、これに左右されて性格も異るもので、又体力においても相当の差異の出来ることは全國の身体條件の諸統計が示す通りである。これがもし教育の力によつて劣位を上位に向上さすことが出来るならば児童生徒の幸福はこの上もないことだが、どのようにして

行うべきか。これは即ち生活体育カリキュラムは季節に沒し切るように指導することでもなければ、又季節に無関係に体育を行ずることでもないと思う。要はその季節を充分に利用してよりよい生活をするように指導することである。

季節によつていろいろの変化、差異を生ずることは明らかなことで、カリキュラム構成上の基礎資料として諸調査を行う場合は、これらの條件によつて、その結果の変化を来たすことは当然であるから特に測定などを行つて資料を得る場合には十分に考慮をなすべきである。（測定期の気温などは殊に深い関係をもつ）

要するに生活中心の体育カリキュラムは、暑い時もたのしく行われ、寒い時もまた愉快に体育の目的を十分に達成せられるように構成されなければならないと思う。人間の生活は環境（季節）に左右されながらもそれに適合するように営まれて行くのであるから、体育も亦シーズンを無視することなく、大いにシーズンを活用してその方法を考究しなければならない。これが即ち体育のシーズン制であり、この計画によつて一年中愉快に身体活動もなし得るものである。

（253）

## 二、わが校の保健体育科の教育課程

### 1、全体計画における保健体育科の位置づけ

社会科、理科などのやがて変革を見る教科を見透し、更に当校独自のカリキュラムという出発点も考えられるが、他面比較的地方の多くの中学校に於ても（それぞれの実際は異つているが）実施に容易で、しかも多少の修正を加えたのみでも実施の可能なことを第一のねらいとして考えて見た。これを項目程

度にあげてその基礎的條件を次に述べると

1、全体計画に掲げた内容は、之が大部分保健体育科独自の面である実技、及び之に附随するいろいろの條件的なものは、別にカリキュラムを作成して実施しているので、この発表した教育課程には主として理論的色彩の多い、且保健的な部面の單元を捉えて之が配当をした。

2、過去の浅い経驗ではあるが、それに徴して現在の実態を考え、單元の内容に統合或は分離を行つて出來るだけ学習の便になるように努めた。

3、保健体育科の課程の大半は前にも述べた通り、健康教育の計画を主軸にして、それに加えてスポーツに関連した單元即ちスポーツマンシップ、余暇の善用、國際競技、及び純理論的にはなるが日本並近世体育史をとり入れて、一先ず中学校卒業までにその素養を持つようにと考えた。

4、次は主題である教科の位置づけであるが、之はそれぞれ各教科は独自の特色を持ち、それを生かしてゆくところに、その教科の特色が発揮されるものであるので、或る教科を中心にカリキュラムを構成したと考えて、それに他の教科が非常なる犠牲と又独自性をも犠牲にして、中心教科に無理に関連することは、結局実際指導に当つて非常なむだにあるため教育活動が存分に行われず、それを强いるとカリキュラムの構成の條件に沿わぬことになり、ために他教科が相共に苦しみつつ非能率的に、しかも独自性も興味も半減して教育活動が行われ、生徒児童も教師もカリキュラムのむだのために教育活動を滅殺されることになると思う。このような考え方から、この度のカリキュラムに於ける保健体育科の他教科との関連は比較的中心教科として置いた。社会科、理科、職業家庭科との関連は出來るだけその線に沿うように、学年、期別、單元

(254)

の配当を考え、タッチの可能なものは融合、相関させ、無理に（能力、学期別、学年等）吸收したり、それに関連づけることを極力避け、はいり得るものを入れて連絡融合しつつ発展してゆくことを願つたのである。故に全体計画における保健体育科の位置は度々申し述べて來た、カリキュラム構成における体育の位置づけ、並に構成の根本的態度の線に沿つて作成したのである。これが根本理念であつてすべてこれから発展しているのである。

5、生活中心の学習課程を主軸としてカリキュラムが構成されている以上、保健体育科に於ても「生活即体育」否「体育即生活」と置きかえて、日常生活の中にたえず健康的な生活を実践するように指導をなすべきであつて、こうした意味で第一学年から第三学年に至るまで循環漸進の方法によつて、健康生活を習慣にまで持つて行くように單元を設定し、純理論的な單元は之を学年の進度に照して易より難へ、或は國内より外國へとの方向に進めたのである。

(255)

6、從つて他教科とは殆ど関連性を持たない單元をも敢てとり入れて設定した点も如上度々説明した理由によつて決定づけたのである。

以上は簡單であるが標準教育課程における保健体育科の位置と、單元設定の主な骨子である。

## 2、保健体育科の健康教育計画（健康に関する單元指導の重要点）

**健康の意義**　健康は眞に至上無比の價値をもち、どんな高遠な理想も、自らの正しい生活をたのしむことも、健康でなくてはこれをなしとげることは出來ないのである。それゆえに私達は健康を保つための最善の道を学び且つ方法を考えることは、まさに人間道徳上の義務でもあるということができると思う。ここに健康の尊さ、價値を今更らのように痛感するのである。

**健康教育の意義**　教育は先ず第一に心身ともに健康な國民の育成を期することを目標としている。この故に学校に於ては学徒に対して、個人としても、社会國家の形成者の一員としても十分に健康で有爲な活動が出來るように指導助成する責務を持つているのである。即ち

健康教育の実施によつて、学徒に健康の意義と重要性を認識させ、健康に対する眞劍な態度を保ち、正しい知識をもち、たしかな習慣を修得させねばならない。

**健康教育とは**　一般に健康生活の実践に必要な習慣、知識、態度、技能を養うために行う教育活動を云うのであつて、その達成の方法としては

一、衛生に関する知識の教授、行爲の訓練をいうのである。即ち指導上の方法――衛生訓練。健康教授。これは自己の健康に関する詳細な観察と健康の價値の深い認識とによつて健康自体に対する興味と、けいけんな態度も自然に生れて來るものである。而してこの健康の獲得は單に個人の幸福であるばかりでなく、健全な社会國家発展の重要な基盤をなすことは論をまたないのである。

二、他教科の中の保健衛生的の教材を十分に関連づけて活用することである。（総論に於て示してある教育課程表を御参照ありたい。）即ち保健体育科、社会科、理科、生物科、職業家庭科など、これらはそれぞれの各教科とも機会のある毎に教授指導されるのであるが、之を綜合して有機的な相関のもとに、或は衛生教課として行うことも一つの方法である。

三、学校の行事を有効適切に活用すること。例えば身体檢査、学校給食、運動会、内外の競技会、学藝会、遠足、旅行等これらは衛生的にも保健的の立場からも大きな関心が拂われなければな

（256）

らない。又これらと関連して、社会的行事、例えば児童週間、健康週間、精神週間、結核、トラホーム、むし歯、寄生虫予防日など、これらは精神的にその趣旨の强調をして実践を促すこと。

四、学校の新しい刺げきと興味とをよぶもの、即ち講演、新ぶん、雑誌、参考書、パンフレット、ラジオ、レコード、映画、演劇、紙芝居、かべ新ぶん、幻燈、各種図表、などの活用方法である。

五、自己の健康に関する事項、例えば毎月の体重測定、毎学期の身長、胸囲の測定、或は他生徒との比較、又他校、他府縣、全國との比較、衛生に関する考査等々。

六、疾病異常の生徒に対しては予防治療を中心として養護教育を行うことが最も肝要であるが、現狀としてはなかなか容易なことでない。然し漸次その方向に進むよう努力を拂うべきである。

七、植物の栽培、動物の飼育等における生命の現象の観察、理科の実驗、特に栄養、気象、土地、水等の檢査によつて健康生活に対する関心と注意を促す。

これらのことがらは、日頃私達は知りつくしているのであるが、案外実際授業の形態の中に織り込まれて指導されていない面が多々あると思う。兎角平素健康で何等の事故もなく生活していると、眞の健康の尊さ、有難さ、幸福さに対する観念も何もかも打ち忘れ勝ちになるのは人情である。安易な幸福さに浸ることとなく、その幸福の由つて來たる所以を絶えず認識させ刺げきを与えて、より健康へ、より幸福へと導いて行かねばならない。

**3、中学校三ケ年の單元計画**

（257）

一、当校保健体育科の教育課程は全体計画の線に沿つて、その関連するものは学年、学期、或は季節等を考慮しながら相当大巾に単元を置きかえてこれを学年別、期別に配当した。然し全体を通じて健康教育にその主力をおき、健康生活の知識と実践と研究をねらい主として二学期の終り頃より三学期にかけてはスポーツ的な単元、國際競技、体育史といつた類の単元を配して中学校に於て一応浅いながら素養をつくるようにした。その内容の一覧は教育課程表を参照されたい。

教科の横のつながりは主に社会科、職業家庭科、理科の三教科の単元に連関させつゝ、その内容に於ては保健体育科独自の立場からその自主性を失うことのないように考え、学習内容も専門的見地から進めたいと願つた。従つていつの場合でも問題になるのは連関させるとは云いながら実際に於ては他教科との関連を困却しがちなことがあるので、この点については密接な関連をはかりつゝしかもその教科の自主性を出して循環漸進の方法をとつてゆかねばならない。

二、次に各学年毎の単元内容を略説するが之は理論、知識、教養の部面の単元を適宜とり入れた。

## 第一学年の単元

（イ）健康は人間生活になぜ必要か

主な目標
- 生命現象の成りたつ二つの條件
- 健康の定義（意義）
- 生活活動の高能率
- 活動美――健康美を示すもの
- 生活の内容――個人生活、家庭生活、社会生活
- 國民生活の現状――健康状態
- 文化國家の建設と文化社会の実現は健康な人間生活の基礎から

（ロ）住みよい健康な社会にするにはどうすればよいか（夏休み中の健康生活のプラン作成）

主な目標
- 社会生活が不健康になる原因
- 生活環境の衛生的條件
- 伝染病に関する知識
- 公衆衛生道徳
- 生活の改善（健康的生活の）

（ハ）スポーツマンシップ

主な目標
- スポーツマンシップの意義
- フエアープレイについて
- スポーツマンシップの涵養
- アマとプロに over する見解

（ニ）レクリエーション

主な目標
- 余暇の善用（精力の善用）
- わが國の現状と諸外國の現状
- 共同社会（地域社会）の活動状況と方策、又効果

## 第二学年の単元

（イ）われわれが安全生活をするにはどうすればよいか

主な目標
- 健康生活の上で事故はどのような関係をもつか
- 家庭生活、学校生活で起り易い事故――それの防止策
- 職場における事故発生と防止
- 救急処置の方法

（ロ）われわれの健康はどのようにして保たれているか

主な目標
- 人体の組織構造
- 内臓諸機能――その活動
- 内分泌、血液

（ハ）われわれは何をどのように食べればよいか

主な目標
- 食物の役目
- 身体の成長発達と食物
- 食生活の合理化、とその衛生

（ニ）職業選択と健康

主な目標
- 職業の種類と健康
- 職業病とその予防
- 職業の能率と健康
- 職場におけるレクリエーション

（ホ）日本体育史――明治を境としてその前後、並びに現今の状況

（ヘ）郷土の体育史――郷土スポーツの発達過程

## 第三学年の単元

（イ）精神衛生

主な目標
- 神経系統の分類、構造、作用
- 精神衛生の重要性
- 第二次性徴より成熟期への精神衛生に特に重点

（ロ）身なりを美しくするにはどうすればよいか

主な目標
- 身体美（肉体美）の表徴
- 皮膚の構造、機能と病気
- 衣服と健康生活
- 姿勢教育

（ハ）成長発達はどのようにして行われるか

主な目標
- 成長発達の過程
- 青年期に起る心身の変化
- 男女の正しい交際
- よい子孫を残すには

（ホ）國際競技

主な目標
- オリンピック大会（古代、近代）
- 現今行われている諸種の國際間の競技について
- 今の日本の競技界の現状

（ニ）社会体育

主な目標
- 社会体育の意義、目的、方法
- レクリエーションについて
- 学校体育——家庭体育と関連づける

（ヘ）外國体育史並びに近世日本体育史の概要

（ト）体育行事——これは各学年共通である。校内大会、運動会、運動能力測定、スポーツバッヂテスト

## 4、保健体育科教育課程実施上の諸問題

**（一）果して実情に即した課程であろうか**　当校のカリキュラムは或は新鮮味は無いと云われるかも知れないが教育の理念に立脚して実情をつぶさに視て、それに即した最大の線まで持つて行つた課程であると信じ、而してこれは我が校のみでなく他の地方の学校に於ても容易に実施し得る最大限のものと思つている。即ち実態をよく見ての課程であつて現在の諸條件より計画設定したのである。従つて範囲の決定（基本的な原則）も只今の最大を示すものである。

**（二）問題の健康教育時数について**　従來の学校衛生では、衛生教育として取扱われていたのであるが、それは極めて弱体であつた。今度の健康教育はそんななまぬるいものでなく、正当の教科として、或る学年に年七〇時間以上の教授時数をあて、高等学校では二単位（一単位三五時間）をとることを定め、また少くとも中学校では、近き將來、健康教師によつて指導されるようになることを期待



している。そしてその他学校生活のあらゆる機会に健康教育が强調されるのである。

問題はこの年間七〇時間をどの学年におくか、又どの学期間におくか、之は恐らく現状は区々であると思う。今かりに或る学年に七〇時間置いて許された時間に予定の学習内容を完了したとしても、それで万事終れりといつてのんきにしてよいものであろうか。健康教育（健康生活）は生活の実践を通して行われるものである以上、日々の生活を健康的生活に移すのであるから知識として七〇時間終つたとしても決してそれは完結を意味するものでないと私は思う。只計画の上では一応、終止符は打たれるかも知れないが教育はそうしたものでない。

**（三）体育と健康教育の関係**（カリキユラム作成上）

（イ）コア・カリキユラムにおけるスコープを考えると体育に関係の深い項目が当然ふくまれることになる。

（ロ）体育をもし周辺課程に入れるとすれば、周辺課程はできるだけ中心課程と関係づけて取扱われるべきであるが、然しそうなると個々の身体活動を一つ一つ中心学習に関係づけることが果して可能であるかどうか。

（ハ）体育においてもシーケンスやスコープを考えてゆく方がよいか否か。

（ニ）体育に於ける單元の問題はどのように解決してゆけばよいのか。

（ホ）体育と健康教育の関係は相関カリキユラムにおけると同樣であつてよいのか。

（ヘ）もし之を綜合コアに解してゆくとスコープには当然体育や健康に関する内容が含まれるから、その学習には含まれることは当然である。然し身体活動について考えても学徒は毎日数時間が必

要であつて、この身体活動に対する欲求を充たし有効な学習の機会にするにはこれはどうしても計画的に与えるより方法はない。

中心学習はおおむね体育的な要求を考慮して構成されたものでないから、諸條件を充たし、育成することは不十分であるということになる。

（ト）このような考え方からすると中心学習以外で体育独自の系統的学習が必要になつてくるのである。

（チ）次に健康教育を、もしコアに吸收して、それがために教育実効が上らないとすると、これは考慮を要することになるが、現下の諸情勢から推して困却視され易いので、これは学校の実情を考えてよろしく運営の面でその教育的効果をあげるよう工夫することが第一である。

（リ）体育と健康教育は密接不離の関係におかれているが、その内容から之を明確に区別すべきかどうか。

之は両者を結合して学校組織の中に一として取扱われていることが多いのであるが、然し体育が健康教育を包含してしまうとも思われないし、又健康教育に体育が完全に包含されているとも考えたくない。歴史的、内容的にも共に結びつけて考えられるが、しかし両者は概念的には何か区別されている。

このような見解をとると、必然両者の性格を一応検討しておく必要が生れて来る。即ち体育は「身体的活動」による教育と定義づけられ、今日では身体活動やこれに関連する種々の学習活動によつて身体的、社会的、知的発達を目標とする教育の方法ということになる。



健康教育と呼ぶと、健康はそれ自体教育目標であつて、今までの観念から所謂衛生的の知識を教授する健康教授を中心とした線から、健康という教育目標を達成するための教育的プログラムの全容を意味する、という考え方に向つていると思う。即ち健康教育は教科と解釈するにはやゝむづかしいといえる。

（ヌ）体育の強い性格は学習活動によつて規定されるが、健康教育はその目標から規定されている。然しこの両者は当然相関連し又重複されるものであつてその内容を分離して考えることは却つて誤る方向へ進むものであつて、前者は方法的な部面が強く、後者は目標の面が強く浮び出ているのである。

（ル）この両者の関係をラポーテの「体育カリキュラム」の中では

体育の時間は毎日時間割の中に組まれることが必要としているが、その中の一日は健康教育に割かれるのがよいとしている。そして可能ならば体育の時間は毎日とり、健康教育の時間は、その外にとることが望ましいと云つている。ミズリー州の中等学校のカリキュラムの編成の中には一週五時間の時間配当として、その中の一時間を特に健康教育の時間としているようである。これから推すと一週に三——五時間を体育の時間に、一——二時間を健康教育の時間として実施されると非常に望ましいものとなる。

（オ）両者の関係をブロウネルとウイリアムスの示した一例を挙げる。

A　健康教育のスコープ

（一）健康的学校生活

(二) ヘルスサービス

(三) 健康教授

B　健康教育の内容の指示（これは省略する）

C　体育のスコープ

(一) 体育のプログラムの内容

(イ) すべての児童、生徒に対する必修時の体育

(ロ) 校内試合

(ハ) 対校試各

(ニ) 個人的要求に応ずる矯正指導

(ホ) 課外活動（クラブ活動其の他）

(二) 体育のスコープ（範囲）

(イ) 遊戯やいろいろのゲーム

(ロ) ダンスや劇的表現活動

(ハ) 自己の能力を試す運動

(ニ) 校外活動

(ホ) 個人的矯正的運動

以上のようなものでこれはよい参考になることゝ思う。之を要するに体育は、その性格上、健康教育と密接不離の関係のあることは前にも述べた通りであるが、現下の状態では私達は通念として之を同一視していない。健康は体育の重要な目標ではあるが、その全部ではないということになる。

**5、保健体育科学習指導の要点**

一、全般的にゆきとどいた調和のとれた体育の指導は、

体操、競技、レクリエーション、健康、教育的の五つの要素を含んだものを持つていること。即ちよく整つた体育計画（体育カリキユラム）によつて、体育の時間はたえず生徒全体の活動、利用がなされねばならない。



二、人間の健康生活を営みうるに必要な広い分野

これには勿論、その内容は多いが大別すると鍛練、保健、精神、衛生、安全生活に必要な能力、これがすべて含まれること、従つて健康生活を営むためには健康的な知識、能力、態度を身につけておくべきで、中学校に於てはこれらの素養をつくつておかねばならない。

三、健康教育指導によい参考になるのでアメリカのニューヨーク洲の指導要領を次にかゝげると

健康教育

- a、健康の保護
  - 環境を衛生的に配慮
  - 健康試験を行う
  - 事故防止につとめる
  - 疾病の予防
  - 精神衛生
  - 家庭訪問など
  - 等によつてつねに健康を保護する
- b、健康に関する指導
  - 健康を保護するためのよい習慣や、安全性、衛生、栄養、生理、公衆衛生等の知識を授ける
- c、身体の生長発達を促す
  - 健康を保護
  - 健康のための習慣、知識を授ける
  - 大筋群の運動を通じて身体諸器官の成長や活力等を含めた身体の正常な成長、発達を促進

## 6. 保健体育年間計画

| | 一学期 | 二学期 | 三学期 |
|---|---|---|---|
| 一年 | 1. 徒手体操 技巧的，柔軟性，筋力の强靱さ，調整的，律動的（特に女子）矯正的<br>2. 器械体操 とび越し，跨越し，足かけ上り（男女）<br>3. 競 技 短距離走，継走，立巾とび<br>4. 球 技 ドッヂボール，○ワンアウトボール フツトボール，○ソフトボール(男)，○シヤワーボール（女）<br>5. ダンス 基本練習，創作，観賞<br>6. 其の他 スポーツバッチテスト | 1. 徒手体操 同左<br>2. 器械体操 とび上り下り，転回(マツト，跳箱）逆上り<br>3. 競 技 中距離走，ボール投，走巾とび，走高とび<br>4. 球 技 ○ソフトボール（男），バンチボール（女），○四人バレーボール，○簡易エンドボール，ゴールハイ<br>5. ダンス 同左<br>6. 其の他 運動能力，筋力測定 | 1. 徒手体操 同左<br>2. 器械体操 転回，腕立転回（男），倒立<br>3. 競 技 長距離走<br>4. 球 技 ドッヂボール，簡易エンドボール，ポートボール（女），簡易サツカー（男），ゴールハイ<br>5. ダンス 同左<br>6. 其の他 すもう |
| 二年 | 1. 徒手体操 技巧的，調整的，柔軟性，筋力の强靱さ，律動的(女子)，矯正的<br>2. 器械体操 回転運動(男)，腕立とび越し（開脚)，逆上り(一節，三節)<br>3. 競 技 短，中距離走，継走，立巾とび，走巾とび<br>4. 球 技 ドッチボール，○ワンアウトボール フットベースボール，○四人バレーボール(女）○ソフトボール（男）<br>5. ダンス 基本練習，創作，観賞<br>6. 其の他 スポーツバッチテスト | 1. 徒手体操 同左<br>2. 器械体操 腕立とび越し（閉脚)，足かけ上り（中足かけ）<br>3. 競 技 走高とび，ボール投<br>4. 球 技 ソフトボール（男)，バンチボール（女),○簡易バレーボール（女),○簡易スピードボール（男),○ゴールハイ<br>5. ダンス 同左<br>6. 其の他 運動能力，筋力測定 | 1. 徒手体操 同左<br>2. 器械体操 腕立転回，倒立<br>3. 競 技 長距離走，短縄とび<br>4. 球 技 ニユーキヤプテンボール，○ポートボール（女),○ワンバスケツトバスケツトボール ゴールハイ，○簡易サツカー<br>5. ダンス 左同<br>6. 其の他 すまう |
| 三年 | 1. 徒手体操 既習学習内容の復演<br>2. 器械体操 蹴上り(男）転回（男)，逆上り（一節，三節)，とび越し(女）跨越し（女）<br>3. 競 技 三段跳(男）ボール投<br>4. 球 技 ○ソフトボール，ワンアウトボール フツトベースボール，○簡易バレーボール（女)，○ベースボール（男）<br>5. ダンス 基本練習，創作，観賞<br>6. 其の他 スポーツバッチテスト | 1. 徒手体操 同左<br>2. 器械体操 巴（男）跳上下り（女)，腕立転回（男）<br>3. 競 技 走り巾跳び走高とび<br>4. 球 技 ○ソフトボール（女)，○簡易バレーボール（女)，○タツチボール（女)，○タツチフツトボール（男)，○簡易スピードボール（男)，ゴールハイ<br>5. ダンス 同左<br>6. 其の他 運動能力，筋力測定 | 1. 徒手体操 同左<br>2. 器械体操 腕立転回（男)，倒立（男）<br>3. 競 技 長距離走，縄とび<br>4. 球 技 ニユーキヤプテンボール，ゴールハイ，○簡易バスケツトボール，○簡易サツカー（男)，○簡易ハンドボール（女）<br>5. ダンス 同左<br>6. 其の他 すもう |
| 備考 | ○性別無記入のものは男女共行ふ<br>○球技中○印のあるものは，その学期中主運動とする<br>○バッチテストは当校で行い得る種目のみ行ふ | | |



## 7. 健康指導年次計画

| 月 | 上旬 | 中旬 | 下旬 | 備考 |
|---|---|---|---|---|
| 4 | 衣服，身体の清潔<br>正しい姿勢<br>駆虫剤の服用 | 身体検査<br>食物と健康<br>食物と疾病 | 新入生歓迎遠足<br>姿勢と健康 | 身体異常者は家庭に連絡して速やかに予防，治療をなさしむ |
| 5 | 運動能力判定<br>眼，耳，内臓の欠陥に対する病気の予防法並びに治療の継続 | 学級別遠足<br>筋力測定<br>身体に関する諸統計の作製と展示<br>公衆衛生の講話 | ツベルクリン検査<br>レントゲン検査<br>スポーツクラブ，球技大会 | 綜合的自己身体の認識を深め健康増進に研究工夫をなさしむ |
| 6 | 口腔衛生<br>むし歯予防の講話<br>中学校対抗球技会（庭，排，卓，籠，野） | 伝染病予防と消毒<br>チフス予防注射<br>精神衛生 | 日射病の救急処置<br>蠅，のみ，蚊，ねずみの駆除撲滅 | むし歯治療の徹底 |
| 7 | 頭髪の手入れ<br>衣服，身体の清潔<br>中毒に対する知識<br>寝冷えの予防<br>水泳に対する諸注意 | 夏休みの計画<br>食事衛生<br>体育手帳の整理<br>運動会実施案決定 | 登山の予備練習開始<br>水泳，登山，旅行<br>キヤンプ等の活動開始<br>スポーツクラブの夏季前半練習 | 思い思いの希望による夏季心身鍛練に参加して生活の豊かなそして社会的見聞をひろくする |
| 8 | 夏休み<br>皮膚の冷水，乾布摩擦 | | スポーツクラブの夏期後半の練習 | 休み中に於ける生活態度の諸記錄を記入させ規則正しい生活の持続に協力する |
| 9 | 駆虫剤の服用<br>運動会の練習開始 | 健康法についての発表会，スポーツ医学の講話，縣下体育大会（國体予選） | 運動会予行練習 | 疲労恢復の方法について（運動と休養） |
| 10 | 運動会<br>けがの防止と手当 | 縣下高校綜合体育大会<br>〃 中学校 同上<br>奈良市予選<br>眼の衛生 | 遠足 | 運動会の反省会を開く |
| 11 | 正しい姿勢（姿勢検査）<br>栄養に関する講話<br>体力測定<br>スポーツバッチテスト | 旅行，うす着の奨励<br>体力測定<br>発育と健康<br>統計の作製と展示<br>スポーツバッチテスト | 風邪の予防<br>体力測定<br>スポーツバッチテスト | 体力測定……一学期のそれと比較して考える |
| 12 | うす着の励行<br>皮膚と寒気の話 | 凍傷，ひびの防止と手当<br>室内換気<br>体力手帳の整理 | 冬休み<br>スポーツクラブの冬季練習 | 冬休み中にスキーの計画をたててみる（積雪と場所） |
| 1 | 冬休み | 換気法の注意と徹底<br>やけどの防止及手当<br>駆虫剤の服用 | 耐寒心身鍛練 | 耐寒鍛練の納会を開く |
| 2 | スポーツクラブ球技大会 | 正しい姿勢（姿勢検査）<br>休養と睡眠 | 健康に対する反省と次年度の目標 | |
| 3 | 能力測定 | 体育手帳の整理 | | |

月例 大清掃，身長，体重測定

## 8、保健体育科行事予定

四月、本年度学習課程表の発表
諸器具、用具の整備
健康指導プログラム作成と発表（ホーム・ルーム）別紙案
委員会会議招集（本年度予算、諸行事に関する打合会）
定期身体検査施行……異常者の家庭連絡

五月 遠足、学級別
春のスポーツクラブ球技大会
運動能力測定
諸統計の完成　身体異常者一覧表作製
結核検診

六月 学校衛生強調週間
体育手帳の取扱いの研究……並びに実施（能力、筋力）
市内中学校球技大会

七月 学習効果の判定（定期）スポーツ、バッヂテスト
水泳、登山、キャンプ生活の諸計画と実施
各種スポーツクラブの夏季練習会（前期）
休暇中に於ける健康生活の指導目標と諸注意（皮膚の鍛練、時間的な生活、たのしい生活、食物の注意、休養と睡眠、自然に親しむ等）

八月 八月下旬後期練習会並びに反省会



九月 休暇中に於ける健康生活の反省会（各学級）
運動会の準備、練習開始
体育委員会打合せ会
國民体育大会奈良縣予選会（縣民体育大会）

十月 秋の綜合運動会
遠足
縣下高校綜合体育大会（十月十三日）
市内中学校球技大会並びに陸上競技会（奈良縣大会市予選をかねる）
國民体育大会（二十八日――十一月一日）

十一月 旅行……宿泊をする。（各学年毎に）
スポーツバッヂテスト
体力、筋力の測定

十二月 学習効果判定（定期）
スポーツ、クラブの冬季練習　スキーの計画（有志）

一月 耐寒身心鍛練会　同上　納会
冬のスポーツ、クラブ練技会

二月 中学校マラソン大会
筋力測定……下旬より
学習効果判定（定期）

三月 体育手帳の整理

# 第九章　英語科の教育計画

## 一、英語科教育の構成法

**全体計画に於ける英語科の位置**　英語科教育課程構成の次第を述べるに当つて、先ず全体計画に於ける英語科の位置について述べる。

英語科としても全体計画に協力することは勿論ではあるが、自らそこに制約があることは免れない。特に制約という所以のものは、学習の対象となるものが日本語に非ざる一つの言語であるからである。勿論その言語を通じて、英語を話す國民について知ること、特にその風俗、習慣及び日常生活について知ることも大切なことではあるが、それ以前に、その言葉を習得するということが絶対に必要なのである。即ち、Language as speechとLanguage as codeの問題があるにせよ、言語材料を習得することが先行問題である。この点が他教科と大いに趣を異にするところである。勿論言語である以上、國語とその趣を一にするとは云つても、それにしても非常な差がある。というのは國語に於いては、すでに相当な程度、言語材料を習得しているから、尚漸次言語材料を豊富にしなければならないとしても、それを駆使して言語材料習得以上のものを習得し得る段階に達しているわけである。ところが英語科に於いては、未だその段階に達しておらないので、自らそこに可成り大きな程度の差があることになる。國語科との比較に於いてもこのようであるので、他学科との比較に於いてはその差が益々大きくなるわけである。

(270)

尚こういつた他教科との相関性の程度の差は、上級学年より下学年になるほど益々大きくなるわけである。こういつたからといつて、前述の英語を話す國民について知ること云々のことを軽視する意味でないことは勿論、その重大性に就いては如何程重要視しても重要視し過ぎることはない。一方他教科との連絡を絶えず緊密にして出来得る限りそれ等の能率的な習慣に貢献するところがなければならない。

**生活学習として統合の可能な学習内容**　前項に述べたような趣旨に基いて、出来得る限り英語科の学習内容を按配しているわけである。後述する如く、英語科の教授法としてはDirect Method（或いはModified Direct Methodといつた方がよいかも知れないが）を採用しているので、特に下学年、その中でも特に入門期に於いてそうであるが、我々の身近にある或いは起る事物が学習の対象となるので、生活学習として統合の可能度が大になるわけである。

**英語科独自の学習内容**　広義に解釈すれば、如何なる学習内容も、直接或いは間接に生活学習として統合の可能でないものはない訳であろうが、狭義に解釈すれば、英語科には英語という言語を習得する大切な事柄があるので、自ら独自の学習内容のあることは免れない。即ち英文法に関する諸事項の習得等のことを考えれば、この辺のことが明かになるわけである。

(271)

**三箇年の単元計画**　第一学年のそれに就いて云えば、教育課程の全体計画の単元表に見る如く、特に生活学習の統合の可能な学習内容の配置に留意しているわけであつて、学校英語、家庭英語、季節、年月日時の単元を設定し、尚それぞれに小単元を設けて学校生活の面から見て、最も身近なものからということに、出来得る限り意を構つている。

第二学年のそれに就いて云えば、平易な日常会話になれること、日記及び手紙について等の単元の他に、名作物語を読むこと、米英の風物の学習等の単元を設けているが、勿論これは重点的にそうしたのであつて、各々がそれぞれ遊離しているものではないことは云うまでもない。

第三学年のそれに就いて云えば、第一学年、第二学年と比較して、文法方面の学習内容が多くなつているのであつて、これは高校に於いて Reading Ability の養成という大目的の達成に資する為の一つの要素に相当の考慮を払うことに他ならない。但し誤解を防ぐために、Reading Ability の養成には文法の知識が第一に重要であるということではなく、Speaking, Writing, Hearing 等が実に大きな役割を演じていることを述べておかねばならない。

## 二、英語科指導法



**Speaking, Hearing の重要性**　およそ、何れの言語にせよ、その習得の過程がHearing, Speaking, Reading, Writing のある以上 Hearing, Speaking, が極めて重要なものであることは、自明の理であるにも拘らず、稍々もすると結果に於いて、これらを軽視した形になり勝ちであつたことは、我が国の過去の英語教育に徴して、例外は勿論あるにせよ一般的に見て云い得られるのではなかろうか。

まして、Reading Ability の養成に、Speaking, Hearing が極めて大きな役割を演ずるに至つては益々この感が深く、Speak 出来ないものがWrite 出来得る筈がないという Speaking と Writing との関係に思いを到すと、今更ながら SpeakingとHearing の重要性を痛感するわけである。この意味に於いて、SpeakingとHearing に重点をおいて指導を行つているわけである。

**第一学年に対する指導法**　第一学期に於いては、生徒には全然教科書を使用させず、専ら口と耳とによる教授を行つている。但し教授者の方では大体の目安を立て、即ち使用教科書の約三分の一の分量に相当する内容を教授することゝしている。しかもその内容も設定した単元の順序によつて按配しておくわけである。そして第二学期には文字の教授を初め、第一学期に口と耳とによつて習得したものを、復習を兼ねつゝ文字を通して教授することゝしている。このことは、すでに口と耳とによつて習得しているものであるから、出来る限り早くこれを行い、又実際にこれを行い得ているわけである。そして次の三分の一に相当する分量は、Hearing, Reading, Writing を併行して教授する。

発音記号教授の問題であるが、この時期については種々議論があると思うが、第一学年の三組の中、一組に対しては未だこれを授けず、他の二組に対してはこれの教授を初めており、その結果に就いては現在実験中である。



第三学期に於いては、使用教科書の最後の三分の一に相当する分量を Hearing, Speaking, Reading Writing を併行して教授する。

**第二、三学年に対する指導法**　教授に際して、英語を用いる分量を第一学年より多くすることは勿論であつて、Hearing, Speaking, Reading, Writing を併行して教授することに於いては第一学年の第一学期、第二学期と同様である。日常会話に就いては、教室内に於いて学習することは勿論、校の内外に於いて教授者が出来得る限りこれを使用して生徒の関心を高めている。日記の記入に就いては、事実問題として毎日これを多くの生徒に実施させることは期待出来ないけれども、時々 How did you sp nd yesterday? 等の題を出して、生徒に書かせると共にそれを口頭で云わせたりし、手紙に就いては、アメリカの少年少女よりの手紙を各生徒に与え、それに対する返事を書かせ実際に送らせたりする。

米英の風物等に就いては、本校の教授でその地に既遊の教授と絶えず連絡し、出来得る限りその知識を得て生徒に教授する。

文法の教授に当つては、当該の文法上の事項を含む例文を口頭で云い得られるようにし、文法上の事項を文法のための文法といつた風な学習方法に陥らないよう留意している。即ちLanguage as speechとしての英語の学習の方向に向けて、文法の教授に当つている。

**毎時間の教授の順序**　最初に前時間に習得した部分の材料に基いて用意してあるEnglish Questionsに対し、全生徒に少くとも一問につき Answer in English せしめ、次に前時間に既習の部分から適当に用意しておいた和文英訳の問題に対して口頭で解答を与えさせ、誤りがあれば正した後、板書をさせ文字を通しての習得をさせる。それから新教材の部分を出来得る限り英語で説明した後、一つの文章を適当にいくつかに切つたものゝ一つ宛或いは一つの文章を各生徒に口頭により和訳せしめる。以上は (274)
教科書を閉じさせておいてこれを行う。次に教科書を開かせて教授者の Model Reading の後、生徒に読ませ必要があれば適宜和訳をさせる。それからその時間に新しく進んだ部分の整理をした後それから用意してある和文英訳の課題を課しておく。

以上が大体の順序であるが、Dictation 等のテストを行つた場合はこれに変更が起ることは当然である。

## 三、英語科教育課程實施上の諸問題

**文字教授に当つての方法**　この問題に就いて当校に於いて取つている一つの方法

Alphabet に就いては、小文字の印刷体を先ず与える。そして abc…………の各文字の名前を教え、次に文字の名前と発音の区別のことを説明した後、f,l,m,n,s,x の六つの文字は、その文字の名前からエという音をとれば、その文字の持つ発音となり、b,c,d,g,p,t,v,z の八つの文字は、その文字の名前からイーという音をとれば、その文字の持つ発音となり、j,k の二つの文字は、その文字の名前からエイという音をとれば、その文字の持つ発音となることを教え、a,i, u,e,o は大体ア、イ、ウ、エ、オ、という発音を持つていると教えれば、可成り便利ではなかろうかと思われる。すると特別に覚える分はh,q,r,w,y の五つとなるわけである。そして教科書の文章の方に入つて行くことになる。勿論 This is a dog. といつた文章が出た場合には Tはt の大文字であること、th と二つで舌の先を上の歯の下にあてたズであること、is のsはスではなくてズであること、dogのgはヂではなくてグであることなどは説明しなければならないが、上述のような説明法をとつておくと可成りの無駄な労力が省けるのではないかと (275)
思う。そしてa,i,u,e,o などもそれぞれが多くの発音を持つているが、その中の或る発音が新しく出て来た時その都度教えて行くという方法をとつている。子音を表わす文字が二つ以上の発音を持つている場合とか、二つ以上の子音或いは二つ以上の母音が並んで特別の発音を表わすとかいう場合も同じく、そのような場合が新しく現われたその都度それについて教えるわけである。尚英語に於いて用いるローマ字に就いては、生徒はすでに小学校に於いてローマ字綴りを習得した際に、大文字並に小文字の印刷体も筆記体も習得していることではあろうが、印刷体だけで当分は充分であるのではなかろうか。

**生徒に英語に対する興味を持たせること**　生徒は自分達が学んでいる英語が実際に役立つことを発見した時には大きな喜びを感じ、従つて興味を深めることは我々の経験するところではあるが、このためには前述の如くアメリカの少年少女との手紙交換も極めて効果的である。こういった便宜は簡単に得られないと云われる向もあるが、積極的に考えればそこに途は必ず開かれるものであり、万一そういう途がないとしても、生徒お互友人同志で英文の手紙の交換をするという方法もあり、英語教授者に対して英文の手紙を出すという途もあり、若したとえば英語教授者から英文の返事でも貰えば、どれ程彼等が喜び、ひいては英語というものに興味を持つものであるかは我々の想像以上であることを経験によって知っているわけである。SpeakingやHearing の面にしても、当校へ American School の生徒諸子を招いた際に示した当校生徒の様子を見た時に予想以上の効果があったことを知った。かりに実際米英人と会話をする機会に恵まれないとしても、生徒間で或いは生徒と英語教授者間で英語の会話を交わすとしても、どれほど彼等に対する刺戟となり、英語に対する興味を高めることであろう。その意味に於いて Extra Curricular Activities の一つとして English Speaking Club を持つことなどは是非とも試みたいものゝ一つである。 (276)

尚生徒に興味を持たせる方法の一つとして英語の唱歌を教えることが考えられる。これによって可成りの効果があげられる。音楽科担任教官と連絡して行った方がより効果的であり、又場合によってはそうしなければならないこともあろう。

**聴視覚教材の利用**　視覚教材に就いては、出来得る限り生徒に作成せしめ、予め教授に先立つ数日前から掲示しておき、教授後も数日間掲示しておくと、生徒はそれによって、多かれ少かれそして又何等かの方法で、予習復習を行う。

聴覚教材として蓄音器を用いることも効果があることは勿論であり、外人吹込みによるレコード等は特に注意と興味とを持って聞くようである。

**能力別学級編成の可否**　上級学年になるに従って能力の差が大きくなるものだが、それによって直ちに能力別に学級編成を行うことは、余程の考慮を必要とする。我々がよく経験した如く、能力別学級編成を行うと、能力の劣る生徒から成る学級の生徒は、Defeatism に陥り、卑屈感を持ち勝ちになる。こういったことを考慮しても尚能力別学級編成を行った方がよいと思う場合には、出来得る限り上述のような気持を持たせないような工夫が必要である。それにはいろ〳〵と方法もあろうが、例えば、A,B,C の三つのクラスに分けるとすると、AはSpeaking, Hearing, Reading, Writing とall-round に行うクラス、BはReading に重点を置くクラス、CはWriting に重点を置くクラスという風に一応説明して分け、適当なGuidance により、その一つを選ばせると云うような形式をとり、出来得る限りDefeatism 卑屈感から救うようにするのも一つの方法ではなかろうか。 (277)

然しながら、望ましいのは矢張り能力別による学級編成をしないことであり、Group Guidance 等により、能力のある生徒に、能力の劣る生徒を啓発させることも考えられるであろうし、同じく質問をするにしても、能力の劣るものに対しては、それに相応な質問をしてやる等のことも考えられる。

**最後に**　Direct Method を行うに就いての教授者の力に対する考え方であるが、結局は絶えず研究を怠らず力を養うことであるということになろうが、充分力の出来るまで待って然る後に Direct Method を行おうというのではなく、早速初めることであろうと考える。そのためには、例えば英語による説明とか、或いは英語による質問等も予め書いてあるものを読むという方法もあるわけである。勿論そういったものを用いずに行うことは望しいことであろうが。しかし、予め用意してあるそういったものを用いないでやることが極めて困難である（暗記力等の問題もあつて）から Direct Method を行わないというよりも、たとえそういつたものを読むことによつてでも Direct Method の方向に向つて行くことが、どれほど生徒にとつてよいことであろうか。そして又、生徒も Translation Method のみによつて英語の教授を受けるより、遙かに興味をもつものであることは我々のよく見るところである。

要するに、Speaking, Hearing の面に於いて余りにも跛行的になり易い英語教育に対して、我々は大いに反省すべきであり、この方面の改善にどれほど意を用いても用い過ぎることはないわけである。Direct Method が唱道され初めてから（勿論初めに唱道された Direct Method と現在云われている Direct Method との間には差異はあろうが）二十年を超えてはいるが、実情からすれば、全くの Translation Method ではないにしても、それに大体近いと思われるMethod がとられている現在に於いては益々考えをいたさねばならないのではなかろうか。 (278)

昭和二十五年十一月 十 日印刷
昭和二十五年十一月十五日発行

中学 標準教育課程

【定価 金三百円】

著者 奈良女子高等師範学校
附属中学校教育研究会
代表者 近池義隆

発行者 京都市上京区高徳寺町三五四
永田文夫

発行所 東洋図書
大阪市南区北桃谷町四十七番地
振替大阪三九五五六番
東京都新宿区赤城下町六十六番地
振替東京一〇三七番
京都市上京区高徳寺町三五四